20
25
경기도 임용 2차 면접 대비

답답하고 막막한 임용면접엔

사이다 면접

Output

2차엔 사이다

CIDER INTERVIEW

이지수, 구영모 공저

문제 유형별 집중 공략법	역대 기출문제 분석 및 예시 답변	예상문제 80문항

 박문각

+특별부록

사이다 Light

시험장용

시이다 편집

《사이다 면접》은 경기도교육청 임용 후보자 선정 경쟁시험 2차 심층 면접을 준비하는 수험생을 위해 집필한 수험서입니다. 2025학년도 임용 면접 대비 《사이다 면접》은 더 전략적인 합격을 위해 다음과 같은 사항에 중점을 두어 개정하였습니다.

첫째, 《사이다 면접 Input》은 보수 교육감의 정책 노선에 발맞추어, 교육 현장에서 중요하게 추진되고 있는 내용을 바탕으로 기출 예상 주제를 정리하였습니다. 이전 교육감이 요구하던 교육 방향과 약간은 다른 방식으로 현장이 움직이고 있으므로 이전 버전과 같은 주제라도 변화된 관점을 숙지해야 합니다.

둘째, 《사이다 면접 Output》을 대폭 변경하였습니다. 면접 문제 유형이 뚜렷해지고 있다는 점을 고려하여, 더 전략적인 학습을 위해 그간 유지하였던 '주제별' 문제은행 방식에 '유형별' 문제은행 형식을 추가하였습니다. 실전과 같은 연습을 위해 모의고사 5회도 포함하였으니, 현장감을 느끼시길 바랍니다.

임용 면접이 막막하고 답답할 때, 사이다로 시원하게 갈증을 해소하시길 바라며 현직에서 기다리고 있겠습니다.

저자를 대표하여

이지수

intro

① 《사이다 면접》 최적화 학습법

1차 발표 전	1차 발표 후
├──── 과거에 나온 것은 무엇? ────┤	├──── 앞으로 나올 것은 무엇? ────┤

시점	최적화 학습법	사이다 면접 Input	사이다 면접 Output
1차 발표 전	어떤 주제가, 어떤 유형으로 나왔는지 체크한다.	기출 주제 분석	기출 유형 분석
			기출문제 풀이
	예상 주제를 가볍게 반복 회독 한다.	면접 예상 주제	
1차 발표 후	실전과 같이 모의 면접 연습을 한다.	면접 예상 주제	실전 모의고사

② 《사이다 면접 Output》 활용법

1차 시험 직후

기출문제 유형을 확인한다. ⇨ PART 1

  최근 심층 면접 문제는 주제가 생소하거나 어렵다기보다, 공부한 내용임에도 문제 유형이 복잡하고 까다로워 수험생들이 풀이에 어려움을 느끼는 추세이다. 따라서 Chapter 01을 통해 문제 유형에 대한 감을 잡아야 한다.

유형별 문제 풀이를 통해 감을 익힌다. ⇨ PART 1

  문제 유형이 어떠한지 확인하였다면, Chapter 02를 통해 유형별로 적합한 풀이 전략을 숙지한 후, 반복적으로 문제를 풀어 감을 익혀야 한다.

역대 기출문제를 푼다. ⇨ PART 2

    출제 유형을 고려하여 자신이 지원한 급에 해당하는 기출문제를 푼다. 임용 시험 제도가 개편된 2016학년도부터 가장 최근 2024학년도 면접 문제를 모두 실제와 같이 풀어본다. 단, 2016~2022학년도는 교육감이 지금과 다르므로 답변 방향 역시 다른 부분이 있다. 그러니 이 부분은 답변 내용을 외우는 것이 아닌 풀이 방식을 익히고 답변 연습 목적으로만 활용한다.

1차 합격자 발표 후 ★

다른 급의 기출문제를 푼다. ⇨ PART 2

    자기 급의 기출문제를 모두 풀었다면, 다른 급의 기출문제도 풀어본다. 다른 교육청 문제는 손대지 않는 것이 좋은데, 추구하는 교육 방향과 출제 유형이 다르기 때문이다. 경기도교육청 초등, 중등, 비교과 면접 문제를 모두 풀어보는 것만으로도 훌륭한 연습과 공부가 된다.

사이다 면접 모의고사 5회를 푼다. ⇨ PART 3

    유형별 문제 풀이, 기출문제 풀이를 모두 마쳤다면 실제와 같이 구상 시간, 답변 시간을 재며 모의고사 문제 5회를 풀면서 현장감을 익힌다.

차 례

PART 1

기출문제 유형 분석 및 유형별 문제 풀이

역대 기출문제 분석 및 예시 답변

2025 면접 예상문제

사이다 면접

PART

1

기출문제 유형 분석 및 유형별 문제 풀이

01. 기출문제 유형 분석

　최근 면접 문제의 관건은 문제 분석력이다. 그동안 개별면접은 1줄 정도의 짧은 문항(일반형)을 제시해 간단한 생각을 묻거나 수험생의 교직관 등을 파악하는 수준에 그쳤다면 최근에는 복잡한 제시문이나 조건을 추가해 '문제 분석력'을 확인하고자 한다. 똑같은 책으로 같은 주제를 공부해도 문제 분석력에서 따라 당락이 결정되는 것이다. 임용 시험이 개편된 2016학년도부터 가장 최근 시험인 2024학년도까지의 면접 문항 유형을 분류하면 다음과 같다.

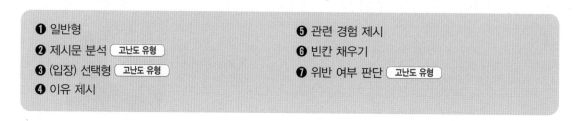

❶ 일반형
❷ 제시문 분석 〔고난도 유형〕
❸ (입장) 선택형 〔고난도 유형〕
❹ 이유 제시

❺ 관련 경험 제시
❻ 빈칸 채우기
❼ 위반 여부 판단 〔고난도 유형〕

9개년 문항 유형 빈도

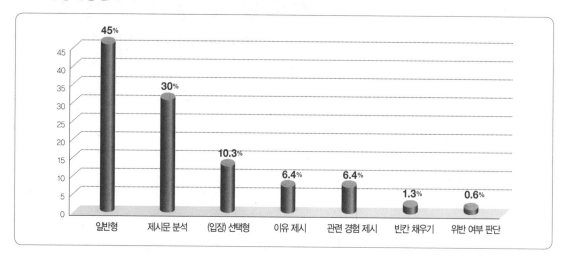

　추후 기출문제를 직접 풀어볼 때, 어떠한 유형인지 생각하면서 풀어본다면, 무작정 연습을 하는 것보다 훨씬 좋은 효과를 낼 수 있을 것이다. 하나하나 살펴보며 최적화된 전략 방법을 수립해 나가자.

1 일반형

대표기출문제 ★

① 요즘 급격하게 변화하는 사회 현상 속에서 학생 맞춤형 진로교육이 필요한 이유 3가지와 이에 필요한 교사의 자질을 말하시오.
2023학년도 초등 즉답형 2번

② 학생이 자신의 경험을 매체로 표현하는 독서교육을 한다고 할 때, 자신의 교과와 연계한 독서교육 방안을 말하시오.
2021학년도 중등 즉답형 1번

일반형은 문장으로 문제만 제시되는 비교적 평이한 난도의 문제이다. 과거 기출문제는 거의 모두 일반형으로 출제됐다. 최근 기출문제로 올수록 일반형 문제의 출제 비중이 낮아지고 있으나, 풀이 시 주의할 점이 있다.

바로, 키워드를 잘 체크해야 한다는 것이다. 난도가 낮아 보인다고 대충 읽고 머릿속에 있는 키워드를 뱉고 나오고 나서 후회하는 경우를 상당히 많이 보았다.

대표기출문제 1은 ① 급격하게 변화하는 사회 ② 맞춤형 진로교육이 필요한 이유 3가지 ③ 교사의 자질, 이 3가지의 키워드가 모두 포함돼야만 만점을 받을 수 있었다. 즉, ② 맞춤형 진로교육의 근거 3가지를 ① 사회 변화 현상을 짚으며 말해야 했다.

현대사회는 과거에 비해 진로 선택의 폭이 다양해지고 있습니다. ➡ 학생 맞춤형 진로를 통해 학생들은 자신의 관심과 능력에 맞는 다양한 진로를 탐색해 볼 수 있어야 합니다. ➡ 교사는 직업 탐색 역량을 갖춰, 다양한 직업의 세계를 이해하고 학생의 특성·강점에 맞게 직업을 추천해 줄 수 있어야 합니다.

이런 식으로 말이다.

대표기출문제 2는 ① 학생의 경험 ② 매체 ③ 교과 연계 독서교육 방안, 이 3가지 키워드가 모두 포함돼야 했다. 단순 독서교육 방안이 아닌, 학생이 매체를 통해 표현할 수 있는 교과 연계 방식이어야만 만점을 받을 수 있었다. 독서교육이라는 키워드에만 집중해, 자신이 준비한 독서교육 방안만 줄줄 읊었다면, 문제해결 능력을 보여주지 못했을 것이다.

일반형 문제가 나올 때는, 문제 속에 숨겨 놓은 함정이 없는지 주의하며 문제 분석에 신경을 쓴 후 답변하자.

② 제시문 분석 [고난도 유형]

대표기출문제 ★

① 다음은 부서별 업무계획에 따른 환경 분석 결과이다. 아래의 환경 분석 결과를 바탕으로 자신의 전공
(보건, 사서, 영양, 전문 상담)과 연계한 교육 방안을 계획하시오.
2022학년도 비교과 구상형 3번

업무 계획	
• 인문예술 교육 실시 • 마을교육공동체와 함께하는 교육 실시	

환경 분석 결과	
강점(S)	**약점(W)**
• 교사의 교육 열정 높음 • 학부모의 교육열 높음	• 학생의 자존감 낮음 • 학부모의 참여도 낮음
기회(O)	**위협(T)**
• 지역 내 문화예술 전문가 많음 • 혁신학교 예산 지원 많음	• 지역 내 문화시설 부족 • 지역 주민 문화예술 경험 기회 부족

② 다음 자료를 분석하여 담임교사와 교과교사로서의 노력 방안을 각각 2가지씩 말하시오.
2024학년도 중등 구상형 3번

자료 1 A 학교의 상황
- 제거(E): 문해력 저하로 인한 기초학력, 개별화 교육
- 감소(R): 학습격차, 교사 개인별 행정 업무의 양
- 증가(R): 교사의 에듀테크 활용 역량, 교과별 디지털 활용 수업
- 창조(C): 교육공동체의 에듀테크 활용 역량, 교육 행정 지원 에듀테크 개발 및 운영

자료 2
경기교육은 기초·기본학력을 보장하는 책임교육으로 모든 학생의 학력 향상을 위해 노력하겠습니다. AI에 기반한 학생 1:1 맞춤형 교육으로 디지털 활용 역량을 강화해 성장을 지원하겠습니다.

2020학년도까지 제시문 분석 문제는 비교적 간단한 시, 상황을 주는 문제가 대부분이었으나 최근에는 요구 조건이 까다로워지고 있다. 수험생을 가장 당혹스럽게 한 유형은 SWOT 및 ERRC 분석 유형인데, 이는 최신 교육 트렌드인 학교 교육과정을 디자인하기 위해 매우 중요한 개념이긴 하지만 시험장에서는 매우 생소하게 다가왔을 것이다.

긴 제시문 문제는 일단 분량에서 압박이 오고 읽기만 해도 지치겠지만 오히려 '앗싸!'하고 접근해야 한다.

왜냐고? 이건 그냥 커닝을 하면 되기 때문이다.

이런 긴 제시문 유형은 주어진 구상 시간을 모두 활용해 주어진 문장 속 키워드를 모두 언급하는 것이 핵심이자 전부이다. 긴 제시문의 문장을 쪼개 번호를 매기고 구상을 다 한 문장은 지워가며 제시된 키워드를 다 활용해 나가보자.

업무 계획
① 인문예술 교육 실시 ② 마을교육공동체와 함께하는 교육 실시

환경 분석 결과	
강점	**약점**
③ 교사의 교육 열정 높음 ④ 학부모의 교육열 높음	⑤ 학생의 자존감 낮음 ⑥ 학부모의 참여도 낮음
기회	**위협**
⑦ 지역 내 문화예술 전문가 많음 ⑧ 혁신학교 예산 지원 많음	⑨ 지역 내 문화시설 부족 ⑩ 지역 주민 문화예술 경험 기회 부족

예시 구상 방안

저는 사서교사로서 '마을과 함께하는 인문예술 교육(①, ②)'을 다음과 같이 시행하겠습니다.

업무 계획
① 인문예술 교육 실시 ② 마을교육공동체와 함께하는 교육 실시

구체적인 방안은 다음과 같습니다.

첫째, '학부모 스토리텔러' 방안을 추진하고 싶습니다. 환경 분석 결과 교사의 열정이 높고, 학부모의 교육열이 높다는 강점을 활용한 방안입니다(③, ④). 교사와 학부모가 학생들에게 도움이 되는 좋은 책을 함께 선정해 '책 읽어주는 학부모회'를 조성하고 매주 1회, 혹은 독서 주간을 정해 조회 시간 등을 활용해 책을 읽어주는 것입니다. 이렇게 한다면 약점으로 지적된 학부모의 낮은 참여도 문제를 해결할 수 있고(⑥), 학생들은 좋은 이야기를 듣고 생각하며 인문 소양과 자존감을 쌓아나갈 수 있을 것입니다(⑤).

또한 학생 추천 도서와 사연 등을 함께 받아 친구들에게 공유하는 시간을 갖는다면 기대효과가 더욱 강화될 수 있을 것입니다.

환경 분석 결과	
강점	약점
③ 교사의 교육 열정 높음 ④ 학부모의 교육열 높음	⑤ 학생의 자존감 낮음 ⑥ 학부모의 참여도 낮음

이런 식으로 말이다.

대표기출문제 2를 통해 다시 한번 연습해 보자. 마찬가지로 문장마다 번호를 매기고, 이를 활용해 답변을 구상해 나가는 식으로 진행하면 된다.

자료 1 A 학교의 상황
• 제거(E): ① 문해력 저하로 인한 기초 학력, ② 개별화 교육
• 감소(R): ③ 학습격차, ④ 교사 개인별 행정 업무의 양
• 증가(R): ⑤ 교사의 에듀테크 활용 역량, ⑥ 교과별 디지털 활용 수업
• 창조(C): ⑦ 교육공동체의 에듀테크 활용 역량, ⑧ 교육 행정 지원 에듀테크 개발 및 운영

자료 2
경기교육은 ⑨ 기초·기본학력을 보장하는 책임교육으로 모든 학생의 학력 향상을 위해 노력하겠습니다.
⑩ AI에 기반한 학생 1:1 맞춤형 교육으로 디지털 활용 역량을 강화해 성장을 지원하겠습니다.

예시 구상 방안

자료 2를 통해 경기교육은 기초학력 보장(⑨)과, AI 기반 맞춤형 교육을 지향하고 있다는 것(⑩)을 알 수 있습니다. A 학교의 상황 중 제거 요소를 통해 학생들의 문해력 저하로 기초학력 문제와(①), 개별화 교육 부족 문제를 해결하고자 한다는 것을 알 수 있습니다(②).

저는 이를 해결하기 위해 담임교사와 교과교사로서 다음과 같이 실천하겠습니다. 먼저 담임교사로서의 방안을 말씀드리겠습니다.

첫째, 문해력 교육을 하겠습니다. A 학교의 증가 요소를 통해 교사의 에듀테크 활용 역량과 교과별 디지털 활용 수업을 늘리고자 함을 알 수 있습니다(⑤, ⑥). 학생들에게 친숙한 디지털 환경을 통해 디지털 교과서를 함께 읽고, 학생 의견을 패들렛에 공유하며 피드백하는 과정을 통해 문해력을 상승하겠습니다.

둘째, 감소 영역에서 언급된 학습 격차 해소를 위해 소모둠 활동을 장려하겠습니다(③). 조회 시간 전이나 방과 후에 친구들이 협동해 멘토-멘티 활동으로 학습 격차를 해소하기 위한 분위기를 조성하고, 교사로서 저는 중간 중간 적절한 피드백을 제공하겠습니다. 모둠 활동 외에 지역사회 자원도 활용하겠습니다. 학습이 부진한 친구를 위해 교대·사대 멘토링 등 지역 자원을 연계해 기초학력을 보장하겠습니다.

다음으로 교과교사로서의 노력 방안입니다.

첫째, 개별화 교육을 하겠습니다. 이를 위해 증가 영역에서 거론된 디지털 활용 수업을 적극 장려하겠습니다(⑥). 디지털 플랫폼에서 학습을 한다면, 학생 활동의 체계적인 결과가 나오고 성장 정도를 확인할 수 있기에 효과적일 것입니다. 디지털 기기를 통해 학습하고, 교사는 그 과정을 확인하고 피드백하는 과정에서 학생들의 에듀테크 역량도 강화될 것입니다(⑦).

둘째, 교사로서 에듀테크 역량을 강화하겠습니다. 감소와 창조 항목에서 행정 업무를 경감하기 위해 에듀테크가 보급되고 있음을 알 수 있습니다(④, ⑥). 학생들의 에듀테크 역량을 길러주는 것뿐만 아니라 저 역시 자기 장학, 전문적 학습공동체, 연수 등으로 에듀테크 역량 강화를 위해 노력할 것입니다(⑤).

앞으로도 제시문이 길게 나온다면 이렇게 단락을 끊거나 문장별 핵심을 찾아내어 모두 언급하자. 다시 한번 명심하자. 이것은 나를 돕기 위해 커닝하라고 보여주는 오픈북에 불과하다는 것을!

그렇다면 이번엔 SWOT과 ERRC 모델에 대해 정리하고 갈까?

SWOT 유형은 2022학년도, 2023학년도 2년 연속 출제됐다. 《사이다 면접》을 꼼꼼히 본 분들이라면 쾌재를 부르고 구상 방향을 쉽게 잡을 수 있었을 것이다.

SWOT은 기업의 환경 분석을 통해 강점(Strength)과 약점(Weakness), 기회(Opportunity)와 위협(Threat) 요인을 규정하고 이를 토대로 마케팅 전략을 수립하는 기법을 의미한다. 여기서 강점과 약점은 내부 요인, 기회와 위협은 외부 요인이다. 그래서 짝을 지을 때 주로 다음과 같은 방식을 쓴다.

- SO: 강점으로 기회를 잡자.
- ST: 강점으로 위협 요소를 극복하자.
- WO: 약점을 보완해 기회를 잡자.
- WT: 약점을 보완해 위협 요소를 극복하자.

즉, 다음의 두 방향을 충족해야 한다.

① 강점을 살리고 약점을 보완해 기회를 활용하자.
② 강점을 살리고 약점을 보완해 위협 요소를 극복하자.

당연한 얘기지만 이것까지 고려하거나 이대로 풀이하라고 낸 것은 결코 아닐 것이다. 그러니 키워드를 모두 언급해 방안을 짜는 것에 집중하자. 그것만으로도 훌륭하다.

ERRC는 Elimination(제거), Reduce(약화), Raise(강화), Create(창조)의 앞 글자를 따서 만든 말로 원래는 기업이 혁신하기 위해, 현재 상태를 분석하고 증가·감소할 요인은 무엇인지, 새롭게 만들고 제거해야 할 요소는 무엇인지 분석해 보는 프레임 워크를 의미한다.

- Elimination(제거): 조직에서 당연한 것으로 받아들이는 요소 가운데 제거할 요소는 무엇인가?
- Reduce(감소): 조직에서 표준 이하로 내려야 할 요소는 무엇인가?
- Raise(증가): 조직에서 표준 이상으로 올려야 할 요소는 무엇인가?
- Create(창조): 조직에서 아직 한번도 제공하지 못한 것 중 창조해야 할 요소는 무엇인가?

이에 대한 대답을 내리며, 기업을 혁신하고자 하는 것이다. 학교교육과정을 디자인하기 위해 많이 사용되는 모델이니 SWOT과 ERRC 모델을 꼭 기억해 두자.

❸ (입장) 선택형 〔고난도 유형〕

대표기출문제★

① 학생들의 문화 중 하나를 골라 학생의 문화를 이해할 방안과 지도 방안을 말하시오.

2019학년도 초등 즉답형 1번

> K-pop, TV, 웹툰, 게임, 외모 가꾸기, 유튜브, 신조어 등

② 다음 상황에서 A, B 교사의 의견 중 어느 의견을 지지할지와 그 이유를 말하시오.   2021학년도 중등 구상형 1번

> **상황**
> A 교사와 B 교사가 함께 교과 연계 융합 수업을 3차시 프로젝트 수업으로 진행하였다. 그 과정을 수행평가로 하기로 했는데, 마지막 3차시 결과물을 제출하는 상황에서 수업 시간 종료 직전에 C 학생이 USB 외부입력장치 오류로 결과물을 제출하지 못하였다.
>
> **의견**
> A 교사: 저는 3차시 결과물은 평가에 반영해선 안 된다고 생각해요. 이전 1, 2차시 제출 내용에 대해서만 평가해야 해요.
> B 교사: 저는 C 학생의 3차시 결과물도 평가해야 한다고 생각해요.

③ 아래 제시문의 입장 중 하나를 선택하여 본인의 생각을 말하시오.   2022학년도 비교과 즉답형 1번

> A: 아이들은 스스로 성장한다.
> B: 아이들은 어른들의 세심한 지도와 안내가 필요하다.

대표기출문제 3가지는 모두 선택형 문제지만, 자세히 분석해 보면 풀이 방식이 다르다.

문제 1번은 일반적인 선택형 문제로, 선택 이유를 묻지 않았어도 여러 가지 중 굳이 이것을 선택한 이유가 뭔지 언급해 답변에 신뢰감을 부여하는 것이 관건이다.

문제 2번과 3번은 입장 선택형 문제로 일반적인 선택형 문제보다 더 주의해서 살펴보아야 한다. 두 입장 중 하나를 선택하라는 문제는 수험생의 '교직관'을 확인하는 것이 목적이다.

입장 선택형 문제를 풀 때는 먼저, 두 입장이 상반된 입장인지 버무릴 수 있는 입장인지 판단해야 한다. 문제 2번의 A와 B는 서로 상반된 태도를 보이고 있으므로 이런 경우 둘 중 하나가 정답이지만. 문제 3번과 같이 조화할 수 있는 입장이라면 둘 중 하나를 선택하고 다른 측 의견을 덧붙이면 좋다.

문제 2번은 '과정중심평가'를 제대로 이해하고 있는지를 알아볼 목적에서 출제됐다. A 교사는 '결과중심평가', B 교사는 '과정중심평가'를 지향하는 입장으로 B 교사를 선택해야만 경기 교육과 방향성이 같은 교사임을 보여줄 수 있었다.

하지만 3번은 A와 B가 상반된 입장이라기 보다 타협점을 찾을 수 있는 의견이다. 학생은 무궁무진한 가능성이 있는 존재이지만 혼자서만 성장할 수 없고 일정 부분에서 교사의 조력이 필요하기 때문이다. A, B 중 자기 교직관에 따라 하나를 선택하되 극단적으로 한쪽에 치우치는 것이 아닌 서로의 장점을 잘 취사선택하는 식으로 답변하는 게 안전하다. 즉, 능동적이고 가능성 있는 학생(A) + 촉진자로서의 교사(B)의 관점에서 답변했다면 큰 문제가 없었다.

④ 이유 제시

대표기출문제

① 교내 복지 지원팀에 참여하여 일을 하게 되었다. 다음 A 학생을 지도하기 위해서 어떠한 지원을 할 것인지 자신의 전공과 연계하여 구체적 방안을 세우고 그 이유를 말하시오. 2021학년도 비교과 구상형 3번

A 학생
• 학습 적성: 기초학력 진단 검사 결과가 국, 영 수 교과에서 낮은 점수로 부진하다.

> 국어 10점, 수학 5점, 영어 10점

* 각 30점 만점

• 학생 특성
 – 학업에 흥미가 없다.
 – 무기력하고 친구들과 어울리지 못한다.
 – 불규칙한 생활 습관으로 바른 생활 습관이 제대로 형성되어 있지 않다.
 – 가정 내 돌봄이 제대로 이루어지지 않고 있으며, 가족들의 지지가 부족하다.

② 다음 조건에서 하나를 골라 그 방법으로 제시문의 상황에 적합한 교육을 실현하고자 한다. 조건 3가지 중 하나를 선택하여 그 이유를 말하고, 제시문과 관련한 전공 연계 방안을 제시하시오. 2023학년도 비교과 구상형 1번

제시문
• 게임에 과몰입하고 가정교육이 부족하여 기본적인 습관이 형성되지 않은 학생이 있음
• 교사·학생의 학교 참여도·만족도가 높음
• 지역사회 프로그램이 부족함
• 지역자치단체 예산이 많음

조건
1. 교육 안전망 구축
2. 미래형 교육과정 운영
3. 학교자율과정 강화

앞서 '선택형 유형'의 공략법을 살펴보았다. 설득력 있는 말하기를 위해서는 선택한 후 반드시 이유를 제시하라고 말씀드렸으나, 대부분은 그렇게 하지 않았다. 그래서 최근에는 문항에 직접적으로 선택을 한 후 '그 이유를 말하라'는 이유 제시 문제가 등장했다.

대표기출문제 1과 같이 교육 방안을 제시한 후 그 이유를 대답할 땐 구체적이고 논리적으로 말하는 것은 당연하고, 경기교육, 경기형 교직관과 일치해야만 한다. 또한 선택형 문제가 나왔을 때는 이유를 묻지 않았어도 꼭 이유를 제시해야 신뢰를 줄 수 있음을 명시하자.

최근에는 대표기출문제 2와 같이 여러 제시문을 주고, 하나를 선택해 이에 근거해서 문제를 해결하라는 문제가 출제되고 있다. 많은 제시문 중 굳이 왜 그것을 선택해 교육 방안을 기획하고 있는지 묻고자 하는 것이다. 이때에는 자신의 교직관을 근거로 삼아, "저의 교직관인 ○○과 제시문 3번의 학생주도 학습 측면이 일치하기에 3번을 선택했습니다."와 같은 형식으로 접근하면 좋다. 어차피 제시된 것은 모두 경기형 키워드이기 때문이다. 여기에 교직관을 더한다면, 경기형 교사로서 적합한 자질을 보여줄 수 있다.

합격자의 달달한 조언!

답변에 '왜'를 넣어 설득력을 부여하자!

면접에서 가장 중요한 것은 똑같은 말이라도 얼마나 더 설득력 있게 말하느냐인 것 같습니다. 저는 매체를 활용한 독서 방법에 관한 질문에 정말 평범한 답변을 했습니다. 그래도 좋은 점수를 받을 수 있었던 것은 '왜'에 대한 설명을 놓치지 않으려 노력했기 때문이라고 생각합니다. 다음은 제 답변 내용입니다.

저는 영어 교과와 연계해서 다음과 같은 순서로 독서 프로그램을 진행하겠습니다.
첫째, 학생들에게 1인 1영어책 읽기 프로젝트를 실시하겠습니다. 왜냐하면, 학생들이 평소에 영어로 된 책을 읽을 기회가 많지 않으리라 생각하기 때문입니다. 또한, 학생들이 자신에게 맞는 수준의 영어책을 찾는 것 또한 쉽지 않을 것입니다. 따라서 학교 도서관에 있는 영어책을 함께 살펴보고, 각자의 수준에 맞는 책을 스스로 읽을 수 있도록 하는 기회를 제공한다면, 학생들은 영어로 독서를 할 수 있는 기회를 가질 수 있을 것입니다.
둘째, 학생들이 매체를 활용해서 자신만의 독후 활동을 할 수 있도록 돕겠습니다. 이때, 저는 학생들이 사용할 매체를 정하지 않겠습니다. 왜냐하면 교사가 학생들에게 과제를 단순하게 부여할 때보다, 학생들에게 과제를 스스로 관리하고 통제할 기회를 제공할 때, 학생들이 조금 더 주도적으로 활동에 참여할 수 있다고 믿기 때문입니다. 유튜브를 좋아하는 학생은 책의 내용을 바탕으로 책을 소개하는 동영상을 제작하고, 웹툰을 좋아하는 학생은 책의 내용을 바탕으로 책을 소개하는 웹툰을 제작할 수 있도록 한다면, 학생들이 조금 더 주도적이고 자율적으로 독후 활동을 할 수 있을 것입니다.
셋째, 학생들이 자신의 독후 활동을 전시할 수 있는 공간과 시간을 제공하겠습니다. 왜냐하면, 학생들은 자신의 작품이 전시된 것을 보며 자신감과 뿌듯함을 얻을 수 있을 뿐만 아니라, 다른 친구들의 작품을 보며 자신의 사고를 확장할 수 있기 때문입니다. 영어 교과 교실이 있다면 그 공간에 학생들의 독후 활동을 전시하고, 학생들이 이를 볼 수 있도록 하겠습니다. 그렇게 된다면 학생들은 함께하는 독서의 즐거움 또한 느낄 수 있을 것입니다.

2021학년도 합격자 이수진 선생님

5 관련 경험 제시

① 인생에서 슬펐거나 실패한 경험을 말하고, 그를 통해 얻은 경험이 앞으로의 교직생활에 어떤 도움이 될지 말하시오.

2016학년도 중등 즉답형 1번

② 학교에서 양성평등 실천 주간을 운영하고자 한다. 양성평등과 관련한 자신의 성장 경험을 말하고, 자신의 전공(보건, 사서, 영양, 전문상담)과 연계하여 학생 체험 중심 양성평등 교육 방안을 제시하시오.

2022학년도 비교과 즉답형 3번

관련 경험을 묻는 문제는 교사로서 수험생의 성장 과정을 파악하기 위함이다. 성장 과정을 알고 싶은 이유는 무엇일까? 좋은 교사가 될 수 있는지 확인하기 위해서이다. 따라서 중요한 것은 과거 경험을 묻는다고 해서, 단순히 경험만 열거해선 안 된다는 것이다. 과거 경험과 그 속에서 깨달은 교육적 가치(교육관, 교직관), 그리고 현장 교사로서의 포부와 의지를 드러내야 한다. '과거 경험, 교직관, 포부' 이 3가지는 한 세트임을 잊지 말자.

과거 경험 ➡ 교육적 깨달음(교직관) ➡ 포부

최악의 경우는 '경험이 없다'고 말하는 것이다. 실제 대표기출문제 2번에 대해 "양성평등과 관련한 경험이 없습니다."라고 답변한 수험생을 만난 적이 있는데, 결과는 좋지 못했다.

성장 경험을 중시하는 경기도교육청에서는 관련 경험을 통해 성찰하는 것을 매우 중시한다. 경험이 없다고 해도, 주워들은 이야기라도 그럴싸하게 이야기할 수 있어야 한다.

6 빈칸 채우기

대표기출문제 ★

① 교사의 존재 의미는 ○○이다. 빈칸을 채우고 자신의 경험에 빗대어 설명하시오.   2020학년도 초등 즉답형 2번

② 코로나19로 인해 원격 수업과 등교 수업을 병행하며, 등교 인원을 1/3 이하로 제한하고 있다. 교직원 회의 상황을 읽고 D 교사가 제시할 의견과 그 근거를 말하시오.   2021학년도 초등 구상형 3번

> **교직원 회의 상황**
> A 교사: 방역 당국에서 학교 인원의 1/3까지 등교하라는 지침이 내려왔네요. 우리 학교는 어떻게 할까요?
> B 교사: 학급을 1/3로 나누어 등교하는 건 어떨까요?
> C 교사: 그렇게 하면, 담임교사의 업무 부담이 커질 것 같습니다. 지정일을 정해 1개 학년씩 등교하는 것은 어떨까요?
> D 교사: 제가 생각했을 때, 교육의 공공성 측면에서…   [수험생 답변 부분]

이 문항은 새로운 유형으로 수험생들을 당황하게 했으나 간단하게 물어볼 수 있는 문제를 빈칸 채우기 형태로 제시한 것뿐이다.

빈칸 채우기
2020학년도 초등 즉답형 2번
2021학년도 초등 구상형 3번

간단하게 바꾸기
교사의 존재 의미를 경험에 빗대어 말하시오.
교육의 공공성 측면을 고려해 1/3 등교 방안과 그 이유를 말하시오.

또 빈칸 채우기 문제가 출제된다면 문제의 키워드를 정확히 찾아 쉽게 재정의한 후 풀이하면 된다.

7 위반 여부 판단 [고난도 유형]

대표기출문제 ★

상황별 개인정보 보호법 위반 여부를 말하시오. 2020학년도 중등 즉답형 1번

- 사례 1: 업무 일지에 학생 신상정보를 기입하고 이를 토대로 상담을 진행한 경우
- 사례 2: 학부모회 대표 학부모에게 다른 회원들의 번호를 공유한 경우
- 사례 3: 학급 게시판에 잘한 학생, 못한 학생 이름을 '김○호' 등으로 표시하여 게시한 경우

이 문제는 매우 어려웠음에도 즉답형으로 출제돼 모든 수험생을 당황하게 했다. 문제의 관건은 교내 개인정보는 '목적'에 따라 '사전 동의'를 받으면 사용할 수 있다는 포인트를 짚어내는 것인데, 가장 중요한 목적과 동의 여부가 기재돼 있지 않아서 판단이 더욱 어려웠다.

하지만 직설적으로 말해보자.

솔직히 어느 수험생이 이 문제를 확인함과 동시에 목적과 사전 동의 여부에 대해 떠올리겠는가? 더욱더 솔직히 말해보자. 과연 그것을 아는 수험생이 몇 명이나 있겠는가? 아마 이 문제는 정답을 맞히라고 낸 문제는 아닐 것이다.

그럼 왜 낸거야?

위기 대처 능력 내지는 개인정보에 대한 수험생의 생각을 통해 교사로서 기본적인 소양 등을 확인하고 싶었을 것이다.

또 위반 여부 판단 문제가 나온다면? 심지어 내가 모른다면?

일단 절대 긴장하지 말자. 내가 모르는 건 100% 남도 모르니까. 침착하게 '너도나도 같이 망했구나. 그럼 좀 덜 망해보자.'라는 마음으로 내가 알고 있는 최소한의 정보를 근거로 삼아 대답하자. 예를 들어 '개인정보를 제3자에게 제공하지 않는다'는 수준으로만 알고 있다면 이 부분에 초점을 맞춰 이야기하는 것이다.

- 사례 1은 제3자에게 알리지 않았으므로 위반되지 않습니다.
- 사례 2는 동의 없이 제3자에게 알렸으므로 위반됩니다.
- 사례 3은 제3자에게 가명 처리됐지만 특정할 수 있는 정보를 게시했으므로 위반입니다.

이런 식으로 말이다. 그렇다면, 그냥 문제를 놓치는 것보다 나은 결과를 기대할 수 있을 것이다. 또한 개인정보 관련 문제는 최대한 보수적으로 답하는 것이 좋다.

02· 유형별 문제 풀이 연습(30문항)

갈수록 문제의 주제보다 유형이 어려워지고 있다. 따라서 문제의 유형에 익숙해지는 시간이 필요하다. 여기에서는 문제 유형을 파악하는 연습을 할 것이므로 완벽한 답변을 하지 않아도 된다. 모든 문제를 구상형처럼 시간을 재고 풀이하며, 문제 유형별 핵심을 파악할 수 있는지 체크해 보자. 오픈북 형식으로 《사이다 면접 Input》을 보며 답을 적어도 된다. 완벽한 답변에 집중하는 것이 아닌, 문제를 보는 눈을 기르는 시간임을 명심하자.

1 일반형(5문항)

1줄 사이다전략

> 문제 속에 숨겨진 함정을 잘 찾아내자.

01 학교 현장에 1인 1스마트 기기 활용이 필요한 이유를 사회 변화와 연관지어 3가지 설명하고, 스마트 기기를 활용한 교과 연계 방안을 제시하시오.

구상하기

🎯 해설

1인 1스마트 기기 활용이 필요한 이유를 사회 변화와 연관지어 3가지 답변해야 한다. 또한 스마트 기기를 활용한 교과 연계 방안이 담겨야 한다. 일반형 문제이지만 꼼꼼하게 읽어, 주어진 조건을 놓치지 말자.

🎯 예시 답변

1인 1스마트 기기를 활용한 교육이 필요한 이유를 사회 변화와 연관 지어 설명하면 다음과 같습니다.

첫째, 디지털 역량의 중요성이 증가했기 때문입니다. 현대 사회에서는 디지털 기술이 모든 분야에 영향을 미치고 있으며, 직업이나 일상생활에서 디지털 역량이 필요해지고 있습니다. 학생들이 어릴 때부터 스마트 기기를 활용해 정보 검색 및 소통 기술을 익히는 것은 미래 사회에서 경쟁력을 높이는 데 중요합니다.

둘째, 정보의 홍수 속에서 올바른 정보를 가려내는 감식안이 중요해졌기 때문입니다. 정보가 넘쳐나는 시대에, 학생들은 다양한 정보를 접하게 됩니다. 전통적인 교실 수업에서 얻기 어려운 양질의 정보를 얻을 수 있다는 장점이 있지만, 그 속에는 편견이 섞인 정보, 부정확한 정보 등이 있을 수 있습니다. 따라서 스마트 기기를 활용한 리터러시 교육이 필요합니다.

셋째, 세계화가 가속화되고 있기 때문입니다. 세계화가 보편화됨에 따라 다양한 문화와 사람들과의 소통 능력이 중요해지고 있습니다. 유튜브 영상, 실시간 채팅, 온라인 댓글 등을 활용한 수업을 구안한다면, 학생들은 세계 각지 사람들의 문화를 간접 경험하고 그들과 소통할 기회를 얻을 수 있습니다.

다음으로 1인 1스마트 기기를 활용한 영어교육 방안을 말씀드리겠습니다. 영어 교과는 1인 1스마트 기기를 활용할 경우, 교육적 효과가 매우 높은 과목입니다. 저는 '영어 연극 활동'을 통해 학생 주도성을 길러주고 싶습니다.

먼저, 소모둠으로 나눠 구글 협업 프로그램을 활용해 공동 시나리오를 작성합니다. 그 후 사이버 원어민 애플리케이션을 통해 발음 및 오역 교정을 하며 대본을 완성하고 연극 준비를 합니다. 이 과정에서 챗GPT와 같은 생성형 AI를 활용한다면, 맞춤 교사가 돼 학생의 질문에 대한 답변을 실시간으로 할 수 있다는 장점이 있습니다. 챗GPT를 사용할 때는 답변의 신뢰성 문제, 질문의 구체성 등 유의할 것이 있습니다. 이를 사전 교육한 후에 학생 수준에 맞는 학습 질문을 통해 완전 학습이 가능하게 하겠습니다.

교사로서 저는 순회 지도를 통해 학생에게 필요한 교육적 피드백을 제공할 것이며, 활동 내용을 누적 기록해, 훗날 학생의 성취 수준을 파악하는 데 활용하겠습니다. 이렇게 한다면 스마트 기기를 활용할 때의 장점인 완전 학습, 개별화 학습이 가능해질 것입니다.

현장에 나아가 적절한 스마트 기기 활용으로 학생들이 삶에 대한 역량을 강화하는 데 도움을 주는 교사가 되겠습니다. 이상입니다.

02 고교학점제를 원활하게 추진하기 위해 교사가 갖추어야 할 역량과 그 이유를 3가지 설명하고, 역량 강화 방안을 제시하시오.

구상하기

🎯 해설

'고교학점제'란 정책명이 나왔으므로, 서론에 정책 정의를 한 줄 정도 언급하면 전문성을 드러낼 수 있다.

🎯 예시 답변

고교학점제란 학생이 기초 소양과 기본 학력을 바탕으로 진로 적성에 따라 과목을 선택하고, 이수 기준에 도달한 과목에 대해 학점을 취득·누적해 졸업하는 제도를 말합니다. 이를 원활하게 추진하기 위한 교사의 역량 3가지와 강화 방안을 말씀드리겠습니다.

첫째, 진로지도 역량이 필요합니다. 고교학점제는 학생의 진로나 흥미에 적합한 과목을 수강해야 효과적입니다. 따라서 교사는 학생 맞춤형 진로 상담 역량을 갖추고 있어야 합니다. 역량 강화를 위해, 학생 개개인에게 관심을 두고 포트폴리오를 만들어 지도하겠습니다. 학생 활동, 장점, 개성 등을 누적 기록해 맞춤형 진로 선택에 도움을 주고 싶습니다. 또한, 희망 과목이 학교 내에 개설되지 않을 때 연계할 수 있는 공동교육과정과 같은 교외 자원을 충분히 파악하고 있겠습니다.

둘째, 자기주도학습 코칭 역량이 필요합니다. 고교학점제로 인해 주어진 시간표를 이수하는 것이 아닌 학생이 선택한 과목에 따라 학생마다 개별 스케줄이 생기게 됩니다. 따라서 교사는 학생이 스스로 학습 스케줄을 잘 관리할 수 있도록 지도하는 자기주도학습 코칭 능력이 필요합니다. 역량 강화를 위해 저부터 스스로 업무 계획을 수립하고 점검하며 자기주도 능력을 함양하겠습니다. 이후 학기 초에 학생들과 함께 스터디 플래너 작성하기, 소모둠으로 스터디 그룹을 조직해 관리하기 등의 방법을 통해 학생들의 자기주도학습 능력을 길러주겠습니다.

마지막으로 의사소통 역량이 필요합니다. 학생 맞춤형 수업을 위해서는 학생뿐 아니라 학부모 상담을 병행해야 합니다. 또한, 공동교육과정을 연계하는 과정에서 인근 학교와 연락을 취할 일도 생길 수 있습니다. 의사소통 능력을 강화하기 위해 교사 공동체를 통해 협업을 상시화하겠으며, 늘 존중하고 배려하는 자세를 갖고 교직 생활에 임하겠습니다.
현장에 나아가 고교학점제 운영을 원활하게 할 수 있는 역량을 갖춘 교사가 되겠습니다. 이상입니다.

03 업무량이 많고 해결하기 어려워 남들이 기피하는 업무를 맡게 되었을 때, 업무 능력을 신장하기 위해 어떠한 노력을 할 것인지 3가지 방안을 제시하시오.

구상하기

🎯 해설

업무 능력을 기를 수 있는 노력 방안이 담겨야 한다. 또한 내용 측면에서 신규 교사의 열정이 드러나는 답변을 제시하면 좋다.

🎯 예시 답변

타인이 기피했던 업무가 저에게는 잘 맞는 업무일 수도 있기에, 다른 교사들이 기피했다는 이유로 하기 싫다는 마음을 버리고, 1년간 성실히 해내겠다는 마음가짐을 먼저 갖겠습니다. 이후 업무 능력을 신장하기 위한 3가지 방안을 말씀드리겠습니다.

첫째, 업무를 피했던 이유가 업무량의 문제인지 절차의 문제인지 전임자를 통해 파악한 후 인수인계를 받으며 작년도 해당 공문을 숙지하도록 하겠습니다. 이를 통해 올해 어떤 일을 해나갈지 계획을 수립할 수 있을 것입니다.

둘째, 업무 연수에 참여하거나 지역 내 같은 업무를 담당하고 있는 교사들과 네트워크를 형성해 집단 지성을 활용하겠습니다. 혼자 고민할 때는 힘들 수 있지만 여럿이 머리를 맞댄다면 쉽게 처리할 수 있기 때문입니다.

셋째, 저만의 업무 처리 설명서를 만들어 체계적으로 일 처리를 해나가겠습니다. 또한 후임자가 편하게 일을 처리할 수 있도록 지침을 함께 제작하겠습니다. 가이드라인이 있다면 보다 쉽게 일 처리를 할 수 있을 것입니다.

현장에 나아가 주어진 업무를 꼼꼼하고 성실하게 처리하는 역량 있는 교사가 되기 위해 노력하겠습니다. 이상입니다.

04 학생에게 필요한 미래 핵심 역량이 무엇인지 밝히고, 지역사회 자원을 활용해 이를 함양할 방안을 3가지 제시하시오.

구상하기

🎯 해설

학생에게 필요한 많은 역량 중 굳이 그것을 언급한 이유를 밝히면 답변에 신뢰를 줄 수 있다.

🎯 예시 답변

학생에게 필요한 미래 핵심 역량은 심미적 감성 역량이라고 생각합니다. 왜냐하면, 미래에는 로봇이나 인공지능 사용이 산업 다방면에 보편화될 예정인데, 이때 인간만이 할 수 있는 능력의 가치가 더욱 커질 것이기 때문입니다. 또한 어떤 기술이 필요한지, 기술이 우리에게 주는 영향력은 무엇인지, 기술을 어떻게 적용할 것인지 생각하고 성찰하는 것은 기계가 아닌 인간의 몫이기에 인간에 대한 공감적 이해와 문화적 감수성을 바탕으로 삶의 의미와 가치를 발견하고 향유하는 심미적 감성 역량이 매우 중요하다고 생각합니다.

이를 길러주기 위해 지역사회 자원을 활용할 방안은 다음과 같습니다.

첫째, 지역사회의 박물관, 미술관 등으로 체험 학습을 하며 감수성, 인문학적 소양, 예술성을 기르고 싶습니다. 단순히 전시를 관람하는 데 그치지 않고, 작품의 역사와 의미를 학생이 직접 찾아보고, 관람 후 느낀 점을 함께 공유하며 학생 주도 체험이 될 수 있게 하겠습니다.

둘째, 우리 지역에서 일어나고 있는 기후위기 문제, 지역 이기주의 문제 등 사회 문제에 대해 주제 중심 토론 학습을 하겠습니다. 우리 지역에 관한 기사 혹은 시민 인터뷰 등을 통해 지역사회의 문제를 찾고 이에 대한 해결 방법을 학생 차원, 공동체 차원에서 고민해 보며 우리 지역사회를 이해하고 문제 해결을 위한 실천력을 갖출 수 있게 하겠습니다.

마지막으로 지역 주민들과 소통하며 인간에 대한 공감적 이해 능력을 발전시키겠습니다. 예컨대 지역 복지센터에서 다양한 연령대의 주민들과 만나 학생들의 재능을 기부하는 콘서트를 개최하거나, 지역 환경보호 활동, 연탄 나눔 행사 등에 참여하게 해 사회의 일원으로서 시민의식을 갖출 뿐 아니라 다양한 사람을 이해하고, 공감하며 소통할 수 있는 역량을 키워주고 싶습니다.

현장에 나아가 학생들의 미래 역량을 함양하는 데 도움을 주는 교사가 되겠습니다. 이상입니다.

05 교사, 학생, 학부모 등 교육 주체들의 상호 고소가 만연해진 상황이다. 교육공동체의 신뢰 회복을 위해 어떠한 노력을 할 것인지 교사의 입장에서 3가지 방안을 제시하시오.

구상하기

🎯 해설

문제에 '상호 고소'란 표현이 있으므로, 갈등 상황에 고소가 아닌 어떤 방식을 취할 것인지에 대한 내용이 답변에 포함된다면, 문제 해석 능력을 보여줄 수 있다.

🎯 예시 답변

교사로서 교육공동체의 신뢰를 회복하기 위해 다음과 같이 노력하겠습니다.

첫째, 갈등 상황이 생긴다면, 고소 등의 법적 해결보다는 소통의 자세를 먼저 갖추겠습니다. 일을 하다 보면 의도치 않게 서로 오해가 생기거나 크고 작은 문제가 발생할 수 있다고 생각합니다. 이때 존중과 배려의 자세로 상대방의 이야기를 경청하고, 진솔하게 저의 입장을 전달하면서 갈등이 커지지 않도록 의사소통을 잘하는 교사가 되겠습니다.

다음으로 갈등이나 오해가 생기지 않도록 미리 예방할 방법을 말씀드리겠습니다.

먼저, 투명한 소통을 강화하겠습니다. 수업 활동이나 생활지도를 할 때 학생들에게 수업의 철학과 생활지도의 원칙을 먼저 이해시켜 공감을 유도하고 교사로서 신뢰를 주겠습니다. 또한 정기적인 학부모 회의나 학교 의사소통 플랫폼을 통해 교사와 학부모 간의 소통을 강화하겠습니다. 교사의 수업 계획, 평가 기준, 학생의 성장 상황 등을 투명하게 공유한다면 오해와 불신을 줄일 수 있을 것입니다.

마지막으로 교육공동체와 협력하겠습니다. 학교 행사, 학급의 문제 상황 등을 학급 친구들과 회의를 통해 해결해 학생들이 갈등 해결에 주체적으로 행동할 힘을 길러주겠습니다. 또한 학부모와의 협력적인 관계를 구축하기 위해, 학부모가 행사에 함께 참여할 수 있는 기회를 만들겠습니다.

이와 같은 방안을 통해 갈등을 예방하고, 혹시 갈등이 발생하더라도 지혜롭게 해결해 나가는 교사가 될 것입니다. 이상입니다.

② 제시문 분석(6문항)

1절 사이다전략

제시문을 철저히 분석해, 언급된 키워드를 답변에 활용하자.

01 다음 제시문과 학교의 SWOT 분석을 참고하여, A 학교의 자율과제를 완성한 후 구체적인 교육 방안을 제시하시오.

제시문

경기교육에서는 디지털 공간에서의 인성교육을 중시하고 있다. 인공지능 중심의 교수학습 플랫폼과 함께 디지털 인성교육, 디지털 시민교육을 준비함으로써 학생의 균형 있는 전인교육을 도모하고 있다.

SWOT 분석

강점(S)	약점(W)
• 교사의 디지털 교육 전문성 함양 • 학생들의 학교 활동에 대한 높은 신뢰	• 학교 자체의 디지털 관련 교육 미비 • 주제중심수업 부족
기회(O)	**위협(T)**
• 다양한 디지털 인프라 구축 • 교육공동체의 디지털 관련 교육의 필요성 공감	• 학생들의 무분별한 온라인 활용 • 딥페이크 기술 등을 활용한 온라인 조롱이 밈으로 유행

학교자율과제: _____

구상하기

🎯 해설

제시문과 학교 SWOT을 분석해 학교자율과제를 추출해야 한다. 이때, SWOT의 환경 분석 내용을 모두 언급해야만 문제 분석력을 드러낼 수 있다.

🎯 예시 답변

제시문과 학교 SWOT을 분석한 결과, A 학교의 자율과제는 '주제 중심 디지털 인성교육·시민교육'으로 정할 수 있습니다. 왜냐하면 제시문에는 디지털 인성교육·디지털 시민교육의 중요성을 언급하고 있고, A 학교의 SWOT을 분석한 결과, 학생들의 무분별한 온라인 활동과 딥페이크 기술 악용으로 인한 문제점이 보이고, 교육공동체가 디지털 시민교육 필요성에 공감하고 있기 때문입니다. 학교는 디지털 인프라를 갖추고 있고 교사는 디지털 전문성을 갖췄기에 이를 성공적으로 시행할 수 있을 것입니다.

구체적인 교육 방안은 다음과 같습니다. 우선 '디지털 시민으로서의 윤리적 성찰'을 주제로 온라인에서 최근 한 달간 접한 정보를 취합한 후 모둠원들과 함께 팩트 체크를 하는 시간을 마련하고 싶습니다. 온라인에서 얻은 정보가 사실인지, 가짜인지, 정보의 전파 속도는 얼마나 빠르고 그에 따른 피해는 어떤지 직접 조사해 디지털 시민으로서 정보 수용의 자세에 관한 규율을 학생들 스스로 마련해 보는 기회를 부여하고 싶습니다.

또한 딥페이크 기술을 직접 활용해 보고 싶습니다. 기술을 활용하며 딥페이크의 장점과 악용했을 때 어떤 문제가 발생할 수 있는지 함께 토의해 보며 올바른 사용 수칙을 정립하고 싶습니다. 이후 학생 중심으로 윤리적 디지털 사용 캠페인을 진행해 조·종례 시간에 피켓 활동이나 홍보물 제작 활동을 해보고 싶습니다. 이렇게 한다면 A 학교의 디지털 인성·시민 프로그램이 부족한 점과 주제 중심 수업이 부족한 점을 보완할 수 있고 학생들이 온라인 속 가짜 정보를 그대로 수용하는 점, 딥페이크 기술을 무분별하게 사용하는 점을 해결할 수 있을 것입니다.

현장에 나아가 디지털 사회를 살아갈 학생들의 성숙한 디지털 시민의식과 디지털 인성을 갖추는 데 도움이 되는 교사가 되겠습니다. 이상입니다.

02 다음 자료의 교육적 시사점을 말하고, 이를 위한 구체적인 교육 방안을 학급 운영 측면, 교과 지도 측면에서 각각 2가지 제시하시오.

> **우리나라 학생들의 정보통신기술 관련 통계 자료**
>
> • 컴퓨터·정보 소양 점수: 참여국 중 2위
> • 컴퓨팅 사고력 점수: 참여국 중 1위
> • 학습 목적으로 하루에 한 번 이상 ICT를 사용하는 비율: 학교에서 5%, 학교 밖에서 10%로 평균보다 유의하게 낮음
> • 일반 응용프로그램, 전문 응용프로그램 사용에 대한 자아효능감: 평균보다 유의하게 낮음
>
> 출처: 디지털 교육 트렌드 리포트 2024

구상하기

🎯 해설

ICT(정보통신기술, Information and Communications Technology) 관련 통계를 먼저 분석한 후 이를 통해 알수 있는 시사점을 말하면 문제 분석력을 보여줄 수 있다.

🎯 예시 답변

제시된 자료에서의 교육적 시사점과 이를 위한 구체적인 교육 방안을 학급 운영 측면과 교과 지도 측면에서 각각 제시하겠습니다.

먼저 제시문을 보면 컴퓨터 정보 소양 점수와 사고력 점수는 높지만, 학습 목적으로 사용하는 비율이나 자아효능감이 낮다는 것을 알 수 있습니다. 이것은 학생들이 기술적인 역량을 잘 갖추고 있지만, 이를 실제 학습에 적용하는 데에는 미흡함이 있음을 시사합니다. 특히, 학교 내에서는 ICT 활용이 거의 이루어지지 않고 있어, 학교에서 적절한 ICT 교육이 필요함을 시사합니다.

또한 일반 응용프로그램 및 전문 응용프로그램에 대한 자아효능감이 낮다는 것은 학생들이 ICT 도구 사용에 자신감을 느끼지 못하거나, 그 활용 방법에 대해 충분히 익숙하지 않음을 의미합니다. 이는 기술적 역량이 높더라도 실제 활용에서 불안감이나 부족한 경험으로 인해 실질적인 활용도가 낮다는 것을 나타냅니다.

이를 토대로 한 구체적인 교육 방안을 말씀드리겠습니다. 먼저 학급 운영 측면입니다.

첫째, 학급에 ICT 학습 환경을 조성하겠습니다. 교실에 비치된 태블릿, 컴퓨터 등을 통해 학생들이 ICT 기기를 활용할 수 있는 환경을 조성하겠습니다. 예를 들어, 학급회의 안건을 제안한다거나 안건을 투표하는 방식을 스마트 기기를 활용해 진행하겠습니다. 사전에 스마트 기기 활용 수칙을 학생들과 함께 정해 스마트 기기에 중독되거나 잘못 사용하지 않도록 할 것입니다.

둘째, ICT 관련 자아효능감 증진 프로그램을 기획하겠습니다. 전자 기기를 능숙하게 다루는 친구들과의 멘토링 프로그램을 통해 학생들이 자신감을 가질 수 있도록 지원한다거나 ICT를 효과적으로 활용한 학생들의 성공 사례를 학급 내에서 공유하고, 긍정적인 피드백을 제공해 자아효능감을 높이겠습니다.

다음으로 교과 지도 측면에서의 교육 방안을 말씀드리겠습니다.

첫째, 디지털 학습 자료 및 도구 사용을 적극 사용하겠습니다. 디지털 교과서나 교육 플랫폼을 학습에 도입해 학생들의 디지털 역량을 학습 분야에서도 강화하겠습니다. 예를 들어, 역사적 전투 장면을 3D 애니메이션으로 보여주거나, 딥페이크를 활용해 유명 인물의 연설을 생동감 있게 재연해 학생들에게 생동감을 줄 수 있습니다. 또한 디지털 교과서에 포함된 퀴즈와 자기 평가 도구를 통해 학생들이 학습한 내용을 확인할 수 있게 하고, 교사로서 저는 실시간으로 학생들의 학습 상태를 점검하고 개별 피드백을 하겠습니다.

둘째, 학생들에게 ICT 도구를 활용한 과제나 평가를 부여해 실질적인 사용 경험을 제공하겠습니다. 예를 들어, 역사 속 인물의 가상 일기 쓰기, 역사 신문 만들기 활동 등을 온라인 협업 도구를 통해 제출하게 하고 다른 모둠의 자료에 댓글로 소통하게 하는 등의 방식을 사용하겠습니다. 이러한 방안들은 학생들의 ICT 활용 능력을 향상하고 ICT를 교육에 효과적으로 활용하는 데 도움이 될 것입니다.

현장에 나아가 학생들의 현안을 잘 파악하고 역량을 향상하기 위한 교육 방안을 고안하는 능동적인 교사가 되겠습니다. 이상입니다.

03 다음 제시문과 학교의 SWOT 분석을 참고하여, A 학교의 자율과제를 완성한 후 구체적인 교육 방안을 제시하시오.

제시문

AI 로봇에게 쉬운 문제는 인간에게 어렵고, 인간에게 쉬운 문제는 AI 로봇에게 어렵다.

한스 모라벡(로봇공학, 인공지능 분야의 석학)

A 학교 교육공동체의 요구 사항

• 학생: SNS, 인터넷 사용 시 유의해야 할 내용에 대한 배움의 필요성을 느낌
• 교사: SNS를 통해 학생들이 디지털 도박과 마약에 접근하기 쉬워져 우려가 됨
• 학부모: 사이버 학교폭력, 디지털 성범죄가 증가함에 따라 관련 예방 교육을 원함

학교자율과제: _____

구상하기

🎯 해설

제시문과 공동체의 요구 사항을 모두 반영한 내용이어야 한다.

🎯 예시 답변

제시문과 A 학교 공동체의 요구 사항을 반영해 도출한 A 학교의 자율과제는 '학생주도 디지털 윤리 교육'입니다. AI로봇은 입력한 내용을 학습하고 결과 값을 도출하는 데는 인간보다 유리하지만, 자신만의 윤리적 기준을 확립하고 성찰하는 역할은 하지 못하므로 디지털 윤리 교육을 통해 학생 주도로 올바른 인터넷 사용 역량을 길러야 합니다. 교육 내용은 학생, 교사, 학부모 의견을 반영해 인터넷 사용 시 유의 사항, 디지털 도박 및 마약 위험성 교육, 사이버 폭력, 디지털 성범죄 등에 대한 내용을 포괄할 수 있어야 합니다.

구체적인 교육 방안은 다음과 같습니다. 저는 프로젝트 주제를 크게 인터넷의 순기능과 역기능, 디지털 도박 및 마약 위험성, 사이버 폭력, 디지털 성범죄로 나누겠습니다. 이 중 관심 있는 주제에 관해 모둠별 탐구를 할 수 있도록 조 편성을 하겠습니다. 이후 태블릿을 통해 학생들은 각 주제에 관한 사회적 문제점과 현실 사례를 찾고, 이를 해결하기 위한 개인적·사회적 차원에서의 노력 방안을 토의를 통해 정리하도록 하겠습니다. 인공지능과 협업해 요약문을 작성한다면 제시문에서 말한 AI의 장점을 적극 활용할 수 있을 것입니다. 이후 에듀테크를 활용해 한 장의 창작물로 만든 다음 학교 공간 및 온라인 공간에 전시해 모든 학생이 공유할 수 있게 하겠습니다. 이렇게 한다면 학생 주도로 온라인에서 일어나는 문제점을 인지하고 예방책 및 대응책을 수립할 수 있을 것이며, 이 과정에서 디지털 시민의식을 쌓아나갈 수 있을 것입니다.

현장에 나아가 교육공동체의 요구 사항에 귀 기울이며 학교 특색 프로그램을 제작하는 데 능동적으로 반응하는 교사가 되겠습니다. 이상입니다.

04 다음 자료와 조건에서 각각 하나를 선택하여 구체적인 교육 방안을 마련하고자 한다. 자료의 2022 개정 교육과정 중점 내용 중 본인의 교직관에 비추어 가장 공감이 되는 것 하나를 고르고, 이를 실현할 구체적 방안을 조건에서 하나를 골라 제시하시오.

자료 2022 개정 교육과정 구성 중점 중 일부

1. 학생 개개인의 인격적 성장을 지원하고, 사회 구성원 모두의 행복을 위해 서로 존중하고 배려하며 협력하는 공동체 의식을 함양한다.
2. 모든 학생이 학습의 기초인 언어, 수리, 디지털 기초 소양을 갖출 수 있도록 하여 학교 교육과 평생학습에서 학습을 지속할 수 있게 한다.
3. 학생들이 자신의 진로와 학습을 주도적으로 설계하고, 적절한 시기에 학습할 수 있도록 학습자 맞춤형 교육과정 체제를 구축한다.
4. 다양한 학생 참여형 수업을 활성화하고 문제 해결 및 사고 과정을 중시하는 평가를 통해 학습의 질을 개선한다.
5. 교육과정 자율화·분권화를 기반으로 학교, 교사, 학부모, 교육청 등 교육 주체들 간의 협조 체제를 구축하여 학습자 특성과 학교 여건에 적합한 학습이 이뤄질 수 있도록 한다.

조건

1. 학교자율과제
2. 교과 연계 수업
3. 학급 운영 방안

구상하기

🎯 해설

선택형 문제이므로 선택 이유를 제시하는 것이 바람직하다.

🎯 예시 답변

저는 2022 개정 교육과정 중 1번 "학생 개개인의 인격적 성장을 지원하고, 사회 구성원 모두의 행복을 위해 서로 존중하고 배려하며 협력하는 공동체 의식을 함양한다."를 선택하겠습니다. 사회 여러 곳에서 인공지능 및 기계화가 가속화되며 인간만의 능력인 공동체 의식이 중요해지고, 인터넷의 일상화와 세계화의 보편화로 다양한 사람을 만나는 일이 많아졌으므로 공동체 능력이 더욱 중요해졌기 때문입니다.

이를 구체적으로 실현하기 위해 조건에서 3번 학급 운영 방안을 선택하겠습니다. 교사의 교육적 의도와 활동이 더해진다면, 학급에서 20~30명의 친구와 함께하는 과정에서 자연스럽게 공동체 의식을 쌓을 수 있기 때문입니다.

저는 한 달에 한 번 고맙day를 만들고 싶습니다. 친구에 대한 고마움을 편지에 적어 전달하고, 친구들에게 가장 많은 감사 편지를 받은 친구를 시상하는 것입니다. 이 과정을 통해 감사함을 생활화하고 친구와 따뜻한 마음을 주고받는 과정에서 인권 친화적인 학급 분위기를 조성할 수 있습니다. 이렇게 한다면 어떤 활동이라도 서로 돕고 배려하는 자세를 갖출 수 있을 것입니다. 교사로서 저도 고맙day에 참여해, 학생들과 함께 일상 속 감사함을 나누는 시간을 갖겠습니다. 이상입니다.

05 자료 1, 2를 통해 학교폭력에 대한 시사점을 도출하고, 이에 해당하는 구체적인 교육 방안을 2가지 제시하시오.

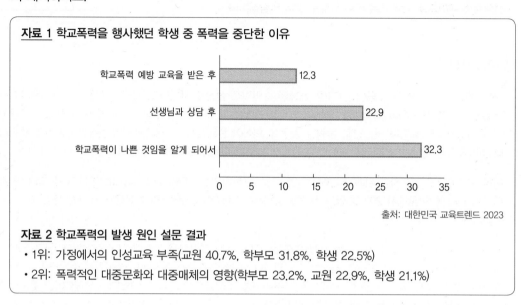

자료 1 학교폭력을 행사했던 학생 중 폭력을 중단한 이유

- 학교폭력 예방 교육을 받은 후 12.3
- 선생님과 상담 후 22.9
- 학교폭력이 나쁜 것임을 알게 되어서 32.3

출처: 대한민국 교육트렌드 2023

자료 2 학교폭력의 발생 원인 설문 결과
- 1위: 가정에서의 인성교육 부족(교원 40.7%, 학부모 31.8%, 학생 22.5%)
- 2위: 폭력적인 대중문화와 대중매체의 영향(학부모 23.2%, 교원 22.9%, 학생 21.1%)

구상하기

🎯 해설

자료 1과 2를 분석해 도출한 결과에 따른 교육 방안을 제시해야 한다.

🎯 예시 답변

자료 1은 학교폭력을 멈추는 이유에 학교 교육이 이바지하는 바가 크다는 것을 시사합니다. 선생님과의 상담, 학교폭력 예방 교육이 폭력을 멈추는 데 일조했다는 것에서 그것을 알 수 있습니다. 자료 2에서는 학교폭력의 원인으로 가정에서 인성교육 부족, 폭력적인 대중매체의 영향을 언급하고 있습니다. 이를 통해 학교에서 학교폭력 예방 교육 및 상담 교육을 하되 가정과 연대한 방향, 미디어를 활용한 방향으로 교육해야 함을 알 수 있습니다. 이를 실현하기 위한 구체적인 교육 방안은 다음과 같습니다.

먼저 학교에서 학부모 자녀 이해 교육 활동을 마련해 가정과 함께하는 인성교육 방안을 마련하겠습니다. 예를 들어 '가족 사랑의 날'을 마련하고 '밥상머리 인성교육' 프로젝트를 시행해 가정에서 식사 시간에 함께 밥을 먹으며 효, 예 등 도덕적 인성을 함양하고 존중과 소통 능력 등 공동체적 인성을 함양하도록 하겠습니다. 이후 학부모와 학생의 체험수기를 받아 학교에서 함께 공유한다면 효과가 더욱 극대화될 것입니다.

둘째, 학교에서는 주제 중심 학교폭력 예방 교육으로 '미디어 속 언행 교정' 프로젝트를 시행하겠습니다. 청소년 관람 예능, 드라마 중 폭력적인 장면, 옳지 못한 대화 표현 등을 점검해 보고 '꼭 필요한 장면이었는지', '일상에서 그런 행동과 표현을 사용한다면 어떤 갈등이 유발될 수 있는지', '순화한다면 어떻게 표현하면 좋을지'에 대해 토론하는 시간을 갖도록 해 미디어를 그대로 수용하는 것이 아닌 옳고 그름을 분석할 수 있는 감식안을 갖추도록 하겠습니다.

현장에 나아가 학교폭력을 예방할 수 있는 인성교육에 앞장서는 교사가 되겠습니다. 이상입니다.

06 다음 교육공동체의 의견을 통해 IB 프로그램의 장점과 예상되는 문제점을 말하고, 신규 교사로서 IB 교육 관련 전문성을 기를 수 있는 방안을 제시하시오.

- 학생 A: 예전에는 교실이 조용하고 자는 애들도 많았어요. 하지만 IB 프로그램으로 바뀌면서 같이 협동하는 분위기가 생기며 학생 참여도가 높아졌어요.
- 교사 B: 우리 학교는 IB 기초학교인데, 교사 확보가 매우 힘들어요. 전입을 희망한 교사는 거의 MZ 세대입니다.
- 학부모 C: IB 프로그램은 영어 사교육을 더 조장하는 것 아닌가요? 교육비를 더 부담해야 한다니 막막합니다.

구상하기

🎯 해설

제시문의 의견을 모두 반영해 답변해야 한다.

🎯 예시 답변

제시문 속 교육공동체의 의견을 통해 파악할 수 있는 IB 프로그램의 장점은 다음과 같습니다. 학생 A의 발언처럼 토의·토론, 탐구 학습, 프로젝트 학습으로 수업을 구성하는 과정에서 학생주도학습이 실현될 수 있으며 학생의 능동성과 참여도가 높아질 수 있습니다. 또한 비판적 사고력, 문제해결 역량을 갖출 수 있습니다.

예상되는 문제점은 다음과 같습니다. 교사 B의 발언과 같이 기존의 수업, 평가 방식에서 벗어나다 보니 교사의 입장에서 업무 부담이 될 수 있어 적극적인 참여가 어려울 수 있습니다. 또한 학부모 C의 발언에서 알 수 있듯 취지를 제대로 알리지 못할 경우, 교육공동체의 공감을 받지 못하고 사교육을 조장하는 프로그램, 복잡하고 어려운 교육과정이라는 오해를 받을 수 있습니다.

이런 점을 고려해 신규 교사로서 노력 방안을 말씀드리겠습니다. 첫째, 학생 중심 수업을 구현하기 위해 IB 프로그램의 취지를 이해하고 관련 연수, 교육공동체와의 연구 활동으로 전문성을 갖춰나가겠습니다. 둘째, IB 교육과정을 실현하다 보면 교사 공동체 안에서도 업무 난이도나 역량 차이가 존재할 수 있습니다. 이때 열린 마음으로 서로 협력하는 자세를 취하겠습니다. 셋째, 학부모님과 학생이 IB 교육과정의 취지를 정확히 이해할 수 있도록 안내하고, 제시문과 같은 오해가 생길 때 한국형 IB 프로그램은 한국어로 진행하며, 과정중심평가와 학생의 사고력을 중시하기에 사교육으로 단기간에 달성하기 어려워 학교 수업 참여에 따른 성장이 중요하다는 점을 안내하겠습니다.

현장에 나아가 IB 교육과정의 취지를 이해하고 이에 관한 전문성을 쌓아나가는 교사가 되겠습니다. 이상입니다.

❸ (입장) 선택형(4문항)

1쫄 사이다전략

일반 선택형/상반된 선택형/조화 가능한 선택형 중 어떤 유형인지 분석한 후 맞춤 전략을 활용하자.

01 다음 상황에서 두 교사의 입장 중 하나를 선택하고, 그 이유에 대해 말하시오.

> **상황**
> A 교사와 B 교사는 교과협의회에서 의견을 나누는 중이다.
>
> **대화**
> A 교사: 수업에서 배운 것을 그대로 평가해야 한다고 생각합니다.
> B 교사: 변별력을 위해 강조하지 않은 부분을 출제해야 합니다.

구상하기

_____

_____

_____

_____

🎯 해설

A 교사는 과정중심평가, B 교사는 결과중심평가를 지향하므로 A 교사를 선택해야만 경기교육의 지향점과 일치한다. 경기교육의 지향점과 교직관이 일치한다는 점을 어필하기 위해 답변에 자연스럽게 교직관을 녹여내면 좋다.

🎯 예시 답변

저는 A 교사의 입장을 선택하겠습니다. A 교사는 성장중심평가·과정중심평가를 지향하고, B 교사는 성적중심평가·결과중심평가를 지향하고 있습니다. 교육은 석차를 내는 행위가 아니고 개인의 성장을 도와야 한다고 생각하므로, 과정을 평가해 학생의 발달에 도움을 주는 A 교사의 의견에 동의합니다.

현장에 나아가 A 교사와 같은 자세로, 학생이 수업 활동에 참여하는 정도, 성장 정도를 잘 관찰하고 피드백을 더 해 성장을 촉진하는 교사가 되겠습니다. 이상입니다.

02 다음을 읽고 미래의 교육을 누가 담당해야 하는지 선택하고, 그 이유를 제시하시오. 또한 이와 관련하여 교사로서 어떠한 노력을 할 것인지를 2가지 말하시오.

> 미래에는 인공지능이 발달하여 로봇이 수업을 하는 시대가 올 것이다. 그렇다면 학교에서 교사의 역할은 많이 축소될 것이다.

구상하기

🎯 해설

> 교사만이 할 수 있는 일을 정확히 언급해야 한다.

🎯 예시 답변

> 저는 인공지능과 로봇 기술이 발달하는 시대에서도 교사가 여전히 핵심적인 역할을 담당할 것이라고 생각합니다. 교육은 사람과 사람의 만남에서 시작된다고 생각하기 때문입니다. 교육은 단순히 지식을 습득하고 정보를 정리하는 것을 넘어, 내적 동기를 자극하고, 정서적 지원을 하며 윤리적 가치와 도덕적 판단을 가르치는 것이 수반된다고 생각합니다.
>
> 인공지능은 기술적 지원을 제공할 수 있지만, 인간의 감정과 사회적 상호작용을 이해하고 적절히 반응하지 못하며, 윤리적·도덕적 판단을 위한 교육을 효과적으로 제공하기는 어렵습니다. 저는 이와 관련해 다음과 같이 노력하겠습니다.
>
> 첫째, 상호 협력하는 분위기를 조성하겠습니다. 페이스북, 구글 등 4차 산업혁명을 이끈 기업은 공동의 창업자로 구성된다는 공통점이 있습니다. 이는 기술의 발전에도 인간 간의 협력이 중요하다는 사실을 보여주는 사례입니다. 저는 학생들이 서로 협력하는 모둠 학습, 프로젝트 학습을 조성해 사회적 상호작용을 체득할 수 있게 하겠습니다. 이때, 윤리적 판단력을 기를 수 있거나 창의력을 키울 수 있는 주제를 중심으로 수업을 기획해 기술이 대체할 수 없는 인간만의 역량을 기를 수 있도록 도움을 주겠습니다.
>
> 둘째, 학생과 정기적으로 상담을 하겠습니다. 행정 업무 등 기술로 해결할 수 있는 부분은 기술의 도움을 받고, 남은 시간을 학생의 정서적 지원과 내적 동기 자극에 몰두하겠습니다. 자칫 기술 만능주의로 흐를 수 있는 문제를 예방하고 학생들의 내면을 들여다보며 적절한 도움을 제공할 수 있는 교사가 되겠습니다.
>
> 현장에 나아가 하이테크, 하이터치를 실현하는 교사가 되겠습니다. 이상입니다.

03 다음 교사의 의견 중 공감이 되는 것을 하나 선택하고, 그 이유를 답변하시오. 만약, 자신이 선택하지 않은 방식으로 소통이 진행될 경우, 어떻게 할 것인지 답변하시오.

> • A 교사: 회의를 할 때는 만나서 얼굴을 보고 회의를 진행하고, 업무를 처리해야 한다. 그래야 집중이 잘 된다.
> • B 교사: 메신저로 소통하는 것이 훨씬 빠르게 업무를 처리할 수 있기에 온라인 소통을 선호한다.

구상하기

해설

둘 중 어떤 입장을 선택해도 좋지만, 원하는 방식으로 회의가 진행되지 않을 때 다른 방식의 장점을 이용하고 단점을 보완할 수 있는 방법을 제시하면 좋다.

예시 답변

저는 A 교사의 입장을 선택하겠습니다. 대면 회의는 직접 만나서 소통하기 때문에 발언자에게 집중할 수 있고 비언어적 의사소통이 가능하기 때문입니다. 또한 대면 회의에서는 즉각적으로 질문하고 피드백을 주고받을 수 있어, 오해가 생길 가능성이 줄어듭니다. 따라서 메신저로 소통할 때보다 복잡한 문제를 명확히 하고, 오히려 빠르게 문제를 해결할 수 있다고 생각하기에 A 교사의 입장을 선택했습니다.

만약 메신저로 회의하는 것이 결정된다면 저는 다음과 같이 행동하겠습니다. 메신저의 장점을 적극 활용해 중요한 논의 사항이나 결정을 문서화해 모든 관련자에게 미리 배포하고, 의견을 받아 메신저에 모든 결정 사항이 명확히 기록되도록 하겠습니다. 온라인 소통 후에는 회의 내용을 요약한 후 공유해 자칫 집중력 부족으로 놓친 내용을 다시 한번 확인할 수 있도록 하겠습니다. 이상입니다.

04 다음은 두 교사의 학생관에 관한 입장이다. 이 중 하나를 선택하여 그 이유를 밝히고, 이와 관련하여 현장에서 어떤 교육 활동을 할지 답변하시오.

> A 교사: 학생을 무조건 신뢰해야 한다.
> B 교사: 무조건 신뢰하는 것은 교육적으로 옳지 않다.

구상하기

🎯 해설

긍정적인 학생관을 드러내기 위해서 A 교사의 입장을 택하는 것이 유리하다.

🎯 예시 답변

저는 교사로서 A 교사의 "학생을 무조건 신뢰해야 한다."라는 입장을 선택하겠습니다. 신뢰는 '믿는다'라는 의미입니다. 학생이 비록 옳지 못한 행동을 한다고 해도, 지도를 통해 바른길로 나아갈 것이라는 믿음, 성장할 것이라는 믿음이 있어야만 교육 활동이 원활하게 전개될 것입니다. 또한 학생들은 교사가 자신을 믿어준다는 느낌을 받으면, 자기 능력을 더 믿고 도전할 용기를 가지게 되며, 책임감을 가지고 생활할 수 있을 것입니다. 따라서 저는 A 교사의 입장을 지지합니다.

저는 이와 같은 관점에서 다음과 같은 교육 활동을 전개하겠습니다.

첫째, 학생들과 함께 교실 규칙을 설정하고, 규칙을 준수하겠다는 서약식을 진행하겠습니다. 무조건 신뢰한다고 해서 아무렇게나 행동해도 용인한다는 것은 아닙니다. 학생들이 규칙을 만들고, 지킬 수 있다는 것을 신뢰하고, 규칙을 위반할 때는 대화를 통해 문제를 해결할 수 있다는 것을 믿겠습니다. 학생들이 스스로 문제를 해결할 기회를 제공하고, 문제 해결 과정에서 신뢰를 바탕으로 학생들의 의견과 결정을 존중하겠습니다.

둘째, 감사 일기를 작성하도록 하겠습니다. 일주일에 1번, 자신이 감사하게 생각하는 사람이나 일, 존중받았던 경험을 일기에 기록하도록 하겠습니다. 이를 통해 존중의 가치를 체감하고, 긍정적인 감정을 표현하는 방법을 배울 수 있습니다. 저는 교사로서 긍정적이고 지지적인 피드백을 통해 학생들이 지속적으로 성장할 수 있도록 돕겠습니다.

현장에 나가서도 학생들을 신뢰하고, 저 역시 신뢰받는 교사가 되기 위해 노력하겠습니다. 이상입니다.

4 이유 제시(3문항)

1절 사이다전략

경기교육, 교직관에서 근거를 찾자.

01 다음 세계시민교육을 위한 활동 방향 3가지 중 하나를 선택하여 그 이유를 제시하고, 선택한 활동에 대한 구체적인 전공 연계 방안을 제시하시오.

세계시민교육 중심 학생주도·참여 활동
1. 학교자율과정 연계 학생주도 활동
2. 교과 수업 내 학생주도 활동
3. 동아리 또는 학생자치 연계 학생주도 활동

구상하기

🎯 해설

활동 방향 3가지 중 무엇을 선택하든, 선택 이유가 설득력 있고 분명해야 한다. 또한, 제시문의 제목이 '세계시민교육 중심 학생주도·참여 활동'이라는 것에 입각해, 학생들의 역할이 많이 드러나는 전공 연계 방안을 제시해야 한다.

🎯 예시 답변

저는 '2번 교과 수업 내 학생주도 활동'을 선택해 세계시민교육을 진행하겠습니다. 세계시민교육을 진행할 때 유의 사항은 일회성, 단기성 이벤트로 운영하지 않아야 한다는 것입니다. 삶과 연계한 일상적 교육을 위해서는 교과 수업 내에서 자연스럽게 진행하는 것이 좋다고 생각했기에 2번을 선택했습니다. 학생들은 교과 내 다양한 사회 문제에 관해 탐구하고 토론하며 다양한 의견을 존중하고, 글로벌 시민으로서의 역량을 쌓아갈 수 있을 것입니다.

구체적인 전공 연계 방안은 다음과 같습니다. 기술·가정 교과에는 '다양한 현대 가족에 내재된 새로운 가족문화를 탐색한다.'라는 성취 기준이 있습니다. 현대 사회에는 다양한 형태의 가족이 존재합니다. 에듀테크를 활용해 학생들이 현대 사회의 다양한 가족 형태, 즉 입양가족, 한부모가족, 재혼가족, 조손가족, 다문화가족 등을 직접 조사하고 대표 가족 사례를 찾아 그들의 이야기를 학생들에게 소개하도록 하겠습니다. 이 과정에서 자연스럽게 새로운 가족 형태를 이해하고, 사회적 편견과 차별을 예방할 수 있을 것입니다.

세계시민교육의 맹점은 질문을 통해 비판적 사고력을 함양하고, 학생이 현명하고 성찰적인 행동으로 자기 의견을 밝힐 기회를 제공하는 것이라고 생각합니다. 교사로서 저는 활동 중에 유의미한 질문을 통해 학생의 사고력을 확장하겠습니다. 이상입니다.

02 ㉠에 해당하는 내용과 그 이유를 말하고, 이를 위해 현장에서 어떠한 교육적 노력을 할지 말하시오. ㉡에 해당하는 직업과 그 이유를 말하고, 교사는 이에 해당되는지 여부를 그 이유와 함께 설명하시오. 또한 미래 사회를 위한 진로 지도 방안을 제시하시오.

> 한국 학생들은 이유도 모르는 채 ㉠ 미래에 필요하지 않은 지식과 ㉡ 미래에 사라질 직업을 위해 15시간씩 공부한다.
>
> 앨빈 토플러

구상하기

🎯 해설

아래와 같이 문제에 요구하는 것이 많으므로 꼼꼼하게 읽고 접근해야 한다.

① ㉠에 해당하는 내용과 그 이유
② 이를 위한 교육적 노력
③ ㉡에 해당하는 직업과 그 이유
④ 교사가 이에 해당되는지 여부와 그 이유
⑤ 미래 사회를 위한 진로 지도 방안

🎯 예시 답변

먼저 ㉠에 해당하는 내용과 그 이유부터 말씀드리겠습니다. 현재 가르치는 내용 중 미래 사회에 필요하지 않을 가능성이 있는 지식은 단순 암기 위주의 교육입니다. 지필평가나 수행평가를 할 때 교과서의 내용을 암기하는 방식은 미래 사회를 고려했을 때 실용적이지 않을 수 있습니다. 미래 사회에서는 기계의 일상화, 다문화의 가속화, 기후위기 등으로 예측할 수 없는 사회 문제가 활발해질 것입니다. 비판적 사고, 문제해결 능력, 창의성 등이 더 중요한 역량으로 여겨지므로 암기보다 분석적 사고와 실제 적용 능력을 중시하는 교육이 필요합니다.

저는 이를 위해 학생들이 실제 문제를 해결하는 프로젝트 학습과 비판적 사고 능력을 기를 수 있는 토의·토론 수업을 진행하고 싶습니다. 학생들의 동기를 촉발하기 위해 지역사회 내에서 일어나고 있는 환경 문제, 사회 문제 등을 조사하게 해 앎과 삶을 연계하고 싶습니다.

다음으로 ㉡ 미래에 사라질 직업에 대해 말씀드리겠습니다. 자동화와 로봇 기술의 발전으로 인해 계산하는 은행원, 제조를 담당하는 약사, 반복적인 사무 작업을 수행하는 회사원 등의 직업이 사라질 수 있다고 생각합니다.

하지만 교사는 사라질 직업에 해당하지 않는다고 생각합니다. 교사는 학생의 전인적 성장을 지원하는 직업으로, 자동화의 영향을 받기보다는 기술을 활용해 교육을 개선하고, 로봇 등 기술이 대체할 수 없는 인간적인 만남과 정서적 교류를 하기 때문입니다. 또한 교사는 학생들에게 필요한 기술과 지식을 가르치고, 비판적 사고와 문제해결 능력을 개발하도록 돕는 직업이므로 사라지지 않을 것이라고 생각합니다.

마지막으로 미래 사회를 위한 진로 지도 방안을 말씀드리겠습니다. 저는 미래의 트렌드를 분석하고 미래 직업을 탐색해 보는 일을 하고 싶습니다. 제가 강의식으로 설명하는 것이 아닌, 디지털 기기를 활용해 학생들이 직접 미래의 직업 시장과 산업 동향을 검색하고 탐구할 기회를 주고 싶습니다. 또한 새로운 도전을 하는 지역사회 전문가를 초빙하는 멘토링 프로그램을 기획하고 싶습니다. 이를 통해 학생들은 직업에 대한 실제적인 조언과 인사이트를 얻을 수 있을 것입니다.

교육의 방향성을 미래 지향적으로 설정하고, 학생들이 필요로 하는 지식과 기술을 습득할 수 있도록 조력하는 교사가 되겠습니다. 이상입니다.

03 조건 중 하나를 골라 제시문의 시사점과 관련한 교육 활동을 하고자 한다. 구체적인 교육 방안을 3가지 제시하시오.

> **제시문**
>
> 우리나라 교육과정은 코로나19와 기후변화 등으로 사회의 불확실성이 증가하면서 변화를 요구받고 있다. 또한 사회 구성원이 다양해지고 다양한 사회적 문제가 발생하며 이를 해결하기 위한 역량과 협력의 필요성이 제기되고 있다. 경기도교육청은 기후위기, 생태환경 변화에 대응하고 학생들이 자기주도능력을 함양하도록, '자율·균형·미래'라는 도교육청 가치와 접목한 학교급별 탄소중립 생태환경 교육과정을 운영하고 있다.
>
> **조건**
> 1. 학교자율과제
> 2. 교과 융합 수업
> 3. 학급 특색 사업

구상하기

🎯 해설

문제에서 요구한 대로 조건 중 하나를 먼저 골라야 한다. 여러 조건 중 하나를 선택했으므로 이유를 제시해 답변에 신뢰를 주자.

🎯 예시 답변

제시문에서는 탄소중립 생태환경교육을 강조하고 있습니다. 교육의 방향은 제시문에서 언급한 것과 같이 학생들의 문제해결 역량과 협력을 도모할 방안이어야 합니다. 이와 관련해 저는 학급 특색 사업을 골라 교육을 전개하고 싶습니다. 학급 특색 프로그램을 한다면, 일회성 프로젝트에 그치는 것이 아니라 학급에서 상시로 진행할 수 있기에 학생들의 역량을 강화할 수 있을 뿐 아니라 협력을 일상화할 수 있기 때문입니다. 구체적인 교육 방안은 다음과 같습니다.

첫째, 탄소 발자국 줄이기 프로젝트를 실시하겠습니다. 학급을 몇 개의 모둠으로 나눠, 학생들이 매일 발생하는 탄소 발자국을 측정하고, 이를 줄이는 방법을 함께 고민해 보는 것입니다. 먼저, 온라인 도구나 앱을 사용해 자신의 탄소 발자국, 즉 에너지 소비, 교통수단 이용, 식습관 등을 측정하게 합니다. 그 후 탄소 발자국을 줄이기 위한 목표를 세운 후 잘 지켜지는지 점검합니다. 이를 통해 학생들은 개인의 행동이 탄소배출에 미치는 영향을 이해하고, 실질적인 노력으로 탄소중립에 이바지할 수 있습니다. 저는 교사로서 학생의 진행 상황을 점검하고, 방향을 피드백하고 격려해 주겠습니다. 이후 한 달에 한 번씩 모둠별로 서로의 경험을 공유한다면 동기 부여가 돼 학급 차원에서 더욱더 프로젝트가 활성화될 것입니다.

둘째, 학교 환경 개선 캠페인을 시행하겠습니다. 학교 내에서 에너지 사용, 쓰레기 처리, 재활용 시스템 등을 조사해 문제점을 파악한 후 학교 내 환경 개선을 위한 캠페인을 기획하는 것입니다. 예를 들어, 에너지 절약을 위한 포스터 제작, 재활용 방법 개선, 물건 재사용을 장려하는 활동 등을 포함할 수 있습니다. 저는 교사로서 학생들의 결과물을 피드백하고, 학교의 적재적소에 결과물을 부착할 수 있게 하겠습니다. 이렇게 한다면 학급 차원에서의 캠페인이 확장돼 학교 전체에 환경 문제에 대해 인식을 높일 수 있으며 탄소중립을 위한 구체적인 행동을 취할 수 있는 환경을 조성할 수 있을 것입니다.

현장에 나아가 학생 중심의 탄소중립 생태환경교육을 위해 노력하는 교사가 되겠습니다. 이상입니다.

5 관련 경험 제시(5문항)

1절 사이다전략

한 세트인 '경험–교직관–교사로서의 포부와 의지'를 잊지 말자!

01 갈등의 상황에서 상호 소통보다 법적 근거를 기준으로 문제를 해결하는 방식이 늘고 있다. 이와 관련하여 소통으로 갈등을 해결한 경험과 이를 교육 활동에 적용할 방안을 말하시오.

구상하기

🎯 해설

갈등을 소통으로 해결한 경험을 말하되, 출제 의도를 고려해 경험 속에서 얻은 성찰 내용을 언급해야 한다. 교사로서의 소양을 확인하고자 하기 때문이다.

🎯 예시 답변

학부 시절 동아리 연합회에서 동아리 활동 결과물을 발표해야 했습니다. 신입 회원 유치를 위해 중요한 일정이라 다들 예민했던 탓인지 의견 충돌이 심했고, 그때쯤 시험 기간과 겹쳐 동아리원들은 각자 사정을 말하고 불참하는 일이 많아 스트레스를 많이 받았습니다. 하지만 동아리장으로서 책임을 져야 한다는 생각에 혼자 묵묵히 작품을 제작하면서도 내심 서운한 감정이 들었습니다.

그때, 학창 시절에 학급회의로 문제를 해결했던 경험이 떠올라 동아리원들에게 회의를 열자고 건의했습니다. 처음에 소극적이었던 동아리원들은 한 명씩 돌아가면서 현재 자기 상황과 동아리 발표회에 기대하는 점 등을 말했고 간혹 목소리가 높아질 때도 있었으나 상대 말을 공감하고 경청하는 자세를 보이며 상호 중재했더니 쉽게 마음을 열고 그동안 서로 서운했던 점을 진솔하게 털어놓으며 상대의 말을 경청하기 시작했습니다. 이 경험을 통해, 혼자 책임을 진다거나 서운한 점을 묻고 가는 것이 갈등을 해소하는 데 원활한 방법이 아니라는 것을 깨달았습니다. 상대에 대한 공감적 경청을 바탕으로 진솔한 대화를 하면 쉽게 갈등이 풀릴 수 있다는 사실을 새삼 깨닫게 된 것입니다.

저는 이 경험을 바탕으로 교사가 돼 정기적인 학급회의를 개최하고 싶습니다. 한 달에 1~2번 정기적인 학급회의를 통해 학급에서 생활하면서 서로 힘들었던 점, 학급 발전을 위해 필요한 점에 대해 진솔하게 이야기를 나누고 싶습니다. 담임으로서 저는 소통 방법을 안내하고, 혹시나 갈등이 생길 때 동아리 활동에서 그랬던 것처럼 상호존중의 자세로 중재하며 원활한 회의가 이뤄질 수 있도록 조력할 것입니다. 이상입니다.

02 학창 시절 가장 힘들었던 경험을 이야기하고, 교사가 된 후 똑같은 경험을 하고 있는 학생에게 어떻게 도움을 줄지 이야기하시오.

구상하기

🎯 해설

> 경험을 진솔하게 언급할 뿐 아니라 경험 속에서 얻은 성찰 내용을 함께 이야기해야 한다.

🎯 예시 답변

> 학창 시절 가장 힘들었던 경험은 중학교 3학년 때 전학 간 학교에서 잘 적응하지 못해서 오랜 시간 학교생활을 혼자 했던 일입니다. 환경과 학교 문화가 많이 달라서 적응하기 어려웠고 학급 친구들은 이미 초등학교 시절부터 친구인 경우가 많아 쉽게 친해지기 어려웠습니다.
>
> 그때, 학급 담임 선생님께서는 제 감정을 늘 신경 써주시고 상담도 많이 해주시며 친절하게 대해주셨습니다. 또한 학급 친구들끼리 단합할 수 있는 활동을 많이 만들어 주셨는데, 친구들과 함께 대청소하고 모둠 활동도 하며 많이 가까워지고 원하던 단짝 친구도 생기게 됐습니다. 담임 선생님께 감사한 마음이 들어 선생님처럼 좋은 교사가 돼 학교생활에 적응하지 못하는 친구들을 도와줘야겠다고 다짐하게 됐습니다.
>
> 만약, 제가 담당한 학급에 새로운 친구가 전학을 온다면, 저 역시 저의 담임 선생님이 해주셨던 것처럼 상담을 통해 적응하기 어려운 점을 물어봐서 적절하게 도와줄 것이며 자연스럽게 학교 문화에 적응할 수 있도록 다양한 협력 활동을 많이 할 것입니다. 또한, 새로운 친구를 환영할 수 있는 인권 친화적인 학급 분위기를 만들기 위해 평소에 서로 존중하고 배려하는 교실 문화를 만들도록 할 것입니다. 이상입니다.

03 미래 교사에게 필요한 역할은 무엇인지 보기에서 하나를 골라 그 이유를 밝히고, 이에 필요한 역량과 그 역량을 함양하기 위해 시도한 노력 과정을 말하시오.

미래 교사의 역할
교육과정 전문가, 생활교육 전문가, 학교 공동체 운영자, 자기개발자

구상하기

_____

_____

_____

_____

_____

🎯 해설

경기도교육청에서 제시한 교원 역량이므로 이를 잘 숙지해야 한다. 각 역할을 요구하고 있으므로 관련 역량과 발전 계획을 미리 고민해 두자.

🎯 예시 답변

저는 제시문의 미래 교사 역할 중 '자기개발자'를 선택하고 싶습니다. 사회는 예측할 수 없는 다양한 원인으로 급변하고 있으며, 특히 디지털 환경과 세계화가 가속화되고 있다는 점에 주목해야 합니다. 이러한 환경에서 교사는 사회 변화에 빠르게 대응하고 글로컬 시민의식을 바탕으로 생각하고 행동하는 것이 중요하다고 생각하기에 이를 포괄할 수 있는 자기개발 역량을 선택했습니다.

자기개발자로서의 면모를 갖추기 위해서는 변화대응 역량, 교직 전문성 개발 역량, 자기관리 역량 등이 필요합니다. 저는 변화대응 역량과 교직 전문성 개발 역량을 기르기 위해 특히 디지털 환경 이해에 중점을 두었습니다. 학부 동기들과 소모임을 만들어 패들렛, 띵커벨 등 에듀테크를 직접 사용하고 교육에의 적용 방안을 고민해 보았으며 이 과정에서 협업 능력도 발전했습니다.

또한 자기관리 역량을 위해 건강과 감정 관리에 신경 쓰고 있습니다. 건강한 신체에 건강한 정신이 깃든다는 말을 믿기에, 운동을 꾸준히 하고 있고 늘 감사 일기를 쓰며, 긍정적으로 사고하고자 노력하고 있습니다. 이러한 행동과 습관이 교직에 나아가서도 자기개발자의 역할을 더욱 잘 해내게 할 것입니다.

현직에 나아가서도 자기개발을 게을리하지 않는 열정 있는 교사가 되겠습니다. 이상입니다.

04 교사라는 직업을 선택하는 데 영향을 미쳤던 경험을 말하고, 신규 교사로서의 포부를 3가지 말하시오.

구상하기

🎯 해설

경험을 진솔하게 제시하되, 경험에서의 깨달음을 교직에서 실천하겠다는 흐름으로 답변해야 한다.

🎯 예시 답변

저는 고등학교 1학년 때까지 무기력한 학생이었습니다. 부모님은 생업을 하느라 바쁘셨고, 집에 혼자 있는 시간이 많았기에 제가 무엇을 좋아하는지, 어떤 것을 잘하는지 탐색할 기회가 부족했습니다. 그래서 늘 학교에서도 소극적이었고, 수업에 집중하지 못하는 날이 많았습니다. 그런데 문학 선생님께서는 늘 수업 시간에 생각할 거리를 던지셨고, 저를 콕 짚어 질문하시기도 했습니다. 처음에는 부끄러워서 대답을 못 했지만, 점점 선생님의 질문에 생각도 해보고 용기 내 답변도 해보았습니다. 제가 답변을 몇 차례 했을 무렵, 문학 선생님께서는 반 친구들 앞에서 저를 크게 칭찬해 주셨습니다. 문학을 이해하는 능력이 좋아서, 사람의 마음을 울리는 글을 쓰면 잘 쓸 것 같다고 말입니다. 저는 그 덕에 자신감과 용기가 생겼고, 교내 시 짓기 대회에서 수상도 했습니다. 저는 문학 선생님과 1년을 보내며 선생님처럼 학생들에게 긍정적인 영향을 주는 교사가 되리라는 다짐을 하게 됐습니다. 이러한 마음을 지니고, 제가 교사가 된다면 다음과 같이 행동하겠습니다.

첫째, 교사의 일방적인 수업이 아닌 교사와 학생, 학생과 학생이 함께 할 수 있는 수업을 구안하겠습니다. 무기력했던 저의 사고력을 자극했던 것은 선생님의 발문이었습니다. 학생들의 잠재력을 끌어낼 수 있는 좋은 질문을 수업에 넣고, 학생 주도의 프로젝트 학습, 탐구 학습, 토의·토론 등으로 학생 주도의 수업을 만들고 싶습니다. 그렇다면, 저처럼 무기력하거나 본인의 흥미와 장점을 모르는 친구들에게 긍정적인 영향을 미칠 것입니다.

둘째, 학생을 잘 관찰하겠습니다. 저는 선생님의 칭찬 덕에 새로운 인생을 살게 됐습니다. 그만큼 교사는 가치관을 형성할 시기의 학생들에게 매우 중요한 역할을 합니다. 저는 학생들을 관찰하고, 상담을 통해 학생의 장점과 흥미를 고려해 적절한 조언과 피드백으로 학생들의 성장에 이바지하겠습니다.

셋째, 가정과 연대하겠습니다. 학생이 성장하는 데에는 학교와 가정의 연대가 중요하다고 생각합니다. 학생이 가정에서 어떤 모습인지, 학부모님은 학생의 성장에 어느 정도 관심이 있는지를 파악해 상담의 기초 자료로 삼겠습니다. 이를 통해 학생들에게 필요한 지원을 하도록 하겠습니다. 이상입니다.

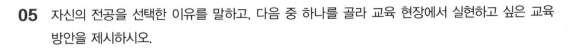

05 자신의 전공을 선택한 이유를 말하고, 다음 중 하나를 골라 교육 현장에서 실현하고 싶은 교육 방안을 제시하시오.

> 1. 주제중심수업
> 2. 교과융합수업
> 3. 학교자율시간
> 4. 생각의 힘을 키우는 학기

구상하기

🎯 해설

교과를 선택한 이유에 적합한 교육 방안을 제시해야 한다. 또한 여러 방안 중 하나를 선택했으므로 선택 이유를 제시하면 답변에 신뢰감을 줄 수 있을 것이다.

🎯 예시 답변

음악은 사람들에게 감정과 표현의 자유를 주고, 협업해 연주하는 과정에서 공동체를 형성하는 데 중요한 역할을 한다고 생각합니다. 이런 음악이 주는 장점을 통해 학생들이 창의력과 자기 표현력을 키우고, 협력과 소통의 중요성을 배우는 데 기여하고 싶기에 음악 교사를 희망하게 됐습니다.

제시된 방안 중 주제중심수업을 선택해, 학생들의 창의성과 소통 능력을 키우고 싶습니다. 일회성이 아닌 교과 수업 속에서 누적 반복되는 수업을 통해 창의성과 소통 능력을 내재화할 수 있도록 만들고 싶기 때문입니다.

구체적으로 '크롬 뮤직랩을 통해 만드는 우리 조의 노래'를 주제로 프로젝트 수업을 하고 싶습니다. 크롬 뮤직랩은 인공지능 음악 프로그램으로, 음악의 기호나 음악 이론을 능숙하게 알지 못해도, 쉽게 놀이하면서 자기가 표현하고 싶은 음악을 만들 수 있는 에듀테크 도구입니다. 학생들은 에듀테크와 매우 밀접하므로, 이를 활용한다면 재미있게 감정을 표현하는 음악을 만들 수 있을 것입니다.

일회성이 아닌 수업 시간을 10분씩을 활용해, 모둠원과 같이 작곡해 완성본을 학기 말에 발표하는 시간을 갖도록 하겠습니다. 이후 어떤 감정으로 무엇을 표현하고 싶었는지, 이를 어떻게 표현했는지, 감상 소감은 어떤지 함께 이야기를 나눠보겠습니다. 이렇게 한다면 창의력과 자기 표현력이 향상할 수 있고, 서로를 이해하고 존중하는 자세를 기를 수 있을 것입니다.

현장에 나아가 제가 음악 교사가 되고 싶었던 이유를 상기시키며 학생들의 창의성, 자기 표현력, 의사소통 능력 향상을 위해 노력하는 교사가 되겠습니다. 이상입니다.

6 빈칸 채우기(4문항)

문제를 한 줄로 간추린 후 풀이하자.

01 다음 빈 칸에 알맞은 말을 채우고, 그 이유를 교직관에 비추어 답변하시오.

> • 나에게 학부모는 □□이다.
> • 나에게 나의 전공은 □□이다.
>
> * 빈칸의 글자 수는 제한 없음

구상하기

🎯 해설

학부모를 어떻게 생각하는지, 전공에 관한 관점은 어떤지 묻는 단순한 문제이다. 빈칸 형식에 부담을 느껴 어렵게 다가가지 말자.

🎯 예시 답변

저의 교직관은 '함께 성장하기'입니다. 이에 비추어 첫 번째 빈칸에 알맞은 말을 채우면 다음과 같습니다.

"나에게 학부모는 동반자이다."

학생의 성장은 학교와 가정 어느 한 곳에서만 이뤄지는 것이 아니라고 생각합니다. 교사와 학부모가 함께 협력할 때, 학생의 성장이 크게 일어난다고 생각합니다. 또한 서로 협력하는 과정에서 교사는 전문성을 발전시킬 수 있고, 학부모는 교육에 대한 이해도가 높아지게 됩니다. 따라서 교사와 학부모 역시 성장할 수 있습니다. 따라서 학부모는 저에게 학생의 전인적 성장을 위해 함께 나아갈 동반자입니다.

다음 빈칸을 완성하겠습니다.

"나에게 나의 전공은 정체성이다."

저는 어릴 적 국어 선생님의 인자하고 온화하신 성품을 닮고 싶다는 막연한 생각으로 국어 교사를 희망하게 됐습니다. 하지만 국어 과목은 제게 기쁨만 주진 않았습니다. 공부하는 과정에서 너무 힘들어서 모두 포기하고 싶었을 때도 있었습니다. 하지만 선생님처럼 좋은 선생님이 되겠다는 생각, 빨리 학생들을 만나고 싶다는 생각으로 버틸 수 있었습니다. 이렇듯 국어 과목은 저의 꿈이 담겨있으며, 미래 또한 담겨있는 저의 정체성과 같은 과목입니다. 선생님과 함께 성장했고, 앞으로 학생들과 함께 성장하고 싶은 저의 꿈이 담겨있습니다.

현장에 나아가 교육공동체에 관한 철학을 지니고 현장에서 이를 실현하기 위해 부단히 노력하는 교사가 되겠습니다. 이상입니다.

02 교육공동체 대토론회의 상황에서 제시문의 C 교사가 제안할 내용을 한 문장으로 만들고, 이를 실현할 구체적인 교육 방안을 3가지 제시하시오.

> • A 학생: 미래 직업에 대해 고민이 큽니다. 사회는 급변하고 있어 더욱 불안함이 큽니다. 내실 있는 진로 지도가 필요하다고 생각해요. 학교 수업에서 배울 수 없는 것들을 배워보고 싶습니다.
> • B 학부모: 동의합니다. 아이의 흥미를 찾아주기 위해 사교육에 많이 의존하는 편인데, 공교육에서 이 문제를 해결해 주었으면 합니다. 지역사회와 연계해도 좋을 것 같아요.
> • C 교사: 의견을 종합하여 우리 학교에서는 _____답변할 부분_____ 을/를 하면 좋겠군요.

구상하기

🎯 해설

A 학생과 B 학부모의 의견을 모두 반영한 내용이어야 한다. 또한 C 교사가 제안할 내용을 한 문장으로 표현한 후 그 이유를 제시문에 따라 제시한다면, 답변에 신뢰를 줄 수 있다.

🎯 예시 답변

C 교사가 제안할 내용을 한 문장으로 정리하면 '지역사회와 함께하는 미래 진로 탐색'으로 표현할 수 있습니다. A 학생의 발언에서 수업에서 배울 수 없는 미래 직업에 관한 진로 지도가 필요함을, B 학부모의 발언에서 지역사회와의 연계가 필요함을 알 수 있습니다. 따라서 이를 종합하면 지역사회와 함께하는 미래 진로 탐색이라고 정리할 수 있습니다.

이와 관련한 구체적인 교육 방안을 제시하면 다음과 같습니다.

첫째, 직업 체험 주간을 운영합니다. 지역의 벤처기업, 진로 관련 기관과 협력해 학생들에게 다양한 직업을 직접 체험할 기회를 제공합니다. 예를 들어, 미래 사회 관련 직업 분야의 전문가를 초청하거나 학교에 부스를 설치해 실제 업무를 체험하는 프로그램을 운영하는 것입니다. 이때 학생들이 수동적으로 있는 것이 아닌 질문 기회를 부여해서 적극적으로 참여할 수 있게 합니다.

둘째, 직업 조사 프로젝트를 진행합니다. 학생들은 어른들보다 디지털 기기나 SNS 운영에 더 능숙합니다. 학교 주최로 전문가를 초빙하는 것도 좋지만 학생들의 잠재력을 적극 발휘해 학생들이 직접 지역사회에서 사라진 가게와 새로 생긴 가게를 찾아보고 어떠한 사회 추세 때문에 사라지고 생기게 됐는지 등에 대한 탐구 활동을 하게 하는 것입니다. 이를 통해 학생들은 수동적으로 정보를 받아들이는 것이 아닌 적극적으로 미래 사회에 대해 고민하고, 주도적으로 자신의 진로를 모색해 볼 수 있을 것입니다.

셋째, 진로 포트폴리오를 구축하게 합니다. 진로 포트폴리오는 고교학점제를 위해서도 미리 구축하면 좋습니다. 학생들이 자신의 진로에 대해 생각해 보고 고등학교 3학년까지 로드맵을 짜 볼 수 있게 합니다. 필요하다면 지역사회 경기이룸학교, 경기이룸대학 등 공유학교에서 자신의 진로와 관련된 수업을 들을 수 있게 피드백할 수 있습니다. 그렇다면 학생들은 자신의 진로 개발 과정을 체계적으로 기록하고, 자기 평가를 통해 미래 진로를 명확히 할 수 있을 것입니다.

현장에 나아가 지역사회와 함께 학생들의 진로교육에 힘쓰는 교사가 되겠습니다. 이상입니다.

03 학교자율과제를 도출하기 위해 교사 회의를 진행하는 상황에서 제시문의 C 교사가 제시할 의견과 구체적인 교육 방안을 2가지 제시하시오.

> A 교사: 학교자율과제의 프로젝트 학습 주제를 결정하기 위해 학생들의 실태 파악이 중요할 것 같아요. 저는 가장 큰 고민이 학생들이 문항의 의미 자체를 이해하지 못하거나 기초적인 단어의 뜻을 몰라 설명해달라는 요청을 하는 것입니다.
>
> B 교사: 동의합니다. 학생들의 문장 이해력이 많이 부족해요. 더불어 학교에서 에듀테크를 꼭 활용하라고 강조했는데, 이번에 이것을 시도해 보는 것이 좋을 것 같네요.
>
> C 교사: 두 분 선생님 말씀을 종합하면 우리 학교에서는 ___답변할 부분___ 교육이 적합할 것 같군요.

구상하기

 해설

A, B 교사의 발언 속 키워드가 반영된 자율과제를 도출해야 한다.

예시 답변

C 교사는 A 교사와 B 교사의 의견을 종합해 '에듀테크를 활용한 문해력 교육'을 제시했을 것입니다. A 교사와 B 교사는 학생들의 문해력 부족 문제를 언급하고 있고, 에듀테크를 활용하라는 지침이 있다는 말을 통해 이를 유추할 수 있습니다. 디지털 네이티브인 요즘 학생들에게 친숙한 에듀테크를 적절하게 활용한다면, 사회 문제로 언급되고 있는 학생의 문해력 문제를 해결할 수 있을 것입니다.

다음으로 에듀테크를 활용한 문해력 교육 방안을 말씀드리겠습니다.

첫째, 단어 학습이나 독서 학습을 한 후, 카훗과 같은 퀴즈 및 게임 기반 학습 도구를 활용해 학생들의 어휘와 읽기 이해력을 재미있게 학습할 수 있게 하겠습니다. 이러한 게임 기반 학습은 학생들에게 흥미를 유발하고, 보상 요소가 있기에 학생들의 학습 동기를 유도해 학습 효과를 높일 수 있을 것입니다.

둘째, 인공지능 기반의 읽기 분석 도구를 사용해 학생들의 독서 이해도를 평가하고 맞춤형 피드백을 제공하겠습니다. 키위 챗과 같은 플랫폼을 통해 학생들의 독서 이해력과 어휘 수준을 모니터링하고, 필요한 영역을 식별해 개인화된 학습 자료를 제공하겠습니다.

현장에 나아가 학교 현안을 기반으로 적절한 자율과제를 도출하고, 교육에 도입할 수 있는 교사가 되겠습니다. 이상입니다.

04 B 교사의 입장에서 (가)와 (나)에 어떤 말을 했을지 답변하시오.

> A 교사: 이번에 학생들에게 자료 조사를 하라고 했더니 챗GPT를 그대로 활용했더군요. 수업 시간에 챗GPT 활용을 금지한다고 공지해야겠습니다.
>
> B 교사: 물론 그런 문제가 있지만, 학생맞춤형수업 및 완전학습 측면에서 장점도 많다고 생각해요. 예를 들면 _____(가)_____. 물론 선생님이 걱정하신 부분을 해결하기 위한 교육도 필요하겠어요. 예컨대 _____(나)_____.

구상하기

🎯 해설

(가), (나)에 어떠한 내용이 들어가야 하는지 제시문을 근거로 답하고, 이에 해당하는 구체적인 교육 방안을 제시하면 된다. 논점을 놓치지 않았다는 것을 강조하기 위해, '제시문과 같이~', '제시문에 따라~'라는 말을 의도적으로 넣어주면 좋다.

🎯 예시 답변

A 교사의 말처럼 수업 활동에서 챗GPT의 활용은 몇몇 문제점이 예상되지만, AI가 보편화되고 에듀테크 활용이 장려되는 현시대에 금지하는 것보다 올바른 사용으로 최적의 학습 결과를 도출하는 것이 현명하다고 생각합니다.

제시문을 근거로 B 교사의 발언 속 (가), (나)에 들어갈 말을 유추하면 다음과 같습니다. 먼저 B 교사는 학생이 적극 참여하면 그에 따른 장점이 있다는 발언으로 보아 (가) 부분에서 챗GPT 활용 수업의 구체적인 장점을 말했을 것입니다. 학생이 구체적인 상황, 질문을 입력하면 요청하는 내용에 따라 답변하는 생성형 인공지능 시스템으로 학습할 경우, 학습의 흥미를 불러일으킬 수 있고 학생들이 필요로 하는 자료를 찾고 아이디어를 제공하는 데 도움을 줄 수 있기에 학생 맞춤형 수업에 도움을 줄 수 있을 것입니다. 또한 모르는 부분을 계속 질문할 수 있고 즉시 답변이 제공되므로 완전 학습 측면에서 장점이 있다고 답변했을 것입니다.

(나) 부분에서 B 교사는 챗GPT 답변 결과를 그대로 활용하는 문제, 질문을 그대로 복사하고 붙여넣기를 해 답만 도출하는 문제를 해결하기 위한 구체적인 교육 방안을 제시했을 것입니다. 질문을 그대로 사용하는 문제를 해결하기 위해 '어떻게 질문하느냐'에 대한 교육이 필요하다고 말했을 것입니다. 구체적이고 정확한 요구 사항이 포함된 질문으로 원하는 답을 도출할 수 있어야 하며, 이 과정이 있어야만 A 교사가 우려한 것처럼 학생이 아무것도 하지 않는 것이 아니라 학생의 사고력과 창의성이 증진될 수 있을 것입니다. 또한, 생성형 AI의 답변을 맹신하지 않고, 참고 자료로 활용해 진위 검증을 거치는 작업, 즉 자료 비평 교육을 병행해야 한다고 이야기했을 것입니다. 이상입니다.

1줄 사이다전략

아는 정보 내에서 근거를 들어 판단하자.

01 다음 사례를 보고 청탁금지법 위반 여부를 말하고, 신규 교사로서 청렴을 지키기 위한 계획을 3가지 제시하시오.

> • 사례 1. 학부모가 자녀의 작년 담임교사에게 10만 원 상당의 선물을 하였다.
> • 사례 2. 직무관련자가 교사에게 촌지 제공 의사표시를 하였고, 교사가 그 자리에서 거부 의사를 표시하였다.
> • 사례 3. 교사가 직무와 관련된 자로부터 3만 원 상당의 식사를 제공받고, 곧바로 자리를 옮겨 6천 원 상당의 커피를 제공받았다.

구상하기

....

....

해설

위반 문제는 오답, 정답이 명확한 유형이므로 관련 내용을 정확히 숙지해야 한다. 잘 모르겠다면 아는 정보 내에서 근거를 들어 답변하고 개인정보, 금전, 폭행 문제 등은 최대한 보수적으로 답변한다.

예시 답변

사례 1번의 경우, 작년 담임교사이기에 직무 관련성이 없어 청탁금지법 위반이 아닙니다. 다만, 담임교사는 아니지만 교과교사로서 수행평가, 지필평가와 관련해 해당 자녀와 연관이 있다면 청탁금지법 위반이 됩니다.

사례 2번의 경우, 직무관련자는 의사표시를 한 것만으로도 청탁금지법 위반이 됩니다. 거절 의사를 표시한 교사는 처벌 대상에서 제외됩니다.

사례 3번의 경우, 청탁금지법 위반입니다. 곧바로 자리를 옮겼다 하더라도, 시간적·장소적으로 근접성이 있기에 1회로 평가돼 음식물 가액 범위인 3만 원을 초과했기 때문입니다.

다음으로 청렴을 지키기 위한 계획 3가지를 말씀드리겠습니다.

첫째, 청렴 덕목인 '책임'의 가치를 이해하고, 책임감 있게 맡은 일에 집중하겠습니다. 둘째, 교육공동체와 함께 업무를 하다 보면 감사의 표시를 하고 싶을 수 있습니다. 이때, 물질적인 것으로 감사와 보답의 표시를 주고받는 것이 아닌 편지, 도움을 주는 행동 등으로 타인에게 베푸는 자세를 갖겠습니다. 마지막으로 내 것뿐 아니라 타인의 것을 보호하고 존중하는 절제의 자세를 지니겠습니다. 이상입니다.

02 다음 상황을 보고 개인정보 위반 여부를 근거를 들어 말하시오. 또한 개인정보 처리 시 유의 사항을 2가지 말하시오.

> 학교운영위원회 구성 및 운영관리 목적으로 동의를 얻은 후 학부모의 성명, 주소, 전화번호를 수집하고 학부모 간 개인정보를 공유하였다.

구상하기

🎯 해설

위반 문제는 오답, 정답이 명확한 유형이므로 관련 내용을 정확히 숙지해야 한다. 개인정보 이용에서 중요한 것은 '목적'과 '동의 여부'이다. 동의를 받고, 목적에 맞게 사용했다면 개인정보를 공유했다고 해도 위법이 아니다.

🎯 예시 답변

개인정보는 수집 목적과 대상자의 동의 여부가 매우 중요합니다. 제시문에서는 학교운영위원회 구성 및 운영관리 목적으로 동의를 얻은 후 학부모 간 개인정보를 공유했기에 목적에 따라 동의를 받고 이뤄진 셈이므로 개인정보 위반이 아닙니다.

다음으로 개인정보 처리 시 유의 사항을 2가지 말씀드리겠습니다.

첫째, 개인정보 수집 및 이용의 목적을 명확하게 하고, 필요한 최소한의 정보만을 수집해야 합니다. 목적이 불분명하거나 필요 이상의 정보를 수집하는 것은 개인정보 보호법에 어긋납니다.

둘째, 개인정보 보안 조치를 강화해야 합니다. 개인정보를 처리하는 과정에서 정보의 유출, 변조, 훼손, 무단 접근 등을 방지하기 위해 보안 조치를 철저히 해야 합니다. 개인정보를 저장하거나 전송할 때는 암호화 기술을 적용해 정보가 외부에 노출되지 않도록 해야 합니다.

현장에 나아가 개인정보 보호와 관련된 법적 요구 사항을 준수하는 교사가 되겠습니다. 이상입니다.

03 다음 사례를 보고 근거를 들어 학교폭력 여부를 파악하시오. 또한 현장에서 디지털 폭력을 예방하기 위해 어떤 교육을 실천할 것인지 3가지 답변하시오.

- 사례 1. 친구의 굴욕 사진을 SNS에 게재한 경우
- 사례 2. 일대일 다이렉트 메시지로 욕설을 한 경우
- 사례 3. ○월 ○일 ○시에 대화를 하자며 학원 앞에서 기다린 후, 초등학교 운동장으로 데려가 언성을 높인 경우(단, 물리적 폭행은 저지르지 않음)
- 사례 4: 아웃도어 외투를 빌려 가서 고의적으로 돌려주지 않은 경우

구상하기

🎯 해설

이 문제는 오답, 정답이 명확하므로 관련 내용을 정확히 숙지해야 한다.

🎯 예시 답변

먼저 각 사례를 보고 학교폭력 여부를 말씀드리겠습니다. 사례 4가지 모두 학교폭력에 해당합니다. 물리적 폭행이 없더라도 굴욕 사진을 게재하거나 일대일로 욕을 한 경우, 대화하자며 위협한 경우, 물건을 빌려 가서 고의로 주지 않은 경우 모두 일방적인 압력이 있었기에 폭력에 해당할 수 있습니다. 따라서 교사는 이런 내용을 숙지한 후 학생들에게 물리적 폭력만이 폭력이 아니라는 점을 안내하고 학교폭력을 예방할 수 있어야 합니다.

요즘은 디지털 기기가 일반화됐기에 디지털 폭력 문제도 심각해지고 있습니다. 다음으로 디지털 폭력을 예방하기 위한 방안을 말씀드리겠습니다.

첫째, 디지털 윤리 교육을 하겠습니다. 저는 학생들에게 개인정보를 보호하는 방법에 대해 안내하고, 사이버 폭력의 법적·도덕적 문제에 대해 안내하겠습니다. 학생들의 더욱 활발한 참여를 위해 토의·토론 활동을 통해 디지털 공간에서 지켜야 할 예절에 대해 함께 이야기를 나누고 디지털 윤리 수칙을 정해 학급 게시판에 부착하겠습니다.

둘째, 디지털 폭력 관련 역할극을 실시하겠습니다. 디지털 폭력이 발생한 후 가해자와 피해자를 바꿔 체험해보는 응보적 성격이 아닌, 사전 예방을 위한 역할극을 실시해 보겠습니다. 연극이 끝난 후 피해자의 입장이 됐을 때 어떤 기분이 들었는지, 피해자의 가족이 됐을 땐 어떤 감정이 들었는지 함께 이야기해 보며 디지털 폭력을 예방하겠습니다. 저는 교사로서 학생들에게 디지털 폭력의 징후를 인식하고, 역할극처럼 디지털 폭력이 발생할 때 어떻게 대처하면 좋은지 적절한 대응 방법에 대해서 안내하겠습니다.

마지막으로 가정과 연대하겠습니다. 학생들이 디지털 기기를 가장 많이 사용하는 장소는 가정일 것입니다. 가정에서도 디지털 행동에 대해 학생과 지속적으로 대화할 수 있는 환경을 조성하기 위해 학부모님을 대상으로 디지털 안전 교육을 시행하겠습니다. 또한 가정에서 '휴대전화 없는 날'을 지정하게 해, 가족들 모두 디지털 세상에서 나와, 함께 대화하며 인성교육을 할 수 있도록 안내하겠습니다.

현장에 나아가 학교폭력을 예방할 수 있는 교사가 되겠습니다. 이상입니다.

사이다 면접

주의사항

- PART 1의 CHAPTER 01 기출문제 유형 분석을 반드시 학습한 후 기출문제에 접근해야 한다. 형식적으로 시간을 재고 푸는 것이 아닌, 유형을 이해하고 그에 맞는 전략을 적용하고 있는지 스스로 인지하면서 기출 연습을 해야 한다. 과거 기출문제는 매우 쉬운 수준이기에 역순으로 구성하였다. 최근 기출문제 유형을 숙지하는 것이 중요하다.

- 예시 답변은 '현재 가장 중요한 교육적 관점'을 기반으로 작성한 것이니, 반복해서 읽어보는 것만으로도 교육관을 정립하는 데 도움이 될 것이다. 말하기를 어떻게 구조화하여 진행하는지 파악하면 실제 답변하는 데 유용한 팁을 얻을 수 있다.

- 그렇다고 해서 해설을 읽고 답을 외우는 식으로 접근하는 것은 옳지 않다. 반드시 혼자 구상하는 시간을 갖고, 스스로 생각하는 연습을 해야만 실제 시험장에서 구상 능력을 발휘할 수 있다.

- 자기 급의 문제를 다 푼 후 다른 급의 문제도 분석해야 한다. 다른 급의 문제가 우리 급의 문제로 출제된 사례가 있기 때문이다.

PART

2

역대 기출문제 분석 및
예시 답변

① 2024학년도

(1) 초등

> 구상형 1. 새로운 경기교육을 실현하기 위해 '균형' 측면에서 학교 현장에서 어떤 학생상이 필요한지 말하고, 그러한 학생을 양성하기 위한 수업 방안과 생활지도 방안을 각각 2가지씩 제시하시오.

> 균형은 교육의 본질에 집중하겠다는 경기교육의 다짐입니다.
> 서로의 다름을 인정하고 존중하며 교육공동체의 조화로운 성장을 지원하겠습니다.

구상하기

🎯 해설

균형의 키워드가 학생상에 잘 녹아야 한다. 질문 순서에 따라 학생상 ➡ 수업 방안 ➡ 생활지도 방안 순으로 답변하면 된다.

🎯 예시 답변 및 답변 포인트 분석

구상형 1번 문제 답변드리겠습니다.	● 발언을 시작하는 말 넣기
'균형'은 교육의 본질에 집중하면서 교육공동체의 조화로운 성장을 지원하는 것으로 이 측면에서 학교 현장에서 필요로 하는 학생상은 다양성과 포용성을 갖춘 공동체적 인성을 가진 학생입니다. 공동체적 인성을 갖춘 학생을 양성하기 위한 수업 방안과 생활지도 방안을 말씀드리겠습니다. 먼저, 수업 방안 2가지입니다. 첫째, 프로젝트 학습을 구안하겠습니다. 지역사회 문제를 탐구하고 해결책을 제시하는 프로젝트 학습을 통해, 학생들은 실생활의 문제를 파악하고, 이를 해결하기 위한 다양한 의견을 제시하고 취합하게 됩니다. 이 과정에서 타인의 의견을 존중하며 협력하는 방법을 배울 수 있을 것입니다. 둘째, 토론 수업을 진행하겠습니다. 토론 주제는 사회·문화적 이슈, 외교 이슈 등 다양한 측면을 포함해 학생들이 폭넓은 시각을 갖도록 하겠습니다. 사회 이슈를 주제로 토론하며 학생들은 다양한 사회 문제를 이해할 수 있고, 의견을 교류하며 타인을 인정하고, 존중하는 자세를 배울 수 있을 것입니다.	● 기대효과를 넣어 답변에 신뢰 부여하기
다음으로 생활지도 방안을 2가지 말씀드리겠습니다. 첫째, 다문화 주간을 운영하겠습니다. 학생들이 관심 있는 국가의 특색 있는 문화, 역사에 대해 직접 조사하고 팜플렛, 팝업북 등으로 제작해 교실에 진열해 놓겠습니다. 그 후 갤러리 워크 형식으로 다른 학생들의 작품을 관람하도록 하겠습니다. 이를 통해 다양한 배경을 가진 사람들을 이해하고 존중하는 태도를 기를 수 있을 것입니다. 둘째, 학생주도의 학급 단합 행사를 진행하겠습니다. 학급 학생들이 직접 행사를 기획하고 준비하는 과정을 통해 학생들은 서로 강점이 있음을 인정하며 조화롭게 활동하는 경험을 할 수 있을 것입니다.	
현장에 나아가 학생들이 공동체적 인성을 함양하기 위해 다양한 교육을 시도하는 열정 있는 교사가 되겠습니다.	● 문제와 관련된 포부와 의지 표현하기
이상입니다.	● 발언을 끝내는 말 넣기

구상형 2. 다음 제시문을 읽고 따뜻한 말로 위로를 받거나 감동했던 경험을 말하고, 그에 따른 자신의 교직관을 말하시오. 또한 학급 담임으로서 이를 실현할 방안을 2가지 제시하시오.

너는 봄날의 햇살 같아. 로스쿨 다닐 때부터 그렇게 생각했어. 너는 나한테 강의실의 위치와 휴강 정보와 바뀐 시험 범위를 알려주고, 동기들이 날 놀리거나 속이거나 따돌리지 못하게 하려고 노력해. 지금도 너는 내 물병을 열어주고, 다음에 구내식당에 또 김밥이 나오면 나한테 알려주겠다고 해. 너는 밝고 따뜻하고 착하고 다정한 사람이야. 봄날의 햇살 최수연이야.

드라마 〈이상한 변호사 우영우〉 중

구상하기

🎯 해설

제시문의 내용을 간단히 언급한 후, 질문 순서대로 답변하면 된다. 또한 경험을 제시할 땐, 그 속에서 얻은 깨달음을 꼭 언급하자.

🎯 예시 답변 및 답변 포인트 분석

구상형 2번 문제 답변드리겠습니다.	● 발언을 시작하는 말 넣기
제시문은 진심 어린 배려와 관심이 타인에게 얼마나 큰 힘이 되는지를 잘 보여주고 있습니다. 배려와 관심은 사람의 마음을 따뜻하게 하고, 관계를 더욱 깊고 의미 있게 만들어 줍니다.	● 제시문 내용을 정리해 문제 분석력 보여주기
교육 실습생 시절에 담당 선생님의 추천으로, 학급 친구들과 개인 상담을 했습니다. 한 학생이 가정 형편 때문에 힘들어해, 이야기를 잘 들어주고 격려도 해주었습니다. 그 후 학생은 자신감을 얻고 주도적으로 학교생활을 했고, 저와의 관계도 훨씬 가까워졌습니다. 그러던 어느 날 그 학생이 "선생님 요즘 힘드신가요? 선생님 덕분에 다시 힘을 낼 수 있었어요. 선생님은 정말 좋은 분이세요."라는 쪽지를 건넸습니다. 그때 저는 진로 문제와 개인적인 상황으로 압박이 많았는데, 그 친구의 눈에 그게 보였나 봅니다. 그 학생이 보여준 관심과 격려를 통해, 삶의 용기를 낼 수 있었습니다. 이 경험을 통해 교사는 단순히 지식을 전달하는 역할에 그치지 않고, 학생들과 마음을 나누는 직업임을 깨달았습니다. 덕분에 저는 '서로 사랑하고 성장하기'라는 교직관을 갖게 됐습니다.	● 경험을 언급할 땐 교육적 깨달음을 함께 제시하기
학급 담임으로서 교직관을 실현할 방안을 2가지 말씀드리겠습니다. 첫째, 정기적인 개인 상담 시간을 갖겠습니다. 학생들이 자신의 고민이나 어려움을 나눌 수 있는 상담 시간을 마련해 학생들 이야기에 귀 기울이며 진심 어린 조언과 격려를 하겠습니다. 이를 통해 저 역시도 보람을 느끼며 함께 성장할 수 있을 것입니다. 둘째, 학급 친구들끼리 마니또 행사를 하겠습니다. 마니또를 하는 동안 친구를 관찰할 기회를 가질 수 있고, 편지나 작은 선물 등을 통해 감정을 표현할 수 있을 것입니다. 이렇게 한다면 제시문에서 배려와 관심이 타인에게 긍정적인 영향을 미친 것과 같이 타인에게 용기가 될 수 있을 것입니다.	
현장에 나가서 학생들과 함께 따뜻한 관심과 배려를 주고받으며 같이 성장할 수 있는 교사가 되겠습니다.	● 문제와 관련된 포부와 의지 표현하기
이상입니다.	● 발언을 끝내는 말 넣기

구상형 3. 다음 설문조사 결과의 시사점을 말하고 학부모와의 신뢰 관계 형성을 위해 학급 담임으로서 실천할 수 있는 방안을 2가지 제시하시오.

멘티미터로 만든 학부모와 교사의 신뢰 관계 강화 방안에 대한 워드 클라우드

학부모의 응답	교사의 응답

구상하기

🎯 해설

본격적인 답변 전에 제시문 결과를 분석해 언급한다면, 문제 분석력을 드러낼 수 있다.

🎯 예시 답변 및 답변 포인트 분석

구상형 3번 문제 답변드리겠습니다.	● 발언을 시작하는 말 넣기
제시된 2가지 멘티미터를 보면 학부모와 교사의 신뢰 강화 방안에 관해 학부모와 교사의 우선순위가 다르다는 것을 알 수 있습니다. 이는 서로의 입장을 이해할 수 있어야 하고 이를 위해 소통이 필요함을 시사합니다.	● 제시문 분석 결과를 넣기
시사점을 바탕으로, 학부모와의 신뢰 관계 형성을 위해 학급 담임으로서 실천할 방안을 2가지 제시하겠습니다. 첫째, '교사와의 만남' 시간을 기획하겠습니다. 학부모를 대상으로 교사의 교육철학과 학급 운영 방침을 공유하는 기회가 있다면, 학부모에게 신뢰를 줄 수 있고 교육 전문가로서 교사의 면모를 드러낼 수 있을 것입니다. 이렇게 한다면, 제시문 속 교사들이 기대하는 것과 같이 교권 회복에 도움이 될 것입니다. 둘째, 정기적인 소통의 창구를 마련하고 피드백 체계를 구축하겠습니다. SNS나 개인 상담 등 정기적인 소통 창구를 마련하고, 학부모에게 이를 안내하겠습니다. 학생 진로 문제, 학교생활 등에 대해 소통 창구를 통해 학부모들이 교사와 원활하게 소통할 수 있도록 한다면, 제시문 속 학부모들이 기대하는 것과 같이 소통과 협력을 강화할 수 있을 것입니다.	● 제시문과 연계한 실천 방안을 언급해 문제 분석력, 문제 해결력을 드러내기
현직에 나아가 학부모와의 소통으로 상호 신뢰를 구축할 수 있는 교사가 되겠습니다.	● 문제와 관련된 포부와 의지 표현하기
이상입니다.	● 발언을 끝내는 말 넣기

즉답형 1. 수험생이 다음 상황의 교사라고 가정하고, 교사로서 바람직한 답변을 시연한 뒤 그렇게 답변한 이유를 설명하시오.

> 수업 시간에 규민이가 영철이랑 떠들자, 교사가 규민이를 따로 불러서 왜 수업 시간에 집중하지 않느냐고 물었다. 그러자 규민이는, "영철이도 같이 떠들었는데 왜 저만 혼내세요?"라고 되물었다.

🎯 해설

문제해결 능력을 보고 교직관을 파악하려는 것이므로 현실적인 답변을 하는 것이 좋다. 규민이의 태도를 짚되, 반항심이 커지지 않는 방향으로 이야기할 수 있어야 한다.

🎯 예시 답변 및 답변 포인트 분석

즉답형 1번 문제 답변드리겠습니다.

저는 먼저 다음과 같이 답변하겠습니다.
규민아, 선생님이 규민이만 불러서 억울한 마음이 든다는 걸 이해해. 한 명씩 개인적으로 만나서 이야기를 나눠보고 싶었어. 규민이와 대화를 마치고 영철이를 만날 거야. 선생님이 규민이 먼저 보자고 한 이유는, 규민이는 학습에 집중할 수 있는 사람이라는 걸 잘 알기 때문이야. 혹시 수업 시간에 영철이와 급하게 나눌 이야기가 있었니? 수업 시간에 떠들면 선생님은 존중받지 못한다는 마음이 들어. 그리고 학급 친구들도 집중하기 힘들 거야. 지금, 이 순간부터 규민이가 책임감을 가지고 성실히 공부했으면 좋겠어. 우리 함께 더 나은 수업 환경을 만들어 가자.

답변한 이유는 다음과 같습니다.
먼저 저는 규민이가 영철이를 부르지 않는다고 오해하고, 억울해할 수 있는 상황을 이해하는 것이 중요하다고 생각하기 때문에 규민이의 감정에 공감하며, 학생이 방어적이거나 반항적인 태도를 보이지 않도록 했습니다.
다음으로 규민이의 학습 집중력에 대한 칭찬을 했습니다. 이처럼 규민이에게 긍정적인 기대를 표현하며, 잠재력을 인정하면 존중받고 있다는 느낌을 받고, 기대에 부응하려는 동기를 가질 수 있을 것입니다.
또한 규민이의 사정을 들은 후 나 전달법으로 수업 시간의 태도에 대해 언급해 자신의 행동이 누군가에게 피해를 줄 수 있다는 점을 주지시켰습니다.
마지막으로 규민이를 탓하거나 책임을 전가하는 것이 아니라, 함께 더 나은 수업 환경을 만들어 가자고 말하며 모두 함께 수업에 집중해야 한다는 메시지를 전달했습니다.

현장에 나아가 학생의 감정을 존중하면서도 학습 환경을 조성하는 데 노력하는 교사가 되겠습니다.

이상입니다.

- 발언을 시작하는 말 넣기

- 처벌 중심의 해결 방식을 지양하고, 학생을 존중하면서도 수업 규칙을 바로 세울 수 있는 답변하기

- 문제와 관련된 포부와 의지 표현하기

- 발언을 끝내는 말 넣기

즉답형 2. 교육 실습생 시절 가장 어려움을 느꼈던 구체적 경험을 말하고, 이를 해결하기 위한 역량과 그 역량을 갖출 수 있는 노력 방안에 대해 각각 2가지씩 말하시오

🎯 해설

경험은 깨달음, 실천 의지와 한 세트라는 것을 잊지 말자! 경험 속에서 얻은 깨달음, 교육적 가치를 꼭 포함하자.

🎯 예시 답변 및 답변 포인트 분석

즉답형 2번 문제 답변드리겠습니다.	● 발언을 시작하는 말 넣기
저는 교육 실습생 시절, 갑자기 벌어지는 돌발 상황에 대처하는 것이 어려웠습니다. 교실에서 학생들이 말다툼하다가 서로 흥분해 싸움이 커졌던 일, 수업 시간에 학생이 갑자기 울었던 일 등이 벌어질 때 문제 상황에 재빠르게 대응하지 못해 어려움이 있었습니다. 현장에서 일하다 보니 교사에게는 위기대응 능력과 교육공동체와 협업해 문제를 처리하는 문제해결 능력이 매우 중요하다는 것을 깨달았습니다.	
저는 위기대응 능력과 문제해결 능력을 기르기 위해 다음과 같이 노력하겠습니다. 먼저 위기대응 능력을 위한 방안입니다. 첫째, 선배 교사에게 멘토링을 요청하고, 수업 후 피드백을 받겠습니다. 이를 통해 실질적인 조언을 들을 수 있으며, 교실 안에서 일어날 수 있는 문제 상황에 대한 해결 방안을 익힐 수 있을 것입니다. 둘째, 문제 상황을 예견할 수 있도록 1:1 상담 및 집단 상담 등을 통해 학생들 간의 관계, 학생들의 심리 상태 등에 대해 인지하고 있겠습니다.	● 경험 속에서 얻은 깨달음 넣기
다음으로 문제해결 능력을 기르기 위해 다음과 같이 노력하겠습니다. 첫째, 연수나 교사 공동체 활동을 통해 다양한 사례를 접하고, 상황에 맞는 대응책을 적용하겠습니다. 둘째, 교육공동체와의 협력으로 문제를 해결하기 위해 학부모님과 자주 소통하며, 교원 회의 등에 주체적으로 나서도록 하겠습니다.	
이러한 노력으로 교직 생활에서 유사한 어려움이 발생한다면 효과적으로 극복해 나가겠습니다.	● 문제와 관련된 포부와 의지 표현하기
이상입니다.	● 발언을 끝내는 말 넣기

(2) 중등

구상형 1. 인성교육의 일환으로 '우리 반 인성교육 브랜드'를 제작하고자 한다. 아래의 공동체적 역량 중 하나를 선정하여 브랜드를 만들고, 제작 이유와 그 의미를 설명하시오. 또한 학급 자치 활동 시간에 학생들이 직접 실현할 수 있는 구체적인 방안 2가지를 제시하시오.

공동체적 역량: 존중, 협력, 책임, 배려

구상하기

🎯 해설

문제에서 요구하진 않았지만, 4가지의 공동체적 역량 중 하나를 선정한 이유를 제시하면, 나의 답변에 신뢰감을 부여할 수 있다. 이후 문제의 요건에 충실하게 풀이하자.

🎯 예시 답변 및 답변 포인트 분석

구상형 1번 문제 답변드리겠습니다.

○ 발언을 시작하는 말 넣기

저는 공동체 역량 중 존중의 가치를 선택하겠습니다. 타인과 자신을 존중하는 역량을 갖춰야만 서로 협력할 수 있고, 책임감을 가지고 행동할 수 있으며 타인을 배려할 수 있습니다.
제가 정한 인성 브랜드는 '존중의 나무'입니다. 나무는 튼튼한 뿌리를 통해 성장하고, 가지와 잎을 넓게 펼쳐 주변에 그늘과 산소를 제공합니다. 존중의 나무를 통해 학생들은 서로에게 그늘과 산소처럼 좋은 영향을 줄 수 있을 것입니다.

○ 조건에 따라 공동체 역량을 선택하고, 브랜드명과 의미, 이유를 제시하기

'존중의 나무'를 학급 자치 활동 시간에 실현할 수 있는 구체적인 방안 2가지를 제시하겠습니다.
첫째, 우리 반 존중 선언문을 작성하겠습니다. 학급 자치 시간에 학생들이 모여 서로를 존중하는 방법을 주제로 토론하고, 이를 바탕으로 '존중 선언문'을 제작하겠습니다. 작성된 선언문은 교실에 게시하고, 매일 이를 실천하기 위한 다짐을 나누는 시간을 가질 것입니다. 학생들 스스로 만든 내용이므로 책임감을 느끼고 실천할 수 있을 것입니다.

둘째, 존중 릴레이 활동을 하겠습니다. 학급 내에서 서로 존중하는 행동을 릴레이 형태로 이어가는 활동입니다. 한 명의 학생이 다른 학생에게 존중을 표현하는 행동을 실천하고, 이를 받은 학생이 다시 다른 학생에게 존중을 실천하는 방식으로 진행됩니다. 이 릴레이는 학급 전체가 참여할 때까지 지속되며, 마지막에 학생들은 존중받은 경험을 공유하고, 그 과정에서 느낀 점을 함께 나누고 싶습니다. 이를 통해 학생들은 존중의 가치를 몸소 배우며, 학급 내 존중 문화를 자연스럽게 확산시킬 수 있을 것입니다.

○ 기대효과를 넣어 답변에 신뢰성 부여하기

현장에 나아가 학생들의 공동체적 역량 강화를 위해 노력하는 교사가 되겠습니다.

○ 문제와 관련된 포부와 의지 표현하기

이상입니다.

○ 발언을 끝내는 말 넣기

구상형 2. 생태환경교육이 중시되고 있다. 아래를 참고하여 교과교사로서 생태환경교육을 실현할 수 있는 방안을 2가지 제시하시오.

- 교육 철학: 사유하는 학생, 깊이 있는 수업
- 교육 방향: 질문이 자유로운 수업, 서로 다른 생각을 존중하는 수업

구상하기

해설

교육철학과 교육방향을 고려해 학생이 생각하고 탐구하며, 질문하고 토론하는 형식의 수업 방안을 구안해야 한다.

예시 답변 및 답변 포인트 분석

구상형 2번 문제 답변드리겠습니다.	◦ 발언을 시작하는 말 넣기
생태환경교육을 효과적으로 실현하기 위해서는 제시문의 교육철학과 방향과 같이 학생들이 주도적으로 생각하고, 서로 다른 의견을 존중하는 수업이 돼야 합니다. 이와 관련해 2가지 방법을 말씀드리겠습니다.	◦ 제시문의 키워드를 언급해 문제 해결력 보여주기
첫째, 프로젝트 기반 학습으로 생태환경 문제를 탐구하겠습니다. 학생들이 실제 생태환경 문제를 중심으로 프로젝트를 수행할 수 있도록 지역 생태계 보전, 기후변화, 에너지 절약 등의 주제를 선택해 모둠을 이루어 문제를 연구하고, 해결 방안을 제시하도록 하겠습니다. 저는 교사로서 질문을 통해 학생들의 사고를 자극할 것이며, 학생들이 모둠 토론을 통해 의견을 나누고, 서로 다른 의견을 존중하는 자세를 기를 수 있게 하겠습니다. 프로젝트가 완료되면, 결과물을 발표하고, 다른 팀의 발표를 들으며 서로 피드백을 주고받겠습니다. 이를 통해 학생들은 다양한 생각을 존중하며, 생태환경 문제에 대한 이해를 심화할 수 있을 것입니다. 둘째, 학생 주도 체험학습을 기획하겠습니다. 학생들이 학교 주변의 자연환경이나 지역사회 곳곳을 직접 탐방하고 관찰하는 것입니다. 단순한 체험으로 끝나지 않도록 학생 주도 활동을 도입해 지역사회에서 발생하는 환경 문제인 쓰레기 배출, 에너지 소비 등을 조사하게 하겠습니다. 이후, 수업 시간에 이를 바탕으로 환경 문제를 분석하고, 개선 방안을 토론하도록 하겠습니다. 이를 통해 학생들은 지역사회 환경 문제에 대해 깊이 있게 사유하고 서로 다른 생각을 존중할 기회를 얻을 것입니다.	◦ 기대효과를 언급해 주장에 신뢰 부여하기
학생들이 생태환경 문제를 주도적으로 탐구하고, 서로의 생각을 존중하며 성장할 수 있는 수업 환경을 조성하는 데 기여하는 교사가 되겠습니다.	◦ 문제와 관련된 포부와 의지 표현하기
이상입니다.	◦ 발언을 끝내는 말 넣기

구상형 3. 자료 1을 참고하여 자료 2의 실현 방안을 담임교사와 교과교사로서 각각 2가지씩 제시하시오.

자료 1 A 학교의 상황

- 제거(E): 문해력 저하로 인한 기초학력, 개별화 교육
- 감소(R): 학습격차, 교사 개인별 행정 업무의 양
- 증가(R): 교사의 에듀테크 활용 역량, 교과별 디지털 활용 수업
- 창조(C): 교육공동체의 에듀테크 활용 역량, 교육 행정 지원 에듀테크 개발 및 운영

자료 2

경기교육은 기초·기본학력을 보장하는 책임교육으로 모든 학생의 학력 향상을 위해 노력하겠습니다. AI에 기반한 학생 1:1 맞춤형 교육으로 디지털 활용 역량을 강화해 성장을 지원하겠습니다. 교육감 신년사 중

구상하기

🎯 해설

ERRC 분석 내용과 자료 2의 키워드인 '기초·기본학력 보장 교육', 'AI에 기반한 학생 1:1 맞춤형 교육'에 관한
내용이 모두 포함돼야 한다.

🎯 예시 답변 및 답변 포인트 분석

구상형 3번 문제 답변드리겠습니다. | ● 발언을 시작하는 말 넣기

자료 1의 ERRC 분석을 참고해 경기교육의 목표인 '기초·기본학력을 보장하는 책임교육'과 'AI에 기반한 학생 1:1 맞춤형 교육'을 실현하기 위한 구체적인 방안을 제시하겠습니다. | ● 답변의 전개 방향을 서두에 제시해 논리성 부여하기

먼저 담임 교사로서의 방법 2가지를 말씀드리겠습니다.
첫째, 기초·기본학력 보장을 위한 방안입니다. 자료 1의 제거 요소에서는 문해력 저하로 인한 기초학력 부족과 개별화 교육 부족이라는 문제점이 보입니다. 이를 해결하기 위해 AI 기반의 진단 도구를 활용해 학생들의 현재 학습 수준을 정확히 파악하고, 맞춤형 교육 콘텐츠를 제공하도록 하겠습니다. 또한 AI 튜터링 시스템을 도입해 학생 개개인의 학습 속도와 스타일에 맞춘 과제물을 제공하고, 피드백을 통해 지속적인 학습 관리를 하겠습니다. 또한 추가 도움이 필요한 학생의 경우 방과 후 프로그램 등과도 연계하겠습니다.
둘째, 학습 격차 해소를 위한 방안입니다. 자료의 감소 요소에서는 학습 격차의 문제점이 보입니다. 이를 해소하기 위해 저는 학급 멘토·멘티 제도를 도입하겠습니다. 또래 도우미를 활용해 또래의 시각에서 쉬운 설명이 가능하도록 학급 분위기를 조성하겠습니다. 그뿐만 아니라 가정과 연계해 가정에서 학습할 수 있는 온라인 플랫폼 등을 안내하도록 하겠습니다. 이렇게 한다면 경기교육의 목표인 '기초·기본학력을 보장하는 책임교육'을 실현할 수 있을 것입니다. | ● 제시문의 내용을 언급하며 답변 전개하기

다음으로 교과교사로서의 방법 2가지를 말씀드리겠습니다.
첫째, 디지털 활용 수업을 활성화하겠습니다. 디지털 교과서와 AI 학습 도구를 도입해 학생들이 자기주도적으로 학습할 수 있도록 지원하겠습니다. 이때 혼자의 힘이 아닌 교사 공동체를 통해 디지털 활용 수업에 대한 좋은 아이디어를 상호 교류하겠습니다. 자료 1의 창조 요소에서 볼 수 있듯 교육 행정 지원 에듀테크가 운영된다면 감소 요소에서 지적한 교과 수업 준비 시작 부족 문제도 해결될 것입니다.
둘째, 학생 1:1 맞춤형 교육을 실현하기 위해 AI 기반 맞춤형 학습 시스템을 구축하겠습니다. 학생 개개인의 학습 패턴과 성취도를 분석해, 각 학생에게 최적화된 학습 콘텐츠와 피드백을 제공하는 AI 기반 맞춤형 학습 시스템을 도입하겠습니다. 학생의 학습 성향, 속도, 이해도를 지속적으로 분석해, 필요한 경우 보충 학습이나 추가 학습 자료를 제공하겠습니다. 이렇게 한다면 자료 1과 같이 에듀테크 활용 역량을 창조할 수 있으며, 'AI에 기반한 학생 1:1 맞춤형 교육'을 실현할 수 있을 것입니다.

현장에 나아가 학생이 기초·기본학력을 갖추며, 디지털 시대에 걸맞은 학습 역량을 키울 수 있도록 역량을 강화하는 교사가 되겠습니다. | ● 문제와 관련된 포부와 의지 표현하기

이상입니다. | ● 발언을 끝내는 말 넣기

즉답형 1. 두 교사의 상황을 고려하여 대처 방안을 마련하시오.

- A 교사: 학생에게 지속적으로 이야기했음에도 불구하고 수업 중 소란을 피운다. A 교사는 학생이 교사의 권위를 무시하고, 다른 학생들의 학습권을 침해하고 있다고 생각한다.
- B 교사: 학교에 발령 나고 학교폭력 업무에 배정되어 업무가 과중하다고 생각한다. 다음 해에는 담임교사를 하고 싶어, 이를 요청했으나 인력이 부족하여 한 해 더 업무를 맡아야 하는 상황이 되었다.

해설

무조건인 방어적 태도나 무조건적인 수용의 자세가 아닌 중용의 태도를 지니는 것이 중요하다.

예시 답변 및 답변 포인트 분석

즉답형 1번 문제 답변드리겠습니다.	● 발언을 시작하는 말 넣기
A 교사는 학생과의 문제, B 교사는 업무 관련 문제로 인해 불만족스러운 상황에 처해 있습니다. 이러한 상황을 해결하기 위한 방법을 말씀드리겠습니다.	● 제시문 분석 내용을 서두에 넣어 문제 분석력 보여주기
먼저 A 교사의 사례부터 말씀드리겠습니다. 이런 상황에서 저는 학생의 행동을 바로 잡으면서도, 학생의 인격을 존중하는 방식으로 접근하겠습니다. 이를 위해 먼저 학생과 개별적인 시간을 갖고 대화를 나누겠습니다. 학생이 수업에 집중하기 어려운 이유가 있는지, 혹은 다른 부분에서 스트레스를 받고 있는지 물어보겠습니다. 학생이 자신의 감정을 표현할 기회를 부여하되, 이러한 행동이 교사나 다른 학생들에게 미치는 영향에 대해서도 이해시키겠습니다. 교실에서 지켜야 할 규칙을 학생들에게 명확히 전달하겠습니다. 상황이 교사의 힘만으로 해결되지 않을 경우, 학교 내 상담교사나 담임교사에게 도움을 요청하겠습니다. 이때 학부모가 학생의 문제행동에 대해 알고 함께 대처 방안을 찾는다면, 더 효과적인 결과를 얻을 수 있을 것입니다.	
다음으로 B 교사의 사례를 말씀드리겠습니다. 업무가 과중하다고 여겨지는 이유에 대해 먼저 분석하겠습니다. 학교에 학교폭력 건수가 많아 힘든 것이라면, 학교 차원에서 인성교육을 강화해 폭력 없는 학교를 만드는 일부터 시작하겠습니다. 이 외에 행정 처리상 어려움이 있다면, 지역 교사 공동체에 가입해 비슷한 업무를 맡고 있는 동료 교사들과 협력하고, 서로의 경험과 조언을 공유하겠습니다. 혼자서 모든 것을 해결하려 하기보다는, 협력해 문제를 해결한다면 처리하기 수월할 수 있을 것입니다. 만약, 업무가 저의 능력 외의 일이라 힘든 것이라면 관리자분들께 진솔하게 저의 상황에 대해 말씀드리고 협조할 수 있는 부분에 지원을 받도록 하겠습니다.	● 무조건적인 방어나 수용이 아닌 중용의 자세가 드러날 수 있도록 답변하기
교직에서는 제가 하고 싶은 일만 할 수 있는 것은 아니라고 생각합니다. 담당 업무를 통해 얻을 수 있는 경험과 지식을 최대한 활용해 향후 교직 생활에서 가치 있는 자산을 만들겠다는 자세를 갖추겠습니다.	● 문제와 관련된 포부와 의지 표현하기
이상입니다.	● 발언을 끝내는 말 넣기

즉답형 2. 학생의 만족도를 고려하여 교과교사와 담임교사로서의 학생 만족도 증진 방안을 제시하시오.

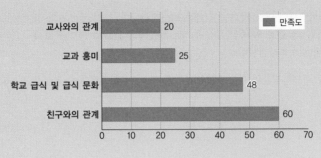

🎯 해설

4가지 항목 중 만족도가 낮은 항목을 중점적으로 설명해도 좋고, 4가지 항목에 대해서 모두 언급해도 좋다. 낮은 항목을 중점적으로 설명할 때는 높은 항목에 관해서도 짧게 언급해야만 문제 분석력을 보여줄 수 있을 것이다.

🎯 예시 답변 및 답변 포인트 분석

즉답형 2번 문제 답변드리겠습니다.	● 발언을 시작하는 말 넣기
제시문을 분석하면, 친구와의 관계나 학교 급식 및 급식 문화에는 비교적 만족도가 높으나, 교사와의 관계와 교과 흥미가 낮은 것으로 나타났습니다. 저는 만족도가 낮은 두 항목에 대한 증진 방안을 중심으로 말씀드리겠습니다.	● 만족도가 높은 항목에 대해 언급함으로써 제시문 분석력 드러내기
먼저 교사와의 관계에 대한 만족도를 높일 방안에 대해 말씀드리겠습니다. 교사와의 관계에 대한 학생들의 만족도가 낮게 나왔다는 결과는 교사로서 매우 중요한 신호입니다. 이 문제를 해결하기 위해 다양한 방안을 시도해 볼 수 있습니다. 첫째, 학생들과의 개별 상담을 진행하겠습니다. 정기적으로 학생들과 1:1로 상담해 학생들의 고민이나 어려움을 듣고, 그에 대해 적절히 대응하겠습니다. 교사가 자신에게 관심이 있다고 느끼면 학생들은 교사를 신뢰하고 관계 만족도가 높아질 것입니다. 둘째, 작은 성취나 변화에도 관심을 두겠습니다. 학생들을 잘 관찰한 후 학생들이 작은 성취를 이뤘을 때 그것을 인지하고 칭찬하겠습니다. 이런 작은 관심이 쌓이면 학생들과의 관계에 긍정적인 영향을 미칠 것으로 생각합니다. 셋째, 긍정적이고 존중하는 분위기를 조성하겠습니다. 학생들과 대화할 때 긍정적이고 격려하는 언어를 사용하고 온화한 학급 분위기를 조성하기 위해 학급 단합대회 등을 열어 교사와 학생들이 함께 하는 시간을 늘리겠습니다.	● 기대효과를 언급해 신뢰성 부여하기
다음으로 교과 학습 부분에서 만족도를 높일 방안을 말씀드리겠습니다. 첫째, 학생들의 의견을 반영하겠습니다. 수업 방식, 속도에 대해 학생들의 의견을 물어보고, 반영할 수 있는 부분은 반영하도록 하겠습니다. 학생들은 자신들의 의견이 존중된다고 느낄 때 큰 만족감을 느낄 것입니다.	

둘째, 협동 학습 기회를 제공하겠습니다. 협력 학습을 통해 학생들이 함께 목표를 이루는 경험을 하게 하고, 이 과정에서 교사가 적극적으로 참여하고 지도하면, 교사와의 관계도 자연스럽게 개선될 수 있을 것입니다.

셋째, 자기 계발 및 교사로서의 역량 강화를 위해 노력하겠습니다. 교사로서 저의 강점과 약점을 객관적으로 성찰하고, 부족한 부분을 개선하겠습니다. 관련 연수나 교사 공동체에 참석해 역량을 강화하겠습니다.

진심 어린 관심과 소통으로 학생들의 학교생활 만족도를 높이는 데 기여하는 교사가 되겠습니다.

○ 문제와 관련된 포부와 의지 표현하기

이상입니다.

○ 발언을 끝내는 말 넣기

(3) 비교과

구상형 1. 다음 제시문을 참고하여 전공 연계 방안을 2가지 말하시오.

유네스코의 지속가능발전교육
지속가능발전교육은 모든 연령대의 학습자들이 기후변화와 환경 문제, 생태 다양성 손실, 물질 사용 남용 등과 같이 상호 연결되어 있는 과제를 풀어나가는 지식, 가치, 태도를 갖추도록 돕는 교육입니다.

2024 경기교육 방향성
에듀테크 활용, 지역사회 연계, 학생중심 교육, 학생맞춤형 교육

구상하기

🎯 해설

제시문 속 키워드인 ① 유네스코 지속가능발전교육 내용과 ② 경기교육 방향성의 키워드를 포함해야만 제시문 분석 능력을 보여줄 수 있다. 전공 연계 방안은 에듀테크 활용, 지역사회 연계, 학생중심·학생맞춤형 교육이 돼야 한다.

🎯 예시 답변 및 답변 포인트 분석

구상형 1번 문제 답변드리겠습니다.	● 발언을 시작하는 말 넣기
유네스코는 기후위기, 물질 사용 남용, 생태 다양성 감소 등의 문제를 지적하며 환경교육을 중시하고 있습니다. 이 자료와 2024 경기교육 방향성을 참고해, 학생 중심의 에듀테크를 활용한 환경교육 방안과 지역사회 자원을 활용한 환경교육 방안을 보건교육과 연계해 말씀드리겠습니다.	● 제시문의 내용을 언급해 문제 해결력 보여주기
첫째, 에듀테크를 활용한 방안입니다. 학생들을 소모둠으로 나눈 후 환경 문제를 주제로 토의할 수 있도록 지도하겠습니다. 학교 안에서 일어나고 있는 환경 문제를 찾아보게 하고, 패들렛에 이를 해결하기 위해 일상에서 실천할 수 있는 환경 보호 내용을 공유하도록 하겠습니다. 또한 이런 문제가 건강에 미치는 영향은 무엇인지 태블릿을 통해 조사하게 한 후 피드백하겠습니다. 이후 이 내용을 정리해 카드 뉴스를 제작하고 SNS에 올려 온라인 이웃들에게 영향력을 미칠 수 있도록 할 것입니다. 이렇게 한다면, 학생들이 실생활 속에서 환경 보호를 실천할 수 있음은 물론 시민의식을 기를 수 있을 것입니다.	● 기대효과를 언급해 답변에 신뢰성 부여하기
둘째, 지역사회 연계 방안입니다. 저는 학생들과 함께 지역사회 환경 정화 활동을 하고 싶습니다. 줍깅 프로그램을 기획해, 마을을 조깅하며 지역사회 환경 정화 활동을 하는 것입니다. 이 활동을 통해 환경 보호에 대한 성취감과 책임감을 갖출 수 있을 뿐 아니라 조깅을 통해 신체적 건강을 지킬 수 있을 것입니다.	
현장에 나아가 세계의 흐름과 경기교육 방향성을 고려한 학생 중심 교육을 실천하는 교사가 되겠습니다.	● 문제와 관련된 포부와 의지 표현하기
이상입니다.	● 발언을 끝내는 말 넣기

구상형 2. 다음 제시문을 분석하여 전공과 연계한 교육 방안의 필요성을 말하고, 교과 또는 담임교사와 연계한 교육 방안을 말하시오.

설문조사 결과
• 자신의 신체상은 체중의 영향을 받는다.
• 정상체중 학생들은 자신을 뚱뚱하다고 인식하는 경우가 있다.
• 저체중 학생들은 자신을 정상체중으로 인식하기도 하고, 살이 쪘다고 생각하기도 한다.

구상하기

🎯 해설

문제에서 묻는 순서에 따라 ① 제시문을 먼저 분석하고 ② 전공 연계 교육의 필요성을 말한 후 ③ 교과 또는 담임교사와 연계한 교육 방안을 말해야 한다. 문제를 꼼꼼하게 읽지 않는다면 3가지 요구 조건을 놓칠 수 있으니, 문제를 읽는 시간을 확보해 두어야 한다.

🎯 예시 답변 및 답변 포인트 분석

구상형 2번 문제 답변드리겠습니다.	● 발언을 시작하는 말 넣기
대중매체 속 연예인이나 온라인 속 인플루언서들의 외모를 보고 학생들은 제시문과 같이 신체상을 체중에 의해 판단하고, 정상체중이나 저체중임에도 자신을 뚱뚱하다고 생각하고 있습니다.	● 의도적으로 '제시문과 같이~'라는 표현을 넣어, 제시문을 정확히 분석했음을 드러내기
주로 여학생들에게서 이런 일이 많이 생기는데, 과도한 다이어트나 불균형적인 식습관은 생리불순, 빈혈 등의 건강 문제와도 직결되기에 올바른 신체상 정립을 위한 보건교육이 꼭 필요하다고 생각합니다. 이와 관련해 타 교과교사 혹은 담임교사와 연계한 보건교육 방안을 말씀드리겠습니다.	● 전공 연계 교육의 필요성 말하기
첫째, 나다움 프로젝트입니다. 외모에 대한 압박은 성인지 감수성과도 연결됩니다. 담임교사와 연계해 조회 시간 등에 미디어에서 강조하는 남자다움, 여자다움이 아닌 나다움에 대해 생각해 보는 시간을 갖도록 하겠습니다. 자신이 언제 가장 아름다운지 생각하게 하고, 활동지에 글과 그림으로 기록하게 하겠습니다. 이를 통해 학생들은 외모 외에 자신의 강점에 대해서 생각하는 기회를 갖고, 자아정체성과 자아존중감을 쌓게 될 것입니다. 둘째, 체육 교과와 연계해 BMI를 함께 계산하도록 하겠습니다. BMI는 키와 체중을 바탕으로 적정 체중을 계산하는 것입니다. 이를 통해 마른 몸에 대한 강박에서 벗어나고 적정 체중을 유지하는 것의 중요성과 건강한 신체를 유지하기 위해 해야 할 운동에 대해서 함께 고민하는 시간을 갖겠습니다. 이를 통해 학생들은 외모가 아닌 건강의 관점에서 체중을 생각해 볼 수 있는 기회를 갖게 될 것입니다.	● 전공 연계 방안을 말하되, 조건에서 언급한 것과 같이 교과교사 혹은 담임교사와의 연계 방안 말하기
현장에 나아가서, 학생들이 가지고 있는 고민과 개선해야 할 점에 기민하게 반응하고, 여러 교사와 연대해 효과적으로 대응할 수 있는 교사가 되기 위해 노력하겠습니다.	● 문제와 관련된 포부와 의지 표현하기
이상입니다.	● 발언을 끝내는 말 넣기

구상형 3. 다음 인성교육 중 한 가지를 선택하여 그 이유를 말하고, 가정과 연계한 교육 방안을 말하시오.

초등학교	• 존중: 다른 사람의 입장 이해하며 함께 어울리기 • 배려: 서로 다름을 인정하고 다른 사람 배려하기 • 협력: 공동체에서 지켜야 할 규칙을 알고 다른 사람과 협력하며 실천하기 • 책임: 디지털 공간에서 예절을 알고 실천하기
중학교	• 존중: 나와 생각이 다른 사람의 견해 존중하기 • 배려: 도덕적 상상력을 발휘하여 주변 사람을 위해 배려할 수 있는 일을 찾고 실천하기 • 협력: 주변에서 일어나는 사례를 바탕으로 도덕적 규범이 중요한 이유를 토의하고 함께 규범 실천하기 • 책임: 디지털 콘텐츠 생산자로서 책임감 가지기

구상하기

해설

본인이 선택한 급에 해당하는 인성교육 내용 4가지 중 하나를 선택해 가정과 연계해 답변하면 된다. 이 외에도 본인의 급을 선택한 후, 4가지 하위 요소를 모두 가정과 연계해 답변했어도 무방하다. '선택 이유'를 언급하라고 했으므로, 반드시 말해야만 감점을 피할 수 있다.

예시 답변 및 답변 포인트 분석

구상형 3번 문제 답변드리겠습니다.	● 발언을 시작하는 말 넣기
저는 초등학교 인성교육 중 '책임'의 덕목에 관한 가정 연계 교육을 시행하고 싶습니다. 요즘 학생들은 디지털 네이티브 세대로, 매우 어릴 적부터 스마트폰 및 컴퓨터와 함께 자라왔습니다. 하지만, 디지털 공간에서 갖춰야 할 시민의식에 대한 교육은 잘 이뤄지지 않아, 디지털 성범죄, 온라인 사기 거래, 악플 등의 사회 문제가 새롭게 떠오르고 있습니다. 앞으로 디지털 사회는 더욱 가속화될 것이라 생각합니다. 따라서 사회 문제를 예방하고 성숙한 디지털 사용자가 되는 것이 중요하기에 책임 덕목과 관련한 가정 연계 교육 방안을 말씀드리겠습니다.	● 선택한 이유를 제시해 답변에 설득력 부여하기
첫째, 가정에서 가족 구성원이 함께 '가정생활 협약'을 만들어 보도록 하고 싶습니다. 학부모님들께 사전 교육을 통해 디지털 사용 교육에 대한 학부모님의 책무성과 방법 등을 안내한 후 가족회의를 통해 가족의 디지털 시민성을 진단하고 디지털 기기 사용 약속을 정할 수 있도록 안내하고 싶습니다. 이후 학교에서도 가정생활 협약을 공유하고, 학교에서 디지털 기기를 사용할 때 주의할 점에 대한 협약을 규정하는 시간을 갖도록 하겠습니다. 이렇게 한다면 학생들이 가정과 학교에서 디지털 기기를 사용할 때 협약 내용을 준수하며 올바르게 사용할 수 있을 것입니다.	
둘째, 첫 번째 방안과 같이 디지털 예절을 익힌 후 가족들과 함께 온라인 투표, 선플 등 디지털 사회에 참여하는 활동을 해보도록 하고 싶습니다. 점점 사회 문제에 대한 온라인 청원이나 댓글 소통 등 디지털 사회에 참여할 기회가 늘어나고 있습니다. 프로젝트 학습을 구성해 학생들이 가장 관심 있는 사회 문제 중 하나를 선택해, 가정에서 학부모님과 함께 투표 및 댓글 달기 활동을 한 후 학교에서 공유하는 시간을 갖도록 하겠습니다. 이렇게 한다면, 사회 참여에 적극적으로 앞장서면서도 온라인에서의 예절을 지킬 수 있는 성숙한 시민으로 성장할 수 있을 것입니다.	● 기대효과를 언급해 답변에 신뢰 부여하기
현장에 나아가 가정과 연대해 학생들의 인성교육에 앞장서는 교사가 되겠습니다.	● 문제와 관련된 포부와 의지 표현하기
이상입니다.	● 발언을 끝내는 말 넣기

즉답형 1. 학생들이 건강하고 안전하게 학교생활을 하기 위한 캠페인 주제와 구체적인 전공 연계 방안 2가지를 말하시오.

🎯 해설

① 캠페인 주제와 ② 구체적인 전공 연계 방안 2가지를 모두 충족해야 한다. 캠페인 주제를 정했다면, 그 이유를 함께 제시해 설득력을 부여하는 것이 좋다.

🎯 예시 답변 및 답변 포인트 분석

즉답형 1번 문제 답변드리겠습니다.	● 발언을 시작하는 말 넣기
저는 건강하고 안전하게 학교생활을 하기 위해 '몸 건강, 마음 건강' 캠페인을 주최하고 싶습니다. 건강과 안전은 신체뿐 아니라 정서와 심리 영역에서도 중요하기 때문입니다.	● 주제를 정했으면, 그 이유를 함께 제시해 설득력 부여하기
첫째, 체육 교과와 연계해 학생들에게 창작 댄스를 만들도록 하고 싶습니다. 학생들에게 충분한 준비 운동을 시킨 후, 학생들이 좋아하는 K-POP 음악을 선정해 소모둠을 구성하고 일정 기간 동안 창작 댄스를 만들도록 하는 것입니다. 이 과정에서 학생들은 흥미를 느끼고 건강 증진 활동에 참여할 수 있으며, 협동심도 강화돼 안전한 학교를 만들 수 있을 것입니다.	● 구체적인 교육 방안을 제시하되 교사의 역할이 드러나도록 구안하기
둘째, 건강 습관 66일 프로젝트를 시행하겠습니다. 한 가지 건강 습관을 형성하는 데에는 66일이 소요된다고 합니다. 학생들이 스스로 건강 습관을 돌아보고 건강플래너에 자신이 목표하는 건강 습관과 구체적인 계획을 적어 실천사항을 체크하도록 하겠습니다. 몸 건강뿐 아니라 하루의 기분은 어땠는지, 마음이 힘든 일은 없는지 정신 건강을 기록하게 하고 저는 플래너에 따뜻한 응원을 남기는 일을 하고 싶습니다. 이를 통해 학생들이 올바른 건강 습관을 가지고 자신의 건강에 책임감을 갖고 살아갈 수 있도록 하겠습니다.	
현장에 나아가 학생들이 건강하고 안전한 학교에서 즐겁게 활동할 수 있도록 노력하는 교사가 되겠습니다.	● 문제와 관련된 포부와 의지 표현하기
이상입니다.	● 발언을 끝내는 말 넣기

즉답형 2. 미래교육을 실현하기 위해 지역 중심 교사 공동체에서 하고 싶은 연구 주제와 구체적 활동 방안을 2가지 말하시오.

🎯 해설

미래교육을 위해 지역 중심 교사 공동체라는 키워드를 제시했다. 방향은 미래교육을 향해야 하고, 방안에는 '지역'에 관한 이야기가 담겨야만 맥락을 잘 파악했다고 할 수 있다. 또한 연구 주제를 왜 선정했는지에 대해 이유를 함께 제시한다면, 설득력을 줄 수 있을 것이다.

🎯 예시 답변 및 답변 포인트 분석

즉답형 2번 문제 답변드리겠습니다.	● 발언을 시작하는 말 넣기
저는 지역 중심 영양교사 모임에서 '기후위기 대응'에 관한 연구를 하고 싶습니다. 왜냐하면 미래 사회에는 기후위기, 생태 다양성 감소 등 다양한 환경 문제가 예견되고 있고, 이러한 문제는 농업 생산, 식품 공급망, 식단의 다양성에 직접적인 영향을 미치기 때문입니다. 학생들은 이러한 미래의 환경 문제를 인지하고 대응 능력을 갖춰야 하므로 이와 관련한 연구 활동을 하고자 합니다. 구체적인 활동 방안은 다음과 같습니다.	● 주제를 정했다면, 그 이유를 함께 제시해 설득력 부여하기
첫째, 기후변화가 지역사회의 식량 공급과 영양 불균형에 미치는 영향을 연구하겠습니다. 기후변화로 인해 특정 식품의 공급이 불안정해지거나 가격이 상승하는 상황을 분석하고, 이를 해결하기 위한 영양교육 방안을 모색하고자 합니다. 이를 토대로 학교 현장에서 학생들과 함께 현황을 공유하고, 학생 수준에서 실천할 수 있는 일에 대한 방안을 함께 모색하는 맞춤형 교육 프로그램을 진행하고 싶습니다. 둘째, 기후 친화적인 식단 및 식습관 교육 프로그램을 개발하고 싶습니다. 지역에서 생산된 친환경 식품을 중심으로 기후 친화적인 식단을 구성하고, 학생들에게 관련된 영양교육을 할 수 있는 프로그램을 개발하고자 합니다. 이를 토대로 학교 현장에서 학생들에게 식습관 교육을 진행하고, 기후 친화적 식단 공모전을 개최해 학생들이 기후변화에 능동적으로 대처할 수 있는 힘을 기르도록 하겠습니다.	● 연구 활동 내용을 제시시하기 (이때 학교에 어떻게 적용할 것인지 제시한다면 '미래교육을 실현하기 위한~'이라는 조건을 완벽히 충족할 수 있음)
현장에 나아가 미래 사회 대비를 위해 지역 교사 공동체에 적극적으로 참여하는 열정 있는 교사가 되겠습니다.	● 문제와 관련된 포부와 의지 표현하기
이상입니다.	● 발언을 끝내는 말 넣기

즉답형 3. 갈등 상황에서 소통과 협력으로 해결해 나갔던 경험과 이를 교직 현장에서 교사 관계에 적용할 방안을 전공과 연계해서 말하시오.

🎯 해설

경험을 제시할 때, 이를 통해 얻게 된 깨달음을 함께 제시하고, 포부까지 연계하자. '경험-깨달음-포부'는 한 세트임을 잊지 말자.

🎯 예시 답변 및 답변 포인트 분석

즉답형 3번 문제 답변드리겠습니다.	● 발언을 시작하는 말 넣기
학부 때 동아리 축제 부스를 운영해야 했습니다. 저희 동아리는 학생들이 다른 동아리 면접에서 떨어진 후 마지못해 온 경우가 많았기 때문에 동아리 축제 부스 운영에 소극적이었고, 하고 싶은 형식이 모두 달라 회의가 원활하게 진행되지 않은 채 감정이 점점 안 좋아졌습니다. 저는 회장으로서 솔직하게 힘든 상황을 공유했고, 모두의 의견을 경청하는 시간을 마련했습니다. 공감적 경청을 하니, 학생들은 각자의 사정과 동아리 운영에 대한 의견을 말했고, 결국 각자의 장점으로 부스를 꾸며보자고 의기투합을 하게 됐습니다. 저는 이 경험을 통해 갈등의 상황에서는 공감적 경청과 문제를 진솔하게 나누는 것의 중요성을 알게 됐습니다.	● 경험을 제시할 때, 이를 통해 얻은 깨달음을 함께 언급하기 ● 문제와 관련된 포부와 의지 표현하기
학교 현장에서도 여러 분야에 대한 서로의 입장이 다를 수 있다고 생각합니다. 특히 저는 사서교사로서 도서관에 혼자 있는 일이 많아, 선생님들의 이야기에 귀를 기울일 기회가 적을 수 있습니다. 도서관에 소리함을 만들어서 도서관 이용 시 불편한 점, 건의 사항, 학생들에게 필요한 사서 교육, 교과 연계 교육 방안 등을 자유롭게 제안할 수 있도록 하겠습니다. 그 후 교사 회의를 통해 의견을 나누며 의견을 수렴하겠습니다. 소통을 할 때 공감적 경청을 기반으로 솔직한 마음을 전달한다는 원칙을 잊지 않고, 모두의 성장을 위해 노력할 것입니다.	
현장에서 소통과 협력으로 돈독한 교사 관계를 형성하는 데 일조하는 공동체적 인성을 갖춘 교사가 되겠습니다.	● 문제와 관련된 포부와 의지 표현하기
이상입니다.	● 발언을 끝내는 말 넣기

즉답형 4. 자신의 전공과 관련해서 학생 데이터 수집 분석의 필요성을 말하고 그 데이터를 활용할 방안을 제시하시오.

🎯 해설

① 전공과 연계한 ② 데이터 수집의 필요성, ③ 데이터 활용 방안에 대해 언급해야 한다.

🎯 예시 답변 및 답변 포인트 분석

즉답형 4번 문제 답변드리겠습니다.	○ 발언을 시작하는 말 넣기
학창 시절은 학생들의 성장이 활발하게 일어나는 시기입니다. 따라서 보건교사가 학생들의 신체적·정신적 건강 상태를 정확하게 파악하고 이에 필요한 지원을 하는 것이 중요하기 때문에 데이터 수집이 필요합니다. 데이터 활용 방안을 구체적으로 말씀드리겠습니다.	○ 전공과 연계한 데이터 수집의 필요성을 언급하기
첫째, 체육·영양 교사와 연계해 맞춤형 식단을 제안하겠습니다. 인바디 기계로 체성분을 분석하고 추천 운동을 제공하고 건강 식단을 안내해 부족한 지방, 근육량을 보완할 수 있도록 하겠습니다.	○ 데이터 활용 방안에 대해 언급하기
둘째, 하이러닝에서 수집되는 학습 데이터를 기반으로 학생의 학습 양상을 분석하겠습니다. 이때 학습에 대한 코칭뿐 아니라 학습 동기에 대해서 관심을 갖도록 하겠습니다. 학업 스트레스는 없는지, 건강한 학습을 위해서 어떤 자세를 갖는 것은 좋은지 멘토링을 하고 싶습니다.	
미래 사회의 교사는 기술을 잘 활용하면서도 AI나 데이터가 대체할 수 없는 따뜻한 관심을 바탕으로 학생들의 마음을 읽어주고 학생들이 잘 성장할 수 있게 도움을 제공해야 한다고 생각합니다. 학교에서 학생들에게 세심한 관심을 갖는 따뜻한 보건교사가 되겠습니다.	○ 문제와 관련된 포부와 의지 표현하기
이상입니다.	○ 발언을 끝내는 말 넣기

(1) 초등

구상형 1. 다음 경기교육의 방향성을 교육적 관점에서 분석하고 이를 실현할 방안을 교육과정 및 학급 운영 측면에서 각각 제시하시오.

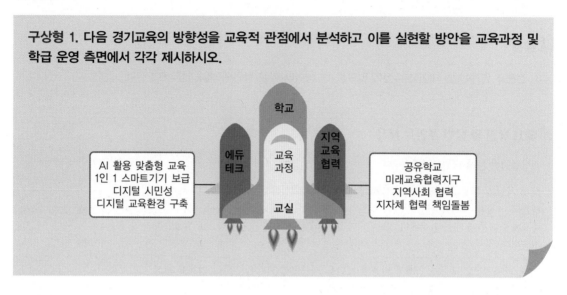

구상하기

해설

제시문 속 키워드인 ① 에듀테크 활용, ② 지역사회 자원 활용 방안을 언급하되, '경기 정책'에서 강조하고 있는 내용을 중심으로 말해야 경기형 교사로서의 소양을 보여줄 수 있다. 또한 방안은 문항에서 제시한 대로 ③ 교육과정 내용과 ④ 학급 운영 방안이 모두 드러나야 한다. 주의할 점은 이것을 나열식으로 열거하는 것이 아닌 '교사의 역할'이 드러나게 말해야 한다는 것이다.

예시 답변 및 답변 포인트 분석

구상형 1번 문제 답변드리겠습니다.	● 발언을 시작하는 말 넣기
다음 자료를 통해 경기교육은 교육에 에듀테크를 활용하고 지역 교육과 협력하는 방향으로 나아간다는 것을 알 수 있습니다. 이것의 실현 방안을 교육과정 및 학급 운영 측면에서 각각 말씀드리겠습니다.	● 서두에 제시문 분석 결과를 말해, 문제 분석력을 드러내기
먼저, 에듀테크 활용 방안입니다. 학급 운영 방안부터 말씀드리면 경기도교육청의 1인 1스마트 기기 보급에 발맞춰, 학생들이 디지털 기기를 올바르게 사용할 수 있도록 디지털 시민교육을 시행하고 싶습니다. 초등학생들은 디지털 네이티브 세대로 디지털 기기 활용 능력과 잠재력이 매우 큽니다. 하지만, 디지털 세계에는 가짜 정보, 자극적인 정보가 많아, 올바른 사용 관점과 디지털 시민의식을 갖춰야만 유용하게 활용할 수 있습니다. 따라서 저는 학생들이 많이 보는 유튜브를 함께 분석해 유해성과 유익성을 직접 분석하는 시간을 갖거나 가짜 뉴스를 찾아보는 시간을 통해 학급 친구들이 디지털 시민 소양을 갖추도록 지도하겠습니다. 교육과정 측면에서는 AI를 활용한 맞춤형 교육을 하고 싶습니다. 교사로서 AI 관련 전문성을 갖추고 학생들을 지도하는 것뿐 아니라 AI를 기반으로 학습 부진 원인을 분석하거나 AI 튜터를 활용해 부족한 점을 보충하는 방식을 병행하겠습니다. 이렇게 한다면 학생의 학습 능력과 성향에 따라 맞춤형 학습을 제공할 수 있고 개개인의 학습 효과를 극대화할 수 있을 것입니다.	● 조건 ①, ②에 대한 이야기를 하되, 경기 정책에 발맞추어 '교사의 역할'이 드러나게 말하기 ● ③ 교육과정 내용과 ④ 학급 운영 방안 모두 말하기 ● 기대효과를 언급해 답변에 설득력을 부여하기
다음으로 지역사회 자원을 활용한 교육 방안을 말씀드리겠습니다. 먼저 학급 운영 측면에서 학생들과 지역 문화 유산, 자원 등을 활용한 현장 체험학습을 하고 싶습니다. 예를 들어 지역 박물관, 농장, 캠핑장 등을 방문해 공동체 체험을 통해 지식과 경험을 쌓는 것입니다. 이를 통해 학생들은 지역사회를 이해하고, 사랑하는 감정을 갖는 것은 물론이고 문제해결 능력, 협력 능력 등을 함께 배울 수 있을 것입니다. 학습 측면에서는 지역 대학생 멘토링, 두드림학교 등을 학급 학생들과 연계해 학생들의 기초학력을 향상하고자 합니다.	
교육공동체와 연대해 에듀테크 관련 교육력을 강화하고, 지역사회와 협력하는 교사가 되겠습니다.	● 문제와 관련된 포부와 의지, 계획 표현하기
이상입니다.	● 발언을 끝내는 말 넣기

구상형 2. 자신의 교직관을 바탕으로 제시문 (가), (나)에서 공통적으로 강조하는 것을 분석하고, 이를 실현할 방안을 3가지 제시하시오.

(가) 경기교육은 역량 중심 맞춤형 교육을 통해 학생의 역량을 키워가는 정책을 추진하고 있습니다. 저마다의 창의력과 잠재력을 발휘하는 학생 주도의 맞춤형 교육을 통해 더 나은 미래를 함께 만들어 갈 수 있도록 학생의 역량을 키워가겠습니다.

(나) 2022 개정 교육과정이 추구하는 미래교육에 대한 비전은 '포용성과 창의성을 갖춘 주도적인 사람'으로 요약할 수 있다. 포용성은 더불어 살아가는 공동체적 소양이나 서로를 존중하고 배려하는 성숙한 인격의 함양 등과 같은 교육의 전통적인 가치를 대표한다. 창의성은 사회적으로 요구되는 다양한 능력 중 하나이자, 경쟁력 있는 인재가 갖추어야 할 역량 중 하나로 교육의 사회적 가치를 의미한다. 주도성은 자주성, 자기관리 역량, 자율성 등의 개념에 더해 공적인 책임의식까지 포함하는 개념으로서 교육의 개인적 측면과 공공적 측면을 포괄한다고 할 수 있다.

구상하기

🎯 해설

① 교직관, ② 제시문의 공통점 ③ 실현 방안, 이 3가지 조건이 답변에 모두 포함돼야 한다. 교직관이 제시문의 방향과 일치해야 하므로 큰 틀에서 경기형 교직관을 수립해 놓되, 제시문에 따라 방향을 가다듬어야 한다.

🎯 예시 답변 및 답변 포인트 분석

구상형 2번 문제 답변드리겠습니다.	● 발언을 시작하는 말 넣기
먼저, 저의 교직관을 바탕으로 제시문의 공통점을 분석하겠습니다. 저의 교직관은 '학생이 스스로 성장할 수 있도록 조력하는 교사'입니다. 제시문 (가), (나)는 이와 맥락을 같이 하며 '학생 주도 학습과 개별 맞춤형 교육'을 강조하고 있습니다.	● 문항에서 요구하는 대로 교직관을 언급한 후, 제시문의 공통점 말하기
이를 교실에서 실현할 방안을 3가지 말씀드리겠습니다.	
첫째, 학생 중심의 학습 환경을 조성하겠습니다. 학생들의 참여를 촉진하기 위해 관찰력을 가지고 요즘 학생들의 관심사를 파악해 예시 사례, 비유 표현 등을 수업 자료에 적극 활용하도록 하겠습니다. 또한 토론이나 주제 중심 프로젝트 학습을 하겠습니다. 주제는 실생활과 관련 있는 생활 중심 주제를 선정해 학생들이 능동적으로 생각하고 적극적으로 수업에 참여할 수 있도록 할 것입니다.	● 조건 ③에 대한 이야기를 하되, 경기 정책에 발맞추어 '교사의 역할'이 드러나게 말하기
둘째, 함께 플래너를 작성하며 피드백하겠습니다. 자기주도학습을 위해서는 초등학교 때부터 꼼꼼하게 계획을 세우는 연습이 필요합니다. 학생과 1:1 상담을 통해 개개인에게 적합한 목표를 함께 설정하고 주기적으로 진행 상황을 점검하며 피드백을 하겠습니다. 이때, AI 튜터를 활용한다면 학생의 성장 정도를 더 정확히 파악할 수 있을 것입니다.	● 기대효과를 언급해 답변에 설득력을 부여하기
마지막으로 가정과 연대하겠습니다. 개별 맞춤형 교육은 학교와 가정의 연대가 있을 때 더 효과적이라고 생각합니다. 학부모 상담, 온라인 상담소 운영 등의 방식을 통해 가정과 학교에서 학습 내용을 상호 공유한다면 학생들의 성장에 큰 도움이 될 것입니다.	
현장에 나아가 학생들의 자기주도학습 능력과 개별화 교육에 앞장서는 열정 있는 교사가 되겠습니다.	● 문제와 관련된 포부와 의지 표현하기
이상입니다.	● 발언을 끝내는 말 넣기

구상형 3. 다음 자료의 시사점을 말하고 신규 교사로서 노력 방안을 3가지 제시하시오.

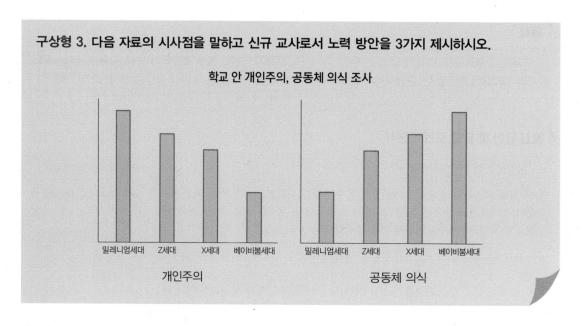

학교 안 개인주의, 공동체 의식 조사

구상하기

🎯 해설

① 자료의 시사점을 분석하고 ② 신규 교사로서 노력 방안 3가지를 제시해야 한다. 이때 노력 방안은 자료의 시사점을 해결할 수 있는 방안이 돼야 한다.

🎯 예시 답변 및 답변 포인트 분석

구상형 3번 문제 답변드리겠습니다.	● 발언을 시작하는 말 넣기
먼저, 자료의 시사점을 말씀드리겠습니다. 자료에서는 교내 다양한 연령의 개인주의와 공동체 의식에 대한 차이점을 보여주고 있습니다. 밀레니엄세대는 개인주의가 높지만, X세대, 베이비붐세대는 공동체 의식이 높아, 학교 구성원 간 의식 차이가 있음을 보여주고 있습니다. 이러한 현상이 뚜렷해진다면, 교내에 세대 갈등 등 여러 문제가 유발될 가능성이 있습니다.	● 조건 ①대로 제시문 분석력을 드러내기
이런 상황 속에서 신규 교사로서 노력 방안을 3가지 말씀드리겠습니다.	
첫째, 존중과 이해, 배려의 자세를 갖겠습니다. 10대 미만부터 최대 60대까지 다양한 연령대가 생활하는 학교에서는 서로의 문화를 잘 이해하지 못하거나 세대 차이로 인해 소통이 어렵다는 문제가 생길 수 있습니다. 저는 타인을 존중하고, 배려하는 자세를 바탕으로 교직 생활을 이어가겠습니다.	
둘째, 교원 공동체와 같이 동료 교사들과 협력으로 문제를 해결할 수 있는 활동에 적극 참여하겠습니다. 경기도교육청에서는 전문적 학습공동체, 교원 네트워크 등과 같이, 교사들의 집단지성으로 문제를 해결할 수 있는 기회를 마련하고 있습니다. 혼자가 아닌 '같이'의 가치를 알고, 협력을 생활화하는 신규 교사가 되겠습니다.	● 조건 ②에 대한 이야기를 하되, 경기 정책에 발맞추기 (전문적 학습공동체 언급) ● 기대효과를 언급해 답변에 설득력을 부여하기
셋째, 법보단 소통의 자세로 접근하겠습니다. 다양한 사람이 있는 학교란 공간에서, 문제 상황이나 갈등 상황은 어쩌면 피할 수 없는 일일지도 모른다고 생각합니다. 이때, 서로 대화나 소통 없이 법이나 규정대로 처리하는 것이 아닌 앞서 말한 배려와 존중, 이해의 자세를 바탕으로 소통해 일을 해결할 수 있게 하겠습니다.	
이렇게 한다면, 학교 안 개인주의와 공동체 의식의 불일치로 인한 문제 상황이 많이 해소될 수 있을 것입니다.	
현장에 나아가 협력에 앞장서는 교사가 되겠습니다.	● 문제와 관련된 포부와 의지 표현하기
이상입니다.	● 발언을 끝내는 말 넣기

즉답형 1. 자기성장소개서에 적힌 역량과 관련하여 대학교 과제(수업) 또는 동아리에서 그 역량을 길렀던 경험을 구체적으로 말하시오.

🎯 해설

자기성장소개서 진위 검증 문항이다. 대리 작성이나 허위 사실 여부를 확인하기 위해 자기성장소개서에 적은 역량이 어떤 것이었는지 묻고, 이와 관련된 경험을 물어본 것이다. 진솔하게 작성했다면 아주 쉬운 문제였을 것이다. 《사이다 면접》에서 줄곧 강조하지만, 관련 경험은 교직관(깨달음), 포부·의지와 한 세트이다. 관련 경험만 언급하지 말고, 그 속에서 느낀 성찰, 교육철학 등을 제시한다면 교사로서 수험생의 역량을 어필할 수 있다.

🎯 예시 답변 및 답변 포인트 분석

즉답형 1번 문제 답변드리겠습니다.

○ 발언을 시작하는 말 넣기

제가 자기성장소개서에서 말씀드린 미래 인재 육성에 적합한 교사 역량은 '교육과정 재구성 역량'과 '디지털 활용 능력'입니다. 이와 관련된 경험을 말씀드리겠습니다.

○ 자기성장소개서와 무조건 일치시키기

먼저, 교육과정 재구성 역량을 기르기 위해 저는 수업 연구 대회에 참가했습니다. 교육과정을 분석하고, 재구성해 '지역 공동체와 함께하는 사회 교육'을 주제로 지역사회의 물적·인적 자원을 활용한 마을 알기 수업을 구안했습니다. 동기들과 함께 교육과정을 분석하며, 실생활에 필요한 지식을 쌓기 위한 교육을 기획하는 과정에서 교육과정 재구성의 참된 의미와 취지를 깊게 이해하게 됐습니다.
또한 수업 과제로 'IB 교육과정'에 대한 프레젠테이션을 했습니다. 경기도교육청에서 핵심적으로 추진하고 있는 IB 교육과정의 교육 사례를 찾아보고 토론 주제와 교사의 역할에 대해 고민하는 시간을 가졌습니다. 이 과정에서 교사의 교육과정 재구성 전문성과 평가 감식안이 중요하다는 것을 깨닫게 됐습니다.

둘째, 디지털 활용 역량을 기르기 위한 경험을 말씀드리겠습니다. 저는 디지털 활용 역량 중에서도 특히 '디지털 시민성'에 관심이 많아 관심 있는 동기들과 소모임을 만들어 관련 활동을 했습니다. 디지털 사회 속에서 갖춰야 할 시민성은 무엇이고, 학생들에게 어떤 교육을 해야 하는지 온라인 플랫폼에 정리된 현직 교사의 사례를 찾아보고 이를 참고해 효과적인 교육 방안을 고민해 보았습니다. 카드 뉴스를 활용한 가짜 뉴스 찾기, 유튜브를 함께 시청하고 시청 규약 제정하기, 학급 유튜브 플랫폼 만들기 등의 활동을 고민할 수 있던 시간이었습니다. 이를 통해 디지털 시민교육의 중요성과 필요성을 다시 한번 깨달을 수 있었습니다.

○ 관련 경험뿐 아니라 깨달음 (교육철학)을 제시하기

현직에 나가서도 개인적 노력, 집단지성의 힘으로 교육과정 재구성 역량과 디지털 활용 능력을 갖춰, 미래 인재를 양성하는 데 기여하는 교사가 되겠습니다.

○ 문제와 관련된 포부와 의지 표현하기

이상입니다.

○ 발언을 끝내는 말 넣기

즉답형 2. 요즘 급격하게 변화하는 사회 현상 속에서 학생 맞춤형 진로교육이 필요한 이유를 3가지 설명하시오. 또 이에 필요한 교사의 자질을 3가지 말하시오.

💥 해설

즉답형에 조건이 많이 추가돼 수험생을 당황하게 한 문제이다. 구상 시간 없이 ① 급격하게 변화하는 사회에 초점을 맞춰 ② 진로교육이 필요한 이유 3가지를 설명해야 했고, ③ 교사의 자질을 이유 3가지와 연계해 답변해야 했던 매우 까다로운 문제였다.

💥 예시 답변 및 답변 포인트 분석

즉답형 2번 문제 답변드리겠습니다.

○ 발언을 시작하는 말 넣기

최근 사회는 매우 급격하게 변화하고 있습니다. 이 변화상에 초점을 맞춰 진로교육의 필요성 3가지와 이에 필요한 교사의 자질을 말씀드리겠습니다.

○ 조건을 언급해 문제를 제대로 파악했음을 드러내기

첫째, 현대사회는 과거에 비해 진로 선택의 폭이 다양해지고 있습니다. 온라인으로 직업의 무대가 확대되며 다양한 직업군이 생기고 있고, 사회적으로도 창업, 자영업, 해외 취업 등 보편적인 기업 입사나 자격증 취득이 아닌 더 도전적인 삶을 장려하고 있습니다. 따라서 학생 맞춤형 진로교육을 통해 학생들이 자신의 관심과 능력에 맞는 다양한 진로를 탐색하고 체험할 수 있도록 해야 합니다. 교사는 직업 탐색 역량을 갖추고 있어야 합니다. 다양한 직업의 세계를 이해하고, 학생의 특성·강점에 맞게 직업을 추천해 줄 수 있어야 합니다.

둘째, 학생들도 개성이 뚜렷해지고 있습니다. 어렸을 때부터 SNS에 자기의 생각과 개성을 표출하는 것이 자연스러운 요즘 학생들은 관심, 성향, 능력 등에서 다양성을 보여줍니다. 이러한 다양성을 고려하지 않고 일괄적인 진로교육을 제공하는 것은 학생들의 잠재력을 제한할 수 있습니다. 따라서 학생 맞춤형 진로교육을 통해 학생들의 다양성을 존중하고 그에 걸맞은 직업을 가질 수 있도록 조력해야 합니다. 이에 따라 교사는 관찰과 공감을 바탕으로 학생 이해 역량과 개별화 지도 능력을 지니고 있어야 합니다.

○ 사회 변화상과 진로교육이 필요한 이유를 연계하기

○ 이와 관련한 교사의 자질을 언급하기

마지막으로 평생학습 시대가 도래하며, 자기주도적 진로 설계 역량이 중요해졌기 때문입니다. 한 가지 직업을 은퇴할 때까지 갖는 것이 아니라, 평생학습을 하며 끊임없이 자기의 적성과 재능을 연마하며 여러 가지 직업을 선택해야 합니다. 따라서 자기를 알아가고 진로 설계 역량을 체득해야 합니다. 이를 위해 교사는 자기주도학습 코칭 역량을 갖추고 있어야 합니다.

현장에 나아가 학생들을 이해하고, 사회 변화에 기민하게 반응해 학생들에게 적합한 진로 지도 역량을 갖추는 열정 있는 교사가 되겠습니다.

○ 문제와 관련된 포부와 의지 표현하기

이상입니다.

○ 발언을 끝내는 말 넣기

(2) 중등

구상형 1. 제시문을 참고하여 기초학력 향상을 위한 교과 교육 방안을 말하시오.

기초학력 향상을 위해 학교 기반 교육이 중요하며 이를 위해 교육의 새로운 두 축을 활용하겠습니다.

첫째, 인공지능 등 디지털 테크놀로지를 활용하겠습니다.

둘째, 지역교육 협력체제 구축으로 학교 교육을 지원하겠습니다.

*기초학력의 사전적 의미: 어떤 교육을 받는 데 기초적으로 필요한 학습 능력으로, 어떤 과제의 학습에 직접적으로 요구되는 학습 능력이 아니라 여러 과제의 학습에 포괄적으로 필요한 일반적 학습 능력을 의미함

구상하기

🎯 해설

① 제시문 분석 결과를 말하고 ② 이와 연계한 교과 교육 방안을 제시해야 한다. 제시문대로 ③ 디지털 테크놀로지 활용 교육과 ④ 지역교육 협력체제 두 방향을 답변해야 한다.

🎯 예시 답변 및 답변 포인트 분석

구상형 1번 문제 답변드리겠습니다.	● 발언을 시작하는 말 넣기
제시문에서는 인공지능과 같은 디지털 테크놀로지 교육과 지역교육 협력체제를 통해 기초학력을 향상할 것을 제시하고 있습니다. 이 두 방향과 발맞춘 교과 교육 방안을 말씀드리겠습니다.	● 제시문 분석력을 드러내기
먼저, 디지털 테크놀로지 활용 교육을 통한 기초학력 향상 방안입니다. 경기교육에서는 AI를 활용한 맞춤형 콘텐츠, AI 튜터 등을 도입하고자 합니다. 저 역시, 수학 수업 시간에 에듀테크를 적극 활용해 개별 학생의 학습 수준과 성향에 맞는 맞춤형 학습 콘텐츠를 활용하겠습니다. 수학은 학생 개인별 수준 차이가 확연한 과목입니다. 한번 흐름을 놓치면, 소위 말하는 수포자가 되기 쉽습니다. AI를 활용한 맞춤형 콘텐츠를 통해 학생 개개인의 수준을 파악해 학생의 기초학력 보장을 돕겠습니다. 또한 부족한 부분은 AI 튜터의 도움을 받을 수 있도록 안내하겠습니다. 저는 교사로서 기술만 도입하는 것이 아닌, 개별 학생의 학습 속도를 이해해 계획을 수립하고 피드백하는 역할을 충실히 할 것입니다. 둘째, 지역교육과 협력의 하나로 대학생 멘토링과 연계해 기초학력을 보장하겠습니다. AI로 학습 수준을 정확하게 분석하고 저의 관찰을 통해 멘토링이 필요한 학생이 보인다면, 지역 대학교 학생들과 연계해 멘토링을 진행할 수 있게 하겠습니다. 교과 보충이 필요한 학생들에게 방과 후 멘토링을 한다면 기초학력 보장을 할 수 있고, 지역사회의 인재를 활용할 수 있다는 장점이 있습니다. 이렇게 한다면 학교 기반 교육을 강화할 수 있을 것입니다.	● 조건에 따라 기초학력 보장, 교과 교육 방안을 언급하기
현장에 나아가 학교 기반의 디지털 테크놀로지와 지역교육 체제를 활용해 학생들이 기초학력을 보장하는 데 도움을 주는 교사가 되겠습니다.	● 문제와 관련된 포부와 의지 표현하기
이상입니다.	● 발언을 끝내는 말 넣기

구상형 2. 최근 처벌 중심 사안 처리가 한계로 지적되고 있다. 학교폭력 문제에 대한 다음 상황을 분석하고 담임교사로서 교육적 해결 방안과 이때의 유의 사항을 말하시오.

- 학생 A: 급식실에서 B가 저한테 욕을 해서 제가 살짝 밀었는데 저를 학교폭력으로 신고했어요. 제가 민 것은 잘못했지만, B가 신고했기 때문에 저도 언어폭력으로 신고하려고요.
- 학생 B: 제가 먼저 욕한 건 맞지만 그래도 A 잘못이 더 큰 거 아닌가요? 신고했지만 교실에서 볼 때 마음이 불편해요.

구상하기

🎯 해설

① 문제에 초점을 맞춰 '처벌', 즉 '응보적 대응'이 아닌 '회복적 생활교육'의 관점에서 접근하거나 ② 제시문에 초점을 맞춰 상황 그 자체에 입각해 답변을 전개해도 된다. 문제의 키워드인 '처벌 중심 사안 처리'를 고려해, 이것을 해결할 수 있는 방안으로 말해야 한다.

🎯 예시 답변 및 답변 포인트 분석

구상형 2번 문제 답변드리겠습니다.	● 발언을 시작하는 말 넣기
주어진 상황을 보면 A와 B 학생 간 갈등이 발생한 것을 알 수 있습니다. A와 B는 갈등을 대화로 해결하기보다 신고하는 방식, 즉 처벌 중심 사안 처리 방식을 선택하고 있습니다. B가 마음이 불편하다고 한 것으로 보아 자신도 이런 방식이 옳은 것은 아니라고 생각한다는 것을 알 수 있습니다. 이러한 상황에서 담임교사로서 다음과 같이 해결하겠습니다.	● 제시문 분석력을 드러내기
첫째, 먼저 A 학생과 B 학생을 따로 불러 마음을 들어보겠습니다. 혹시 서로를 오해하고 있거나 비합리적으로 생각하는 부분이 있다면 상담을 통해 해결하겠습니다. 둘째, 개인 상담을 한 후 중재자 역할을 시도하겠습니다. 중재 과정은 양측 모두가 합의할 수 있는 방향이어야 하며, 상호존중과 이해가 선행돼야 합니다. 셋째, 다시 재발하지 않도록 학급 차원에서 철저한 예방 교육에 힘쓰겠습니다. 상호존중day를 지정해 언어 사용을 바르게 하는 날을 만든다거나 사과day, 고맙day로 친구에게 미안하거나 고마움을 표현하는 날을 만들어 서로 아껴주는 분위기를 만들도록 하겠습니다. 이와 같은 교육적 해결 방안을 시도할 때는 다음과 같은 사항에 유의해야 합니다. 첫째, 공정하고 객관적 자세를 견지해야 합니다. 선입견을 갖거나 편견을 가지고 학생을 대해서는 안 되며 상황 자체에 집중해야 합니다. 둘째, 화해의 자리를 마련하되, 성급하게 교사가 화해를 종용하지 않아야 합니다. 서로 충분히 마음을 회복한 후 화해할 수 있도록 해야 합니다. 마지막으로 사안 조사는 수업 외 시간을 활용해 학생들의 학습권을 보장할 수 있어야 합니다.	● 조건에 따라 해결 방안과 유의 사항을 말하기
현장에 나아가 처벌 중심 사안 처리가 아닌 상호 회복할 수 있는 회복적 생활교육에 앞장서는 교사가 되기 위해 노력하겠습니다.	● 문제와 관련된 포부와 의지 표현하기
이상입니다.	● 발언을 끝내는 말 넣기

구상형 3. 다음 환경 분석 결과를 토대로 A 학교의 학교자율과제를 정하고자 한다. 다음 빈칸을 채우고, 이를 실현하기 위한 구체적인 교육 방안을 제시하시오.

*학교자율과제: _____ 을/를 통한 _____

A 학교 환경 분석 결과
- 강점(S): 학생의 학교 교육에 대한 높은 신뢰, 교육공동체의 인성교육 필요성 공감
- 약점(W): 교과 연계 인성교육 프로그램 미비, 교육공동체 간 배려 부족
- 기회(O): 지역 자원 풍부, 인성교육 관련 학교 예산 증가
- 위협(T): 가정교육 부재로 기초 생활 습관 미비, 미디어에 무분별하게 노출

구상하기

🎯 해설

앞서 SWOT 문제는 제시문 문장을 모두 활용하면 된다고 말씀드렸다. 학교자율과제는 SWOT에서 반복적으로 등장하는 단어인 ① 교육공동체, ② 인성교육을 뽑아서 '교육공동체를 통한 인성교육' 혹은 '가정, 지역사회와 연대를 통한 인성교육' 정도로 정리할 수 있다. 구체적인 사례는 공동체와 함께하는 방향으로 언급하되, 제시문에 나와 있는 교육공동체 배려, 디지털 관련 인성교육 내용을 포함하면 된다. 꼭 제시문에 있는 문장을 활용해야 한다는 것을 잊지 말자.

🎯 예시 답변 및 답변 포인트 분석

구상형 3번 문제 답변드리겠습니다.	● 발언을 시작하는 말 넣기
학교자율과제는 학교자율역량을 바탕으로 학교 현안을 진단하고 숙의를 거쳐 도출한 과제를 말합니다. A 학교의 현안을 SWOT으로 분석한 후, 필요한 자율과제를 제시하도록 하겠습니다. SWOT 분석 결과, A 학교의 자율과제는 '교육공동체와의 협력을 통한 인성교육'으로 정할 수 있습니다. 강점과 기회 요소를 통해 인성교육이 필요하며, 예산도 뒷받침되고 있다는 것을 알 수 있습니다. 학생이 학교에 대한 신뢰가 높은 만큼 참여도가 높을 것입니다. 또한 약점과 위협 요소를 분석한 결과, 교과 연계 프로그램이 필요하고 공동체 간 배려 문제, 기초 생활 습관, 미디어 관련 문제를 해결해야 함을 알 수 있습니다. 이를 종합해 구체적인 방안을 3가지 말씀드리겠습니다.	● SWOT 분석 내용을 언급해 문제 분석력 드러내기
첫째, 가정과 연대해 기초 생활 습관을 바로잡겠습니다. 가정교육 부재로 인한 문제를 해결하기 위해 학교와 가정이 긴밀하게 협력해야 합니다. 온라인 소통 채널을 개설해 가정에서 인성교육을 지원하는 교육 자료와 프로그램을 업로드하겠습니다. 학교 차원에서 가족 사랑의 날을 운영해 주 1회 온 가족 함께 식사하기, 밥상머리 인성교육 프로젝트를 시행해 자연스럽게 식사 예절을 익히도록 하고 싶습니다. 또한 디톡스앱을 소개해 기초 생활 습관을 잡을 수 있게 하겠습니다.	
둘째, 기회 요소에서 알 수 있듯, 지역사회 자원을 활용할 수 있는 만큼 지역사회와 연대해 공동체 배려 교육을 하겠습니다. 지역사회 행정복지센터, 도서관 등에서 자원봉사를 연계해 사회 구성원들과 소통하고 배려할 수 있는 자세를 기르도록 하겠습니다. 성찰 일지, 일과 일지 등을 받아 직접 코멘트를 달며, 학생에게 동기 부여를 해주고 싶습니다.	● 약점과 위협 요소로 언급되는 문제를 전부 해결하기
마지막으로 교과와 연계해 디지털 시민교육을 진행하겠습니다. 디지털 정보 팩트 체크, 딥페이크 자료 분별 등 윤리적 성찰이 가능한 주제를 선정해 학생들이 직접 고민하고 토론하도록 하겠습니다. 시민으로서 디지털 사회에서 행동해야 할 방안에 대해 스스로 성찰할 수 있도록 조력하겠습니다.	
현직에 나아가서도 자율적으로 학교 현안을 분석하며 학교가 나아갈 방안을 고민하고 계획하고 실천할 수 있는 능동적인 교사가 되겠습니다.	● 문제와 관련된 포부와 의지 표현하기
이상입니다.	● 발언을 끝내는 말 넣기

즉답형 1. 다음 상황에서 효과적인 모둠 활동 운영 방안을 말하시오.

> **제시문**
>
> A 학생: 모둠 활동 중 자기 의견만 말하는 친구 때문에 불만이에요.
>
> B 학생: 모둠 활동에 참여하고 싶지만 내용이 이해가 안 가서 눈치 보여요.
>
> C 학생: 학습에 관심이 없는 친구들은 별로 참여하지 않고 저만 열심히 해서 손해 보는 기분이에요.

해설

A, B, C 학생이 언급한 내용을 모두 해결할 수 있는 운영 방안이 돼야 한다.

예시 답변 및 답변 포인트 분석

즉답형 1번 문제 답변드리겠습니다.	● 발언을 시작하는 말 넣기
모둠 활동은 장점도 많은 반면, 단점도 존재합니다. 교사가 모둠 활동 운영 방안에 대해 잘 인지하고 있어야 효과적인 운영이 가능합니다. 저는 각 학생들의 불만 사항을 고려해 효과적인 모둠 활동 운영 방안에 대해 말씀드리겠습니다.	● 출제 의도가 충분히 느껴지는 경우이므로, 이를 알아채 서론을 넣기. 거창할 필요는 없고 제시문에서 언급한 '효과적 모둠 운영'에만 초점을 맞추기
A 학생은 자기 의견만 말하는 친구 때문에 불만을 느끼고 있습니다. 교사는 맹목적인 모둠 활동이 되거나 발언권이 쏠리는 문제를 해결하기 위해 먼저 모둠 활동의 취지를 학생들에게 충분히 이해시켜야 합니다. 집단지성으로 좋은 결과물을 내기 위함이라는 것을 말하고, 토킹스틱 제도 등을 활용한다면 이런 문제 상황을 줄일 수 있을 것입니다.	
다음으로 B 학생은 모둠 활동에 참여하고 싶지만, 내용이 이해되지 않아 눈치를 보고 있습니다. 교사는 모둠을 선정할 때 담임교사에게 조언을 구하거나 평소 학습 태도 등을 잘 관찰하고 있다가 멘토 역할을 할 수 있는 친구를 포함해 모둠을 구성할 수 있어야 합니다. 또한, 모둠 활동을 방치하지 않고, 학생들이 이해하지 못한 부분에 대해서는 추가 설명이나 질문을 받을 수 있는 시간을 마련해 두어야 합니다.	● 제시문의 상황을 모두 해결할 수 있는 방안을 제시하되 '교사의 역할'을 드러내기
마지막으로 C 학생은 혼자 열심히 해서 불만을 느끼고 있습니다. 이런 문제를 해결하기 위해 모둠 내 각자의 역할과 책임을 분명하게 정의하는 시간을 가져야 합니다. 역할 분담제를 시행해 그 임무를 수행하기 위한 일정과 계획을 세워 피드백받는 시간을 확보해야 합니다. 또한 중간중간 순회 지도를 통해, 무임승차를 하는 학생이 없도록 교사의 세심한 관찰과 피드백이 더해져야 합니다.	
이렇게 한다면 모둠 활동의 취지를 살리고 단점을 최소화할 수 있을 것입니다.	
현장에 나아가 효과적인 수업 운영을 위해 고민하고 노력하는 교사가 되겠습니다.	● 문제와 관련된 포부와 의지 표현하기
이상입니다.	● 발언을 끝내는 말 넣기

즉답형 2. 다음을 참고해 교과교사, 담임교사로서의 교육 방안을 말하시오.

> **설문조사 결과**
> 학생들이 가장 선호하는 선생님은 '우리 요구와 목소리를 들어주는 선생님'이다.

해설

교직관 문제이다. 이런 문제에서 교사의 진정성이 묻어나오고, 그것이 차별화가 되는 법이다. 제시문의 키워드는 '소통'이며, 그 방향으로 말하면 된다. 제시문이 있으니 그것에 대한 분석을 서두에 꼭 말하자. 문제 분석력을 보여줄 수 있다.

예시 답변 및 답변 포인트 분석

즉답형 2번 문제 답변드리겠습니다.	● 발언을 시작하는 말 넣기
설문조사 결과 학생들은 소통 가능한 선생님을 선호하고 있습니다. 학생들과 소통하기 위한 교육 방안을 교과교사와 담임교사 측면으로 나누어 말씀드리겠습니다.	● 제시문 분석력을 드러내기
먼저 저는 교과교사로서 학생 중심의 수업을 진행하겠습니다. 저만 하고 싶은 수업이 아닌 학생들의 수준과 요구에 맞게 교육 방식을 조정하기 위해 수업에 대한 설문, 소통의 시간을 마련할 것입니다. 소통한 후 이를 다음 차시 수업부터 반영해, 누구나 참여하고 싶은 수업을 만들겠습니다. 학생들이 제시한 의견이나 피드백을 흘려듣지 않고 교육 방법을 개선해 나가겠습니다.	● 조건대로 교과, 담임 두 측면을 모두 언급하기
다음으로 담임교사로서 학생을 인정하고 존중하는 자세를 바탕으로 1:1 상담을 분기별 1회 이상 실시하겠습니다. 학생 그 자체의 모습을 인정하고 존중하면서, 학생의 성장과 발전을 위해 상담을 하겠습니다. 개인적으로 이야기하며 학생들이 원하는 것과 필요한 것을 파악해 학급 운영의 토대를 마련하겠습니다.	
현장에 나아가 학생들의 목소리에 귀 기울일 줄 아는 의사소통력을 갖춘 교사가 되겠습니다.	● 문제와 관련된 포부와 의지 표현하기
이상입니다.	● 발언을 끝내는 말 넣기

(3) 비교과

구상형 1. 다음 조건에서 하나를 골라 그 방법으로 제시문의 상황에 적합한 교육을 실현하고자 한다. 조건 3가지 중 하나를 선택하여 그 이유를 말하고, 제시문과 관련한 전공 연계 방안을 제시하시오.

제시문

- 게임에 과몰입하고 가정교육이 부족하여 기본적인 습관이 형성되지 않은 학생이 있음
- 교사·학생의 학교 참여도·만족도가 높음
- 지역사회 프로그램이 부족함
- 지역자치단체 예산이 많음

조건

1. 교육 안전망 구축
2. 미래형 교육과정 운영
3. 학교자율과정 강화

구상하기

🎯 해설

문항에서 제시한 ① 조건에서 하나 선택, ② 선택 이유 제시, ③ 제시문과 관련된 ④ 전공 연계 방안을 모두 충족해야 한다. SWOT 문제를 푸는 것처럼 제시문에 있는 문구를 모두 활용하면 된다.

🎯 예시 답변 및 답변 포인트 분석

구상형 1번 문제 답변드리겠습니다.	● 발언을 시작하는 말 넣기
저는 조건 3번 학교자율과정을 선택해, 제시문과 연계한 상담 방안을 말씀드리겠습니다.	
제시문을 보면 교사와 학생의 학교 참여도와 만족도가 높다는 것을 알 수 있습니다. 이런 환경은 학교가 자율적으로 학교 현안을 분석하고 숙의해 자체 프로젝트를 수행하는 학교자율과정을 성공적으로 이행하기 적합하기에 3번을 선택했습니다.	● 조건 ①, ②를 먼저 언급해 제시문 분석력을 드러내기
제시문과 연계해 학교자율과정 속 상담 방안을 2가지 말씀드리겠습니다.	
첫째, 자율과정 프로그램으로 '가정과 함께하는 휴대전화 디톡스day'를 열겠습니다. 상담실에는 휴대전화, 컴퓨터 중독으로 찾아오는 학생들이 많습니다. 제시문의 문제를 해결해 기본 습관을 잡고 게임 외에 다른 것에 관심을 둘 수 있도록 가정과 연계해 디톡스day를 운영하겠습니다. 온라인 플랫폼을 통해 학부모님께 취지를 설명해 드리고, 주말 이틀간 가족들이 휴대전화를 사용하지 않고, 가족 간 대화 시간, 야외 활동을 하는 프로젝트입니다. 참여한 가정에서 참여 수기를 보내 학교 차원에서 함께 공유하도록 하겠습니다. 이렇게 한다면, 가정교육으로 생활 습관을 바로잡고 게임 과몰입 현상을 해소할 수 있습니다.	● 제시문에서 언급한 키워드를 모두 활용하기
둘째, 자율과정 프로그램으로 '지역사회와 함께하는 진로 상담 교육'을 진행하겠습니다. 지역자치단체 예산이 확보돼 있고, 지역사회 프로그램이 부족하기에 지역 특색을 고려한 진로 상담 프로그램이 있다면 도움이 될 것입니다. 게임 중독은 미래에 대한 갈등, 고민을 피하고자 현재에서 도피하는 행위로부터 시작되는 경우가 있습니다. 우리 지역의 전문가를 초청해 멘토링 프로그램을 시행하며 학생들과 함께 미래의 직업과 산업 흐름에 대해 논의하고, 학생들의 흥미와 장점을 고려한 미래 직업 탐색 프로그램을 개발하고 싶습니다. 저는 상담교사로서 지역사회 단체와 소통하고, 진로 상담에 대해서도 조언을 할 수 있도록 관련 전문성을 갖출 것입니다.	
현직에 나아가 학교 현안에 대한 철저한 분석으로, 상담교사로서 제가 할 수 있는 일에 앞장서는 적극적인 교사가 되겠습니다.	● 문제와 관련된 포부와 의지 표현하기
이상입니다.	● 발언을 끝내는 말 넣기

구상형 2. 에듀테크를 활용하여, 제시문의 A 학생을 지도할 수 있는 전공 연계 방안을 제시하시오.

> **A 학생의 상황**
>
> A는 늦은 시간까지 스마트폰을 사용한다. 그로 인해 밤에 폭식을 하여 비만인 상태이다. 친구들이 놀릴까봐 학교에 가기 싫어한다. 친구들과 관계 형성이 잘 되지 않은 상태이다.

구상하기

🎯 해설

애플리케이션, 온라인 플랫폼을 활용한 전공 연계 프로그램을 제시하면 된다. 제시문의 키워드를 활용해 ① 스마트폰 사용 절제, ② 건강(비만) 관리, ③ 사회성 회복 3가지 키워드를 포함한 방안이어야 한다.

🎯 예시 답변 및 답변 포인트 분석

구상형 2번 문제 답변드리겠습니다.	● 발언을 시작하는 말 넣기
제시문의 A 학생은 스마트폰 중독, 비만, 사회성 부족의 문제를 가지고 있습니다. 이 학생에게 필요한 에듀테크 활용 교육을 말씀드리겠습니다.	● 제시문 분석력을 드러내기
저는 보건교사로서 '애플리케이션'을 활용해 학생의 '헬스 및 심리 코칭'을 하고자 합니다.	
저는 최근에 '달리기' 앱을 사용한 적이 있습니다. 다이어트를 하려고 했지만 혼자 하니 자꾸 미루게 돼 같은 목표를 가진 사람들이 만나, 각자의 목표를 달성하는 과정에서 서로 격려도 해주고 자극도 받을 수 있는 '협업 애플리케이션'을 활용하게 됐습니다. 다른 사람들이 운동을 시작하면 알람이 뜨니, 저 역시 해야겠다는 마음이 들고, 매일 매일 목표가 자동 측정되니, 포기하지 않고 꾸준히 하게 됐습니다.	
A 학생에게 이런 애플리케이션을 추천해서 같이 목표를 세워 보고 싶습니다. 협업 애플리케이션을 통해 목표 달성과 사회성 회복을 동시에 할 수 있을 것입니다. 오전, 오후에 운동을 하면 몸이 피곤해져 늦은 시간까지 스마트폰을 사용하는 문제도 자연스럽게 해결될 수 있다고 생각합니다.	● 제시문에서 언급한 A 학생의 문제 상황을 모두 해결하기
A 학생의 사회성이 차차 회복되는 것이 보인다면, 보건실 주최로 '친구들과 함께하는 건강 챌린지'를 주최해, 교내 학생들이 온라인으로 모여 건강한 요리법을 공유하거나 일주일 목표 운동량을 달성하는 챌린지를 시행하겠습니다. 그렇게 한다면, 친구들과의 관계도 회복될 수 있을 것입니다.	
현장에 나아가 위기 학생, 문제행동 학생의 어려운 점을 공감하고 해결하기 위해 노력하는 보건교사가 되겠습니다.	● 문제와 관련된 포부와 의지 표현하기
이상입니다.	● 발언을 끝내는 말 넣기

구상형 3. 다음 전환기 학년 중 한 가지를 선택하여, 이 학생들을 위한 전공 연계 전환기 프로그램을 제시하시오.

조건
1. 만 5세
2. 초등학교 1~2학년
3. 초등학교 6학년
4. 중학교 3학년
5. 고등학교 3학년

구상하기

🎯 해설

발달 단계에 적합한 전환기 교육을, 근거를 들어 설명해야 한다.

🎯 예시 답변 및 답변 포인트 분석

구상형 3번 문제 답변드리겠습니다.
● 발언을 시작하는 말 넣기

저는 초등학교 6학년 학생을 선택하겠습니다. 6학년 학생들은 중학생으로 학교급이 바뀌는 경험을 합니다. 이 시기는 신체적인 성장이 급격히 일어나고 약간은 엄격한 규칙을 지켜야 하며 교복 착용, 휴대전화 제출, 지필 평가 도입 등으로 분위기가 많이 전환되기에 두려움이 클 것입니다. 따라서 중학교로의 전환을 더욱 원활하게 지원하기 위해 6학년 학생들을 위한 전환기 프로그램이 필요하다고 생각합니다.
● 선택형 문제는 반드시 이유를 제시하기

구체적인 방안을 2가지 말씀드리겠습니다.

첫째, 저는 상담교사로서 학생들에게 심리적 안정감을 줄 수 있는 프로그램을 시행하겠습니다. 중학생이 된다는 부담감과 불안감을 완화하기 위한 심리 완화 프로그램, 집단 상담 등을 그림, 카드 상담 등의 형식으로 가볍게 접근해 학생들이 재미있고 편안한 환경에서 안정감을 가질 수 있게 하겠습니다. 또한 소모임으로 이야기를 나눠보는 시간을 통해 학생들의 고민을 서로 나누며, 독려하는 시간을 갖겠습니다.
● 교육 방안을 제시하되 '교사의 역할'이 드러나게 말하기

둘째, 중학교 선생님, 선배 인터뷰 및 멘토링 프로그램을 연계하겠습니다. 중학교 선생님이나 선배를 초청해 물어보고 싶은 것을 물어볼 수 있는 시간을 마련해, 멘토링을 한다면 부담감을 저하하고 자신감 있게 첫 출발을 할 수 있을 것입니다.

이런 전환기 프로그램을 진행한다면, 6학년 학생들이 불안함을 덜고 학교생활에 대한 이해를 높일 수 있어 중학교 생활을 잘 해낼 수 있을 것입니다.

현장에 나아가 전환기 교육에 힘쓰는 열정 있는 교사가 되겠습니다.
● 문제와 관련된 포부와 의지 표현하기

이상입니다.
● 발언을 끝내는 말 넣기

즉답형 1. 교사에게 필요한 미래교육 역량은 무엇인지 그 이유와 함께 제시하시오.

해설

자기성장소개서와 일치하는 문제였다. 자기성장소개서에 쓴 내용에서 크게 벗어나지 않는 내용을 말해야 스스로 작성했다는 것을 입증할 수 있다.

예시 답변 및 답변 포인트 분석

즉답형 1번 문제 답변드리겠습니다.

● 발언을 시작하는 말 넣기

미래 사회는 디지털 기술 사용이 일상화되고, 사회구성원의 사회 활동이 가상 공간에서 이뤄지는 디지털 사회가 될 것입니다. 이런 사회에서 교사는 디지털 활용 역량과 디지털 시민 역량을 갖춰야 합니다.

● 서론을 넣으면 유리한 문제. 미래 사회 변화상을 짧게 소개하면서, 이와 관련된 역량을 자연스럽게 설득시키기

미래교육에서는 디지털 기술이 핵심 요소가 됩니다. 교사는 AI와 같은 최신 기술을 활용해 학생들의 학습을 지원하고, 온라인 자료와 도구를 활용해 흥미로운 수업을 설계해야 합니다. 그러므로 교사는 기계나 컴퓨터 등 디지털을 다루는 능력을 갖추고 있어야 합니다.

또한 교사에게는 디지털 시민 역량이 필요합니다. 그 이유는 다음과 같습니다. 디지털 사회에 살아가며 익명성에 기대어 가짜 뉴스가 퍼지거나, 딥페이크 기술로 초상권 문제가 대두되고 있습니다. 디지털 사회에 머무는 기간과 빈도가 길수록 이러한 문제는 더욱 심각해질 수 있습니다. 학생들에게 올바른 디지털 시민교육을 하기 위해서라도 교사부터 솔선수범해 관련 역량을 갖추어야 합니다.

● 이유를 언급하라고 했으므로 꼭 언급하기

미래교육을 선도하는 경기교육의 일원이 돼 디지털 활용 역량과 시민 역량을 강화하기 위해 자율 연수, 전문적 학습공동체 등으로 전문성을 쌓겠습니다.

● 문제와 관련된 포부와 의지 표현하기

이상입니다.

● 발언을 끝내는 말 넣기

즉답형 2. 교육공동체 중 하나를 골라 이들을 대상으로 한 구체적인 교육 방안을 제시하시오.

해설

선택형 문제는, 묻지 않았어도 그 이유를 제시해야 설득력을 부여할 수 있다.

예시 답변 및 답변 포인트 분석

즉답형 2번 문제 답변드리겠습니다.	● 발언을 시작하는 말 넣기
저는 교육공동체 중 학부모님을 선택해 안전교육을 하겠습니다. 사회 곳곳에서 안전 문제가 심각해지며 안전교육의 중요성이 대두되고 있습니다. 교내에서는 주기적으로 소방 훈련, 심폐소생술, 지진대피 훈련 등을 하지만 학부모님은 가정에서 학생들의 보호자로서 중요한 역할을 하고 있음에도 안전교육을 받을 기회가 부족하기 때문입니다.	● 선택 이유를 제시해 설득력 부여하기
학교 일정에 맞춰 학부모님을 모두 모시기 어렵다는 점을 고려해, 온라인으로 안전교육을 시행하겠습니다. 지진 및 화재 상황 등을 가상으로 체험할 수 있는 온라인 공간을 만들어 언제 어디서든 접속해 학부모님이 생생하게 안전교육을 받을 수 있는 시스템을 마련하고 싶습니다. 보건교사인 저 혼자 구축하기가 어려울 수 있으므로 지역사회와 연대해 온라인 체험 공간을 만들 수 있다면 보다 효과적으로 진행이 될 것입니다.	● 조건에 대한 이야기를 하되, 경기 정책에 발맞추기(지역사회 연대 언급)
또한 학교 안내문 등으로 주요 사항을 주기적으로 전송해 교육공동체의 협력으로 학생들이 더욱 안전한 환경에서 살아갈 수 있도록 조력하겠습니다.	
현장에 나아가 교육공동체와 함께하는 교육을 만드는 데 앞장서는 교사가 되겠습니다.	● 문제와 관련된 포부와 의지 표현하기
이상입니다.	● 발언을 끝내는 말 넣기

즉답형 3. 경기도교육청의 인성교육 목표를 참고하여 전공과 연계한 실천적 인성교육 방안을 말하시오.

> **경기인성교육 목표**
> 자기 삶의 주인으로 미래 사회 변화에 유연하게 대응하며 윤리적 책임을 통해 나와 공동체의 행복을 추구하는 인성 함양

🎯 해설

제시된 경기인성교육 목표 중 어느 부분을 참고했는지 언급해야 주어진 조건을 충실히 이행했다고 할 수 있다.

🎯 예시 답변 및 답변 포인트 분석

즉답형 3번 문제 답변드리겠습니다.

● 발언을 시작하는 말 넣기

디지털 사회, 기후변화에 맞는 미래지향적이고 실효성 있는 인성교육의 필요성이 대두되고 있습니다. 저는 경기인성교육 목표를 참고해, 다음과 같은 영양교육 방안을 생각해 보았습니다.

● 서론을 넣으면 유리한 문제. 경기도교육청은 2023학년도에 인성교육을 매우 강조함. 출제 의도를 파악하고 서두에 언급해, 준비된 교사임을 어필하기

인성교육 목표에서는 '미래 사회'에 유연하게 대응할 것을 명시하고 있습니다. 저는 사회 변화 중 '기후위기'에 초점을 맞추어 2가지 방안을 말씀드리겠습니다.

첫째, 한 달에 한 번 '채식day'를 지정해, 학생들이 직접 짠 식단을 급식에 도입하도록 하겠습니다. 영양교육 시간이나 창의적 체험활동 시간을 통해 음식과 기후위기의 상관성에 대해 학습하고 학생들이 음식을 단순히 맛으로만 인지하는 것이 아닌 사회문제 실천, 건강의 관점에서 접근할 수 있게 하겠습니다. 학교에 작은 텃밭을 만들어 학생들이 직접 텃밭을 가꾸고, 그 재료를 활용한 급식을 만든다면 더 효과적인 인성교육이 될 것입니다.

● 단순히 인성교육 방안을 말하는 것이 아닌 '미래 사회에 대한 대응', '윤리적 책임', '공동체의 행복'이라는 제시문에 초점을 맞추기

둘째, 도덕 교과와 연계해 학생들에게 윤리적 가치와 책임감을 심어주는 프로젝트 학습을 하고 싶습니다. 배달 음식으로 인한 플라스틱 사용이 미치는 사회적 영향, 육식 중심의 식단이 미치는 기후위기 문제 등에 대해 사회적 책임을 이해하고 행동할 수 있도록 교육할 것입니다.

● 기대효과를 언급해 답변에 설득력을 부여하기

이를 통해 학생들은 미래 사회에 대응하는 윤리적 책임 의식을 기르고, 스스로 실천하는 인성을 함양할 것입니다.

현장에 나아가 학생의 실천적 인성교육에 앞장서는 교사가 되겠습니다.

● 문제와 관련된 포부와 의지 표현하기

이상입니다.

● 발언을 끝내는 말 넣기

즉답형 4. 전공과 연계한 에코데이 운영 방안을 제시하시오.

해설

전공 연계 방안을 제시하되 경기도교육청의 지향점에 따라 학생의 체험 중심이 돼야 하며, 타 교과와 연계하는 방안을 말하는 것도 좋다.

예시 답변 및 답변 포인트 분석

즉답형 4번 문제 답변드리겠습니다.
- 발언을 시작하는 말 넣기

지구 온난화와 같은 이상기후 현상으로 환경교육의 중요성이 커지고 있습니다. 저는 사서교사로서 국어 교과와 연계한 '학생 중심 에코데이 운영 방안'을 말씀드리겠습니다.
- 서론을 넣으면 유리한 문제. 경기도교육청은 환경교육을 매우 강조함. 출제 의도를 파악하고 서두에 언급해, 준비된 교사임을 어필하기

구체적으로 말씀드리면, 에코데이에 국어 교과 시간과 연계해 환경 관련 도서를 읽고 글쓰기나 포스터 공모전을 주최하고 싶습니다. 교사가 책을 지정해 줄 경우, 학생들은 자발성에 기초한 것이 아니기에 동기 부여를 못 할 수 있습니다. 따라서 도서관에 와서 스스로 환경 관련 책을 탐색해 보고, 적합한 책을 찾을 수 있도록 조력하겠습니다. 사서교사로서 저는 자신의 수준과 흥미에 맞는 책을 선정할 수 있도록 독서 수준에 맞는 추천 도서 목록을 만들어 가이드라인을 제공하겠습니다. 환경 관련 도서를 읽은 후 소감을 글, 포스터, 만화 등 다양한 형식으로 표현할 수 있도록 해 학생들이 자기 재능과 관심에 따라 더 적극적으로 참여할 수 있도록 할 것입니다.
- 구체적인 전공 연계 방안을 제시하기

현장에 나아가 교육공동체와 협력해 환경교육에 앞장서는 교사가 되겠습니다.
- 문제와 관련된 포부와 의지 표현하기

이상입니다.
- 발언을 끝내는 말 넣기

(1) 초등

구상형 1. 다음의 신년사를 읽고 학생들을 미래 인재로 양성하기 위해 자기 교직관을 바탕으로 교사가 지녀야 할 역량과 그 역량을 강화하기 위한 노력 방안은 무엇인지 자신의 교직관을 바탕으로 말하시오.

> 새해에는 우리 아이들을 더 사랑하고, 더 소중하게 존중하며, 더 공감 능력을 길러주고, 더 협동하는 마음 여백을 만들어 주며, 더 당당하고 스스로 위기를 기회로 만들 수 있도록 그 어느 때보다 더 정성을 기울일 것입니다.
>
> 2022 이재정 경기도교육감 신년사

구상하기

🎯 해설

제시문 문제가 나왔을 때는 문제와 제시문을 철저하게 분석하자고 말씀드렸다. '신년사 분석, 역량과 노력 방안, 교직관'이라는 키워드가 모두 반영돼야 한다.

🎯 예시 답변 및 답변 포인트 분석

구상형 1번 문제 답변드리겠습니다.	● 발언을 시작하는 말 넣기
저의 교직관은 '스스로 바로 서고, 더불어 살아가는 인재 만들기'입니다. 이러한 인재는 미래 사회와 같이 급변화하고 기계화가 만연해지는 시대에서 인간 소외를 예방하고, 위기에 대응하기 위해 꼭 필요하다고 생각합니다. 저는 이를 바탕으로 제시문과 연계해 제게 필요한 역량과 노력할 점을 말씀드리겠습니다.	● 교직관이 제시문과 일치해야 함. 교직관을 유연하게 변경하기
첫째, 공감 능력이 필요합니다. 제시문과 같이 아이들을 존중하고, 공감 능력을 길러주기 위해서는 교사부터 공감 능력을 지니고 있어야 합니다. 학생들과 학기별 최소 2회 이상 개별 상담을 하며, 공감하고 이해하는 능력을 강화하겠습니다. 이를 바탕으로 개개인의 특성을 파악하고 이에 맞는 맞춤형 교육을 적용하겠습니다.	
둘째, 제시문과 같이 협동심을 길러주기 위해 교사인 저부터 공동체 역량을 갖추겠습니다. 문제 상황이나 학습이 필요한 경우, 혼자 해결하기보다 전문적 학습공동체와 같이 동료들과의 집단지성으로 해결하고자 하겠습니다. 동료의 어려움을 존중하고 공감하며 나눌 줄 아는 배려심 있는 사람이 될 것입니다.	● 문제의 조건인 자기 교직관과 제시문을 모두 연계하기 ● 의도적으로 '제시문과 같이'라는 말을 넣어, 제시문에 충실하게 답변하고 있음을 드러내기
마지막으로, 제시문과 같이 스스로 위기를 기회로 만드는 인재를 양성하기 위해서는 교육과정 재구성 역량이 필요합니다. 강의식 수업이 아닌 스스로 문제 상황에 대해 다각도로 고민해 보며, 친구들과 문제를 해결하는 과정을 통해 학생들의 위기 대처 능력이 높아진다고 생각합니다. 이를 위해 교사는 교육과정을 유연하게 재구성할 수 있어야 합니다. 연수, 전문적 학습공동체 등으로 교육과정 재구성 역량을 갖춰나가겠습니다.	
이러한 역량을 바탕으로 저의 교직관인 스스로 바로 서고 더불어 살아가는 미래형 인재를 양성하는 교사가 되겠습니다.	● 문제와 관련된 포부와 의지 표현하기
이상입니다.	● 발언을 끝내는 말 넣기

구상형 2. 경기 교육과정의 특징 중 '학생이 배움의 주체가 되는 교육과정'의 의미가 무엇인지 말하고, 이를 실현하기 위한 학급 운영 방안을 말하시오.

구상하기

🎯 해설

> 2022학년도 기준, 초등학교 교육과정 편성 안내에 따르면 경기도 교육과정은 다음과 같은 특징이 있었다.
> ① 학생이 배움의 주체가 되는 교육과정
> ② 교육과정 자율화를 지원하는 교육과정
> ③ 교육의 생태적 전환을 추동하는 교육과정
> ④ 학습복지를 추구하는 교육과정
> 이 중, 첫 번째 특징이 출제됐다.

🎯 예시 답변 및 답변 포인트 분석

구상형 2번 문제 답변드리겠습니다.
● 발언을 시작하는 말 넣기

경기 교육과정의 특징 중 하나인 '학생이 배움의 주체가 되는 교육과정'은 모든 학생이 배움의 주체가 돼 자신의 독창성과 잠재력을 계발하고 배움의 과정에서 자신의 삶의 의미와 가치를 스스로 발견할 수 있도록 돕는 교육과정을 의미합니다. 저는 이를 현장에 적용해 '학급 유튜브'를 운영하고 싶습니다.
● 문제에서 제시한 순서대로 답변하기

최근 '크리에이터'가 초등학생들의 희망 직업으로 떠오르고 있습니다. 또한 사회적으로 가짜 뉴스, 유튜브 속 비속어 사용 등의 문제로 초등학생을 대상으로 한 디지털 교육의 필요성이 대두되고 있습니다.

학급 유튜브를 운영한다면, 학생들 스스로 잠재력을 뽑내 창의적으로 채널을 운영할 수 있을뿐더러, 제작 과정에서 직업 역량을 기를 수도 있고, 주의 사항을 숙지하는 과정에서 미디어 리터러시 역량도 증가할 것이라고 생각합니다.

구체적인 방법은 다음과 같습니다.

먼저 사전 교육으로 유익한 영상과 해로운 영상을 직접 분석해 보며 같은 초등학생을 대상으로 영상을 만들 때 유의해야 할 제작 규약과 시청 규약을 만드는 회의를 도입할 것입니다. 교사인 저는 회의가 원활하게 진행될 수 있도록 의견을 피드백하고 촉진하는 역할을 하겠습니다.
● 교사의 역할이 드러나도록 교육 방안을 제안하기

다음으로 학생들이 만들고 싶은 희망 콘텐츠를 조사한 후, 흥미와 특기가 비슷한 친구들끼리 소모둠을 운영해, 적합한 주제를 선정한 후 콘텐츠를 기획하겠습니다. 기획안을 제작해 보고 꼼꼼하게 준비하는 절차를 도입해, 관련 역량을 강화하도록 하겠습니다.

이를 바탕으로 영상을 제작하고 직접 업로드하며, 댓글로 소통까지 하겠습니다. 혹시나 문제가 발생된다면, 소모둠이 모여 문제를 해결하는 법을 고민할 수 있도록 주기적인 회의 시간을 부여할 것입니다.

이렇게 한다면 학급 내 모든 학생이 주체가 돼 자기 삶의 의미와 가치를 스스로 발견할 수 있을 것입니다.

경기 교육과정의 취지를 이해하고 현장에 적용할 수 있는 교사가 되고자 노력하겠습니다.
● 문제와 관련된 포부와 의지 표현하기

이상입니다.
● 발언을 끝내는 말 넣기

구상형 3. 경기형 그린스마트스쿨은 '광장형 공간' 조성을 제안하고 있다. 이 공간의 필요성과 이를 활용하여 학교에서 하고 싶은 교육 활동을 말하시오.

구상하기

🎯 해설

2022학년도 기준으로 그린스마트스쿨은 출제 예상 주제이긴 했으나, 광장형 공간이란 낯선 개념이 나와 당황스러웠을 것이다. 하지만 경기도교육청의 지향점과 단어를 통해 충분히 유추할 수 있는 내용이었다. 광장형은 단어에서 의미하듯 협력과 소통의 공간이다. 학생들의 다양한 활동과 민주적 소통 능력을 기르는 것을 목표로 하고 있다. 대토론회 운영, 투표 공간 활용 등 의견 수렴 및 협력 공간으로서의 모습을 드러내면 된다.

🎯 예시 답변 및 답변 포인트 분석

구상형 3번 문제 답변드리겠습니다.	● 발언을 시작하는 말 넣기
그린스마트스쿨은 미래교육을 위해 학교 환경에 디지털 인프라를 구축하고 친환경적인 공간으로 탈바꿈하는 것을 의미합니다.	● 서론을 넣으면 유리한 문제. 정책의 정의를 한 줄 정도 언급하기
그린스마트스쿨에서 광장형 공간은 학생들이 협력해 다양한 활동을 할 수 있고 소통을 할 수 있는 공간입니다. 이러한 소통 공간이 필요한 이유는 미래 사회에는 기계, 인공지능이 일상화되면서 사람 간의 소통이 중요해지기 때문입니다. 또한, 4차 산업혁명을 이끈 구글, 메타와 같은 기업의 특징은 '공동 창업자'가 존재한다는 것입니다. 즉, 미래 사회를 이끄는 동력은 협력입니다. 따라서 이런 광장형 공간에서 서로 의견을 모으고 협력하는 과정이 꼭 필요합니다. 이 공간을 활용한 교육 방안은 다음과 같습니다.	
첫째, 사회 문제 해결 프로젝트를 하고 싶습니다. 광장형 공간에 학생들이 모인 후 다시 소그룹을 나눠 현실적인 사회 문제에 대한 해결책을 만들어 전체 공유하는 것입니다. 친환경 문제, 기후위기, 사이버폭력 등 다양한 사회 이슈에 관한 생각을 공유하고, 해결 방안을 나누는 과정에서 창의적인 아이디어가 생길 수 있습니다. 갤러리 워크 형식으로 해결 방안을 전시하고 댓글, 좋아요 등으로 소통한다면 스마트스쿨의 디지털 환경을 적극 활용할 수 있을 것입니다.	● 조건에 따라 공간의 필요성을 언급한 후 교육활동 제시하기
둘째, 멘토링 프로그램을 하고 싶습니다. 광장형 공간은 여러 명을 수용할 수 있기에 학생들 간의 상호 도움과 지원을 장려할 수 있습니다. 기업 박람회 같은 것을 보면, 넓은 공간에 여러 개의 작은 부스를 마련한 모습을 볼 수 있습니다. 멘토링day를 만들어 간이 부스를 설치하고, 부스를 자유롭게 돌아다니며 멘토를 찾고 원하는 도움을 받을 수 있는 시간을 마련한다면 의사소통력과 협력을 기르는 데 도움이 될 것입니다.	● 기대효과를 언급해 답변에 설득력을 부여하기
이렇게 광장형 공간을 활용한다면 학생들은 미래 사회에서 필요로 한 소통력과 협력의 자질을 기를 수 있게 될 것입니다.	
현장에 나아가 경기 정책을 깊게 공감하고, 이를 현장에 적용할 수 있는 교사가 되도록 노력하겠습니다.	● 문제와 관련된 포부와 의지 표현하기
이상입니다.	● 발언을 끝내는 말 넣기

즉답형 1. '새 학년 집중 준비 기간'에 담임교사로서 준비 및 계획할 것을 <u>3가지</u> 말하시오.

 해설

현장성을 확인하려는 문제이다. 거창한 정책을 대는 것이 아닌, 찐 교사의 입장에서 현실적인 대안을 말하는 것이 관건이었다. 또 이 문제에는 '3가지 방안'에 밑줄이 쳐져 있었으니 꼭 3가지를 대답해야 했다.

예시 답변 및 답변 포인트 분석

즉답형 1번 문제 답변드리겠습니다.
　　　　　　　　　　　　　　　　　　　　　　　　　　　　　　● 발언을 시작하는 말 넣기

새 학년 집중 준비 기간에 학급 담임교사는 학생을 맞을 준비를 해야 합니다. 계획을 3가지 말씀드리겠습니다.

첫째, 안전하고 편안한 학급 환경을 조성하겠습니다. 책걸상의 이상 유무를 확인하고 교실에 준비물 꾸러미를 마련하는 등 새 학년을 시작하기 위해 적절한 교실 환경을 만들겠습니다. 책상에 학생들의 이름표를 미리 부착해, 학생을 기다리고 있었다는 표현을 통해 긴장되는 상황 속에서도 학생들이 편안하게 새 학년을 시작할 수 있게 하겠습니다.

둘째, 학생들의 명렬표를 뽑고 대략적으로 이름을 익히겠습니다. 또한 전 학년에서 넘어온 자료가 있다면 숙지해 학생의 특성을 익히고 전 학년 담임 선생님께 자문해 개별 맞춤 교육을 준비하겠습니다.
　　　　　　　　　　　　　　　　　　　　　　　　　　　　　　● 준비 계획 3가지를 말하기

마지막으로, 학급 첫 시간에 할 활동을 계획하고 학부모님과 학생에게 전할 인사말을 써보겠습니다. 첫 순간에 좋은 기억이 남아야 1년을 활기차게 시작할 수 있다고 생각합니다. 또한, 가정에서 걱정하고 계실 학부모님을 안심시키기 위해 교직관을 담은 담임 안내자료, 학급 운영 계획, 학사 일정 등을 기록해 가정에 보낼 준비를 하겠습니다.

현장에 나아가 새 학년 집중 준비 기간을 효율적으로 활용해 학생들과 의미 있는 첫 만남을 준비할 수 있는 계획성 있는 교사가 되겠습니다.
　　　　　　　　　　　　　　　　　　　　　　　　　　　　　　● 문제와 관련된 포부와 의지 표현하기

이상입니다.
　　　　　　　　　　　　　　　　　　　　　　　　　　　　　　● 발언을 끝내는 말 넣기

즉답형 2. 성인지 감수성 부족으로 학교 내에서 발생할 수 있는 <u>문제 상황</u>과 <u>개선 방안</u>을 말하시오.

🎯 해설

문제 상황과 개선 방안에 밑줄이 있다. 이 부분에 집중해야 한다.

🎯 예시 답변 및 답변 포인트 분석

즉답형 2번 문제 답변드리겠습니다.

● 발언을 시작하는 말 넣기

성인지 감수성은 양성평등의 시각으로 성별 차이로 인한 차별과 불균형을 감지해 내는 민감성을 의미합니다.

● 서론을 넣으면 유리한 문제. 성인지 감수성이 무엇인지 한 줄 정도 설명해 구조화된 말하기를 하기

이러한 성인지 감수성이 부족한 경우 학교 내에서 다음과 같은 문제가 발생할 수 있습니다.

첫째, 특정 역할을 성별을 기준으로 고정하는 문제가 생길 수 있습니다. 예를 들어, 힘을 쓰는 일은 남학생에게 부탁하거나 여학생은 환경 미화를 하는 것, 또한 남자가 왜 그런 거로 울어? 여자애가 왜 이렇게 덤벙거리니? 같은 성별에 따른 잘못된 역할 기대 문제가 생길 수 있습니다.

둘째, 이로 인해 학생들에게 성별에 따른 고정관념을 심어줄 수 있습니다. 남자가 해야 하는 직업, 여자가 잘하는 직업 등 개인의 특성을 고려한 직군이 아닌 성별에 따라 구분하는 문제가 있을 수 있습니다. 예를 들어 소방관은 남자, 간호사는 여자 등으로 구분 짓는 것입니다.

● 문제 상황과 개선 방안을 실질적으로 언급하기

이러한 문제를 개선하기 위해서 다음과 같은 방법을 고민해 보았습니다.

● 기대효과를 언급해 답변에 설득력을 부여하기

첫째, 성인지 감수성 교육을 해야 합니다. 교육공동체가 직접 고민하고 성찰할 수 있는 체험형 방식이면 더 효과적일 것입니다. 일상에서 여성이나 남성으로 살아오면서 경험한 것들을 성찰하며, 양성평등을 위한 노력을 스스로 고민하고 실천할 수 있어야 합니다.

둘째, 교내, 학급 내 성별 불균형적 요소가 있는지 체크하고 혹시 있다면 필요한 조처를 해 차별 없는 환경으로 변화해야 합니다. 남학생은 파란색으로 여학생은 분홍색으로 표현한다든지, 학교에 붙어 있는 시각적 이미지들이 남녀의 역할을 고정하는 데 일조하는 것은 아닌지 점검한 후 바꾸도록 해야 합니다.

마지막으로, 성별의 관점이 아닌 학생 개인의 특성에 맞는 장점을 찾고 맞춤 교육을 지향해야 합니다.

현장에 나아가 성인지 감수성을 강화하고, 학생들에게 공정하고 평등한 교육 환경을 제공할 수 있는 교사가 되도록 노력하겠습니다.

● 문제와 관련된 포부와 의지 표현하기

이상입니다.

● 발언을 끝내는 말 넣기

(2) 중등

구상형 1. 다음 A 학생의 상황을 고려하여 구체적인 진로 지도 방안을 말하시오.

> **A 학생의 상황**
>
> A 학생은 구체적인 진로를 결정하지 못했다. 고등학교 2학년 때 선택과목을 무엇으로 고를지 고민 중이다. 학교에 A 학생이 흥미 있는 과목은 개설되지 않았다.

구상하기

🎯 해설

고교학점제와 온라인 공동교육과정을 겨냥해 출제된 문제이다. 고교학점제를 언급하지 않았어도 제시문에 따랐다면, 감점은 되지 않았지만 이를 언급해야만 경기교육을 위해 완전히 무장한 교사라는 느낌을 줬을 것이다. 만점자들은 전부 고교학점제를 언급했다. 제시문 속의 3가지 상황을 전부 해결해야 한다.

🎯 예시 답변 및 답변 포인트 분석

구상형 1번 문제 답변드리겠습니다.

◦ 발언을 시작하는 말 넣기

고교학점제가 도입되며 학생들은 자신의 진로에 관련되거나 흥미 있는 과목을 직접 선택해 주도적으로 배움에 참여하게 됩니다. 이런 상황에서 진로 지도의 중요성이 커지고 있습니다. 제시문의 학생은 진로 문제로 고민하고 있습니다. 이를 해결할 수 있는 구체적인 진로 지도 방안을 말씀드리겠습니다.

◦ 제시문 분석력을 드러내기

먼저, A 학생은 구체적인 진로를 결정하지 못했습니다. 진로 설정을 위해서는 학생의 흥미, 강점, 약점부터 찾아야 합니다. 저는 교사로서 학생과 개별 상담을 하거나 다중지능검사를 실시하고 분석 결과를 토대로 상담해 학생의 진로 탐색 과정을 적극적으로 돕겠습니다. 또한 진로 전문교사와 연계해 학생이 진로 상담을 받을 수 있도록 자리를 마련하겠습니다.

이런 과정으로 진로 탐색을 했다면, 두 번째 상황인 선택과목 문제도 어느 정도 해결될 수 있습니다. 진로에 도움이 되는 과목을 제가 직접 추천할 뿐만 아니라 '선배 동행' 같은 경기도교육청만의 프로그램을 연결해 주어 미리 수강해 본 선배들이 교육과정을 소개하고 안내하는 시간을 마련해 보겠습니다.

◦ 해결 방안을 제시하되, 관련된 경기 정책을 꼭 언급하기

마지막으로 듣고 싶은 과목이 현 학교에 개설되지 않았다면 공동교육과정을 안내하겠습니다. 거점학교에 가서 직접 듣거나, 온라인 공동교육과정으로 수강할 수 있도록 신청 기간과 방법을 안내하겠습니다. 추후 진행 상황에 대해서도 관심을 기울이겠습니다.

현장에 나아가 내실 있는 진로지도, 진로교육에 앞장서는 교사가 되겠습니다.

◦ 문제와 관련된 포부와 의지 표현하기

이상입니다.

◦ 발언을 끝내는 말 넣기

구상형 2. 코로나19로 학생들의 사회성이 많이 떨어졌다. 다음 제시문의 활동으로 학생들의 사회성을 증진시킬 프로그램을 만들고자 한다. 3가지 중 하나를 선택해 그 이유를 말하고, 이를 활용한 구체적인 사회성 증진 프로그램을 제시하시오.

제시문

1. 또래 활동
2. 창의적 체험활동
3. 주제 중심 체험활동

구상하기

🎯 해설

'코로나19, 사회성'이라는 문제 키워드를 챙겨야 한다. 또한 선택형 문제이므로 선택한 이유를 제시해야만 신뢰와 설득력을 줄 수 있을 것이다. 대안에는 학생들의 사회성을 기를 수 있는 현장성 있는 답변이 들어가야 한다. 온·오프 연계 프로그램, 학생체험 중심 프로그램 등의 방안이라면 경기교육이 지향하는 것과 방향성이 일치할 것이다.

🎯 예시 답변 및 답변 포인트 분석

구상형 2번 문제 답변드리겠습니다.	● 발언을 시작하는 말 넣기
코로나19로 사회성이 떨어진 학생들을 위한 사회성 회복 교육 방안으로 1번 또래 활동을 선택하겠습니다. 왜냐하면, 또래 친구는 제일 가깝게 있는 존재이며, 학생들이 코로나19 상황에서 가장 그리웠던 존재이기 때문입니다. 서로 어울리는 활동을 진행한다면 사회성 회복에 큰 도움이 될 것입니다. 구체적인 방안은 다음과 같습니다.	● 선택 이유 제시하기
첫째, 소모둠 활동입니다. 방역 수칙을 철저히 준수한 후 4인 1조 모둠을 만들어 온·오프라인 연계 수업 및 생활에 대해 서로 조력하는 활동을 하고 싶습니다. 예를 들어, 서로 온라인 수업 때 기상 시간을 챙겨준다거나 수행평가를 안내해 주는 등 소통 부족으로 생길 수 있는 문제를 4명이 한 팀이 돼 챙겨주는 것입니다. 들쑥날쑥한 등교일을 서로 알려주고, 아침에 모닝콜 등을 하며, 생활 일지를 공유하는 등의 소모둠 활동으로 코로나19 속 온라인 수업에서 느껴지는 공허함과 외로움을 보완하고 싶습니다.

둘째, 멘토·멘티 활동입니다. 코로나19로 인한 온라인 수업의 문제점으로 기초학력 저하, 학습 격차가 주목받고 있습니다. 등교 일정에 서로 멘토·멘티 활동으로 부족한 부분을 보완하고 함께 공부한다면, 기초학력 보충도 될 수 있고 사회성 회복에도 큰 도움이 될 것입니다. | ● 문제 키워드인 코로나19, 사회성을 언급하기 |
| 코로나19 상황 속 학생들의 어려움을 파악하고, 이를 보완하고 해결하기 위해 적극적으로 노력하는 교사가 되겠습니다. | ● 문제와 관련된 포부와 의지 표현하기 |
| 이상입니다. | ● 발언을 끝내는 말 넣기 |

구상형 3. 다음 A, B, C 학생의 상황을 바탕으로 구체적인 학급생활협약 제정 방안을 이야기하시오.

- A 학생: 우리 학급의 문제 상황을 해결하기 위해 학급생활협약이 필요해. 우리가 스스로 만들자고 선생님께 건의하자.
- B 학생: 학급생활협약이 왜 필요한지 모르겠어. 학교 교칙만 지키면 되잖아.
- C 학생: 작년에 선생님이 일방적으로 정한 규칙 때문에 지각할 때마다 벌 청소를 했어. 청소 좀 안 했으면 좋겠어.

구상하기

🎯 해설

3명의 고민을 모두 해결할 수 있는 내용이어야 한다. 제시문을 모두 언급하자.

🎯 예시 답변 및 답변 포인트 분석

구상형 3번 문제 답변드리겠습니다.	● 발언을 시작하는 말 넣기
학급생활협약은 학급 내에서 학생들이 스스로 정한 규칙으로, 학급 내의 질서를 유지하고, 학생들의 협력을 강화하는 데 도움을 주는 중요한 도구입니다. A, B, C 학생의 의견을 모두 반영해 구체적인 학급생활협약 제정 방안을 제시하겠습니다.	● 제시문 분석력을 드러내기
먼저 A 학생의 의견을 반영해, 토의와 합의 시간이 마련돼야 합니다. 학급 내에서 규칙을 만드는 것은 소수가 결정하는 일이 아니라, 학급회의 같은 시간을 통해 학생들이 자유롭게 의견을 제시하고, 이해하며 공감하는 분위기에서 시작해야 합니다.	
둘째, B 학생의 의견을 고려해, 학급생활협약과 교칙과의 관련성을 설명하는 시간을 확보해야 합니다. 학급생활협약이 교칙을 보완하고 학급의 사정을 더 구체적으로 반영할 수 있는 규칙임을 이해시키고, 학생들이 협약의 중요성을 이해할 수 있도록 서로 대화하며 소통하는 시간을 확보해야 합니다.	
마지막으로 C 학생의 의견을 반영해 교사 위주, 벌 위주의 규정을 최소화해야 합니다. 교사가 벌 청소를 시키는 대신 학생들끼리 협력해 깨끗한 교실을 유지하는 방안을 모색하고, 함께 책임지며 교실을 관리하는 문화를 확립해야 합니다.	● 세 학생의 요구 조건을 모두 반영하기
학급생활협약을 구체화한 뒤에는 시각화해 교실 내에 게시판 등을 통해 모든 학생이 확인할 수 있도록 해야 합니다. 또한, 학급생활협약에 참여한 모든 학생은 자발적으로 약속하고 서명해 자신의 의지와 책임감을 다짐하도록 유도하면 더 효과가 있을 것입니다.	
이렇게 A, B, C 학생의 의견을 모두 반영한 학급생활협약을 통해 학급 내에서 학생들의 참여와 책임감이 강화될 것입니다.	
현장에 나아가 더욱 활발하고 건강한 학급 분위기를 조성하는 교사가 되겠습니다.	● 문제와 관련된 포부와 의지 표현하기
이상입니다.	● 발언을 끝내는 말 넣기

즉답형 1. 다음 상황을 보고, 담임교사의 입장에서 교과교사 A와의 갈등을 해결하기 위한 방안을 이야기하시오.

> 교과교사 A가 수업이 끝날 때마다 학급 아이들을 데려와 생활지도를 하라고 한다. 학생들의 담임교사이기에 처음에는 알겠다고 했지만 이런 경우가 지속되다 보니 점점 힘들다.

🎯 해설

갈등 상황이 제시될 때는 '너-나-우리 전략'을 쓰자. 이 전략을 적용하면 다음과 같은 해결책이 나온다. 교과교사의 이야기를 들어주고 공감 ➡ 나의 감정 전달 ➡ 공동의 협조로 해결할 것을 약속 ➡ 학급 아이들과 문제를 공유해 문제점을 찾고 해결

🎯 예시 답변 및 답변 포인트 분석

즉답형 1번 문제 답변드리겠습니다.	● 발언을 시작하는 말 넣기
다음 상황을 분석하면 첫째, A 교사와 담임 학급 학생들 간의 갈등이 지속되고 있으며 둘째, A 교사가 담임에게 학생 생활지도의 책임을 전가하고 있다는 것을 알 수 있습니다. 크게 이 두 가지 문제를 해결하기 위한 방안을 제시하겠습니다.	● 제시문 분석력을 드러내기
가장 먼저 A 교사와 소통하겠습니다. A 교사와 학급의 갈등 원인을 파악하려면 근본적인 문제점을 알고 있어야 한다고 생각합니다. 학급에서 느끼는 감정, 문제라고 생각하는 지점에 관한 이야기를 들어보겠습니다. 또한 학급회의 시간에 학급 아이들과도 이 문제를 공유해 각자의 이야기를 들어보고 객관적인 판단을 하겠습니다. 이후 A 교사에게 제가 힘든 점에 대해서도 진솔하게 말씀드리겠습니다. 저 혼자 생활지도를 하는 것보다 A 교사와 협력해 생활지도를 하는 것이 효과적이기에 함께 협력할 방안을 공유하도록 하겠습니다. 이후 학급 아이들과도 수업 생활 규약에 관해 토론을 하고 우리 반이 지켜야 할 수업 규칙을 만들겠습니다. 또한 교사 회의 시간에 수업 나눔 및 생활지도에 관한 이야기를 함께 나누며, 교육 공동체가 함께 문제 해결을 하면 더 좋은 생각이 나올 수 있을 것입니다. 이러한 방안들은 A 교사와의 갈등을 해결하고, 학생들에게 더 나은 교육적 효과를 줄 수 있을 것입니다.	● 문제 상황을 모두 해결하는 방안을 제시하되, 상대를 공감하고 이해하는 과정을 가장 먼저 넣기
상호 이해와 협력을 바탕으로 학생들의 발전과 학급 분위기를 개선하는 데 기여하는 교사가 되겠습니다.	● 문제와 관련된 포부와 의지 표현하기
이상입니다.	● 발언을 끝내는 말 넣기

즉답형 2. 미래 교사 역량 중 하나를 선택하여, 구체적인 함양 방안을 말하시오.

> 공동체 역량, 자기관리 역량, 교수학습 역량

🎯 해설

선택형 문제이다. 이 경우에는 선택 이유를 제시하고 이를 기르기 위한 방안을 이야기하되 '공동체'와 함께할 수 있는 방법, '지역사회'와 함께할 수 있는 방법을 포함하면 경기형 답변에 적합하다.

🎯 예시 답변 및 답변 포인트 분석

즉답형 2번 문제 답변드리겠습니다.	● 발언을 시작하는 말 넣기
저는 미래 교사가 갖춰야 할 역량 중 공동체 역량을 선택하겠습니다. 미래 사회는 교육의 무대가 세계로, 온라인 공간으로 확대되는 속도가 빨라지며 다양한 공간에서 여러 사람을 접할 기회가 많아지기에 공동체 역량이 필요하다고 생각합니다.	● 선택형 문제는 선택 이유 언급하기
공동체 역량을 함양할 방안은 다음과 같습니다. 첫째, 학생과 함께 공동체 역량을 강화하겠습니다. 사제동행 멘토링 프로그램을 진행해 운동, 학습플래너 작성 등의 활동을 하고 싶습니다. 학생들과 함께 사제동행을 진행하며 진솔한 대화를 나눈다면, 학생 이해 능력과 공동체 역량이 증진될 것입니다.	
둘째, 교사 간 공동체 역량을 강화하겠습니다. 이를 위해 전문적 학습공동체에 적극적으로 참여하겠습니다. 특히 신규 교사로서 생활지도 역량을 갖추는 것이 중요하다고 생각하기에, 생활지도에 관한 주제 중심 전문적 학습공동체에 참여해 집단지성으로 문제를 해결하고, 의사소통 역량과 공동체 역량을 함께 기르고 싶습니다.	● 지역사회, 전문적 학습공동체 등 경기형 답변을 말하기
마지막으로 지역사회와의 공동체 역량을 강화하겠습니다. 미래에는 교육의 범위가 학교를 넘어 확장될 것입니다. 교육과정을 재구성하는 과정에서 지역 자원을 활용하고 지역 인적 자원들과 대화하는 과정을 통해 공동체 역량을 강화해, '온 마을이 학교다'라는 가치를 실현하는 교사가 되고 싶습니다.	
현장에 나아가 협력에 앞장서는 교사가 되겠습니다.	● 문제와 관련된 포부와 의지 표현하기
이상입니다.	● 발언을 끝내는 말 넣기

(3) 비교과

구상형 1. 경기혁신교육은 생활중심교육을 강화하고 있다. 다음의 경기교육 약속 4가지 중 가장 공감이 가는 내용 2가지를 선택하여 그 이유를 말하고, 학생들이 민주시민으로 성장할 수 있도록 생활중심교육을 어떻게 실현할지 구체적인 방안을 제시하시오.

경기 약속

1. 학생의 올바른 가치관을 함양하기 위한 교육을 강화하겠습니다.
2. 학생이 매 순간 성장하는 교육을 실천하겠습니다.
3. 학생이 공동체와 소통하고 삶을 나누는 교육을 실현하겠습니다.
4. 학생 한 명 한 명의 목소리에 귀를 기울이겠습니다.

구상하기

🎯 해설

선택형 문제이므로 반드시 이유를 제시해야 한다. 교육 방안은 경기형에 맞도록 학생 중심, 삶의 역량과 연계된 생활 중심 방안을 짜야 한다.

💡 혁신교육과 민주시민은 이전 교육감 시절 강조한 정책이니 예시 답변은 참고만 하자.

🎯 예시 답변 및 답변 포인트 분석

구상형 1번 문제 답변드리겠습니다.	● 발언을 시작하는 말 넣기
저는 경기교육 약속 4가지 중 3번과 4번을 선택하겠습니다. 학생들이 민주시민으로서 삶에서 타인과 잘 어울려 살아가기 위해서는 공동체 역량을 지니고 있어야 합니다. 따라서 3번과 관련한 생활중심교육이 필요합니다. 또한 경기교육이 지향하는 민주시민이 되기 위해서는 자기 의견을 잘 이야기하고, 타인의 의견을 공감하고 수용하며 협의하는 의사소통 능력이 필요합니다. 따라서 4번을 선택했습니다. 지금부터 이러한 경기교육 약속을 실제로 실현할 수 있는 생활중심교육 방안을 말씀드리겠습니다.	● 선택형 문제는 이유를 언급하기
먼저 3번, 공동체와 소통하고 삶을 나누는 교육을 위해 저는 도서관을 중심으로 지역사회 봉사 동아리를 만들어 운영하고 싶습니다. 민주시민은 사회 참여에 적극적인 사람입니다. 지역 도서관과 연계해 지역사회 봉사활동 동아리를 운영하며 지역 도서관 쓰레기 줍기, 대여 및 반납 업무 진행, 도서관 자체 행사 진행 등을 통해 사회 속에 소속감을 느끼고 활동 과정에서 다양한 연령대의 사람들을 만나며 소통하고 자기 재능을 나누며 보람을 느끼는 기회를 부여하고 싶습니다. 둘째, 4번 한 명 한 명의 목소리에 귀 기울이는 교육을 위해 도서관 앞에 소리함을 설치하겠습니다. 학생들의 이용 건의 사항을 받고, 공간 재구성에 필요한 아이디어 등도 수렴하겠습니다. 한 달에 한 번씩 이 내용으로 투표하거나, 간이 토론회를 개최하는 등 의견 수렴을 위해 적극적으로 나서고 싶습니다. 또한 함께하고 싶은 독서 프로그램, 도서관과 친해지기 프로그램 등 학생들의 의견을 받아 친근한 도서관을 운영하겠습니다. 학생들은 자기가 제시한 의견이 반영되는 것을 보며, 사회 참여에 더욱 적극적인 사람으로 성장할 수 있을 것입니다.	● 문제의 '민주시민', '생활중심교육'이라는 키워드를 넣기
현장에 나아가 경기교육의 취지를 이해하고 이를 반영한 생활중심 교육에 앞장서는 교사가 되겠습니다.	● 문제와 관련된 포부와 의지 표현하기
이상입니다.	● 발언을 끝내는 말 넣기

구상형 2. 다음의 학생 실태조사를 바탕으로 이를 해결하기 위해 지역사회와 함께하는 건강회복 프로그램을 실시하고자 한다. 자신의 전공(보건, 사서, 영양, 전문상담)과 연계하여 지역사회와 함께하는 건강회복 프로그램을 제시하시오.

실태조사 결과
- 가족 간 갈등으로 인한 스트레스 증가
- 우울감을 느끼는 학생 증가
- 아동, 청소년 비만율 증가
- 평균 수면시간 부족

구상하기

🎯 해설

구상형 문제는 제시문을 분석하는 것이 핵심이다. 4가지 실태조사는 괜히 나온 것이 아니다. 4가지 사례를 모두 언급해야만 좋은 결과를 기대할 수 있다. 또한, 단순히 지역사회의 어떤 것을 활용하는 데 그치는 것이 아니라 교사로서 할 수 있는 역할을 분명하게 제안해야 한다. 예컨대, "지역사회와 함께 ○○활동을 한다면, 학생들의 가족 갈등으로 인한 스트레스를 해결할 수 있을 것이다. 이때 교사인 나는, 학생들의 상황을 잘 확인하고 상담을 통해 전후 변화를 자세히 파악해 상황을 개선하기 위해 조력할 것이다." 등으로 말이다.

🎯 예시 답변 및 답변 포인트 분석

구상형 2번 문제 답변드리겠습니다.	● 발언을 시작하는 말 넣기
제시문의 실태조사 결과에 따르면 해당 학생은 가족 간 갈등으로 인한 스트레스와 수면 부족, 우울, 비만 등의 복합적인 문제를 가지고 있습니다. 이 학생을 위한 건강 회복 프로그램을 지역사회와 연대한 방안 위주로 말씀드리겠습니다.	● 제시문 분석력을 드러내기
저는 사서교사로서 지역 도서관, 지역 행정복지센터와 함께 '마음 건강', '몸 건강' 프로젝트를 시행하겠습니다.	
첫째, 실태조사 결과 가족 간 갈등으로 인한 스트레스와 우울감을 해소하려는 방안인 '독서 가족 오락관'입니다. 옛 텔레비전 프로그램인 가족 오락관을 벤치마킹해, 한 권의 책을 가족이 함께 읽고 관련 내용에 대한 퀴즈를 함께 푸는 것입니다. 부모님은 지역 도서관에서, 학생은 학교에서 책을 빌리며 지역 도서관과 학교가 공동으로 퀴즈 대회를 주최해 지역 도서관 및 학교 도서관 이용률을 높일뿐더러 함께 퀴즈를 풀고 같은 책을 읽는 과정에서 가족 간 소통이 늘어나 갈등이 줄어들 수 있습니다. 따라서 학생의 스트레스와 우울감을 줄이는 데 도움이 되는 방법이라고 생각합니다.	● 실태조사 결과 내용을 모두 반영하기
둘째, 실태조사 결과 수면 부족 문제와 비만 문제를 해결하려는 방안인 '우리 동네 만 보 걷기' 행사입니다. 지역 행정복지센터와 연계해 우리 동네 '줍깅'으로 만 보 걷기 프로그램을 시행하는 것입니다. 걷는 행위는 스트레스 해소와 다이어트에 매우 효과적인 운동입니다. 조깅과 줍기의 합성어인 '줍깅'을 통해 쓰레기를 주우며 만 보를 걸으며, 쓰레기가 담긴 쓰레기봉투를 행정복지센터에 가져다주고, 체험 후기를 도서관에 제출하면 미션이 완료되는 것입니다. 지역사회를 깨끗하게 만들며 많이 걷는 과정에서 비만 문제를 해결할 수 있을뿐더러 보람을 느낄 수 있고 햇빛을 받으며 몸을 많이 썼기에 스트레스도 해소되고 잠이 잘 오는 효과가 나올 수 있습니다.	
현장에 나아가 교육공동체와 함께 학생의 위기 상황과 문제 상황을 협력적으로 해결할 수 있는 교사가 되겠습니다.	● 문제와 관련된 포부와 의지 표현하기
이상입니다.	● 발언을 끝내는 말 넣기

구상형 3. 다음은 부서별 업무 계획과 환경의 SWOT 분석 결과이다. 이를 바탕으로 자신의 전공 (보건, 사서, 영양, 전문상담)과 연계한 교육 방안을 기획하시오.

업무 계획	
• 인문예술 교육 실시 • 마을교육공동체와 함께하는 교육 실시	
SWOT 분석 결과	
강점(S)	약점(W)
• 교사가 교육에 대한 열정 높음 • 학부모의 교육열 높음	• 학생의 자존감 낮음 • 학부모의 참여도 낮음
기회(O)	위협(T)
• 지역 내 문화예술 전문가 많음 • 혁신학교 예산 지원 많음	• 지역 내 주민 문화시설 부족 • 지역 주민 문화예술 경험 기회 부족

구상하기

🎯 해설

이 문제는 제시문에 있는 키워드를 짧게라도 모두 언급해서 문제해결 능력을 보여줘야 했다. 'PART 1. 기출문제 유형 분석'을 꼭 참고하길 바란다.

🎯 예시 답변 및 답변 포인트 분석

구상형 3번 문제 답변드리겠습니다.	● 발언을 시작하는 말 넣기
저는 사서교사로서 다음 학교의 업무 계획을 참고해 마을교육공동체와 함께하는 인문예술 교육 방안을 시행하겠습니다. 구체적인 방안은 환경 분석 결과를 반영해 다음과 같이 고민했습니다.	● 제시문 분석력을 드러내기
첫째, '학부모 스토리텔러' 방안입니다. 환경 분석 결과 교사의 열정이 높고, 학부모의 교육열이 높다는 강점을 활용한 방안입니다. 교사와 학부모가 학생들에게 도움이 되는 좋은 책을 함께 선정하고 '책 읽어주는 학부모회'를 조성해 매주 1회, 혹은 독서주간을 정해 조회 시간 등을 활용해 책을 읽어주는 것입니다. 이렇게 한다면 약점으로 지적된 학부모의 낮은 참여도 문제를 해결할 수 있고, 좋은 이야기를 듣고 생각하며 학생들은 인문 소양과 자존감을 쌓아나갈 수 있을 것입니다. 또한 학생 추천 도서와 사연 등을 함께 받아 친구들과 공유하는 시간을 갖는다면 기대효과가 더욱 강화될 수 있을 것입니다.	● 환경 분석 결과의 내용을 모두 언급하기
둘째, 지역 문화예술 전문가를 초빙해 지역 주민과 함께하는 문화예술 콘서트를 개최하는 것입니다. 학교를 공연장으로 활용한다면, 지역 내 문화 시설이 부족한 문제를 해결할 수 있고 지역 주민의 문화예술 경험 기회를 부여할 수 있을 것입니다. 또한 지역 내 자원을 적극 활용한다면, 학생들에게 지역사회에 대한 자부심을 줄 수 있습니다.	
현장에 나아가 학교 환경을 분석하고, 적합한 계획을 수립해 실천하는 적극적인 교사가 되겠습니다.	● 문제와 관련된 포부와 의지 밝히기
이상입니다.	● 발언을 끝내는 말 넣기

즉답형 1. 아래 제시문의 입장 중 하나를 선택하여 본인의 생각을 말하시오.

> A: 아이들은 스스로 성장한다.
> B: 아이들은 어른들의 세심한 지도와 안내가 필요하다.

🎯 해설

수험생의 교직관을 확인하는 문제이다. A는 학생의 성장 가능성에, B는 교사의 역할에 무게를 둔 입장이다. 하지만 학생은 혼자서만 성장할 수 없고, 모든 영역에서 교사의 지도를 받을 만큼 미성숙한 존재도 아니다. 따라서 두 관점을 적절히 섞어 학생들은 스스로 무궁무진한 성장 가능성을 지닌 존재지만 이를 촉진할 수 있도록 교사의 안내와 지도가 필요한 부분이 있다는 것을 이야기해야 했다.

🎯 예시 답변 및 답변 포인트 분석

즉답형 1번 문제 답변드리겠습니다.	● 발언을 시작하는 말 넣기
A는 아이의 잠재력에, B는 어른의 역할에 초점을 둔 입장입니다. 저는 A의 "아이들은 스스로 성장한다."라는 입장을 선택하겠습니다.	● 제시문 분석력을 드러내기
왜냐하면 저는 '학생이 스스로 성장할 수 있도록 조력하는 교사'를 꿈꾸고 있기 때문입니다. 사람들은 태어날 때부터 자신의 성장과 발전을 위한 자연적인 능력을 갖추고 있고, 특히 아이들은 태어난 순간부터 호기심과 탐구심으로 주변 세계를 탐색하고 배우며 스스로 성장해 나간다고 생각합니다.	
하지만 그렇다고 해서 아이들을 방치나 방임해선 안 된다고 생각합니다. 어른들의 세심한 지도와 안내는 중요합니다. 경험이 풍부하고 보다 다양한 지식을 가지고 있으므로 아이들의 성장 과정에 필요한 지식과 가치관을 전달하고, 문제해결 능력과 사회적 기술을 가르치는 역할을 해야 합니다. 하지만 아이들의 성장을 모든 면에서 제어하거나 간섭하는 것은 바람직하지 않다고 생각합니다.	● 입장을 선택했다면, 이유를 제시하기
따라서 저는 아이들은 스스로 성장한다고 믿고, 제가 이것을 극대화할 수 있도록 세심한 관찰과 피드백으로 조력하겠습니다. 학생들의 성장 과정을 존중하고 지지하며, 아이들이 자신의 가능성을 찾아나가도록 도울 수 있는 교사가 되겠습니다.	
이상입니다.	● 발언을 끝내는 말 넣기

> **즉답형 2. 비대면 상황에서 시민적 역량이 매우 중요하다. 다음 제시문의 핵심 역량 중 한 가지를 선택하여 구체적인 전공 연계 방안을 말하시오.**
>
> > ㄱ. 비판적 사고   ㄴ. 책임과 권리   ㄷ. 의사소통   ㄹ. 정보 처리

🎯 해설

'비대면 상황'이라는 주요 키워드를 놓치면 안 된다. 이 상황에서 가장 필요한 시민적 역량을 선택하고, 타당성을 부여하기 위해 '이유'를 함께 제시한다. 그 후 구체적 방안을 말하되 학생 중심, 체험 중심의 방향으로 이야기해 경기교육의 지향점과 맥을 같이해야 한다.

🎯 예시 답변 및 답변 포인트 분석

즉답형 2번 문제 답변드리겠습니다.	● 발언을 시작하는 말 넣기
저는 4가지 역량 중 비판적 사고 능력을 선택하겠습니다. 비대면 교육을 시작하면서 인터넷 의존도가 더 늘어났습니다. 이에 인터넷에 떠도는 가짜 뉴스 및 해로운 콘텐츠에 대한 감식안을 기르는 능력이 중요해지고 있기에 비판적 사고 능력을 중점적으로 키워야 한다고 생각합니다.	● 선택형 문제는 이유를 제시하기
저는 이를 위해 상담실 주관 학생 중심 프로젝트 학습의 방식으로 미디어 리터러시 교육을 하겠습니다.	
허위 사실, 자극적 뉴스로 심리적 고통을 받고 극단적 선택을 하는 유명인들의 소식을 자주 접할 수 있습니다. 청소년들이 미디어에 대한 올바른 관점을 수립하지 않는다면, 이런 루머에 현혹되기 쉬울뿐더러 동참하게 되는 문제가 생길 수도 있습니다. 따라서 담임교사와 연계해 창의적 체험학습 시간 등을 통해 미디어를 시청할 때 시청 기준, 진위 판단 여부, 진위 판단 방법 등 비판적 시청 방법에 대해 학생들 스스로 토의 활동을 하도록 하겠습니다. 유튜브 등 SNS에서 떠도는 뉴스를 접할 때의 자세와 진짜 뉴스와 가짜 뉴스를 판단하는 기준을 스스로 고민해 보며 비판적 사고 능력을 확립하도록 하겠습니다.	● 기대효과를 언급해 답변에 설득력을 부여하기
또한 가짜 뉴스의 실태와 피해 상황을 직접 조사하게 하며 문제점을 인지하고 차후 모둠 활동으로 공익 광고 영상을 제작하도록 해 온라인 플랫폼에 직접 게시하도록 하겠습니다. 가짜 뉴스로 인한 정서적 고통을 받는 사람들을 치유할 수 있는 정서적 지지 캠페인 등을 포함해 상담 특화 프로그램으로 구성하고 싶습니다. 이렇게 한다면 비판적 사고 능력을 키울뿐더러 사회 문제를 파악하고 이를 해결해 보는 과정에서 사회 참여 의식과 주인 의식이 성장할 것입니다.	
비대면 상황 속에서도 학생들의 시민의식 함양을 위해 노력하는 교사가 되겠습니다.	● 문제와 관련된 포부와 의지 표현하기
이상입니다.	● 발언을 끝내는 말 넣기

즉답형 3. 학교에서 양성평등 실천 주간을 운영하고자 한다. 양성평등과 관련한 자신의 성장 경험을 말하고, 자신의 전공(보건, 사서, 영양, 전문상담)과 연계하여 학생 체험 중심 양성평등 교육 방안을 제시하시오.

🎯 해설

학교에서는 우리도 인지하지 못한 채 낮은 성인지 감수성으로 학생들을 대하곤 한다. 예를 들어 남자는 신체 활동이나 힘을 쓰는 일을 잘한다고 생각하고 여자는 미화나 손재주 있는 일을 잘한다고 여겨, 1인 1역을 그렇게 고정하는 것이다. 이러한 분위기는 학생들의 직업 선택 폭을 좁아지게 만든다. 의사는 남자, 간호사는 여자(혹은 셰프 하면 남자, 영양사 하면 여자)라는 인식이 보편적인 것처럼 말이다. 이를 해결하는 방안을 짜되 교사가 강의하는 식이 아닌 학생이 스스로 반대 사례를 조사하고 토의하는 등 체험 중심 방안을 고민해야 한다.

🎯 예시 답변 및 답변 포인트 분석

즉답형 3번 문제 답변드리겠습니다.

양성평등은 성별에 따른 차별, 편견, 비하 없이 인권을 동등하게 보장받고 모든 영역에서 동등하게 참여하고 대우받는 것을 의미합니다. 이와 관련한 저의 성장 경험을 말한 후, 학생 중심 체험 방안을 말씀드리겠습니다.

저는 양성평등이 부족한 환경에서 성장했습니다. 특히 직업을 선택할 때 그런 경향이 두드러졌습니다. 저는 학생들을 좋아하고, 사람들과의 소통을 좋아해서 교사를 희망했는데 '여자 직업으로 교사가 딱이다.'라는 어른들의 말씀을 종종 들어야 했습니다. 제가 양성평등에 대해 깨닫게 된 경험은 대학 시절에 '여학생 리더십 캠프'에 참여하면서입니다. 캠프를 통해 성별에 따른 역할 고정에 대해 많은 성찰을 하게 됐습니다. 이후 이 분야에 관심이 생겨, 동기들과 소모임을 만들었고 남자 역시 '남자는 울면 안 된다.', '남자에겐 능력이 가장 중요하다.'와 같은 무의식적 성차별이 존재한다는 것을 깨닫게 됐습니다.

저는 이런 저의 성찰 경험을 토대로 보건교사로서 학생 체험 중심 양성평등 방안을 다음과 같이 고민해 보았습니다.

먼저, 학교 양성평등 주간에 양성평등 교육 및 홍보 행사에 참여해 적극적으로 프로그램을 운영을 조력하겠습니다. 학생들과 함께 토론 활동으로 양성평등이 필요한 이유, 사회 문제, 개선 방안 등을 이야기해 보며 보건실 주관으로 캠페인 활동을 펼쳐 보고 싶습니다. 예를 들어 학교 안 여러 장소에서 겪었던 차별을 메모지에 적어 붙이게 하고, 학생들이 갤러리 워크 형식으로 돌아다니며 가장 공감하거나 토의하고 싶은 주제에 스티커를 붙여, 선택된 주제로 토론하는 것입니다. 캠페인 활동을 일회성에 그치는 것이 아닌 콘텐츠로 남겨, 학부모와 교사들도 함께 공유해 양성평등 문화가 확산할 수 있게 하겠습니다.

○ 발언을 시작하는 말 넣기

○ 서론을 넣으면 유리한 문제. 양성평등 교육이라는 이슈를 제시하고 있으므로 정의를 언급하기. 제시문 분석력을 드러내기

○ 경험을 진솔하게 언급하기. 단, 학교 안에서 이러한 차별을 당했다고 적나라하게 표현해 공교육에 부정적인 사람이라는 인식을 줘서는 안 됨. 누구나 공감할 만한 보편적 사례를 제시하기. 관련 경험이 혹시 없더라도 '없다'고 말하지 않고, 그럴듯하게 만들기

○ 반드시 학생 체험 중심 방안을 만들기

둘째, 보건교사로서 학생생활부와 연계해 양성평등을 위한 리더십 프로그램을 개발하고 싶습니다. 학생들에게 양성평등에 대한 중요성과 리더십의 역할을 강조하는 리더십 프로그램은 자신만의 강점 찾기, 스피치 활동, 성별 역할극을 통한 일상생활 고정관념 잡기 등으로 모든 학생이 성차별 없이 자신의 역량을 발휘할 기회를 주게 할 것입니다. 남과 여가 아닌 자신이 잘하는 것을 찾을 수 있게 하겠습니다.

마지막으로 보건 분야는 일반적으로 성별화됐다고 여겨지는 분야 중 하나라고 생각합니다. 저는 보건 분야에서 이러한 성역할을 깬 인사를 초청해 진로 멘토링을 진행하고 싶습니다. 일반적인 강의식 수업이 아니라 학생들이 진로 멘토링을 통해 느낀 점을 발표하고, 토론하는 시간을 가지며, 스스로 성찰하는 과정을 포함하겠습니다.

현장에 나아가 남학생과 여학생을 불필요하게 구분하거나, 그들의 특성을 유형화해 양성평등을 저해하는 교사가 아닌 학생 개개인의 능력과 특성에 초점을 맞추는 성인지 감수성을 갖춘 교사가 되겠습니다.

○ 문제와 관련된 포부와 의지 표현하기

이상입니다.

○ 발언을 끝내는 말 넣기

즉답형 4. 교내 담임교사가 학급에서 갈등과 오해가 잦아 학급 운영이 어렵다며 고민을 털어놓았다. 이러한 상황에서 담임교사와 협력하여 문제를 해결하기 위한 전공(보건, 사서, 영양, 전문상담) 연계 방안을 제시하시오.

🎯 해설

경기교육의 지향점에 맞게 교육공동체와 연대해 해결 방안을 고민해야 한다.

🎯 예시 답변 및 답변 포인트 분석

즉답형 4번 문제 답변드리겠습니다.	● 발언을 시작하는 말 넣기
학급 내 오해와 갈등이 있는 상황에서, 담임교사와 협력한 상담 교육 방안을 제시하도록 하겠습니다.	● 문제 분석력을 드러내기
첫째, 담임교사와 함께 갈등 해결을 위해 집단 상담 프로그램을 기획하겠습니다. 해당 학급에서는 오해와 갈등이 있는데, 해결하지 못해 문제 상황이 계속 발생하고 있습니다. 학생들이 갈등을 원만하게 해결할 수 있도록 함께 대화하는 시간을 마련하겠습니다. 혹시 감정이 격해질 수 있기에 사전에 나 전달법으로 감정 표현을 할 수 있도록 지도하고, 토킹스틱 제도를 통해 타인의 말을 경청하는 방식을 익힌 후 함께 대화하는 시간을 마련할 것입니다. 둘째, 감정 조절 및 스트레스 완화 방안을 기획하겠습니다. 갈등 상황에서 학생들이 감정을 적절하게 조절하고 대처하는 것이 중요합니다. 이때 담임교사뿐 아니라 보건교사와도 연대한다면 보다 수월할 것입니다. 스트레스 상황 시 이완 호흡법 등을 안내하고 스트레스 관리 프로그램을 통해 학생들이 자기를 잘 다스릴 수 있도록 지원하겠습니다. 마지막으로 담임교사뿐 아니라 학년부 교사들과 함께 갈등 예방을 위한 프로그램을 운영하겠습니다. 학급 학생들이 서로 협력한다면, 갈등과 오해가 쌓이는 분위기가 아니라 서로 신뢰하고 협동하는 반 분위기를 만들 수 있을 것입니다. 학급 단합대회, 체육대회, 전지에 편지 완성하기 등 협동해 하나의 결과물을 낼 수 있는 프로그램을 기획하고 저는 상담교사로서 협력적인 분위기를 만들 수 있도록 조력하겠습니다.	● 교육공동체와 연대할 수 있는 방안을 수립하기
현장에 나아가 교육공동체와 연대해 문제 상황을 해결할 수 있는 협력적인 교사가 되겠습니다.	● 문제와 관련된 포부와 의지 표현하기
이상입니다.	● 발언을 끝내는 말 넣기

④ 2021학년도

(1) 초등

구상형 1. 학교와 교육의 본질에 대해 이러한 물음을 던진 의미는 무엇이며, 이와 관련하여 학교에서 중점을 두고 해보고 싶은 교육 활동은 무엇인지 말하시오.

> 멀게만 여겼던 미래가 예상보다 훨씬 빠르게 우리 삶 속으로, 그리고 교실 안으로 들어왔습니다. 이렇게 갑자기 찾아온 미래는 우리에게 '학교와 교육의 본질'에 대한 질문을 던졌고 경기교육은 이 질문에 대한 답을 학교 현장으로부터 찾고자 하였습니다.
>
> "학교 교육 활동에서 중점을 두어 해보고 싶은 것은 무엇입니까?"

구상하기

🎯 해설

교육과 학교에 대한 관점을 확인하려는 문제이다. 과거의 배움은 학교의 전유물이었다. 하지만 현재 교육은 학교 밖 혹은 온라인 등으로까지 영역이 확장됐다. 특히 코로나19로 가속화된 교육 공간 확대 속에서 학교만의 역할은 무엇인지에 대한 고민이 담겨야 한다.

🎯 예시 답변 및 답변 포인트 분석

구상형 1번 문제 답변드리겠습니다.

다음과 같은 물음의 의미를 먼저 말씀드리겠습니다.

> ● 발언을 시작하는 말 넣기

과거의 '배움'은 학교만의 전유물이었습니다. 하지만 현재 교육은 꿈의학교, 꿈의대학 등 학교 밖에서도 행해지고 있고 온라인으로까지 확장되고 있습니다. 특히 코로나19로 인해 온라인 학습이 보편화되며 미래에는 이런 현상이 더욱 일반적일 것입니다. 이러한 상황에서 학교와 교육의 본질에 대한 물음의 의미는 학교가 미래 변화와 사회적 요구에 대응하며, 더 나은 교육을 제공하기 위해서 본래의 목적과 가치에 대한 성찰 과정이 필요하기 때문입니다.

> ● 꿈의학교, 꿈의대학은 전 이재정 교육감의 정책이기에, 현재 답변으론 어울리지 않음. 현재는 '경기이룸학교'라는 명칭으로 변경됨. 《사이다 면접》은 해설을 소급하지 않고, 그 시절에 적합한 해설을 유지하고자 함

저는 현장에 나아가 '학생 주도 프로젝트 학습'을 중점적으로 하고 싶습니다. 미래가 빠르게 변화하고 기술이 우리 삶 속으로 들어오는 상황에서 학교는 단순히 지식을 전달하는 것이 아니라 학생들이 세계를 이해하고, 문제를 해결하며 창의적으로 사고하는 능력을 갖추도록 지원해야 합니다.

저는 '미래'라는 제시어를 주고, 아이들이 단어를 보고 떠오르는 아이디어 및 주제를 중심으로 여러 교과를 통합하는 융합 프로젝트 수업을 만들고 싶습니다. 제가 생각을 제한하는 것이 아닌, 아이들만의 무궁무진한 창의성으로 미래와 관련한 주제를 풀어나가게 하고 싶습니다. 저는 교사로서 학생들의 생각에 피드백을 주며 생각을 자극하도록 하겠습니다.
이 경우 미래 직업, 미래 사회 예측 및 대응, 기후위기, 세계화, 인공지능 등 다양한 주제가 만들어질 수 있습니다. 학생들은 각자가 선택한 주제에 따라 다양한 삶의 모습을 예측해 보고, 그 속에서 우리가 할 수 있는 일이 무엇인지 생각해 보는 과정을 갖게 됩니다. 이 과정에서 시민의식과 창의력, 삶에 대한 역량을 기를 수 있을 것입니다.

> ● 기대효과를 언급해 답변에 설득력을 부여하기

학교와 교육의 본질에 대해 성찰하며, 현장에서 실천할 수 있는 교사가 되도록 노력하겠습니다.

> ● 문제와 관련된 포부와 의지 표현하기

이상입니다.

> ● 발언을 끝내는 말 넣기

구상형 2. 다음 제시문과 관련하여 하고 싶은 교육 방안을 교육과정과 연계하여 구체적으로 제시하시오.

- 5년 전 세계 지도자들이 파리협정에 서명하며 지구 평균온도가 2℃ 이상 상승하지 않도록 하겠다고 발표했습니다. 이후 많은 일이 있었지만 필요한 행동은 아직 보이지 않고 있습니다. 그레타 툰베리
- 과학자들은 세계가 본격적으로 기후위기에 접어들 것이며, 코로나19는 그 서막이라고 이야기합니다. 향후 5년 동안 지구 온도는 1.5도 상승한다는 예측과 수많은 감염병은 인류가 수십 년 동안 이어온 환경 파괴의 결과라고 경고합니다. 2021 이재정 교육감 신년 기자회견문

구상하기

🎯 해설

교육과정과 연계한 방안은 ① 학급 활동을 하거나 ② 교과 시간에 할 수 있는 것으로 나눌 수 있다. 학급 활동은 학기 단위 장기적 계획으로 '체험 중심', '학습자 주도' 교육을 지향하면 좋고, 교과 활동은 짧은 차시의 프로젝트 학습으로 역시 교사 주도가 아닌 학습자 위주로 진행해야 경기도교육청의 지향점과 방향이 같다.

🎯 예시 답변 및 답변 포인트 분석

구상형 2번 문제 답변드리겠습니다.	● 발언을 시작하는 말 넣기
제시문에서는 기후위기로 인한 노력이 필요함을 시사하고 있습니다. 저는 이를 고려해 다음과 같은 교육 활동을 하고 싶습니다.	● 제시문 내용을 간단하게 언급해 문제 분석력을 드러내기
저는 사회 시간에 '학생 주도 기후변화 대응 프로젝트'를 총 4차시에 거쳐 진행하고 싶습니다. 이 캠페인은 학생들에게 기후변화의 심각성을 인식시키고, 학생이 직접 개인과 지역사회 차원에서 기후변화에 대한 적극적인 대응 방안을 모색해 보도록 하는 학생 중심 프로젝트입니다.	
가장 먼저 기후변화와 관련된 흥미 있는 영상으로 학생들에게 상황의 심각성과 문제 해결을 위한 내적 동기를 자극하고 싶습니다. 이후 기후변화의 원인을 분석하는 활동을 하겠습니다. 태블릿, 스마트폰 등으로 검색할 수 있게 하되 사전에 미디어 리터러시 교육을 통해 정확한 출처를 찾고 가짜 정보를 가려내는 활동을 할 것입니다.	
2차시에는 학생들의 토론으로 실생활에서 우리 조의 문제 습관을 점검해 유형화하는 시간을 갖겠습니다. 마인드맵, 온라인 패들렛 플랫폼 등을 통해 의견을 모으는 과정에서 학생들의 의사소통 능력, 자기주도성을 기를 수 있을 것입니다.	● 기대효과를 언급해 답변에 설득력을 부여하기
3차시에는 나, 우리 가정, 학급, 지역사회에서 해야 할 노력을 토론으로 고민해 공유하도록 하겠습니다.	
마지막 4차시에는 영상, 포스터, 노래 등 다양한 방식으로 캠페인 활동을 해, 사회 문제에 대해 고민하고 이를 해결하기 위해 실천하는 시민이 될 수 있도록 할 것입니다.	
이러한 기후변화 캠페인을 통해 학생들은 기후변화에 대한 심각성과 중요성을 깨달으며, 기후변화에 대한 인식과 책임감을 함양할 수 있을 것입니다.	
현장에 나아가 학생 중심으로 사회 문제를 해결하기 위해 교육과정 재구성에 신경 쓰는 교사가 되겠습니다.	● 문제와 관련된 포부와 의지 표현하기
이상입니다.	● 발언을 끝내는 말 넣기

구상형 3. 코로나19로 인해 원격 수업과 등교 수업을 병행하며, 등교 인원을 1/3 이하로 제한하고 있다. 교직원 회의 상황을 읽고 D 교사가 제시할 의견과 그 근거를 말하시오.

교직원 회의 상황

A 교사: 방역 당국에서 학교 인원의 1/3까지 등교하라는 지침이 내려왔네요. 우리 학교는 어떻게 할까요?

B 교사: 학급을 1/3로 나누어 등교하는 건 어떨까요?

C 교사: 그렇게 하면, 원격 수업과 등교 수업을 하는 학생들이 동시에 생기기에 담임교사의 업무 부담이 커질 것 같습니다. 지정일을 정해 한 학년씩 등교하는 것은 어떨까요?

D 교사: 제가 생각했을 때, 교육의 공공성 측면에서⋯   [수험생 답변 부분]

구상하기

🎯 해설

1/3 등교 방식을 논의하되 '공공성'의 측면에서 이야기해야 한다. 교육의 공공성이라는 의미를 알고, 이를 등교 방식에 적용해야 하는 문제이다. 단어를 통해 어느 정도 유추가 가능하지만 정책 용어로 정확히 표현하면 다음과 같다.

> • 교육 공공성을 구현한다는 것은 <u>사회 계층의 격차 또는 개인적 한계를 넘어 각 학습자의 다양한 소질</u> <u>과 특성에 맞는 학습설계를 통해</u>, 모든 학생이 자신의 삶과 연관된 질 높은 배움을 얻을 수 있는 교육 과정을 구성함을 의미
> • 교육공동체는 <u>함께 교육과정을 만들어 가는 경험을 통해 공공선을 인지하고 추구하게 되며</u>, 이는 상 호존중, 관용, 배려, 신뢰를 바탕으로 교육의 공공성을 구현하는 과정
> • 학생 개개인의 차이와 다양성을 고려하여 교육과정과 수업에서 <u>교육의 질적 수월성과 형평성을 보장</u> <u>할 수 있도록</u> 보편적 학습설계를 적극적으로 실천

밑줄 친 키워드인 학습자의 차이와 다양성 고려, 함께 교육과정 만들기에 초점을 맞춘 답변은 다음과 같다.

🎯 예시 답변 및 답변 포인트 분석

구상형 3번 문제 답변드리겠습니다.	● 발언을 시작하는 말 넣기
교육의 공공성이란 학습자의 차이와 다양성을 고려하고, 함께 교육과정을 만드는 것을 의미합니다. 이 측면에서 D 교사가 제시할 의견과 근거를 말씀드리겠습니다.	● 서론을 넣으면 유리한 문제. 정확하게 공공성에 대해 알고 있음을 어필해 전문성을 보여주기
D 교사는 저학년 위주의 등교, 교육공동체의 의견 수렴을 주장했을 것 같습니다. 앞서 말씀드린 것처럼 교육의 공공성을 위해서는 학생의 차이와 다양성을 고려해야 합니다. 1~6학년 학생들의 차이와 온라인 학습에 적합한 수준을 고려했을 때, 필요한 학생들에게 적절한 도움을 주어야 합니다. 고학년 학생들은 어느 정도 학습 수준을 갖추고 있어서 콘텐츠 학습이 쉬울 수 있으나 저학년은 학습 지도뿐 아니라 돌봄이 필요하므로 우선 등교를 해야 할 것 같습니다. 또한 이와 관련해 학교에서 일방적으로 시행하는 것이 아닌 교육공동체의 의견을 수렴한 후 결정하는 것이 공공성에 입각한 대안이라고 생각합니다. 따라서, D 교사는 1/3 등교 방식을 저학년 위주로 하되, 공동체 의견을 수렴하자는 방식으로 말할 것 같습니다.	● 의견과 근거를 제시하기
이상입니다.	● 발언을 끝내는 말 넣기

즉답형 1. 코로나19로 인해 소통과 협력 등 공동체 의식을 함양할 기회가 줄어들고 있다. 이와 관련하여 공동체성을 발휘한 경험과 이를 교육 활동에 적용할 방안을 말하시오.

🎯 해설

단골 출제 유형이다. 자신의 경험-경험에서 깨달은 점-교직 실천 방안, 3가지를 한 세트로 묶어서 이야기해야 한다. 특히 '코로나19로 인해'라는 문구를 넣은 만큼 서론, 결론 부분에 '코로나19'를 언급해 제시문을 잘 분석했다는 것을 드러내면 좋다.

🎯 예시 답변 및 답변 포인트 분석

즉답형 1번 문제 답변드리겠습니다.

○ 발언을 시작하는 말 넣기

공동체성이 중요한 이유는, 코로나19로 인해 공동체 의식을 함양할 기회가 줄어들고 있을 뿐 아니라, 미래 사회에는 기후위기, 전염병 등 전 지구적 문제로 인해 공존과 상생의 가치가 더욱 중요해질 것이기 때문입니다. 저는 이와 관련한 저의 경험과 교육 활동에 적용할 방안을 말씀드리겠습니다.

○ 서론을 넣으면 유리한 문제. 출제 의도가 '공동체성 회복'이므로, 이를 알아채 공동체의 중요성을 미리 언급해 역량 있는 교사임을 어필하기

저는 학부 시절부터 구준하게 교육 멘토링 활동으로 교육봉사를 해왔습니다. 멘토링 대상 학생들은 기초학력 부족 학생, 다문화가정 학생, 탈북학생 등 다양한 문화 배경을 가졌습니다. 각기 다른 친구들의 성향과 환경을 파악하고, 그들에게 필요한 맞춤형 교육을 제공하는 일이 어려울 때도 있었습니다. 하지만 시간이 흐를수록 학생들과 만나며 다양성을 존중하고 포용적인 태도를 갖춰가는 제 자신을 발견할 수 있었습니다. 깨달음을 인지한 후부터 이를 내재화하기 위해 학생들과 만난 후 성찰일지를 꾸준히 작성하는 습관도 들이고 있습니다. 저는 이런 저의 경험을 통해 얻은 가치를 공유하고자 학급 내에서도 '멘토·멘티 프로그램'을 기획해 보고 싶습니다.

○ 경험만 제시하는 것이 아니라, 이를 통해 얻은 교육적 깨달음을 제시하기

○ 교육 활동에 적용할 방안을 말하기

이론으로 아는 것보다 직접 실천하고 성찰할 때 공동체성이 더 크게 와닿았기 때문에, 학급 내에서도 서로가 서로에게 멘토가 돼 잘하는 것으로 학급을 이롭게 하는 방향을 만들어 보고 싶습니다. 멘토링 일지를 직접 작성하게 해, 서로 도울 때 스스로 어떤 성장이 일어났는지 작성하는 시간도 줄 것입니다. 이렇게 한다면, 각자의 역량이 더 커지는 것은 물론 화합하고 협력할 때의 기쁨과 가치를 아는 사람으로 성장할 수 있을 것입니다.

이런 협력이 주는 가치를 잊지 않고, 코로나19 상황 속에서도 공동체 의식을 함양할 수 있는 교육 활동을 제공하는 교사가 되겠습니다.

○ 문제와 관련된 포부와 의지 표현하기

이상입니다.

○ 발언을 끝내는 말 넣기

즉답형 2. 1학년 학생들이 겪는 어려움은 무엇일지 말하고 교사로서 이를 해결할 방안을 말하시오.

🎯 해설

경기도교육청에서 2020학년도에 무척이나 강조했던 성장배려학년제를 아는지 확인하는 문제이다. 성장배려학년제라는 단어가 없어도, 주어진 상황에서 이 정책이 필요했음을 알아야 하는 까다로운 문제였다.

🎯 예시 답변 및 답변 포인트 분석

즉답형 2번 문제 답변드리겠습니다.

경기도교육청에서는 문항과 같이 학교생활에 어려움을 겪는 초등학교 1~2학년 학생들을 위해, 성장배려학년제를 도입하고 있습니다. 1학년 학생들이 겪는 어려움을 말씀드리고, 성장배려학년제 취지에 맞는 해결 방안을 말씀드리도록 하겠습니다.

초등학교 1학년 학생들은 다음과 같은 어려움이 있을 수 있습니다.

먼저, 새로운 환경에 대한 불안함입니다. 1~6학년까지 다양한 연령대를 마주해야 하며 지켜야 할 규칙과 질서가 있는 초등학교에 입학해 적응이 어려울 수 있습니다. 또한 기초학습이 필요한 1학년 학생들은 읽기, 쓰기, 셈하기 등에서 학습의 어려움을 경험할 수 있습니다.

이러한 어려움들을 해결하기 위해 성장배려학년제의 취지에 맞춰 해결 방안을 말씀드리겠습니다.

먼저, 학교 적응을 위해 학생들을 세심히 관찰하고 적응할 수 있는 교실 문화를 만들겠습니다. 안내문 작성, 온라인 플랫폼 개설 등을 통해 가정과 연대해 학생의 성장 배경, 심리, 행동적 특성을 이해한 후 개별화 교육을 하겠습니다. 또한 저학년 발달 단계를 고려해 쉼이 있는 교실을 만들 것입니다. 한글 및 수학 관련 게임, 퍼즐 등을 교실에 갖추어 적응을 돕겠습니다.

다음으로 학습 측면에서 기본 교육을 강화하겠습니다. 동료 교사들과 전문적 학습 공동체를 운영하며, 놀이 중심 수업 및 놀이 활동 콘텐츠를 개발해 학생들이 즐겁게 기본 교육을 받을 수 있게 하겠습니다.

이렇게 한다면 학생들이 좀 더 쉽게 초등학교에 적응할 수 있을 것이라고 생각합니다.

현장에 나아가 초등학교 학생들의 발달 단계에 따른 학년별 특성을 이해하고, 적합한 교육과정 편성과 운영을 도입할 줄 아는 능력 있고 유연한 교사가 될 것을 약속드립니다.

이상입니다.

- 발언을 시작하는 말 넣기
- 서론을 넣으면 유리한 문제. 성장배려학년제라는 키워드가 제시되지 않았어도, 출제의 도를 파악해 서두에 말하기
- 제도 도입 전에 교사의 따뜻한 배려심이 느껴지도록 관련된 해결 방안도 언급하기
- 문제와 관련된 포부와 의지 표현하기
- 발언을 끝내는 말 넣기

(2) 중등

구상형 1. 다음 상황에서 A, B 교사의 의견 중 어느 의견을 지지할지와 그 이유를 말하시오.

상황

A 교사와 B 교사가 함께 교과 연계 융합 수업을 3차시 프로젝트 수업으로 진행하였다. 그 과정을 수행평가로 하기로 했는데, 마지막 3차시 수행평가 과제 결과물을 제출하는 상황에서 수업 시간 종료 직전에 C 학생이 USB 외부입력장치 오류로 결과물을 제출하지 못하였다.

의견

A 교사: 저는 3차시 결과물은 평가에 반영해선 안 된다고 생각해요. 이전 1, 2차시 제출 내용에 대해서만
　　　　평가해야 해요.

B 교사: 저는 C 학생의 3차시 결과물도 평가해야 한다고 생각해요.

구상하기

🎯 해설

성장중심평가의 취지를 알고 있어야 했다. 성장중심평가는 교사가 학생의 학습 '과정'을 관찰하며 '기록'하고 피드백해 학생의 '성장'을 최종 목표로 하는 것이다. A 교사는 결과중심평가, B 교사는 성장중심평가에 입각한 입장이다. 따라서 B 교사의 입장을 선택해야 경기교육의 지향점과 방향이 일치한다. 이를 두괄식으로 먼저 주장한 후 답변하자.

🎯 예시 답변 및 답변 포인트 분석

구상형 1번 문제 답변드리겠습니다.

○ 발언을 시작하는 말 넣기

경기도교육청은 결과중심평가가 아닌 학생의 성장을 촉진할 수 있는 성장중심평가를 지향하고 있습니다. 이런 관점과 '학생의 성장을 촉진하는 교사가 되겠다'는 저의 교직관을 토대로 B 교사 입장을 지지하겠습니다.

○ 서론을 넣으면 유리한 문제. 성장중심평가라는 키워드가 제시되지 않았어도, 출제 의도를 파악해 서두에 말해 준비된 교사라는 것을 어필하기. 더불어, 정책에 공감한다는 취지에서 '나의 교직관도 이와 같다.'라는 것을 말해 센스 더하기

제시문의 A 교사의 입장은 결과중심평가의 관점입니다. 학생의 활동 과정을 평가하는 것이 아닌, 제출하지 못한 상황에 집중하고 있으므로 타당하지 않습니다.

B 교사의 입장을 지지하는 이유는 다음과 같습니다. 학생은 3차시를 성실하게 참여하지 않아 결과물을 제출하지 않은 것이 아닌 USB 오류로 제출하지 못한 것이기 때문입니다. 따라서 교사가 보는 상황에서 저장할 기회를 주어야 합니다.

사실 평가 전 USB 확인 등의 절차를 거쳤어야 했는데 이 부분이 미흡했으므로 이후에 이런 일을 방지하기 위해, 평가 전 같이 확인해 보는 과정을 포함하면 좋겠습니다. 또한, C 학생에게 추가 시간을 주는 것을 형평성에 어긋난다고 생각하는 친구들이 있을 수 있습니다. 학생들에게 평가의 목적이 경쟁이 아닌 성장임을 설명하고 해당 조치가 형평성에 어긋난 것이 아님을 설득하는 과정도 필요합니다.
물론, 이런 일을 예견해 수행평가 전에 기기 오류로 인한 문제가 발생할 수 있고, 그때 이렇게 처리하겠다는 것을 미리 공지했으면 더 좋을 것입니다.

○ A 교사와 B 교사의 입장을 요약해 말해서 제시문 분석력을 드러내기

이렇게 한다면 진정한 학생의·성장을 촉진할 수 있는 수행평가가 되겠다고 생각합니다.

현장에 나아가 결과에 집중하기보다는 성장하는 과정에 초점을 맞추고 학생들을 독려할 수 있는 교사가 되겠습니다.

○ 문제와 관련된 포부와 의지 표현하기

이상입니다.

○ 발언을 끝내는 말 넣기

구상형 2. 다음 상황의 학생들에 대한 지도 방법을 보완하여 종합적으로 어떻게 지도할 것인지 말하시오.

- A 학생: 담임교사와 면담하는데 자꾸 다른 곳을 본다. 지적해도 소용없다.
- B 학생: 담임교사와 지각하지 않기로 약속했는데 계속해서 지각을 한다.
- C 학생: 담임교사의 지적에도 수업 중 딴짓을 하고 참여하지 않는다.

구상하기

🎯 해설

지도 방법을 보완해서 지도 방안을 구상하라고 했다. A~C 학생에게 지도한 내용을 개선해 이들을 아우를 수 있는 종합적 지도 방향을 재설정하는 것이 핵심이다.

🎯 예시 답변 및 답변 포인트 분석

구상형 2번 문제 답변드리겠습니다.

● 발언을 시작하는 말 넣기

다음 상황을 분석해 보면, 그동안 A 학생과 C 학생에게는 지적의 방식으로, B 학생에게는 지각하지 않기로 약속하는 방식으로 지도를 했습니다. 즉, 벌어진 상황 자체를 보고 일시적인 해결책을 사용한 것입니다.

● 제시문 분석력 드러내기

저는 이 방법을 보완해 이 학생들을 지도할 수 있는 종합적인 방안을 말씀드리겠습니다.

먼저, 개별 상담을 통해 근본 원인을 파악하겠습니다. A 학생이 잡생각을 하거나 B 학생이 지각하는 것, C 학생이 딴짓하는 원인이 가정 문제인지, 교우 관계 때문인지, 병적 원인인지 등을 알아야 합니다. 그래야 적절한 해결책을 제시할 수 있습니다. 상황의 원인을 효과적으로 파악하기 위해 가정과 연대하는 것이 필요합니다. 학부모님과의 상담으로 가정에서의 모습을 확인하고 문제를 공유해야만 더 쉽게 해결할 수 있을 것입니다.

둘째, 교사가 일방적으로 지도하거나 개선을 요구하는 것이 아닌 학생 스스로 문제의식을 느낄 수 있도록 생각해 보는 시간을 부여하겠습니다. 지속적인 지적이나 지도는 학생의 자존감 하락을 유발할 수 있기에 작은 약속부터 정한 후 점점 학교생활에 적응할 수 있게 하겠습니다. 작은 성공 경험을 달성했을 경우 칭찬을 통해 긍정적 강화를 하겠습니다.

● A~C의 문제 상황을 개별적으로 해결하는 것이 아니라 종합적으로 해결하기

마지막으로 학교 내 상담교사, 보건교사 등과 협력해 세 학생 각각의 어려움에 맞는 적절한 지원을 제공하겠습니다. 학습 지원, 감정적 지원, 심리 상담 등을 통해 학생들이 건강하고 긍정적으로 성장할 수 있도록 돕겠습니다.

이처럼 종합적인 접근으로 A, B, C 학생들의 어려움을 파악하고 지원한다면, 학생들의 성장에 이바지할 것입니다.

이상입니다.

● 발언을 끝내는 말 넣기

구상형 3. 코로나19 상황에서 원격 수업과 비교할 때 대면 수업의 교육적 효과를 학습 지도와 인성 지도 측면에서 각각 말하시오.

구상하기

🎯 해설

코로나19 상황에서 시행된 블렌디드 러닝의 모습을 이해하고 장단점을 고민해 보았는지 확인하기 위한 문제이다. 평소 교육 이슈를 잘 알고 있어야 함을 시사한다.

🎯 예시 답변 및 답변 포인트 분석

구상형 3번 문제 답변드리겠습니다.

코로나19 상황에서 유례없는 온라인 개학이 시작되며, 온라인 수업이 활성화됐습니다. 이 방식은 학생들의 건강과 안전에 효과가 있었으나, 대면 수업의 중요성이 드러났던 시간이기도 합니다. 지금부터 대면 수업의 교육적 효과를 원격 수업과 비교해 말씀드리겠습니다.

먼저 학습 지도 측면에서의 효과입니다. 원격 수업은 콘텐츠를 반복 수강한다거나, 배속 듣기가 가능해 개별화 학습에 유리하다는 장점이 있으나 학생들이 집에서 학습하게 되므로 집중력이 저하될 수 있다는 문제점이 있습니다. 반면 대면 수업은 학생들이 교실에서 직접 교사와 상호작용하며 수업을 받기 때문에 실시간 소통이 가능하고, 모둠 활동, 멘토·멘티 활동을 통해 학생들의 자기주도적 학습과 협업 능력을 향상할 수 있다는 장점이 있습니다.

다음으로 인성 지도 측면에서의 효과입니다. 원격 수업에서는 교사와 학생이 얼굴을 마주할 수 없어 학생의 감정을 읽거나 심리적 지지를 제공하는 데 어려움이 있을 수 있습니다. 또한 교실 내에서의 인간관계 형성과 친밀감 형성이 제한적일 수 있습니다. 반면 대면 수업에서는 교사가 직접 학생들을 지켜보며 학생들의 감정을 파악하고 인성 지도를 할 수 있습니다. 교실 내에서 친구들과 소통과 협업을 통해 학생들의 인간관계 능력과 사회적 능력을 강화할 수 있기에 인성 지도에 더욱 효과적일 수 있습니다.

현장에 나아가 온·오프라인 수업의 장단점을 잘 인지하고, 단점을 보완해 학생들의 교육적 성장에 기여하는 교사가 되도록 노력하겠습니다.

이상입니다.

포인트:
- 발언을 시작하는 말 넣기
- 서론을 넣으면 유리한 문제. 출제 의도를 파악해 서두에 제시하기. 문제에서 요구하는 것을 정리해 말하며 문제 분석력을 드러내기
- 현장의 실질적인 내용을 언급하기
- 문제와 관련된 포부와 의지 표현하기
- 발언을 끝내는 말 넣기

즉답형 1. 학생들이 자신의 경험을 매체로 표현하는 독서교육을 한다고 할 때, 이와 관련한 교과 연계 교육 방안을 말하시오.

해설

문제 속에 숨어 있는 조건인, 학생들이 ① 자기 경험을 ② 매체로 표현하는 ③ 교과 연계 독서교육 방안을 제시해야 한다.

예시 답변 및 답변 포인트 분석

즉답형 1번 문제 답변드리겠습니다.

○ 발언을 시작하는 말 넣기

역사 수업에서 학생이 자신의 경험을 매체로 표현하는 독서교육 방안은, 역사를 단순히 암기하는 것이 아니라, 역사적 사건과 인물에 대해 스스로 생각하고 자신과의 연결고리를 찾으며 이를 통해 깊이 있는 학습을 할 수 있도록 돕는 데 초점을 맞추어야 합니다. 이러한 관점에서 독서교육 방안을 제시하면 다음과 같습니다.

○ 자신이 실행하려는 교육 방안의 필요성을 서두에 제시해 타당성 부여하기

저는 역사적 사건을 현대 시점으로 재구성하는 활동을 해보고 싶습니다. 학기 말 전환기 교육의 하나로, 학생들이 1년간 배운 학습 내용 중 가장 기억에 남는 사건과 관련한 책을 선정하게 해 자율성을 주고, 독서 내용을 바탕으로, 그 사건이 현대에 일어난다면 어떻게 반응하고 행동할 것인지 상상해 보는 것입니다. 그 후 에세이, 연극 대본, 영상 시나리오 등 다양한 매체로 표현하게 합니다. 예를 들어 학생들이 삼국시대 전투를 읽은 후, 현대적인 배경에서 그 전투가 발생한다면 자신이 어떻게 대응할지, 어떤 전략을 사용할지 등에 대해 글을 쓰거나 시각적으로 표현할 수 있습니다.

○ 반드시 매체를 넣기

○ 기대효과를 넣어 답변에 신뢰감 부여하기

이러한 독서교육 방안은 학생들이 역사를 단순히 암기하는 것이 아니라, 자기 삶과 연결해 더욱 의미 있는 학습 경험을 만들 수 있고, 다양한 매체를 활용함으로써 학생들의 창의성과 비판적 사고 능력을 증진할 수도 있을 것입니다.

현장에 나아가 매체를 활용한 독서교육을 위해 교육과정 재구성에 앞장서는 교사가 되겠습니다.

○ 문제와 관련된 포부와 의지 표현하기

이상입니다.

○ 발언을 끝내는 말 넣기

즉답형 2. 자신이 A 교사라면 어떻게 대처할 것인지 말하시오.

> A 교사에게 B 교사가 자신의 진로 체험 활동 업무를 맡아달라고 부탁하였다. A 교사는 이미 업무 분장이 다 끝난 상태에서 자신의 업무가 정해져 있고, 진로 체험 활동 관련 업무도 해본 적이 없어 난감한 상황이다.

🎯 해설

이 같은 상황이라면 A 교사는 무척이나 부담스러울 것이다. 하지만 무조건 안 된다고 하는 것이 아닌 공감적 대화를 통해 문제를 해결하려는 의지와 노력을 보여야 한다. 실제 시험에서 "무례한 이야기이므로 거절하겠다."라고 답변한 수험생이 있었는데, 평가위원의 반응이 무척 좋지 않았다는 감독관의 후기가 있었다.

이럴 때는 너-나-우리 전략을 쓰면 좋다. 먼저, 존중의 언어로 상대의 이야기를 들은 후 나의 입장을 이야기한 후 우리가 같이 해결할 수 있는 공동의 노력 방안을 제안하는 전략이다. 간혹 상대가 무리한 부탁을 하는 경우 어떻게 할 것인지 대처 방안을 묻는 문제가 등장하는데 이때는 '해결 의지'를 보여줘야 한다는 것을 꼭 명심하자!

🎯 예시 답변 및 답변 포인트 분석

즉답형 2번 문제 답변드리겠습니다.	○ 발언을 시작하는 말 넣기
제시문에서는 B 교사가 자신의 업무인 진로 체험 활동 업무를 관련 경험이 없는 A 교사에게 맡아달라고 부탁하는 상황입니다. 이 경우 제가 A 교사라면 다음과 같이 대처하겠습니다.	○ 제시문 분석력을 드러내기
먼저 공감과 경청의 자세로 B 교사가 부탁한 이유에 관해 물어보겠습니다. A 교사를 전임자로 착각했거나 혹은 A 교사가 아무 일도 하고 있지 않다고 생각했을 수 있고, B 교사 혼자 맡기에 부담스러운 업무여서 도움을 요청한 것일 수도 있기 때문입니다. 우선 B 교사와의 대화를 통해 교사가 처한 상황을 이해하겠습니다. 그다음 저의 상황, 감정을 알리겠습니다. 이미 업무가 배정돼 있고, 진로 체험 업무를 해본 적 없는 상황이라 저 역시 처음부터 배워야 하는 업무임을 알리겠습니다. 전임해서 맡는 것은 저에게도 업무가 있으므로 불가능할 수 있으나 B 교사가 어려움에 부닥칠 때, 도울 수 있는 부분은 함께 협조하겠다는 의사를 내비치겠습니다. 혹시 A 교사와 B 교사의 노력만으로 안 되는 문제라면, 협의회 등을 통해 어려운 점을 공유하고 공동체원에게 함께 해결해 달라고 요청하는 것도 고려하겠습니다.	○ 착해 보이려고 무조건적으로 해주겠다는 식으로 접근하는 것이 아닌, 갈등 상황을 어떻게 헤쳐갈 것인지 현명한 태도를 보여주기
이렇듯 현장에 나아가 공동체 의식을 갖추고, 대화와 존중의 태도로 문제 상황을 현명하게 해결해 나가는 교사가 되도록 노력하겠습니다.	○ 문제와 관련된 포부와 의지 표현하기
이상입니다.	○ 발언을 끝내는 말 넣기

(3) 비교과

구상형 1. 역량중심 교육과정이 중요해지고 있다. 다음 제시문에서 하나의 학년을 선택하여 학습 주제를 설정하고 그에 맞는 구체적인 교육 활동을 제시하시오.

- 1학년 꿈과 끼를 찾아라. 자유학년제의 내실화
- 2학년 실천형 인성교육, 인성교육과 체험중심교육
- 3학년 진로 맞춤형 진로탐색교육

구상하기

🎯 해설

역량중심 교육과정과 같은 경기 정책이 출제된다면, 묻지 않았어도 한 줄 내외로 그 정의를 말해야 전문성을 드러낼 수 있다. 또한 선택형 문제이므로 이유를 제시해야 한다. 역량 중심이기에 '학생의 개별성', '학생의 주체성', '배움의 자발성', '교사의 재구성 노력'이 담겨야 한다. 단순 강사 초청, 영상 시청 등의 방안이 아닌 학생이 스스로 직접 해보며 고민할 수 있는 방안이 고득점 포인트이다.

🎯 예시 답변 및 답변 포인트 분석

구상형 1번 문제 답변드리겠습니다.	● 발언을 시작하는 말 넣기
역량중심 교육과정이란, 학생 개개인의 교육적 요구를 정교하게 반영해 현재와 미래의 삶을 살아가는 데 필요한 삶의 역량을 길러주는 교육과정입니다.	● 서론을 넣으면 유리한 문제. '역량중심 교육과정'이라는 정책명이 나왔으므로 정의를 짧게 언급해 경기형 교사로서의 역량을 보여주기
저는 2학년 실천형 인성교육을 선택하겠습니다. 인성이라는 것은 삶의 여러 방면에 적용될 수 있는 기초적인 역량이기 때문입니다. 삶의 역량 중에서도 협력적 문제해결 역량과 민주시민 역량, 자주적 행동 역량을 길러주는 데 중점을 두어 국어 교사와 함께 '문학 속 등장인물 상담하기'라는 교육 활동을 진행하겠습니다.	
작품 속에는 여러 갈등과 고민을 겪는 주인공이 등장합니다. 학생들의 관점에서 그 친구의 문제를 어떻게 해결할 수 있고 어떠한 또래 상담을 하면 좋을지 프로젝트 학습을 구성하는 것입니다. 여러 의견이 나올 수 있도록 온라인 수업 시 패들렛 등의 플랫폼을 활용한다면 도움이 될 것입니다.	
교사인 저는 주요 상담 기법에 대해 소개하고, 상담 시 필요한 주의 사항을 안내하며 원활한 상담이 될 수 있도록 조력할 것입니다. 이렇게 한다면 서로의 마음을 이해하고 공감하며 갈등을 원만히 해결하는 데 기여하는 실천 중심, 체험 중심 인성교육이 될 수 있고 국어과와 협업을 통해 학생들의 삶의 역량을 길러주는 교육과정 재구성도 가능할 것입니다.	● 기대효과를 언급해 답변에 설득력을 부여하기
현장에 나아가 경기 정책에 공감하며, 이를 현장에 적용하는 실천적인 교사가 되겠습니다.	● 문제와 관련된 포부와 의지 표현하기
이상입니다.	● 발언을 끝내는 말 넣기

구상형 2. 학생들이 사회참여 동아리의 지도 교사를 부탁하였다. 제시문을 참고하여 교사로서 어떻게 동아리를 지원할 것인지 구체적인 방안을 말하시오.

- 민주시민교육 기반 조성을 위해 '인간 존엄'에 기초한 자율, 존중, 연대의 학교민주시민공동체 문화를 공고히 한다.
- 학교 교육 현장에서 민주시민교육 역량을 강화할 수 있도록 노력한다.
- 체험 중심 민주시민교육이 활성화될 수 있도록 노력한다.

구상하기

🎯 해설

단순히 사회참여 동아리에 대한 답변을 하는 것이 아닌, 제시문에 입각한 방안을 이야기해야 한다. 교사는 해결사나 연설가가 아닌 촉진자이자 안내자의 역할이어야 한다.

🎯 예시 답변 및 답변 포인트 분석

구상형 2번 문제 답변드리겠습니다.	● 발언을 시작하는 말 넣기
저는 제시문의 상황을 참고해, 사회참여 동아리 지원 방안을 말씀드리겠습니다.	● 제시문에 입각해 풀이하겠다는 것을 안내해 제시문을 꼼꼼히 분석한 수험생이라는 것을 어필하기
먼저 첫 번째 제시문을 참고해, 학생들의 사회참여 동아리가 인간 존엄에 기초해 자율, 존중, 연대의 공동체가 될 수 있도록 지도교사로서 모범을 보이겠습니다. 우선 학생들이 스스로 사회참여 동아리를 운영할 수 있도록 자율성을 부여할 것이며, 저는 조력자와 촉진자로서 학생들의 성장을 돕겠습니다. 또한 서로 존중하고 함께 연대할 수 있도록, 교사인 저부터 솔선수범해 동아리의 분위기를 만들어 가겠습니다.	
두 번째 제시문을 참고해, 학생 체험 중심 동아리가 되도록 토론, 캠페인 활동 등을 안내하겠습니다. 강의나 동영상 시청 위주의 동아리 활동이 아닌, 실제 삶과 관련된 활동을 할 수 있도록 다양한 방안을 안내하겠습니다. 예를 들어 세대 갈등, 남녀 갈등, 기후위기 등 현재 우리 사회의 쟁점에 관한 토론 활동을 장려하고 나아가 정리한 내용을 기반으로 홍보물 제작 등의 활동을 통해 실천하는 시민으로서의 소양을 갖춰나갈 수 있도록 학생의 체험을 적극 지원하겠습니다.	● 방안을 제시하되 학생 중심, 체험 중심 등 경기형 답변을 포함하기
마지막 제시문을 참고해, 학교 현장에서 역량을 강화할 수 있도록 공간의 민주성 프로젝트를 고민해 보았습니다. 학교에는 미래 사회를 대비해 공간 혁신이 필요한 곳이 많습니다. 학생들이 함께 소통할 수 있는 홈베이스, 토론이 원활한 책걸상 배치 등 학교 공간 혁신을 위한 아이디어를 학생들이 직접 제시해 보게 해, 학교 현장에서 살아있는 시민교육이 이뤄질 수 있도록 지원하겠습니다.	
자율성을 부과한다고 그냥 지켜보고만 있는 것이 아닌 학생들과 함께 활동 평가를 하고 피드백을 제공해 지속적인 개선과 발전을 도모하겠습니다.	
학생들의 성장과 발전을 지켜보며 필요한 지도와 지원을 제공해 민주시민교육의 성과를 극대화하기 위해 노력하는 교사가 되겠습니다.	● 문제와 관련된 포부와 의지 표현하기
이상입니다.	● 발언을 끝내는 말 넣기

구상형 3. 교내 복지 지원팀에 참여하여 일을 하게 되었다. 다음 A 학생을 지도하기 위해서 어떠한 지원을 할 것인지 자신의 전공과 연계하여 구체적 방안을 세우고 그 이유를 말하시오.

A 학생

• 학습 적성: 기초학력 진단 검사 결과가 국, 영 수 교과에서 낮은 점수를 받았다.

> 국어 10점, 수학 5점, 영어 10점

* 각 30점 만점

• 학생 특성

  – 학업에 흥미가 없다.

  – 무기력하고 친구들과 어울리지 못한다.

  – 불규칙한 생활 습관으로 바른 생활 습관이 제대로 형성되어 있지 않다.

  – 가정 내 돌봄이 제대로 이루어지지 않고 있으며, 가족들의 지지가 부족하다.

구상하기

🎯 해설

제시문 문제는 주어진 키워드를 모두 활용해야 한다는 사실을 잊지 말자. A 학생의 적성과 특성 내용을 포괄하는 전공 연계 방안을 제시해야 한다. 또한 이유를 언급하라고 했으므로 이 점을 말해야만 감점을 피할 수 있다.

🎯 예시 답변 및 답변 포인트 분석

구상형 3번 문제 답변드리겠습니다.	● 발언을 시작하는 말 넣기
이 학생의 문제를 복지 지원팀과의 협력으로 접근하되 우선 전공과 연계한 지원 방안에 초점을 맞춰 말씀드리겠습니다. 이 학생은 낮은 학업 수준, 무기력, 사회성 부족, 가정 문제 등 복합적으로 위기에 처해 있는 학생입니다.	● 문제 및 제시문 분석력을 드러내기
먼저 학생과 라포르를 형성해 온라인 수업 중 몇 시에 일어나고, 무엇을 먹으며, 몇 시에 자는지 생활 방식을 확인하겠습니다. 매해 실시하는 건강검진 결과를 참조해 건강상의 문제는 없는지 확인해 보고 문제가 있으면 가정과 담임 선생님께 연락해 협조를 구하겠습니다. 낮은 학업 수준과 사회성 부족, 무기력의 원인을 파악하기 위해 상담 선생님과 담임 선생님과 협력해 학생과 상담하고 가정과 연대하겠습니다. 또한 작은 성공 경험을 얻을 수 있는 보건실 도우미 등의 역할 부여를 통해 학생이 무기력에서 점차 벗어날 수 있도록 조력하겠습니다. 이렇게 다양한 교육공동체들과 협력해 문제를 해결한다면, 학생의 문제를 다양한 관점에서 여러모로 분석하고 해결하는 데 도움이 될 것이며 제가 미처 보건교사의 관점에서 발견하지 못한 부분을 파악하는 데도 도움이 돼 학생의 성장에 이바지할 수 있을 것입니다.	● 제시문의 내용을 모두 해결할 수 있는 방안 제시하기
현장에 나아가 교육공동체와의 협력으로 위기 학생을 조력하는 데 앞장서는 보건교사가 되겠습니다.	● 문제와 관련된 포부와 의지 표현하기
이상입니다.	● 발언을 끝내는 말 넣기

구상형 4. 다음 학부모의 요구 사항을 보고, 원만하게 갈등을 해결하기 위한 대처 방안을 말하시오.

(전공별로 요구 사항이 다름)

- 보건: 우리 아이가 복통을 자주 겪으니, 시간 제한 없이 보건실에 있게 해주세요.
- 상담: 우리 아이가 분노 조절이 안 되긴 해도 조금 짜증을 내는 것뿐이니까 정신과 치료를 제안하진 마세요.
- 영양: 알레르기가 있는 우리 아이를 위해 따로 밥을 해주세요.
- 사서: 교육과정에는 없지만 문예 대회를 개최해 주세요.

구상하기

🎯 해설

학부모와 마찰이 있으면 먼저 이야기를 경청하고 입장을 공감하는 것부터 시작해야 한다. 학부모는 자기 자녀가 존중받지 못하거나 배려받지 못한다고 여길 때 먼저 학생들의 관점에서 상황을 바라보기 때문이다. 왜 이러한 요구를 하는지 학부모 관점에서 충분히 이야기를 경청하고 공감한 후 전문가로서 객관적인 입장, 학교의 교칙 등을 깔끔하게 전달하면 학부모도 폭넓게 상황을 인지하고 수용하곤 한다. 또한, 내가 할 수 있는 부분과 협력으로 해결할 방안을 모두 제시한다면 수험생의 공동체성을 강조할 수 있다.

🎯 예시 답변 및 답변 포인트 분석

구상형 4번 문제 답변드리겠습니다.	● 발언을 시작하는 말 넣기
먼저, 알레르기가 있는 학생이 급식을 먹는 것에 대해 학부모님이 걱정하는 마음을 충분히 공감한 후 대화를 시작하겠습니다. 학기 초 가정으로 건강조사서를 보내는 이유도 이런 학생들의 건강 상태를 미리 확인하고 학교 측에서 조심하기 위함이라는 것을 말씀드리고 많은 아이들이 알레르기 때문에 급식을 못 먹는 일 없이, 맛있고 행복하게 밥을 먹었으면 하는 것이 영양교사의 마음이라는 점도 설명드리겠습니다. 혹시 그 건강조사서에 알레르기 음식을 적었는지, 이번 달에 알레르기 때문에 결식한 적이 있는지 물어보고, 있다면 공감하고 안타까움을 표현하겠습니다. 학교 인원이 많다 보니 개인 급식은 어렵지만 조리 실무사님께 말씀드려 다른 반찬을 더 많이 배식할 수 있도록 조치하겠고, 학기 초 건강조사서를 기반으로 최대한 모두가 즐거운 급식을 할 수 있도록 더 주의할 것이며 건강조사서에 없는 내용 중에서 저에게 따로 부탁하고 싶은 말이 있다면 해주길 바란다고 말씀드리겠습니다.	● 너-나-우리 대화법을 도입하기. 상대의 사정을 먼저 공감하고(그럼 나의 말도 들을 여유가 생김) 나의 사정을 전달한 뒤 우리의 노력으로 해결할 것을 제안하기
현장에 나아가 학부모와 원만하게 갈등을 해결하기 위해 경청하고 공감하며 때론 저의 입장도 똑 부러지게 말할 수 있는 현명한 교사가 되도록 노력하겠습니다.	● 문제와 관련된 포부와 의지 표현하기
이상입니다.	● 발언을 끝내는 말 넣기

즉답형 1. 미래 교사의 역할인 '학습 촉진자, 프로젝트 관리자, 상담자' 가운데 하나를 선택하고, 이를 실현하기 위해 학생들에게 시행할 전공 연계 교육 방안을 제시하시오.

🎯 해설

교사의 역할 변화를 이해했는지 파악하고, 미래 교사 역량을 갖추었는지 확인하려는 문제이다. 단순히 지식을 전달하거나 문제 상황을 해결하려는 교사의 모습이 아닌, 학생들이 주체적으로 활동할 수 있도록 배움을 설계하고 촉진하며, 전인적 성장을 위해 학습 및 생활 전반을 상담할 수 있는 모습이 드러나도록 교육 활동을 설계해야 한다.

🎯 예시 답변 및 답변 포인트 분석

즉답형 1번 문제 답변드리겠습니다.	● 발언을 시작하는 말 넣기
저는 학습 촉진자로서의 교사를 선택하겠습니다. 왜냐하면 미래 사회의 도래로 학생들이 다양한 배움의 장소에서 스스로 학습할 거리를 찾아 학습하는 것이 중요해졌고, 이런 능력을 기르기 위해 주입식 교육보다 촉진자로서 활동하는 것이 효과적이기 때문입니다.	● 선택형 문제가 나왔을 때는 이유를 제시하기
저는 저의 전공인 사서 교육과 연계해 문해력 향상을 위한 도서관 프로젝트 학습을 시행하겠습니다. 왜냐하면 학령기에 문해력 교육이 매우 중요하기 때문입니다. 문해력은 모든 학습의 기초가 되며, 문해력을 갖추지 못한다면 낮은 자존감으로 생활 전반에 무기력이 올 수도 있습니다. 따라서 문해력 교육을 위해 프로젝트 학습을 구성하겠습니다.	
미래교육을 위해 교실에는 태블릿과 제반 기기, 무선 인터넷 등이 마련됩니다. 학생의 특성을 고려해 이를 활용한다면 더욱 흥미가 있을 것입니다. 국어 교과와 연계해 학생들이 어려워하는 지문, 소설 등을 발췌해 스스로 단어를 검색하고 쉬운 말로 풀어보는 연습을 해보겠습니다. 나만의 국어사전 만들기 활동을 병행해 학생들이 배움을 자신만의 용어로 구조화하고 정리하는 습관을 들이게 할 것입니다. 이렇게 한다면, 학생들의 독서 습관이나 문해력 향상에도 도움이 될 것이며, 스스로 성취하는 과정을 통해 자기주도 역량도 향상될 수 있을 것입니다. 학습 촉진자로서 저는 학생들의 프로젝트 학습 결과물을 꼼꼼히 분석해 피드백하고, 잘한 점을 찾아 칭찬해 주어 프로젝트 결과물을 더 풍성하게 완성할 수 있도록 조력할 것입니다.	● 선택한 역할이 드러나는 교육 활동 제시하기
현장에 나아가 미래 사회를 대비하는 촉진자로서의 역할을 위해 열정을 갖는 교사가 되겠습니다.	● 문제와 관련된 포부와 의지 표현하기
이상입니다.	● 발언을 끝내는 말 넣기

즉답형 2. 전공과 연계한 다문화 감수성 교육 방안을 제시하시오.

🎯 해설

다문화 감수성 교육의 의미와 목적, 내용을 정확히 파악하고 있어야 한다. 역시 자신의 전공이라는 조건이 제시됐으므로 이에 입각해 해결하자. 협동의 가치가 포함되면 좋다.

🎯 예시 답변 및 답변 포인트 분석

즉답형 2번 문제 답변드리겠습니다.

○ 발언을 시작하는 말 넣기

다문화 감수성 교육이란 공동체의 구성원이 모두 다양한 문화적 배경을 가지고 있음을 수용하고 서로 다른 문화를 상호존중하고 이해하는 태도를 기르는 교육을 말합니다. 그동안은 주류 문화에 초점을 맞추었지만, 점차 다양한 문화적 특성을 이해하고 존중하는 방향으로 나아가고 있습니다. 이에 발맞추어 저는 다음과 같이 상담 교육을 하겠습니다.

○ 정책(다문화 감수성)이 나왔으므로 서론에 정의를 짧게라도 넣기

첫째, 다문화가정 학생, 탈북학생 등으로 세분화하고 지역 특성에 맞는 가정 상담 지원을 하겠습니다. 다문화가정은 국내 출신 학생, 중도 입국 학생, 탈북학생 등 다양한 유형이 존재합니다. 그리고 지역별 가정의 특성도 다릅니다. 저는 이러한 것들을 고려해 가정에서 학생의 모습은 어떠한지 먼저 가정 상담을 할 것입니다. 담임교사, 주변 교사들과 전문적 학습공동체 등을 구성해 지도 방안을 공유한다면, 학생의 성장에 더 도움이 될 수 있다고 생각합니다.

둘째, 학생에게 심리적 지원을 하겠습니다. 환경의 변화에서 오는 심리적·정서적 불안 해소를 위해 라포르를 형성한 후 주기적으로 학생과 상담하겠습니다. 담임교사와 연계해, 학생의 생활 습관을 들어보고 교우관계, 학습 적응 등 여러모로 관심을 두겠습니다. 상담이 특별한 행위로 인식되지 않도록 심리적 거리감을 좁히기 위해 Wee 클래스를 점심시간에 놀이 공간 등으로 활용하는 방안도 고민해 보았습니다.

○ 기대효과를 언급해 답변에 설득력을 부여하기

마지막으로 같은 학급, 학교 친구들에게 다문화 감수성 역량을 길러줄 수 있는 활동을 기획하겠습니다. 또래 상담 도우미를 선발해 다문화가정 학생들의 정착에 도움을 주는 프로그램을 기획하거나 'Wee클래스 다문화 이해의 달'을 만들어, 전교생이 다문화 3행시 짓기, 어울림 문화에 대한 시와 소설 짓기 등의 행사를 주최한다면, 학생 스스로 참여하는 교육이 될 수 있을 것입니다.

이렇게 한다면 다문화교육의 주체를 다문화가정 학생뿐 아니라 모든 학생으로 확장할 수 있을 것이며 시민 역량을 함양할 수 있을 것입니다.

현장에 나아가 다문화 감수성 교육을 위해 노력하는 교사가 되겠습니다.

○ 문제와 관련된 포부와 의지 표현하기

이상입니다.

○ 발언을 끝내는 말 넣기

즉답형 3. 청소년 수련관, 미술관, 행정복지센터 중 하나를 선택하여 자신의 전공과 관련해 하고 싶은 교육 활동 프로젝트를 제시하시오.

🎯 해설

배움의 공간이 학교 밖으로 확장되고 있다. 이와 발맞추어 마을 자원을 교육에 활용할 수 있는지 확인하려는 문제이다. 프로젝트를 제시할 때 교사가 주도하는 것이 아닌 '학생 주도'라는 것을 잊지 말고 교사는 '조력과 촉진'의 역할임을 명심하자. 이때 지역적 특색을 살리는 방향이 중요하다.

🎯 예시 답변 및 답변 포인트 분석

즉답형 3번 문제 답변드리겠습니다.	● 발언을 시작하는 말 넣기
저는 지역 행정복지센터를 선택해 프로젝트 활동을 하고 싶습니다. 행정복지센터는 지역 주민 누구에게나 열려 있는 곳이며, 다양한 지역 자원과 연계돼 있습니다. 이 장소를 활용한다면 학생들에게 지역 맞춤 영양교육을 하기에 적합하기에 행정복지센터를 선택해 '우리 마을 특산물을 소개합니다' 프로그램을 운영하고 싶습니다.	● 선택형 문제는 이유를 함께 제시하기
경기 지역에는 지역 특산물이 많습니다. 지역 특산물은 지역의 문화적, 자연적 환경에 기인한 것입니다. 학생 중심으로 이러한 지역 특산물을 소개하는 프로젝트는 우리 지역의 다양한 배경을 이해하는 데 큰 도움이 됩니다. 학생들은 우리 지역을 소개하고, 특산물이 유명해진 이유는 무엇인지 탐색해 보며, 우리 지역 특산물을 알릴 수 있는 캐릭터 개발과 온·오프라인 홍보 방안을 고민해 봅니다. 저는 교사로서 학생들의 탐구 결과물을 피드백하겠습니다. 그리고 행정복지센터와 연계해 학생들의 작품을 소개하고, 실제 특산물 판매까지 연계해 보도록 하겠습니다. 또한 학생이 직접 우리 지역 특산물로 식단을 구성해 보는 것까지 하고 싶습니다. 저는 영양교사로서 영양소를 고려해, 식단 구성하는 것을 조력하겠습니다.	● 교사의 역할이 드러나는 프로젝트 방안 제시하기 ● 기대효과를 언급해 답변에 설득력을 부여하기
이렇게 한다면 우리 고장을 알고 자긍심을 기를 수 있으며, 자기주도적 역량과 사회 참여로 인한 시민의식이 성장할 수 있을 것입니다. 지역사회 측면에서는 지역사회의 인적·물적 인프라를 적극 활용할 수 있고, 구성원들의 공동체 역량을 확대하는 데 도움이 될 것입니다.	
현장에 나아가 교육공동체와의 협력으로 학생중심교육에 앞장서는 교사가 되겠습니다.	● 문제와 관련된 포부와 의지 표현하기
이상입니다.	● 발언을 끝내는 말 넣기

즉답형 4. 수험생이 진로 특강 시간에 강사로 학생들에게 강의를 하게 되었다고 가정할 때, 교사로서 필요한 소양은 무엇인지 교직을 선택하게 된 동기를 포함하여 말하시오.

🎯 해설

교직관을 물어보는 문제이다. 수험생이 교사의 소양 중 어떤 것을 제일 중요하게 여기는지 확인하려고 하는 것이다. 교직을 선택한 동기에는 '자신만의 성장 스토리'를 드러내야 하며 이를 통해 얻은 깨달음, 그리고 어떻게 이것을 교직에서 실현할지 보여줘야 한다. 경험-의미-실천의 3박자를 잊지 말자.

🎯 예시 답변 및 답변 포인트 분석

즉답형 4번 문제 답변드리겠습니다.	● 발언을 시작하는 말 넣기
진로 특강 시간 강의라고 생각하고, 교사가 필요한 소양은 무엇인지 저의 사례를 통해 말씀드리겠습니다.	● 문제 분석력 보여주기(조건을 모두 파악했음을 어필)
제가 교직을 선택하게 된 이유는 학창 시절 선생님께 큰 사랑을 받았기 때문입니다. 고등학교 2학년 때 방황하고 학업에 집중하지 못했던 저에게 담임 선생님께서는 따뜻한 관심을 보여주시고 때론 따끔하게 혼내시며 저를 바른길로 갈 수 있도록 지도해 주셨습니다. 선생님의 영향으로 교사를 꿈꾸게 됐고, 힘든 순간도 많았지만, 선생님처럼 좋은 교사가 되고 싶다는 생각으로 노력한 끝에 이 자리까지 올 수 있게 됐습니다.	● 교직 선택 이유를 긍정적인 관점에서 말하기. 절대 공교육을 욕하거나, 비하하는 발언을 하지 않기
이런 경험을 바탕으로 보았을 때, 교사에게 필요한 소양은 '학생에 관한 관심과 이해 능력'이라고 생각합니다. 학생의 성장은 수치로 표현되는 것도 아니고 발전 정도가 눈에 보이지 않아 때론 답답하기도 하고 무기력한 학생들을 지켜보는 것이 힘들 수도 있겠지만 학생을 믿어주고 이해하고, 관심을 가지며 지켜볼 줄 아는 것이 필요하다고 생각합니다. 제가 그랬듯, 이러한 선생님의 사랑은 분명 학생에게 큰 영향과 도움이 될 것입니다.	
진로 특강 시간에 이런 이야기들을 통해 저의 교직관을 전달하고 학생들과 진정으로 소통하는 교사가 되겠습니다.	● 문제와 관련된 포부와 의지 표현하기
이상입니다.	● 발언을 끝내는 말 넣기

02 기출문제 분석

① 개별면접

(1) 초등

> **2020학년도**
>
> | 구상형 |
> 1. 교사로서 자신의 강점과 약점을 키워드로 제시하고, 자신의 강점을 발휘하여 학생을 지도할 방안과 약점을 보완할 방안을 말하시오.
> 2. 사회가 급속하게 변하며 교육 역시 변화를 요구받고 있다. 사회 변화에 따른 미래 교실의 모습을 제시하고 혁신교육 3.0과 연관 지어 교사에게 필요한 역량이 무엇인지 제시하시오.
>
> | 즉답형 |
> 1. 자신의 경험에 빗대어 "온 마을이 학교다."의 의미를 논하고, 교실에서 어떻게 실현할지 말하시오.
> 2. 교사의 존재 의미는 ○○이다. 빈칸을 채우고 자신의 경험에 빗대어 설명하시오.

구상하기

해설 및 예시 답변

구상형 1

키워드 #강점 #약점

해설

강점과 약점을 묻는 문제는 《사이다 면접 Input》의 '자기성장소개서 전략'에서 언급한 것처럼 약점 부분이 관건이다. 약점을 쓸 땐, 강점이 될 수 있는 약점을 서술해야 한다. '눈물이 많다', '이성적 판단보다 공감이 앞서는 편이다' 등으로 공감 능력을 드러내는 식으로 말이다. 또한 보완이 가능한 약점, 즉 '내향 성향이 있어 그러한 친구들이 교우관계를 맺는 방법을 누구보다 잘 알기 때문에 소외되는 친구 없이 학급을 운영하겠다' 등으로 제시하는 것도 좋다.

예시 답변

구상형 1번 답변드리겠습니다.

교사로서 자신의 강점과 약점을 인지하고 이를 효과적으로 활용하거나 보완하는 것은 매우 중요합니다. 저는 '꾸준함'이라는 저의 강점을 발휘해 학생을 지도할 방안과 '눈물이 많다'라는 약점을 보완할 방법을 말씀드리겠습니다.

먼저, 꾸준함을 발휘한 지도 방안입니다. 저는 저의 꾸준한 성격을 적극 활용해 학생을 꾸준히 관찰하고 꼼꼼하게 성장 내용을 기록하겠습니다. 학생의 학습 패턴, 강점, 약점을 파악해, 이를 바탕으로 개별화 교육을 하겠습니다. 또한 교직 생활을 하며, 문제행동을 보이는 학생이 있거나 학습 속도가 느린 학생을 만나도 포기하지 않고 지속적으로 학생의 성장을 위해 격려하고, 지지하겠습니다.

다음으로 눈물이 많다는 점을 보완하는 방안입니다. 저는 저의 감수성을 긍정적인 에너지로 전환하겠습니다. 감수성이 풍부한 교사는 학생의 감정을 잘 이해하고 공감할 수 있다고 생각합니다. 학생들과 상담이나 대화를 할 때 감정을 숨기기보다는, 공감을 통해 학생의 마음을 이해하고 위로하겠습니다. 하지만 감정이 과도하게 표출되는 것은 지양해야 한다고 생각합니다. 저는 전문적인 상담 기술을 익혀, 감정이 북받치는 상황에서도 학생들에게 안정적이고 차분한 모습을 보여주도록 하겠습니다. 상담 관련 연수나 전문적 학습공동체에 참여해 감정 관리 및 상담 기술을 배우고, 이를 교실 상황에서 적용하겠습니다. 이상입니다.

구상형 2

키워드 #미래 교실 #혁신교육 3.0 #교사 역량

해설

사회는 기술 중심, 기계 중심으로 변화하고 있으며 이에 따라 교실도 변화하게 된다. 교실은 시설이나 기기 등에서 이러한 기술의 변화를 적극적으로 수용하는 공간이 되겠지만, 한편으론 기계가 대체할 수 없는 인간만의 능력을 함양할 수 있도록 상상력과 창의력, 협동이 만연한 공간이 돼야 한다. 혁신교육 3.0의 핵심은 학교혁신의 지역화, 마을과 함께하는 교육을 지향한다. 이를 위해 교사에게는 의사소통 역량, 협동심 등이 필요하다. 마을과 함께하기 위해서는 교육 생태계를 잘 이해하고 있어야 하며, 이들과 원활한 의사소통을 할 수 있어야 그 가치를 달성할 수 있을 것이다. 그뿐만 아니라 교실을 변화시키는 것은 혼자만의 힘으로 할 수 없다. 다양한 교육 주체들과의 의사소통과 협력이 있을 때 이를 효과적으로 변화시킬 수 있을 것이다.

💡 혁신교육 3.0은 이전 교육감 시절 정책이니 이를 고려해 답변의 내용은 참고만 하자.

구상형 2번 답변드리겠습니다.

사회가 빠르게 변화하면서 교실 환경도 빠르게 변화하고 있습니다. 제가 생각하는 미래 교실의 모습을 말씀드리겠습니다. 첫째, 교실의 공간적 경계가 희미해질 것이라 생각합니다. 온라인 기술의 발전으로 교실의 공간적 제약이 학교를 넘어 지역, 나아가 해외에 있는 학교와도 소통할 수 있을 것입니다. 이를 통해 쌍방향 교류가 가능해짐으로써 학생들의 배움의 폭이 넓어질 수 있을 것입니다.

교실 공간의 제약이 사라지는 상황 속에서 미래 교사에게 필요한 역량은 공동체 역량입니다. 혁신교육 3.0에서는 마을과 함께하는 교육을 지향하고 있습니다. 미래 교실은 교실의 공간적 제약이 사라지면서 교실 내에서도 우리 마을, 먼 지역과 연계한 쌍방향 수업이 가능해질 것입니다. 이때, 교사는 마을과 협력해 학생들이 마을 공동체의 일환으로써 성장할 수 있도록 마을 교육 방안을 기획할 수 있습니다. 이를 위해 교사는 학생과 마을을 연결하는 다리 역할을 해야 하므로, 공동체 역량을 갖춰야 합니다.

교사가 먼저 마을과 협력함으로써 학생들도 마을의 의미를 고민해 보고 함께 성장하는 교실을 만들어 가도록 하겠습니다. 이상입니다.

즉답형 1

키워드 | #경험 #실현 방안

해설

혁신교육 3.0의 가치를 이곳에서도 반영하고 있다. 교육, 혁신교육의 지역화가 포인트이다. 이를 자신의 경험에 비추어 설명하고 교육 방안을 고민해야 했다. "온 마을의 학교다."라는 말은 학생의 교육 공간을 학교로 한정 짓는 것이 아닌 마을, 지역사회로 확장하는 것을 말한다. 마을에 포함되는 것은 인적 자원이 될 수도 있고 다양한 문화유산, 기관 등이 포함되기도 한다. 마을과 함께하는 방안은 마을로 먼저 나가고, 또 초대하는 방법이 있고 교과서 속 지식을 눈으로 직접 보고 체험하며 학생들이 조사하게끔 하는 방안도 있다. 이러한 것들을 제시해야 한다.

즉답형 1번 답변드리겠습니다.

"온 마을이 학교다."라는 의미는 학생 한 명이 성장하는 데 학교뿐만 아니라 지역도 함께 노력해야 함을 의미합니다. 즉, 학생이 혼자 성장하는 것이 아니라 학교, 마을과 연계해 함께 성장해야 함을 이야기하고 있습니다. 교실에서 마을 교육을 실현하기 위한 방안을 두 가지 말씀드리겠습니다. 첫째, 마을 지도 만들기를 하겠습니다. 우리 지역의 맛집, 우리 지역의 공원 등 생활 속 필요한 장소를 먼저 찾아보고 표시함으로써 학생들의 마을에 대한 이해와 애정을 높일 수 있을 것입니다. 둘째, 지역의 어르신들과 협력해 사람책 프로그램을 운영하겠습니다. 학창 시절에 저 역시 마을에 관심이 없던 학생이었습니다. 하지만 학교 축제에서 지역 어르신들이 마련한 지역 홍보 부스를 체험하고 동네에 관해 관심을 가지게 된 경험이 있습니다. 지역 어르신을 초청하고 어르신들의 이야기를 아이들에게 들려줌으로써 학생들이 마을에 관심을 가지고 지역 어르신들의 지혜를 느끼는 시간을 제공하겠습니다.

학생들이 혼자 성장하는 것이 아닌 지역과 함께 공동체 속에서 성장할 수 있는 자세를 기를 수 있도록 노력하는 교사가 되겠습니다. 이상입니다.

💡 '사람책'은 이재정 전 교육감 시절 정책이며, 임태희 현 교육감은 '휴먼 라이브러리'로 명명함

즉답형 2

키워드 #경험 #교사의 존재 의미

해설

새로운 유형의 문제인 듯 보이지만, 결국 교사를 어떻게 생각하는지, 교사관 및 교육관을 확인하려는 문제였다.

예시 답변

즉답형 2번 답변드리겠습니다.

교사의 존재 의미는 영향력이라고 생각합니다. 교사는 단순히 지식을 전달하는 사람이 아니라, 학생들의 삶과 사고방식에 깊은 영향을 미치는 존재이기 때문입니다. 초등학교 때 담임 선생님은 제게 큰 영향을 주었습니다. 저는 초등학교 저학년 때까지만 해도 다른 친구들보다 배움이 느리고, 학교생활을 두려워하는 학생이었습니다. 선생님은 단지 수업 시간에 수업을 가르치는 것을 넘어, 저뿐만 아니라 모든 학생에게 관심을 기울이고 잠재력을 발견하려고 노력했습니다. 또한 저희 부모님과도 소통하며 저의 성장 내용을 전달해 주셨습니다. 덕분에 내성적이고 자신감이 부족했던 저는, 선생님의 관심과 칭찬 덕에 학교를 가는 일이 즐거워졌고, 다양한 협동 활동을 기획해 주신 덕에 친구들과도 잘 어울릴 수 있었습니다. 중·고등학교 때 임원을 도맡을 만큼 주도적인 학생으로 성장할 수 있던 이유는 초등학교 선생님의 영향력 때문이었습니다. 이처럼 학생들의 삶에 긍정적인 영향을 미치고, 앞으로 나아갈 방향을 제시해 주는 존재라는 점에서 교사의 의미를 영향력이라고 정의했습니다.

현장에 나아가 저의 선생님께서 해주셨던 것처럼 긍정적인 영향력을 줄 수 있는 교사가 되겠습니다. 이상입니다.

자기 평가	
체감 난도	(상) (중) (하) ➜ 원인 파악:
답변을 잘한 문제	
부족한 문제	
보완 계획	
스터디원의 핵심 피드백 내용	

2019학년도

| 구상형 |

1. 미래교육을 위해 학생들의 창의력과 상상력을 키워주는 것이 중요하다. 학교 공간 중 하나를 선택하여 공간 재구성 방안을 말하시오. 단, 다음의 조건을 모두 포함하시오.

> 조건 1. 공간을 선정한 이유
> 조건 2. 재구성한 공간의 구체적 모습
> 조건 3. 활용 방안과 교육적 효과

2. A 학교의 전문적 학습공동체의 모습에서 부정적 요인을 분석하고 개선 방안을 말하시오.

> **A 학교의 전문적 학습공동체 현황**
> • 전문적 학습공동체 이수율 99%
> • 연간 운영 시간 15시간으로 같은 학년 선생님들 간 협의 시간 부족
> • 공동 연구보다 개인 연구 선호
> • 학년 단위로 운영

| 즉답형 |

1. 학생들의 문화 중 하나를 골라 그 문화를 이해할 방안과 지도 방안을 말하시오.

> K-pop, TV, 웹툰, 게임, 외모 가꾸기, 유튜브, 신조어 등

2. 성장(과정)중심평가를 가정과 연계할 수 있는 방안을 말하시오.

구상하기

🎯 해설 및 예시 답변

2

구상형 1

키워드 #미래교육 #창의력·상상력

해설

조건 순서에 따라 답변하는 것이 구조적으로 안정적이다.

예시 답변

구상형 1번 답변드리겠습니다.

학교는 학생의 아침부터 오후까지 하루의 생활을 책임지는 곳으로, 교과 지식뿐만 아니라 창의력과 상상력 등 정의적 영역에도 영향을 주는 공간입니다. 이러한 학교 공간 중에서 제가 바꾸고 싶은 공간은 도서관입니다. 그 이유는 평생교육이 가능한 장소이기에 초등학교 시절부터 가까이하면 좋은 독서 습관을 기를 수 있고, 전 학년이 사용할 수 있으며 방과 후에도 사용할 수 있어서 접근성이 좋기 때문입니다.

다음으로, 제가 재구성한 도서관의 구체적인 모습을 말씀드리도록 하겠습니다. 자유롭고 편안한 공간에서 상 상력과 창의력이 싹틀 수 있기에 공부하는 공간, 해먹 같은 것을 둔 편안한 공간, 회의 공간, 바닥에서 활동하 는 공간 등 다양하게 구성하고 싶습니다.

마지막으로, 도서관 활용 방안과 교육적 효과에 대해 말씀드리도록 하겠습니다. 도서관의 문턱을 낮추기 위해 독서뿐 아니라 팝업북 만들기, 포토존 등 다양한 체험을 해볼 수 있는 시설을 마련할 것입니다. 이렇게 한다면 창의력과 상상력을 키울 수 있고 내적 동기가 상승해 교육적으로도 효과가 있으리라 생각합니다. 이상입니다.

구상형 2

키워드 #부정적 요인 분석 #개선 방안

해설

제시문의 키워드를 모두 활용해야 한다.

예시 답변

구상형 2번 답변드리겠습니다.

전문적 학습공동체는 교사공동체가 자율적으로 모여 주제를 탐구함으로써 교사의 전문성을 향상시키고자 하 는 모임입니다. A 학교의 문제점은 전문적 학습공동체 이수율은 높으나 효과적으로 운영되고 있지 않다는 점입 니다. A 학교의 운영상 문제점은 첫째, 개인 연구를 선호하는 비율이 높으며 둘째, 학년 단위로 운영된다는 점 입니다. 또한, 연간 운영 시간이 15시간으로 선생님들 간의 협의 시간이 부족해지는 문제도 나타나고 있습니다.

효과적인 전문적 학습공동체를 위한 개선 방안을 두 가지 말씀드리겠습니다. 첫째, 선생님들의 관심사를 공통 으로 할 주제 중심의 전문적 학습공동체를 운영하는 것입니다. 전문적 학습공동체는 주제 중심, 학년 중심 등 다양한 방식으로 운영될 수 있겠지만, 교사의 지속적인 참여를 이끌어내기 위해서 관심 있는 내용을 중심으로 한 주제 중심의 조직이 필요하다고 생각합니다. 따라서 생활지도, 평가, 교과 연구 등 선생님들의 관심사를 바 탕으로 주제 중심의 전문적 학습공동체를 조직한다면 개인연구 선호 분위기와 학년 단위 운영 문제를 해결할 수 있을 것입니다. 다음으로, 전문적 학습공동체의 운영 시간을 자율적으로 운영할 필요가 있습니다. 현재 A 학교는 전문적 학습공동체 연간 운영 시간이 15시간으로 고정돼 있어 형식적으로 전문적 학습공동체가 운영 되는 모습을 확인할 수 있습니다. 이러한 운영 시간을 각 전문적 학습공동체마다 자율적으로 설정할 수 있게 함으로써 전문적 학습공동체를 내실화한다면 시간 부족 문제를 해결할 수 있을 것입니다. 이상입니다.

키워드 #학생 문화 이해 #지도 방안

해설

급속한 사회 변화에 따라 학생과 교사 사이의 문화적 차이가 점차 심해지는 추세이다. 따라서 학생들의 문화를 이해하고 다가가는 과정이 필요하다. 이는 교직관과도 연결되는데, 학생의 문화를 이해할 수 있는 방안을 생각해 보자.

예시 답변

즉답형 1번 답변드리겠습니다.

19세기 교실에서 20세기 교사가 21세기 학생을 가르친다는 말이 있습니다. 다양한 매체가 발달함에 따라 교사와 학생 사이의 문화 차이는 더욱 심해지고 있습니다. 저는 다양한 학생 문화 중 유튜브를 선택하겠습니다. 그 이유는 유튜브는 학생들에게 TV보다 친숙한 매체이며 자동 추천되는 영상 중에 자극적이거나 유해한 방송이 많아 현장에서 교육이 필요하다고 생각하기 때문입니다.

이를 위해 저는 가장 먼저 아이들과 함께 인기 채널을 시청하며 공감대를 형성하겠습니다. 또한 해당 채널이 인기를 끄는 원인을 분석해 보겠습니다. 마지막으로 건강한 구독 문화를 조성하기 위해 함께 영상을 만들어 보며 규약을 만들겠습니다. '초등학생을 타깃으로 한 영상을 만든다면 어떤 주제가 좋을까? 어떤 것에 유의해야 할까?' 등을 스스로 생각해 보게 하는 것입니다. 이렇게 한다면, 학생들 스스로 무분별한 영상물 속에서 어떤 것이 유익하고 해로운지 스스로 생각해 보고 선택하는 힘을 기르는 데 도움이 될 것입니다.

변화하는 학생 문화를 이해하면서 학생들과 끊임없이 소통하는 교사가 되겠습니다. 이상입니다.

키워드 #성장중심평가 #가정 연계

해설

성장중심평가는 경기교육에서 매우 중점적으로 추진되는 정책이다. 학생의 성장을 돕는 평가는 교사의 누가 기록, 관찰 등이 선행돼야 한다. 또한, 가정과 연대해 가정에 학생의 성장 내용을 알리고 피드백 내용을 학교 교육에 반영해야 한다.

예시 답변

즉답형 2번 답변드리겠습니다.

성장중심평가는 학생의 과정과 결과에 대한 피드백을 통해 학생의 성장을 지원하는 평가입니다. 즉, 단순히 시험 결과로 평가하는 것이 아닌 학생이 수업 과정에서 어떻게 성장했는지 관찰하는 것이 중요한 평가 방식입니다. 성장중심평가를 가정과 연계할 수 있는 방안을 두 가지 말씀드리겠습니다.

첫째, 가정과 연계해 미리 학생의 수준을 진단해 보는 것입니다. 성장중심평가는 학생이 어떻게 변화했는지가 중요하기 때문에 학생의 처음 수준을 진단하는 것이 중요하다고 생각합니다. 따라서 가정과 연계해 학생들의 수준을 명확히 살펴보고 이에 따른 수업 과정을 수정·보완해 학생들이 수업에 원활하게 참여할 수 있도록 하겠습니다. 둘째, 온라인 소통 창구를 마련해 학생의 수업 과정과 피드백 내용을 가정에 알려주도록 하겠습니다. 성장중심평가는 수업 과정마다의 결과물을 중시하기 때문에 수업마다 학생들이 보여준 결과물, 수행한 정도 등을 온라인 소통 창구에 올리면서 학생들의 성장 정도를 확인할 수 있도록 하겠습니다. 나아가, 댓글이나 쪽지를 활용해 가정에서 학교로 피드백을 줄 수 있도록 쌍방향 소통을 강화하도록 하겠습니다. 학생의 피드백을 가정에 지속적으로 제공한다면 가정에서 학교에 대한 신뢰감이 두터워질 뿐만 아니라 학생의 성장 정도를 가시적으로 확인할 수 있을 것입니다.

교사와 학생, 교사와 가정 사이 신뢰 형성을 통해 성장중심평가를 실천하는 교사가 되겠습니다. 이상입니다.

자기 평가	
체감 난도	상 중 하 ➜ 원인 파악:
답변을 잘한 문제	
부족한 문제	
보완 계획	
스터디원의 핵심 피드백 내용	

2018학년도

| 구상형 |

1. 아래 통계 자료를 통해 교사 존경도가 낮은 원인을 분석하고, 자신의 교사상과 연결하여 해결 방안을 말하시오.

   자료 1 OECD 회원국 15세 학생들 중 장래 희망이 교사인 학생의 응답률

터키	한국	아일랜드	룩셈부르크	멕시코
25%	15.5%	12.0%	11.6%	8.2%

   자료 2 요즘 교사들은 학생들에게 존경을 받고 있나?

그렇지 않다 83%	그렇다 9%	모른다 8%

2. 경기혁신교육에서 강조하는 가치를 바탕으로 학교민주주의가 교육과정 재구성 실천에 미치는 영향을 말하시오.

| 즉답형 |

1. 교실 내 비민주적 요소(수업, 생활교육, 환경)와 해결 방안을 3가지 말하시오.
2. 가정폭력이나 아동학대가 의심되는 학생이 있을 때 교사의 행동 조치에 대해 말하시오.

구상하기

☝ 해설 및 예시 답변

구상형 1

[키워드] **#통계 자료 분석 #교사상 #해결 방안**

[해설]

자료 제시형 문제이니, 반드시 '자료 1에서는~', '자료 2에서는~'이라는 표현을 언급해 제시문 분석 능력을 어필하자. 자료의 문제점과 해결 방안을 자신의 교사상과 연결해 답변하면 된다.

[예시 답변]

구상형 1번 답변드리겠습니다.

제시된 통계 자료에 따르면 자료 1은 직업인으로서 교사를 선호하지만, 자료 2에서는 학생들이 교사를 존경하지 않는 모습을 보여주고 있습니다. 이러한 상황의 원인은 교사를 존중의 자세로 접근하기보다 직업적인 장점을 먼저 생각하기 때문입니다.

이러한 문제를 해결하기 위해서는 교사와 학생 사이에 즐거운 상호작용이 필요할 것입니다. 저의 교사상은 학생 한 명 한 명에게 관심을 가지고 귀 기울이는 따뜻한 교사입니다. 저의 교사상에 입각해 문제를 해결하기 위한 구체적인 해결 방안을 두 가지 제시하도록 하겠습니다. 첫째, 생일파티, 마니또, 미니 체육대회와 같은 학급 단합 활동을 통해 교사, 학생이 함께하는 즐거운 학교생활의 경험을 제공하겠습니다. 고등학교 때 저의 담임 선생님께서는 매월 생일파티를 기획하면서 반 아이들의 생일을 축하해 주시고 저희에게 추억을 선물해 주셨습니다. 당시 담임 선생님의 모습처럼 교사와 학생이 함께 즐거운 학교에 대해 고민해 보고, 함께 행사를 기획하고 참여함으로써 즐거운 학교생활 경험을 선물해 주겠습니다. 둘째, 우리 반만의 특색 있는 교실을 만들겠습니다. 고등학교 때 선생님과 학급 친구들이 함께 학급 달력을 만들고 학급 창문을 특색 있게 꾸미면서 소속감을 느꼈던 기억이 있습니다. 이처럼 아이들과 함께 우리 반만의 교실을 꾸며나가면서 학생들이 교실에 대한 주인의식을 가지고 선생님과 함께 행복한 생활을 할 수 있도록 하겠습니다.

학급 단합 행사와 특색 있는 학급 프로그램을 통해 선생님과의 즐거운 추억을 쌓음으로써 교사 존경도가 낮은 문제를 해결하겠습니다. 이상입니다.

구상형 2

[키워드] **#혁신교육 가치 #학교민주주의 #교육과정 재구성**

[해설]

혁신교육의 가치는 학생 중심, 학교 중심 혹은 교육 주체들의 자발성, 창의성, 집단지성 등을 강조하고 있다. 학교민주주의는 이러한 가치가 자연스럽게 내재된 학교 문화를 말한다. 교사의 자발성과 창의성을 존중하는 문화여야만 교사는 스스로 교육과정 문해력을 갖추고, 필요한 내용을 재구성할 수 있게 된다. 이러한 것을 언급해야 한다.

💡 혁신교육은 이전 교육감의 주요 정책이므로 이를 고려해 답변 내용은 참고만 하자.

[예시 답변]

구상형 2번 답변드리겠습니다.

학교민주주의는 학생, 교사, 학부모 등의 교육 주체들이 주체가 돼 자발적으로 자신들의 의견을 표현하고 교육 주체들의 토론을 통해 하나의 문제를 해결해 가는 주체적인 학교 문화를 말합니다. 즉, 학교민주주의는 경기혁신교육에서 강조하는 자발성, 창의성, 집단지성이 내재된 학교 분위기를 뜻합니다.

학교민주주의가 교육과정 재구성 실천에 미치는 영향을 두 가지 말씀드리도록 하겠습니다. 첫째, 학교 실정에 적합한 교육과정을 개발하는 데 도움이 됩니다. 학교민주주의에서는 문제 해결을 위해 각 교육 주체들의 의견 표현을 중요시하는데, 교육과정을 재구성하는 데 있어서 학생, 교사, 학부모가 중요하게 생각하는 요구를 들어보고 반영함으로써 우리 학교에 적합한 교육과정을 만드는 데 도움을 받을 수 있습니다. 둘째, 학생, 교사, 학부모가 학교에 대한 주인의식을 가짐으로써 발전적인 교육과정을 만드는 데 도움이 됩니다.

학교민주주의는 학생, 교사, 학부모의 의견을 중시하는 학교 풍토를 의미하기에 각 주체가 학교에 대해 주인의식을 가지게 될 것입니다. 각자 학교에서 느끼는 문제점을 이야기함으로써 교육과정의 문제를 정확하게 진단할 수 있고, 극복 방안을 토론함으로써 발전적인 교육과정을 만들 수 있을 것입니다.

교육 주체들의 자발적 협력을 통해 민주적 학교 분위기가 자라나는 학교를 만들 수 있도록 교실에서 먼저 노력하겠습니다. 이상입니다.

즉답형 1

키워드 | #비민주적 요소 해결 방안

해설

비민주적인 요소를 수업, 생활교육, 환경의 측면에서 이야기하고 해결 방안의 개수가 정해져 있는 등 조건이 많은 문제이다. 긴장되는 상황 속에서 문제의 조건을 놓치지 않도록 조심하자. 문제에서 해결 방안을 3가지 말하라는 언급이 있을 때는 명확하게 '첫째, 둘째, 셋째'로 구분하는 것이 좋다.

예시 답변

즉답형 1번 답변드리겠습니다.

제가 생각하는 교실 내 비민주적 요소는 다음과 같습니다. 교사 중심의 수업, 학급 규칙, 청소당번 등의 역할을 교사가 부여하고 고정하는 문제입니다. 최근에 교생실습으로 학교에서 생활하며 아직도 비민주적 요소가 남아 있다는 것을 알 수 있었습니다. 이를 해결하기 위해 다음과 같이 노력하겠습니다. 첫째, 교사 중심에서 학생 중심 수업으로 바꿔나가겠습니다. 이를 원활하게 하기 위해 동료 교사들과의 집단지성으로 연구해 학생들 간의 협력과 창의성을 기를 수 있는 수업을 구성하겠습니다. 둘째, 학급회의를 통해 학급 규칙을 정하겠습니다. 학생들의 손으로 만든 규칙이니만큼 책임감도 키울 수 있을 것입니다. 셋째, 청소당번 등 교실 내에서 역할은 단순히 번호순으로 한다거나 교사가 일방적으로 규정하지 않고 자신이 잘하는 분야의 1인 1역에 참여할 수 있게끔 의견을 공유하며 환경을 바꾸어 나가겠습니다.

이렇게 한다면 수업, 생활, 환경 측면에서 민주적인 교실로 성장할 수 있을 것입니다. 이상입니다.

즉답형 2

키워드 | #가정폭력·아동학대 학생 지도

해설

교사는 아동학대에 대한 신고 의무가 있다. 정당한 사유 없이 관련 기관에 신고하지 않을 경우 과태료에 처하므로 이 점을 언급해야 한다. 또한 이러한 제도뿐 아니라 학생의 상처를 어루만지고 향후 지속적인 관심을 갖는다는 내용을 말해야만 경기형 교사에 적합하다.

예시 답변

즉답형 2번 답변드리겠습니다.

가정폭력, 아동학대가 의심되는 학생이 있을 때 교사의 행동 조치를 두 가지 말씀드리겠습니다. 첫째, 의심 사례를 발견한 즉시 경찰에 신고하도록 하겠습니다. 교사는 가정폭력이나 아동학대 의심 사례가 발생했을 때 반드시 신고해야 하는 의무가 있습니다. 따라서 의심 징후를 발견한 경우 즉시 경찰에 알리고 아동학대나 가정폭력 조사에 적극 협조하도록 하겠습니다. 둘째, 해당 학생에 대해 지속적으로 관심을 갖도록 하겠습니다. 경찰 조사와 별개로 학생에게 다가가 현재 상황에서의 어려움을 물어보고 학생의 아픔에 공감해 줌으로써 학생의 상처가 아물 수 있도록 노력하겠습니다.

아동학대나 가정폭력 의심 사례가 발견됐을 때 학생에게 정서적으로 다가가면서도 절차를 준수하는 교사가 될 수 있도록 노력하겠습니다. 이상입니다.

자기 평가	
체감 난도	ⓢ ⓜ ⓗ ➜ 원인 파악:
답변을 잘한 문제	
부족한 문제	
보완 계획	
스터디원의 핵심 피드백 내용	

2017학년도

| 구상형 |

1. 제시된 시를 자신의 교직관과 관련지어 분석하고, 이를 교직에서 어떻게 실현할 것인지 구체적인 실천 방안을 말하시오.

> 똑같아요.
>
>   – 심층면
>
> 햇살 같은 선생님이 웃어주면
> 나도 해님이 되고
> 바다 같은 선생님과 함께하면
> 나는 고래가 돼요

2. 제시된 자료에서 알 수 있는 문제점과 해결 방안을 제시하시오.

자료 1

경기도교육청에서는 학교민주주의 지수를 조사했다. 그 결과 A 학교에서 교원 만족도 86%, 학생 만족도 64%가 나왔다.

자료 2

경기도교육청에서 학생들을 대상으로 조사한 설문이다.

존중 지수 2.9	배려 지수 3.4	공감 지수 1.9

* 5점 만점

학생 간 갈등 발생 시 도움을 청할 곳은?

있다 25%	모르겠다 10%	없다 65%

| 즉답형 |

1. 아침맞이의 긍정적 효과와 교사로서 어떤 아침맞이를 할 것인지 말하시오.
2. 성장 과정에서 겪은 어려움을 협업으로 해결한 경험을 말하시오.

구상하기

🎯 해설 및 예시 답변

구상형 1

키워드 | #교직관 #시의 의미 #실행 방안

해설

이 시는 교사의 선한 영향력의 중요성에 관한 시이다. 제시문을 그냥 준 것이 아니므로 나의 교직관과 시의 내용이 같은 방향을 바라보게끔 해야 한다. 교직관이 나왔으니 시 주제와 같이 학창 시절 선생님께 받은 긍정적 영향력에 관한 경험을 곁들이면 좋을 것이다.

예시 답변

구상형 1번 답변드리겠습니다.

이 시는 교사와 학생의 관계를 은유적으로 표현하고 있습니다. "햇살 같은 선생님"과 "바다 같은 선생님"은 각각 따뜻함과 포용력을 상징합니다. 학생은 이러한 교사를 통해 정서적 성장을 하고, 잠재력을 발견할 수 있음을 보여줍니다. 즉, 교사의 태도와 행동이 학생의 정서와 자아 형성에 얼마나 큰 영향을 미치는지를 강조하고 있습니다.

저는 이 시를 통해 교사의 역할은 단순히 지식을 전달하는 것에 그치지 않고, 학생들을 정서적으로 지지하고 잠재력을 발휘할 수 있도록 돕는 것이라는 저의 교직관을 다시 한번 확신했습니다. 이를 실현하기 위한 구체적인 실천 방안을 말씀드리겠습니다.

첫째, 학생들과 긍정적인 관계를 형성하겠습니다. 일상적인 상호작용에서 긍정적인 언어와 태도를 통해 학생들이 존중받는다고 느끼도록 하겠습니다. 이는 학생들의 자존감을 높이고, 교실 환경을 더 따뜻하고 안전한 공간으로 만드는 데 이바지할 것입니다. 둘째, 개별적 관심을 보이고 지지하겠습니다. 모든 학생은 저마다의 재능과 관심사를 가지고 있습니다. 학생의 장점이나 잠재력을 발견했을 때 이를 적극적으로 칭찬하고 격려해 학생들이 자신의 장점을 발견하고 발전시킬 수 있도록 돕겠습니다. 마지막으로 학생들과 자주 소통하겠습니다. 학생들이 자신의 의견과 생각을 자유롭게 표현할 수 있는 학급회의를 개최하거나 학급 소리함을 설치해 학생들의 목소리에 귀 기울이겠습니다. 학생들의 이야기를 진지하게 들어주고, 그들의 감정을 존중하는 모습을 보여줄 때 학생들은 교사를 신뢰할 것입니다.

이러한 실천 방안을 통해 학생들은 교사와의 관계 속에서 긍정적인 에너지를 얻고, 자신감을 가지고 성장할 수 있을 것입니다. 시에서처럼, 학생들이 "해님"이나 "고래"가 돼 자신의 길을 당당하게 걸어갈 수 있도록 지지하고 이끌어주는 것이 제 교직관의 핵심입니다. 이상입니다.

구상형 2

키워드 | #학교민주주의 문제점 #해결 방안

해설

제시문에서 존중, 배려, 공감이란 키워드가 나왔기에 이를 포함해야 한다. '자료 1에서는~', '자료 2에서는~'이라는 표현과 구체적인 수치를 통해 제시문을 정확하게 파악했음을 드러내자.

예시 답변

구상형 2번 답변드리겠습니다.

제시된 자료는 교사와 학생의 학교민주주의 지수와 학생들을 대상으로 진행한 설문의 내용을 보여주고 있습니다. 자료 1에서 학생들은 교사보다 학교민주주의 지수가 20%가량 낮게 나왔으며, 자료 2에서는 학생들의 존중, 배려, 공감 지수가 현저히 낮고 갈등 발생 시 도움을 청할 곳이 없거나 모른다는 비율이 75%로 과반수를 넘어가는 모습을 보여주고 있습니다. 즉, 제시된 자료에서 알 수 있는 문제점은 학생들은 학교에서 존중, 배려, 공감을 크게 느끼지 못하며, 학교를 신뢰하지 못하는 모습을 보인다는 것입니다. 그 원인은 담임교사가 원활한 지도를 위해 학급 경영방침을 만들어 학생들의 목소리를 듣지 못하는 경우나 줄 세우기식 평가로 인한 개인주의의 대두 때문이라고 생각합니다.

이 문제를 해결하기 위한 방안은 다음과 같습니다. 첫째, 학급회의를 상시 개최해 구성원의 의견을 듣겠습니다. 나아가 소통 우체통 및 온라인 비밀 상담방 등을 개설해 자신의 의견을 말하고 이것이 반영될 수 있도록 할 것입니다. 둘째, 학생들이 서로 존중하고 배려하며 공감할 수 있도록 소모둠을 만들어 학습 및 생활 부분에서 협력할 수 있게 하겠습니다. 평가 역시 등수가 아닌 개인의 성장을 목표로 하는 성장중심평가가 이루어지도록 하겠습니다. 마지막으로 주기적인 1:1 상담으로 학생들의 고민을 미리 파악하고 또래 상담 도우미 등을 만들어 교사와 나누기 어려운 이야기는 친구들과 해결할 수 있도록 해 도움을 요청할 수 있는 분위기를 만들겠습니다. 그 밑바탕에는 교사에 대한 신뢰와 믿음이 있어야 한다고 생각합니다. 항상 학생들을 관찰하고 먼저 다가가는 교사가 될 것입니다. 이렇게 한다면 민주주의 지수가 상승해 자료 1의 문제를 해결할 수 있고, 배려와 존중, 공감의 문화가 자리 잡아 자료 2의 문제도 해결할 수 있을 것입니다. 이상입니다.

즉답형 1

키워드 #아침맞이 효과와 방안

해설

아침맞이의 긍정적 효과와 아침맞이의 방안을 묻고 있지만, 사실상 경기교육의 추구 방향, 수험생의 교직관을 묻는 문제라고 할 수 있다. 학생이 중심이 되는 경기교육의 목표를 담아서 수험생의 교직관을 녹여낸 방안을 고민해 보자. 이를 위해 학생의 이름을 불러주며 인사하기, 아침 컨디션 묻기, 따뜻하게 안아주기, 준비물 등 무거운 것을 들고 있으면 함께 들기 등등 교사의 따뜻함을 보여줄 방안을 이야기하면 좋다. 또한 개인의 경험을 넣으면 신뢰감을 부여하고 인간적인 매력을 어필할 수 있다. 평소에 교사의 입장에서 학급 학생들과 어떤 교실을 만들고 싶은지 틈틈이 생각해 보자.

예시 답변

즉답형 1번 답변드리겠습니다.

아침맞이는 학생에게 먼저 다가감으로써 하루를 즐겁게 시작하는 기억이 될 수 있습니다. 저는 고등학생 때 교장 선생님께서 교문 앞에서 따뜻한 인사를 건네주시고 이름을 불러주셨던 경험이 있습니다. 입학할 때에는 교장 선생님의 인사가 어색하게 느껴졌지만, 어느 날부터 교장 선생님께서 먼저 저에게 말을 건네주시는 걸 기다리는 모습을 볼 수 있었습니다. 저의 기억에서처럼 아침맞이의 긍정적 효과는 학생들에게 기분 좋은 경험을 심어줌으로써 하루를 즐겁고 행복하게 보낼 수 있다는 것입니다.

기분 좋은 아침맞이를 위한 방안을 두 가지 말씀드리겠습니다. 첫째, '오늘의 노래'를 선정해 학생들과 함께 특색 있는 아침맞이를 진행하겠습니다. 아침은 하루를 시작하는 시간이기도 하지만 잠에서 깬 지 얼마 지나지 않아 침체돼 있는 시간이기도 합니다. 조회 시간 전에 노래를 틀어 놓고 색다른 하루를 시작한다면 학생들은 활력 넘치는 하루를 보낼 수 있을 것입니다. 또한, 학생들이 좋아하는 노래를 직접 소개하고 함께 감상함으로써 학생들의 소통 역량과 심미적 역량까지 향상될 수 있을 것입니다. 둘째, 아침 목표 세우기 활동을 하도록 하겠습니다. 교사와 학생이 함께 오늘의 다짐이나 목표를 정함으로써 자신의 계획을 정비하고 하루를 보람차게 보낼 수 있도록 노력하겠습니다.

기분 좋은 아침맞이를 통해 학생들의 즐거움이 방과 후에도 이어질 수 있도록 하는 행복한 교실을 만들도록 하겠습니다. 이상입니다.

즉답형 2

키워드 #협업 경험

해설

교직관 유형의 전형적인 패턴이다. 경험–교직관–실천 계획까지 일체화해 언급하자.

예시 답변

즉답형 2번 답변드리겠습니다.

저는 고등학교 1학년 때 체육대회 입장 퍼포먼스 준비로 힘들었던 경험이 있습니다. 저는 내향적인 학생이었고, 춤을 잘 추지 못해 퍼포먼스를 익히는 것이 어려워 심리적 부담감이 컸습니다. 학급에는 저와 같은 부담감을 느끼는 친구가 몇 명 있었고, 반장의 의견으로 소규모 멘토링을 방과 후에 진행하게 됐습니다. 처음에는 추가 연습이 부끄럽기도 했지만 반장과 아이들이 동작 하나하나를 설명해 주고 끊임없는 격려와 칭찬을 해준 덕분에 퍼포먼스 준비를 포기하지 않고 마무리할 수 있었습니다. 담임 선생님께서도 매번 추가 연습하는 저희를 끝까지 지켜봐 주시면서 응원해 주셨습니다. 덕분에 체육대회 퍼포먼스 준비는 잘 마무리됐고, 학급 친구들과 땀을 흘리며 준비했던 경험이 추억으로 남을 수 있었습니다. 이 경험을 통해 성장을 위해 협동이 필수라는 것을 다시 한번 깨달을 수 있었습니다.

앞으로 교단에 나아가서 학급 내 소그룹 멘토링을 적극 장려해 협력과 성장이 넘치는 교실을 만들고 싶습니다. 이상입니다.

자기 평가	
체감 난도	상 중 하 ➜ 원인 파악:
답변을 잘한 문제	
부족한 문제	
보완 계획	
스터디원의 핵심 피드백 내용	

2016학년도

| 구상형 |

1. 수험생 본인의 교육철학과 이를 학교 현장에서 어떻게 실천해 나갈 것인지 말하시오.

2. 경기 정책 중 공감 가는 것을 한 가지 말하고 실현 방안을 말하시오.

| 즉답형 |

1. 교육 봉사를 통해 깨달은 점을 말하시오.

2. 배움에 흥미와 의지가 없는 학생을 위해 어떠한 노력을 할 것인지 말하시오.

구상하기

🎯 해설 및 예시 답변

구상형 1

키워드 **#교육철학 #현장 실천 방안**

해설

1번과 같은 교직관 문제는 '경험-교직관-실천 방안' 3가지가 한 세트이다. 교육철학을 정립하게 된 계기, 즉 관련 경험을 묻지 않았어도 간략하게 언급한다면, 진솔한 교사임을 어필할 수 있다.

예시 답변

구상형 1번 답변드리겠습니다.

저의 교직관은 '학생과 많은 대화를 나누며 함께 성장하는 교사'가 되는 것입니다. 교생 실습 때 담당 선생님의 추천으로 학급 학생들과 1:1 상담을 하게 됐는데, 진솔한 이야기를 서로 나누는 과정에서 저 역시 성장하는 것을 경험했습니다. 그때부터 이런 교육철학이 더욱 굳건해졌습니다.

저는 이러한 저의 교육철학을 현장에서 실천할 방안 3가지를 말씀드리겠습니다. 첫째, 민주적인 학급회의를 개최하겠습니다. 교실에서 제가 일방적으로 무언가를 결정하는 것이 아닌 학생들과의 소통과 회의로 학급에 필요한 사항을 결정하겠습니다. 둘째, 학기별 2번 이상 개별 상담을 하겠습니다. 개별 학생과 소통하며, 학생들에게 필요한 교육적 조치와 정서적 안정을 제공하겠습니다. 마지막으로, 방학 때 손편지를 주고받겠습니다. 기계화가 만연해지며 간단한 이모티콘, 좋아요 표시 등으로 감정을 표현하는 일이 보편적이다 보니 속마음을 진솔하게 표현할 기회가 부족하다고 생각합니다. 방학 시간을 활용해 학생들과 편지를 주고받으며, 따뜻한 대화를 나누는 교사가 되고 싶습니다.

학생들과의 대화를 통해 서로 성장하고 사제 간의 정을 나누는 따뜻한 교사가 되겠습니다. 이상입니다.

구상형 2

키워드 **#경기 정책 #실현 방안**

해설

여러 개 중 하나를 선택하는 문제는 반드시 '이유'를 밝히자고 말씀드렸다. 그래야만 나의 답변에 타당성과 신뢰감을 부여할 수 있을 것이다. 실천 방안은 구체적이고 현장성이 있어야 하며, 마지막으로 기대효과를 넣는다면 완전한 답변 구조로 설득력을 줄 수 있다.

예시 답변

구상형 2번 답변드리겠습니다.

저는 교사와 학생이 소통을 통해 함께 성장하는 교실을 꿈꾸고 있습니다. 교사와 학생이 함께 성장하는 교실을 만들기 위해서 제가 공감하는 경기 정책은 배움중심수업입니다. 배움중심수업은 학생이 배움의 주체가 돼 삶의 역량을 기르는 자발적이고 협력적 배움이 일어나는 수업입니다. 배움중심수업에 공감하는 이유는 점차 기계화와 4차 산업혁명이 만연해지는 사회 속에서 학생 스스로가 배워가는 역량이 중요하기 때문입니다.

배움중심수업을 학교 수업에서 실현하기 위한 방안을 교과교사 측면에서 한 가지, 담임교사 측면에서 한 가지 말씀드리겠습니다. 첫째, 교과교사로서 수업 시간에 학생 주도형 프로젝트 수업을 운영하겠습니다. 학생 주도형 프로젝트 수업은 학생이 스스로 관심 있는 주제를 탐구하고 같은 관심사를 가진 친구들이 협력을 통해 문제를 해결해 나가는 배움중심수업의 일종입니다. 학생들은 스스로 문제를 해결해 나감으로써 성취감과 탐구의 즐거움을 느낄 수 있을 것입니다. 두 번째로, 담임교사로서 1인 1부서 활동을 통해 학생들이 주체적으로 참여하는 교실을 만들도록 하겠습니다. 학습부, 체육부, 이벤트부 등 학생들의 의견을 바탕으로 다양한 부서를 만들고 학급 행사를 시행함으로써 학급에 대한 주인의식을 가질 수 있게 하겠습니다.

학생들이 자발성과 협력을 통해 성장하는 배움중심수업을 실천하는 교사가 되도록 노력하겠습니다. 이상입니다.

💡 배움중심수업은 이재정 전 교육감 시절의 정책이다.

즉답형 1

키워드 **#교육 봉사 #깨달은 점**

해설

구상형 1번과 같은 유형이다. '교육 경험–깨달은 점(교직관)–실천 방안'이 한 세트인 것을 잊지 말자. 깨달음은 '교육적 깨달음'을 말해야 출제 의도를 정확하게 간파한 것이다.

예시 답변

즉답형 1번 답변드리겠습니다.

저는 대학 시절 교육 봉사 활동을 하며 지역사회의 다양한 배경을 가진 학생들과 함께 학습하는 경험을 쌓았습니다. 그 과정에서 몇 가지 중요한 깨달음을 얻을 수 있었습니다.

첫째, 모든 학생은 다르다는 점입니다. 교육 봉사 활동에서 만난 학생들은 학습 스타일, 흥미, 성취도 등이 매우 다양했습니다. 같은 내용을 가르치더라도 어떤 학생은 쉽게 이해하는 반면, 다른 학생은 어려움을 겪는 모습을 보았습니다. 이 경험을 통해, 학생들의 개별적 차이를 존중하고 그에 맞춘 다양한 교수 방법을 적용하는 것의 중요성을 깨달을 수 있었습니다. 둘째, 교사의 역할은 단순한 지식 전달자가 아니라는 점입니다. 봉사 활동 중 저는 학업뿐만 아니라 학생들의 정서적 지원도 중요하다는 것을 느꼈습니다. 어떤 학생들은 가정 문제나 친구 관계에서 어려움을 겪고 있었고, 이러한 문제들이 학습에 영향을 미친다는 것을 알게 됐습니다. 교사는 학생들의 전반적인 삶에 관심을 가지고, 그들이 어려움을 극복할 수 있도록 도와주는 조력자 역할도 해야 한다는 것을 배웠습니다. 셋째, 작은 변화가 큰 영향을 줄 수 있다는 점입니다. 봉사 활동을 통해 제가 제공한 작은 도움이나 격려가 학생들에게 큰 힘이 될 수 있다는 것을 경험했습니다. 한 학생이 수업 시간에 자신감을 느끼지 못해 질문에 대한 답변을 꺼렸는데, 제가 작은 칭찬과 격려를 해준 후 그 학생이 조금씩 답변하기 시작했습니다. 이런 경험을 통해 교사의 작은 행동 하나하나가 학생들의 자신감과 태도에 큰 영향을 미칠 수 있다는 것을 깨닫게 됐습니다.

이러한 깨달음은 제가 앞으로 교사로서 학생들을 대할 때 중요한 지침이 될 것입니다. 저는 모든 학생을 개별적으로 이해하고, 그들에게 맞춤 교육을 제공하며, 정서적 지원과 격려를 통해 학생들이 성장할 수 있도록 도울 것입니다. 또한, 작은 변화와 격려가 학생들에게 큰 영향을 미칠 수 있다는 것을 항상 염두에 두고, 긍정적인 변화를 일으킬 수 있는 교사가 되기 위해 노력할 것입니다. 이상입니다.

즉답형 2

키워드 **#배움에 의지가 없는 학생을 위한 노력 방안**

해설

경기도가 좋아하는 단어를 사용해 보자. 학생과의 개인 상담, 교육공동체와의 연대적 해결, 자존감을 높일 수 있는 작은 성취과제 부여하기, 또래 도우미 활동하기 등 개별적 관심, 공동체적 해결이라는 포인트를 넣으면 좋다. 그리고 이와 관련된 개인 경험이 있다면 덧붙여 보자. 따뜻한 교사, 신뢰감 있는 교사라는 인상을 줄 수 있을 것이다.

예시 답변

즉답형 2번 답변드리겠습니다.

하나의 교실에는 30명의 다른 아이들이 있습니다. 배움의 속도가 빠른 아이와 느린 아이, 공부를 좋아하는 아이와 싫어하는 아이 등 다양한 아이들이 있을 것입니다. 단 한 명도 포기하지 않는 경기교육을 실현하기 위해서 배움에 흥미와 의지가 없는 학생들을 끌어주는 것이 중요합니다. 저는 배움에 흥미와 의지가 없는 학생들을 위해 두 가지 노력을 하도록 하겠습니다. 첫 번째, 학생과 개별 상담을 통해 학생이 배움에 어려움을 느끼는 요인을 찾아보겠습니다. 학생이 배움에 어려움을 느끼는 요인은 내용 난도의 문제일 수도, 흥미 있는 자료가 부족해서일 수도 있습니다. 따라서 개별 상담을 통해 그 학생이 좋아하는 것은 무엇인지 물어보고 현재 학생의 상황을 정확하게 진단하도록 하겠습니다. 이때 학생의 가정과도 연계해 상담을 진행함으로써 학생의 전반적인 상황을 이해하도록 노력하겠습니다. 둘째, '1그룹 1목표 프로젝트'를 실시하겠습니다. 배움에 흥미와 의지가 없는 학생은 지금까지의 성공 경험이 부족한 경우가 많습니다. 따라서 학생에게 성공 경험을 단계적으로 제공해 줌으로써 배움의 즐거움을 느끼도록 도와주겠습니다. 먼저 교실 내 관심사가 비슷한 학생들을 묶어서 그룹을 조직하고, 그룹마다 목표 달성을 할 수 있도록 구체적인 활동 내용을 설정하도록 하겠습니다. 학생은 자신과 비슷한 관심사를 가진 아이들과 소통하면서 즐거움을 느끼고, 본인이 속한 그룹이 달성한 내용에 대해 성취감을 느낄 수 있을 것입니다. 또한, 교사는 그룹별로 달성 내용에 대해 피드백을 줌으로써 학생들을 독려하고 성공 경험을 제공할 필요가 있습니다.

학생들에 대한 지속적인 관심을 통해 단 한 명의 학생도 포기하지 않고 학생과 함께 성장하는 교사가 되도록 노력하겠습니다. 이상입니다.

자기 평가	
체감 난도	⑤ ⑨ ⑯ ➡ 원인 파악:
답변을 잘한 문제	
부족한 문제	
보완 계획	
스터디원의 핵심 피드백 내용	

(2) 중등

2020학년도

| 구상형 |

1. 다음은 A 학교의 급식실 질서에 관한 설문조사 결과이다. 설문조사에서 보이는 문제를 해결할 방안을 제시하시오.

| 교사 | 매우 잘 지켜짐 | 잘 지켜짐 | 보통 | 안 지켜짐 | 매우 안 지켜짐 |
| 학생 | 매우 잘 지켜짐 | 잘 지켜짐 | 보통 | 안 지켜짐 | 매우 안 지켜짐 |

2. A 학생의 상황을 보고, A 학생을 지원할 수 있는 방안을 제시하시오.

> **A 학생의 상황**
> • 학교생활에 전반적으로 흥미가 없음
> • 4월 ○일: 기초학력검사 결과, 기초학력 미달됨
> • 6월 ○일: 자해 시도함

| 즉답형 |

1. 상황별 개인정보 보호법 위반 여부를 말하시오.

> • 사례 1: 업무 일지에 학생 신상정보를 기입하고 이를 토대로 상담을 진행한 경우
> • 사례 2: 학부모회 대표 학부모에게 다른 회원들의 번호를 공유한 경우
> • 사례 3: 학급 게시판에 잘한 학생, 못한 학생 이름을 '김○호' 등으로 표시하여 게시한 경우

2. 모둠 활동 시 무임승차 발생으로 인한 문제점과 해결 방법을 제시하시오.

구상하기

🎯 해설 및 예시 답변

구상형 1

키워드 #급식실 무질서 해결 방안

해설

학교에서 발생하는 문제 상황을 해결하기 위해 학생, 학부모, 교사 등 학교 주체들이 함께 협력하는 방안을 고민해 보자.

예시 답변

구상형 1번 답변드리겠습니다.

제시문을 통해 교사와 학생 모두가 급식 질서에 대해 부정적으로 인식하고 있음을 알 수 있습니다. 이를 해결하기 위해 저는 교육공동체 대토론회를 열겠습니다. 그 전에 교사와 학생 각 주체별로 토론회를 먼저 열어야 한다고 생각합니다. 토론회를 통해서 문제 실태를 다시 한번 확인하고, 문제의 원인을 모색해야 합니다. 또한 그 원인에 대한 해결책을 찾고 스스로 이를 위반했을 때 어떻게 할 것인지 슬기로운 급식생활 협약을 제정하도록 할 것입니다. 그리고 이를 학부모님에게 SNS나 가정통신문 등을 통해 알려드림으로써, 가정에서도 식사 예절 지도가 이루어질 수 있도록 연계하겠습니다. 그리고 이후 후속 상황 또한 전달해 가정에서 잘 알 수 있도록 하겠습니다. 이렇게 한다면, 학생들의 의견을 물어보고 수렴하는 과정을 통해 질서 유지에 동참할 수 있을 것이며, 가정과의 연계를 통해 급식실 무질서 문제를 해결할 뿐 아니라 올바른 식사 예절을 자연스럽게 형성할 수 있을 것이라고 생각합니다. 이상입니다.

구상형 2

키워드 #학력 미달 #학업 무흥미 #자해 시도 #지도 방안

해설

특정 상황(조건)이 제시되는 문제는 먼저 꼼꼼히 상황의 내용을 파악하자.

예시 답변

구상형 2번 답변드리겠습니다.

현재 A는 학교생활에 흥미가 없으며, 기초학력이 부족하고 자해를 시도했다는 점에서 심리적으로 매우 불안한 상황으로 볼 수 있습니다. A의 상황에 대한 지도 방안을 3가지 측면에서 말씀드리도록 하겠습니다. 첫째, A의 어려움은 학기 초부터 이어지고 있으므로 학생의 심리적 상태를 정확하게 진단하는 과정이 필요합니다. 먼저, A의 현재 관심사를 묻고 공감함으로써 학생과 라포르를 형성해 학교생활에 흥미가 없는 이유를 파악할 필요가 있습니다. 나아가, 작년 담임교사와의 면담, 학부모 상담으로 A를 이해하는 과정이 동반돼야 합니다. 둘째, 기초학력 미달과 관련해서 지원이 필요합니다. 학급 내 또래 도우미를 설정해 A가 친구들과 어울리는 경험을 통해 학습에 지원을 받을 수 있습니다. 또한, 교사도 계속 개별적으로 작은 과제물을 부여하고 A에 대한 피드백을 제공함으로써 작은 성취감을 단계적으로 맛보게 할 수 있습니다. 셋째, 자해 시도에 대해서는 전문상담교사와 연계할 필요가 있습니다. 자해 시도는 그 원인을 면밀히 파악한 후 교사가 메시지 등으로 지속적인 관심을 표하고, 상황이 심각할 경우 Wee클래스에 협조를 구해 심리 상담을 병행해야 합니다. 또한 가정과의 연대가 중요하기 때문에 가정에서의 A는 어떠한지 물어봄으로써 지속적으로 관심을 표현하는 모습이 필요할 것입니다.

학생의 상황을 다양한 측면에서 살펴보고 지속적인 관심을 표현하면서 단 한 명의 아이도 포기하지 않는 교육을 실현하기 위해 노력하겠습니다. 이상입니다.

즉답형 1

키워드 #개인정보 보호법 위반 판단

해설

학교에서는 학기 초 '개인정보 수집 및 이용 동의서'와 '학생상담 및 상담기록에 대한 개인정보 동의서'를 걷는데, 이는 이용 목적에 한정해 개인정보를 수집하는 것에 동의를 구하는 것이다. 목적 외에 개인정보를 사용할 경우에는 따로 동의 절차를 구해야 한다. 문제에서는 목적이 제시돼 있지 않으므로 상황을 어떻게 해석하느냐에 따라 답이 다르게 제시될 수 있다. 실제 시험에서도 자신이 생각한 근거를 명확하게 제시하고 근거에 따라 답변을 했다면 어떤 답을 해도 큰 감점이 없었다. 3가지 사례를 문제의 조건에 따라 상황 / 개인정보로 나누어 보면 다음과 같다.

• 사례 1: 업무 일지에 기록하고 상담(상황) / 신상정보(개인정보)
• 사례 2: 학부모회 대표에게 회원의 전화번호 전달(상황) / 전화번호(개인정보)
• 사례 3: 학급 게시판에 잘한 학생, 못한 학생 이름 게시(상황) / 일부 가려진 이름(개인정보)

문제와 관련된 개인정보 보호법에 대해 살펴보자.

구분	개인정보 목록 및 법적 근거	항목 및 목적	개인정보
사례 1, 3	학교생활기록부, 성적 (초·중등교육법 제25조)	학생 상담, 학생 관리	인적사항, 주소 등
사례 2	학교운영위원회 명부 (초·중등교육법 제34조, 초·중등교육법 시행령 제62조)	학부모회 가입자 정보, 학부모회 구성 및 운영	이름, 전화번호

이에 따라 학생의 인적사항(사례 1), 학부모 전화번호(사례 2), 이름(사례 3)을 학교 차원에서 수집하는 것은 합법이다. 위반 여부를 알기 위해서는 상황과 목적에 초점을 맞추어야 하지만, 목적이 문제에 제시되지 않았기 때문에 상황을 통해 유추해 답변해야 한다.

예시 답변

즉답형 1번 문제 답변드리겠습니다.

개인정보는 동의를 구하고, 목적에 맞게 사용해야만 합니다. 동의와 목적에 초점을 맞춰 답변드리겠습니다.
사례 1은 학기 초 개인정보 수집 동의서에 동의했다는 가정하에 원래 목적인 개인 상담을 이유로 개인정보를 사용한 경우이기 때문에 개인정보 보호법에 위반되지 않습니다. 사례 2는 학부모회 구성 및 운영을 목적으로 정보수집동의서를 받아 정보 수집을 했고 이 목적으로 공유를 했다면 개인정보 보호법 위반이 아닙니다. 다만, 이 문장 속에는 어떤 목적으로 사용했는지 명확하게 제시돼 있지 않기 때문에 법 위반으로 해석할 수도 있습니다. 운영 목적이 아닌 개인적인 사유로 동의 없이 번호를 제공하는 것은 법 위반입니다. 마지막 사례 3은 목적에 적합하지 않을뿐더러 교육적으로도 부적합합니다. 이름을 가명 처리했다고 하지만 학급 내 제한된 인원 중 이름의 한 글자를 지우고 공개했다는 것은 특정할 수 있는 정보이기에 개인정보 보호법을 위반했다고 해석할 수 있습니다.
현장에 나아가 개인정보 보호법을 이해하고, 주의해 사용하는 교사가 되겠습니다. 이상입니다.

즉답형 2

키워드 #무임승차 문제 분석 #해결 방안

해설
모둠 활동에 참여한 학생과 참여하지 않는 학생을 두루 고려한 방안을 제시하면 교직 전문성을 드러낼 수 있다.

예시 답변
즉답형 2번 답변드리겠습니다.

모둠 활동 시 무임승차 발생으로 인한 문제점을 말씀드리겠습니다. 먼저, 공정성 문제가 있습니다. 모둠 내에서 몇몇 학생은 열심히 노력하는 반면, 일부 학생은 이바지하지 않고도 동일한 평가를 받게 되면, 열심히 참여한 학생들이 불공평하다고 느끼게 됩니다. 이는 학습 동기의 저하로 이어질 수 있습니다. 또한, 무임승차를 한 학생은 학습 기회를 놓치게 돼 자신의 역량을 충분히 발휘하지 못하고 책임감을 기르는 데도 방해가 됩니다. 이러한 무임승차 문제를 예방할 방안을 말씀드리겠습니다.

먼저, 모둠 활동을 시작하기 전에 책임감과 협력의 중요성에 대해 교육하겠습니다. 무임승차가 단순한 게으름이나 무관심을 넘어, 다른 친구들에게 피해를 줄 수 있는 행동임을 이해하게 하고, 모둠 활동을 단순히 점수를 얻기 위한 활동이 아니라, 함께 성장하는 기회로 인식하게 만들겠습니다.

다음으로 모둠 내에서 학생 각자에게 구체적인 역할과 책임을 부여하겠습니다. 역할이 명확히 나뉘어 있으면 무임승차 가능성이 줄어들고, 학생은 자신이 맡은 임무를 수행해야 한다는 책임감을 느낄 수 있습니다. 또한 모둠 전체에 동일한 점수를 부여하는 대신, 개별 평가를 병행하겠습니다. 각 학생이 모둠 활동에 어떤 이바지를 했는지 기록하게 하거나, 모둠 구성원끼리 동료 평가를 하도록 하겠습니다. 이를 통해 무임승차를 줄이고, 각자의 공헌도에 따른 공정한 평가를 할 수 있습니다.

모둠 활동 중간에 교사가 각 모둠을 돌아다니며 진행 상황을 점검하고, 학생들에게 정기적인 피드백을 제공하는 일도 신경 쓰겠습니다. 이 과정에서 무임승차가 감지되면 조기에 바로잡을 수 있기 때문입니다. 또한, 학생들에게 건설적인 피드백을 제공해 자신의 역할을 보다 충실히 수행하도록 유도할 수 있습니다.

마지막으로, 활동이 끝난 후, 학생들이 자신과 모둠원들의 활동에 대해 평가하도록 하겠습니다. 자기 평가를 통해 자신이 어떤 부분에서 이바지했는지 성찰하게 하고, 상호 평가를 통해 다른 학생들이 자신의 기여도를 어떻게 인식하는지도 파악하게 합니다. 이를 통해 무임승차의 부정적인 영향을 줄이고, 모든 학생이 더 적극적으로 참여할 수 있는 동기를 부여할 수 있을 것입니다.

이러한 방안을 통해 모둠 활동 시 무임승차 문제를 줄이고, 모든 학생이 적극적으로 참여하며 공정한 학습 환경을 조성할 수 있을 것입니다. 이상입니다.

자기 평가	
체감 난도	ⓢ ⓜ ⓗ ➜ 원인 파악:
답변을 잘한 문제	
부족한 문제	
보완 계획	
스터디원의 핵심 피드백 내용	

2019학년도

| 구상형 |

1. 학생들의 참여와 소통이 중요한 가운데, 우리 학급 학생들은 개별 학습은 적극적이고 성취도가 높지만 협동 학습은 참여도가 낮다고 교과 선생님들이 말해주신다. 담임으로서 협동을 활성화 할 방안을 3가지 말하시오.

2. 학교에서는 수학능력시험 후나 학년말 고사가 끝난 후 다양한 프로그램을 운영하고 있다. 전환기 교육을 운영하는 방안을 말하시오.

| 즉답형 |

1. 학생과 함께하는 민주시민교육 방안을 학급 활동과 교과교육 측면에서 각각 1가지씩 제시하시오.

2. 독서교육의 필요성과 교과와 연계한 독서교육 활성화 방안을 말하시오.

구상하기

🎯 해설 및 예시 답변

구상형 1

키워드 **#협동 학습 방안**

해설

학생들에게 먼저 협동의 중요성을 깨닫게 해주는 과정이 필요하다. 학급회의 및 교사의 훈화 등으로 스스로 깨닫게 하는 과정이 있어야만 어떤 프로그램이든 참여가 원활할 것이다. 그 이후 학생들이 주도적으로 협동을 체화할 수 있도록 학급 단합대회 개최, 학습 멘토-멘티 등 다양한 활동을 기획한다.

예시 답변

구상형 1번 답변드리겠습니다.

사회가 발전하고 개인주의가 팽배해지면서 공동체 생활을 위한 참여와 소통의 기술이 중요해지고 있다고 생각합니다. 현재 주어진 문제 상황은 학급 학생 개개인의 학습 성취도는 높지만, 협동은 하지 않는다는 것입니다.

해당 문제 상황을 극복하기 위해 담임교사로서 협동을 활성화할 방안을 3가지 말씀드리겠습니다. 첫째, 마니또나 미니 체육대회 등 학급 단합 프로그램을 통해 친밀한 학급 분위기를 만들도록 하겠습니다. 협동학습의 참여도가 낮은 이유는 다양하겠지만, 학급의 친밀도가 참여에 영향을 끼친다고 생각합니다. 2학년 때 학급 달력 만들기, 학급 장기 자랑 등 다양한 학급 행사를 하면서 반 친구들 모두가 친해졌던 경험이 있습니다. 학급 분위기는 곧 수업 분위기로 이어졌고, 반 친구들과 즐겁고 협력적으로 수업에 참여했었습니다. 이처럼 마니또, 미니 체육대회 등 반 학생들이 먼저 친해질 수 있는 기반을 마련해 활기찬 분위기를 만듦으로써 협동학습의 참여를 끌어내기 위한 기반을 마련하겠습니다. 둘째, 학급 내 멘토·멘티 제도를 활성화하겠습니다. 제시문 속의 학생들은 개별 학습 능력이 뛰어납니다. 저는 이러한 개별 학습 능력으로 서로에게 도움을 주는 멘토·멘티 제도를 운영하고 싶습니다. 이렇게 한다면, 학급 구성원들의 강점을 발휘하면서도 단점을 보완할 수 있을 것이고 협력으로 무언가를 성취하는 경험을 통해 유대감을 느낄 수 있을 것입니다. 셋째, 프로젝트 학습을 구성하겠습니다. 소모둠을 구성해 학급 내 문제, 지역사회 문제, 학교 문화 문제 등 다양한 주제 중 하나를 선정해 직접 문제를 조사하고, 해결 방안을 모색하며 발표하는 시간을 갖도록 하겠습니다. 하나의 프로젝트를 같이 완주하는 과정에서 학생들은 협력의 중요성을 느낄 수 있을 것입니다.

학생들과 소통하고 협력함으로써 즐거운 교실을 만들 수 있도록 노력하겠습니다. 이상입니다.

구상형 2

키워드 **#전환기 교육 방안**

해설

중학교에서 고등학교, 고등학교에서 대학교에 입학하기 직전 학교에서는 전환기 교육을 운영한다. 전환기는 학생들이 새로운 시기로 나아간다는 점에서 의미가 있다. 자신의 교직관과 각 시기의 특징을 녹여낸 교육 프로그램을 고민해 보자.

예시 답변

구상형 2번 답변드리겠습니다.

저는 고등학교 3학년 학생들을 대상으로 전환기 교육을 하고 싶습니다. 고등학교 3학년 학생들은 곧 성인이 돼 사회에 나가게 됩니다. 이 시기는 학교에서 배운 지식을 실제 생활에 적용해야 하는 중요한 시기이므로 학생들을 대상으로 노동법과 부동산 관련 법에 대한 기본적인 지식을 가르치고 싶습니다. 노동법과 부동산 관련 법에 대한 기본적인 이해는 학생들이 성인의 권리와 의무를 이해하고, 안전하고 합리적인 선택을 할 수 있도록 돕는 데 필수적이기 때문입니다.

학생들이 졸업 후 아르바이트나 첫 직장을 선택할 때, 자신의 권리와 책임을 이해하는 것은 매우 중요합니다. 노동법은 근로 시간, 임금, 휴식 시간, 해고 등의 중요한 문제들을 규정하고 있어, 이를 알지 못하면 부당한 대우를 받을 수 있습니다. 또한 고등학교 졸업 후, 학생들은 대학 진학이나 취업 등으로 인해 자취를 시작하는 경우가 많습니다. 이때, 부동산 거래의 기본적인 법적 사항을 모르면, 계약서 작성 시 불리한 조건에 동의하거나 사기 피해를 당할 위험이 큽니다. 부동산 관련 법을 교육하면 학생들이 올바른 주거지 선택과 안전한 거래를 도울 수 있습니다.

구체적인 교육 방안은 다음과 같습니다. 저는 노동법, 부동산 관련 법과 관련한 기초 상식을 강의식으로 가르친 후 학생들을 모둠으로 구성해 가상의 근로 계약서, 부동산 계약서를 작성해 보고, 서로의 계약서를 분석해 법적으로 문제가 없는지 확인하는 활동을 하고 싶습니다. 이를 통해 학생들은 체험적으로 법의 중요성을 학습할 수 있습니다. 또한 법률 안내서를 제작하게 하고 싶습니다. 학생들이 팀을 이루어, 노동법과 부동산 관련 법에 대한 간단한 안내서를 제작하는 프로젝트입니다. 이 과정을 통해 학생들은 자신이 배운 내용을 정리하고, 실생활에서 활용할 수 있는 지식을 체계적으로 습득할 수 있을 것입니다.

이와 같은 교육 방안을 통해, 학생들은 자신에게 꼭 필요한 법적 지식을 습득하고, 성인으로서의 첫 발을 보다 안전하고 확실하게 내디딜 수 있을 것입니다. 이상입니다.

즉답형 1

키워드 | #민주시민교육 #학생과 함께하는 방안

해설

참여 위주의 민주시민교육, 민주시민교육의 핵심 가치인 민주주의 이해, 갈등 조정, 합리적 의사결정, 다양성 존중을 포함해 대답해야 한다. 교과융합 시민교육, 시민 단체와 연계한 동아리 활동, 민주시민 교과서를 활용한 토의·토론 학습 등의 내용이 포함되면 좋다.

예시 답변

즉답형 1번 답변드리겠습니다.

민주시민교육은 학생들이 민주주의의 가치를 이해하고, 사회 구성원의 역할과 책임을 자각하며, 적극적인 참여와 협력을 통해 공동체에 기여할 수 있는 능력을 기르는 데 중요합니다. 학생들과 함께하는 민주시민교육 방안을 학급 운영 측면과 교과교육의 측면에서 각각 한 가지씩 말씀드리겠습니다.

먼저 학급 운영 방안입니다. 저는 학급 자치회를 활성화하겠습니다. 학급 자치회를 형식적으로 만들고 담임교사나 임원 위주로 의사결정을 하는 것이 아닌, 학생들이 학급이나 학교생활의 다양한 측면에 대한 의견을 제시하고 실제 의사결정 과정에 참여할 수 있도록 학급 자치회를 활성화하겠습니다. 정기적으로 학급회의를 개최해 학생들이 학급 운영에 관한 의견을 나누고, 문제 해결 방안을 모색하는 기회를 제공하는 것입니다. 이 과정을 통해 학생들은 자신의 의견을 표현하는 법과 타인의 의견을 존중하며 협력하는 방법을 배울 수 있고 민주적인 절차와 의사결정 과정을 체험적으로 학습할 수 있을 것입니다.

다음으로 교과 운영 방안입니다. 저는 토론 수업을 통해 민주적 가치를 깨달을 수 있는 수업을 구안하고 싶습니다. 인권, 표현의 자유, 사회적 불평등 등 성취 기준 중심의 다양한 주제를 가지고 학생들이 찬반 토론을 할 수 있게 하겠습니다. 토론 과정에서 학생들은 논리적으로 생각하는 능력을 기르고, 다양한 관점을 이해하며, 타협과 협력의 중요성을 배울 수 있을 것입니다. 이 활동 후에는 학생들이 자신의 경험을 성찰하고, 피드백을 주고받는 시간을 부여하겠습니다. 이를 통해 학생들은 자신이 무엇을 배웠고, 어떻게 더 발전할 수 있을지를 구체적으로 생각해 보며 민주시민으로서의 덕목을 쌓을 수 있을 것입니다.

민주시민교육이 단순히 교실에서의 학습에 그치지 않고 일상에서 학생들이 사회에 적극적으로 참여할 수 있는 역량을 기를 수 있도록 학급 운영과 교과 지도 방안에서 노력하는 교사가 되겠습니다. 이상입니다.

즉답형 2

키워드 #독서교육 필요성 #교과 연계 방안

해설
독서교육의 필요성과 자신의 교과 특색에 맞는 독서교육 방안을 언급해야 한다.

예시 답변
즉답형 2번 답변드리겠습니다.
체육 교과는 학생들의 신체 발달뿐만 아니라, 정신적 성장과 인성교육에도 중요한 역할을 합니다. 체육 교과에서 독서교육을 병행하는 것은 학생들이 신체 활동과 관련된 이론적 지식, 건강한 삶의 중요성, 스포츠 정신 등을 더 깊이 이해할 수 있는 중요한 방법이므로 독서교육이 필요합니다.
구체적인 독서교육 방안을 말씀드리겠습니다. 저는 독서 마라톤을 시행하고 싶습니다. 마라톤 전에, 운동 과학, 스포츠 심리학, 운동 역사, 건강 및 영양, 스포츠 윤리 등 체육과 관련된 주제를 다룬 책을 선별해 독서 목록을 제공한 후 각 책의 핵심 내용과 체육과의 연관성을 설명하는 안내서를 제작하겠습니다.
학생들은 자신의 독서 체력에 맞게 목표를 설정한 후 안내서에 있는 책 중 원하는 책을 읽습니다. 독서를 좋아하는 학생과 독서에 처음 입문하는 학생은 독서에 대한 시각이나 속도가 다를 수 있으므로 개별 목표를 설정하겠습니다. 독서 마라톤 진행 중에 정기적으로 학생들에게 피드백을 해 학생들이 경험한 어려움을 돕고 성취를 장려하도록 하겠습니다. 독서 마라톤 활동을 통해 학생들에게 신체적 발달과 정신적 발달을 함께 도모하는 균형 잡힌 성장 기회를 제공하며, 체육교육의 관점을 넓히겠습니다. 이상입니다.

자기 평가	
체감 난도	ⓢ ⓜ ⓗ ➜ 원인 파악:
답변을 잘한 문제	
부족한 문제	
보완 계획	
스터디원의 핵심 피드백 내용	

2018학년도

| 구상형 |

1. 고교학점제를 도입할 경우 학교, 학생 측면에서의 효과를 말하시오.

2. 담임교사로서 사이버폭력 대처 방안 및 존중과 배려가 있는 학급을 위한 경영 전략을 말하시오.

| 즉답형 |

1. 교육과정–수업–평가 일체화를 위한 노력 방안을 말하시오.

2. 담임교사로서 학업중단위기의 학생을 지도하기 위한 방안을 말하시오.

구상하기

🎯 해설 및 예시 답변

구상형 1

키워드 #고교학점제 #학교 효과 #학생 효과

해설

고교학점제의 명확한 정의를 알고 있어야만 대답이 가능한 문제였다. 정의를 먼저 말한 후 학교, 학생 측면에서의 '효과'를 말해야 한다. 중요한 것은! 긍정적 효과뿐 아니라 제기되고 있는 문제점(부정적 효과)과 자신만의 대책을 언급해 정책을 다각도로 고민해 보았음을 드러내야 한다는 것이다.

예시 답변

구상형 1번 답변드리겠습니다.

고교학점제는 2025년부터 전국의 고등학교에서 시행하는 제도로, 학생의 진로와 적성에 따라 과목을 선택하고 이수 기준을 충족할 때 학점을 취득할 수 있는 제도입니다. 고교학점제 도입의 효과를 학교 측면에서 한 가지, 학생 측면에서 두 가지 말씀드리도록 하겠습니다.

학교 측면에서는 고교학점제가 시행되면서 교육과정 편성에 관한 학교의 자율성이 높아지는 효과가 있을 것입니다. 학생과 교사의 의견을 반영한 수업을 편성함으로써 학교가 주체가 되는 교육과정을 만들어 우리 학교만의 문화를 만들어 갈 수 있을 것입니다.

학생 측면에서 고교학점제의 효과는 첫째, 학생의 과목 선택권이 확대돼 자신의 진로, 적성에 맞는 수업을 들을 수 있다는 점입니다. 저는 학창 시절 세계사 과목을 희망했으나, 학교 교육과정상 편성되지 않아 개인적으로 공부했던 경험이 있습니다. 하지만 고교학점제 시행으로 학생들이 희망하는 수업을 편성할 수 있게 되면서 학생이 자신의 꿈에 한발 더 다가갈 수 있을 것입니다. 둘째, 경쟁과 시험 중심의 학교 분위기에서 탈피할 수 있습니다. 고교학점제는 이수 기준을 충족할 때 학점을 취득할 수 있게 함으로써 기존에 학생들이 느끼던 시험에 대한 학업 스트레스를 극복하는 데 도움이 될 것입니다.

물론 고교학점제 전면 도입과 관련해 교사의 전문성 신장, 다양한 수업 편성을 위한 교육과정 클러스터 구축 등의 노력이 필요할 것입니다. 학생이 중심이 되는 고교학점제가 시행될 수 있도록 노력하겠습니다. 이상입니다.

구상형 2

키워드 #사이버폭력 대처 방안 #존중의 학급 경영 전략

해설

서론에서 사이버폭력의 정의를 간단하게 언급하고 자신만의 학급 경영 전략을 밝히자. 이때, 학급 경영 전략에는 자신의 교직관이 담겨 있어야 한다.

예시 답변

구상형 2번 답변드리겠습니다.

사이버폭력은 현재 큰 사회 문제로, 쉽고 간단하게 감정을 표출할 수 있으며 비공개적으로 장소에 구애받지 않고 일어날 수 있다는 점에서 특히 철저한 예방 교육이 필요하다고 생각합니다. 최근 뉴스에서 왕따, 폭력 문제가 더 큰 사회 문제로 이어지는 것을 심심치 않게 볼 수 있습니다.

저는 이를 예방하고 존중과 배려가 있는 학급을 만들기 위해 다음과 같이 노력하겠습니다. 첫째, 사이버폭력 예방을 위해 '사이버폭력 체험 애플리케이션'을 학기 초에 함께 사용해 보겠습니다. 이 앱은 자신이 직접 사이버폭력 피해자가 돼볼 수 있도록 만들어진 예방 프로그램입니다. 응보적 관점으로 사건 발생 후 사용하는 것이 아닌, 학기 초에 학생들과 함께 있는 자리에서 사용해 보며, 어떤 생각이 들었는지 무슨 느낌이 들었는지 서로 의견을 나누어 보고 사이버폭력의 심각성에 대해 토의하겠습니다. 둘째, 존중과 배려가 있는 학급을 위해 한 달에 한 번씩 사과day, 고맙day를 운영하겠습니다. 학교생활을 하다 보면 의도치 않게 존중과 배려를

하지 못하는 순간이 있을 수 있습니다. 공식적인 시간을 통해 자신의 학급 생활을 돌아보고 친구들에게 고마운 마음, 미안한 마음을 전달하는 시간을 가져 존중과 배려의 분위기를 만들겠습니다.

이렇게 한다면, 보다 상대를 이해하고 폭력 없는 학급이 될 수 있을 것입니다. 이상입니다.

즉답형 1

키워드 #교-수-평-기 일체화

해설

교육과정-수업-평가-기록의 일체화 방안을 물었으므로 교육과정 재구성, 수업, 평가 방안, 기록 후 피드백 내용까지 두루 포함해야 했다.

예시 답변

즉답형 1번 답변드리겠습니다.

교육과정-수업-평가의 일체화는 학생의 성장을 위해 교육과정을 수업으로 재구성하고, 수업에서 보인 학생의 활동 자체를 평가하고 이를 기록해 피드백을 제공하는 것을 의미합니다. 교육과정-수업-평가를 일체화하기 위한 두 가지 노력을 말씀드리겠습니다. 첫째, 교사가 교육과정을 재구성하는 능력을 갖추어야 합니다. 현행 교육과정에 대한 이해뿐만 아니라 다른 학교급에서 이루어지는 과목의 교육과정까지 파악함으로써 교육과정을 재구성하기 위한 기반을 마련할 수 있어야 합니다. 둘째, 수업에서 보인 학생의 활동 자체를 평가하기 위해 끊임없는 기록과 피드백이 이루어져야 합니다. 수업 노트를 마련해 수업이 끝난 후 학생의 모습을 간단히 기록하는 노력이 필요할 것입니다. 그뿐만 아니라 전문적 학습공동체에 참여해 선배 선생님들의 경험담을 듣고 학생에게 적절한 피드백을 제공하는 방법을 고민해 보도록 하겠습니다.

학생이 수업의 중심이 돼 성장을 끌어내는 수업을 만들기 위해 노력하겠습니다. 이상입니다.

즉답형 2

키워드 #학업중단 학생 지도

해설

학업중단숙려제라는 제도에 대해 언급을 해야 경기도 교육 정책을 잘 이해했음을 드러낼 수 있다. 하지만 그것만으론 부족하다! 학업을 중단할 뻔했던 경험, 학창 시절 어려움이 있었을 때 담임교사의 도움으로 극복한 경험을 첨부해, 교사의 관심과 사랑의 중요성을 덧붙인다면 진솔하고 가슴을 울리는 답변이 될 것이다.

예시 답변

즉답형 2번 답변드리겠습니다.

담임교사로서 학업중단에 빠진 학생을 지도하기 위한 방안을 두 가지 말씀드리겠습니다. 첫째, 학생에게 학업중단숙려제를 권유하겠습니다. 학업중단숙려제는 학업중단을 고민하는 학생에게 일정 기간 숙려 기회를 부여함으로써 학업중단에 대해 고민해 볼 수 있는 시간을 주는 제도입니다. 담임교사로서 학업중단을 고민하는 학생에게 학업중단숙려제에 대해 이야기해줌으로써 학생이 학업중단에 대해 신중히 고민해 볼 수 있게 하겠습니다. 둘째, 주기적으로 학업중단을 고민하는 학생과 함께하는 시간을 마련하겠습니다. 학창 시절에 학업중단을 고민하는 친구가 있었습니다. 담임 선생님께서는 친구에게 매일 전화를 걸어 오늘의 기분은 어떠한지, 무슨 활동을 했는지 물어보고 가끔은 근처 카페에서 만나 이야기를 나누기도 하셨습니다. 처음에 친구는 담임 선생님의 관심에 부담을 느낀다고 했지만, 결국 담임 선생님의 노력 끝에 학년을 마무리할 수 있었습니다. 저는 이때 담임 선생님께서 보여주셨던 노력처럼 학업중단을 고민하는 학생이 있다면 전화나 대면을 통해 학생에게 관심을 보이고 학교의 이야기, 선생님의 이야기를 들려줌으로써 학생이 혼자가 아님을 느끼게 해주고 다시 학교로 돌아올 수 있도록 관심을 보이도록 하겠습니다.

끊임없이 학생과 소통하는 따뜻한 교사가 되도록 하겠습니다. 이상입니다.

자기 평가	
체감 난도	상 중 하 ➡ 원인 파악:
답변을 잘한 문제	
부족한 문제	
보완 계획	
스터디원의 핵심 피드백 내용	

2017학년도

| 구상형 |

1. 제시문의 A 교사 학급 학생들에게 필요한 미래 핵심 역량을 언급하고, 담임교사로서 역량 육성 방안을 말하시오.

> **제시문**
>
> 체육대회 기간에 특정 학생만 남아서 늦게까지 고생하며 준비하였고, 나머지 학생들은 일찍 집에 갔다.

2. 안전교육 7대 요소 중에 하나를 택하여 교과 연계 방안을 제시하시오.

> 생활안전교육, 교통안전교육, 폭력예방 및 신변보호 교육, 약물 및 사이버중독 예방 교육, 재난안전교육, 직업안전교육, 응급처치교육

| 즉답형 |

1. 교사가 되고 싶은 제자를 어떻게 교육할 것인지 자신의 경험과 연계하여 말하시오.
2. 경기도교육청에서는 자유학기제를 넘어 자유학년제를 실시한다. 자녀의 학력 저하에 대해 걱정하는 학부모가 앞에 있다고 생각하고 교사로서 설득하시오.

구상하기

✍ 해설 및 예시 답변

구상형 1

키워드 #미래 핵심 역량 #육성 방안

해설

제시문에서 소통 없이 일부만 남아서 체육대회 준비를 했다는 점에서 의사소통 역량과 공동체 역량이 부족함을 알 수 있다. 모둠 일기, 학급회의, 소모둠 수업 활동, 의견 게시판 개설 등의 방안을 활용하면 좋다.

예시 답변

구상형 1번 답변드리겠습니다.

제시문의 상황은 모두가 함께 만들어 가는 체육대회에 특정 학생들만 노력하는 모습을 보여주고 있습니다. A 교사 반의 상황에서 필요한 미래 핵심 역량은 공동체 역량입니다. 즉, 같은 반 학생들이 공동체라고 인식하며 함께 참여하는 자세가 필요합니다.

공동체 역량을 육성하기 위한 실천 방안을 두 가지 말씀드리겠습니다. 첫째, 학급 내 1인 1부서 활동을 통해 학생들이 책임감을 경험할 수 있게 하겠습니다. 학습부, 이벤트부 등 학급에서 필요한 부서와 역할을 학생들과 토론을 통해 정하고 각자의 역할을 부여함으로써 학생 개개인에게 책임감을 주도록 하겠습니다. 학생들 각자가 자신의 역할을 맡게 됐을 때 학생들은 교실공동체의 일원이라는 의식을 가지게 될 것입니다. 둘째, 마니또 등의 다양한 학급 단합 행사를 통해 학생들의 소속감을 높이도록 하겠습니다. 학생들의 참여가 저조한 상황은 학급에 대한 애정도가 떨어지기 때문으로도 볼 수 있습니다. 따라서 담임교사로서 학생들과 함께 다양한 학급 단합 행사를 기획함으로써 '함께'의 즐거움을 느끼고 교실에 대한 애정도를 높여 공동체로서 적극적으로 학급 일에 참여할 수 있게 하겠습니다.

협력을 바탕으로 학생들이 공동체 역량을 함양할 수 있는 교실을 만들어 가도록 하겠습니다. 이상입니다.

구상형 2

키워드 #안전교육 #교과 연계 방안

해설

현직 교사가 돼 교과 운영 계획을 작성할 때에 반드시 안전교육 요소를 포함시켜서 계획을 세워야 한다. 실천 능력을 엿보려는 문제였다. 안전교육 문제는 현장에서도 중요시 하는 부분이므로, 교과서 목차를 펴놓고 어느 부분에 어떤 요소를 넣으면 좋을지 고민해 놓자. 경기도교육청안전교육관 홈페이지(https://www.goese.kr/)에 방문하면 교과별 수업 참고 자료가 있으니 참고하면 도움이 될 것이다.

예시 답변

구상형 2번 답변드리겠습니다.

안전은 학생의 실생활과 밀접하게 관련된 부분으로 주기적인 교육이 필요한 영역이라 생각합니다. 교과와 연계해 안전교육을 실시함으로써 학생들이 '안전'에 대해 안일하게 생각하는 것이 아니라 우리 주위에서 끊임없이 일어날 수 있는 일이라는 경각심을 갖게 될 것입니다. 저는 안전교육 7대 요소 중에 교통안전교육을 저의 교과인 역사와 연계 짓는 방안을 말씀드리도록 하겠습니다. 교통안전교육은 학생들의 등하교 상황 등 실생활과 깊이 관련된 부분이라 생각합니다. 이를 한국사 교과의 '근대 국민 국가 수립 운동'과 연관해 안전교육 방안을 제시해 보겠습니다. 해당 단원 중 근대적 문물의 도입과 관련해 교통안전교육을 실시해 볼 수 있다고 생각합니다. 우리나라에 전차가 처음 설치되고 많은 사람이 이용하게 되면서 어린아이가 전차에 치이는 사고가 발생하기도 했습니다. 전차나 철도와 같은 교통수단의 도입으로 발생한 사고의 사례들을 나눔으로써 학생들에게 교통안전을 위해 우리가 가져야 하는 자세에 대해 토의해 보는 수업을 진행해 볼 수 있을 것입니다. 이를 통해 학생들은 전차의 도입과 관련해 교통수단의 발전에 대해 흥미를 느낄 수 있고, 실제 사고 사례를 살펴봄으로써 과거부터 이어져 온 안전의 의미를 돌이켜볼 수 있을 것입니다.

교과 수업 속 안전교육을 실시함으로써 학생들이 안전에 대해 경각심을 느낄 수 있도록 노력하겠습니다. 이상입니다.

즉답형 1

키워드 #경험 #교육 방안

해설

자신이 교사가 되려고 결심한 순간, 인상 깊은 교육 장면 등을 곁들여 답변해야 했다. 교사가 되려는 이유를 듣고 격려해 주며 학급에서 일정한 역할을 부여해 교사로서 소양을 쌓을 수 있는 기회를 주면 좋다. 그뿐만 아니라 교사가 되기 위해 진학해야 하는 학교, 과정 등 현실적인 조언을 곁들여 보자. 그 기저에는 학생을 공감하고 이해하려는 교사의 따뜻한 마음이 드러나야 한다.

예시 답변

즉답형 1번 답변드리겠습니다.

훗날 교사가 되고 싶은 제자를 만난다면 기쁜 마음으로 제자에게 저의 경험을 들려주도록 하겠습니다. 저 역시 고등학교 때 역사 선생님을 만나면서 교사라는 꿈을 꾸게 됐습니다. 역사 선생님께서는 일제강점기와 관련된 수업을 하시면서 윤동주 시인의 시 〈자화상〉을 읽어주셨습니다. 선생님께서는 결의에 찬 눈빛으로 〈자화상〉을 읽으시면서 당시 독립을 위해 노력한 사람들의 이야기를 들려주셨습니다. 또 선생님께서는 일제강점기와 관련된 문학 작품, 유적지 등을 소개하시고 역사를 과거의 지나간 일로만 인식하지 않도록 하셨습니다. 이전까지 역사를 과거의 이야기로만 인식했던 저에게 '역사' 과목에 대한 흥미를 느낄 수 있는 시간을 제공해 주셨습니다. 저의 경험처럼 교사가 되고 싶은 제자에게 가르치는 과목에서 얻을 수 있는 가치, 과목의 중요성을 포함해 제가 교사를 꿈꾸게 된 계기와 교사로서 보람을 느끼는 순간들을 들려주면서 학생의 꿈을 응원해 주고 싶습니다. 나아가, 대학생 때 멘토링 봉사를 진행하면서 학생들을 만나며 즐거웠던 순간들을 이야기해 주면서 교사가 되고 싶은 제자에게도 가르침의 기쁨을 느껴볼 수 있는 경험을 해볼 것을 권유하도록 하겠습니다. 또한, 학생의 꿈을 응원하면서도 현실적인 조언을 덧붙여 주고 싶습니다. 저는 고등학교 때 사범대학에 진학하기에는 성적이 부족했었습니다. 담임 선생님께서는 사범대학 이외에도 교직 이수나 교육대학원 등의 방법을 통해 교사가 될 수 있는 길을 알려주셨고 스스로 찾아볼 수 있게 조언해 주셨습니다. 저도 교사가 되고 싶은 제자를 만난다면 교사가 될 수 있는 다양한 방안을 알려주고 격려해 주면서 현실적인 이야기도 들려주겠습니다. 이상입니다.

즉답형 2

키워드 #자유학년제 #학력 저하 #학부모 설득

해설

학력 저하를 고민하시면? 학력 저하가 아니라는 것으로 고민을 해결해드린다! 학부모의 고민에 공감하면서도 사실은 전혀 그렇지 않다는 것을 완만하게 말씀드려 보자. 통계 자료를 곁들인다면 설득력이 훨씬 높아질 것이다.

예시 답변

즉답형 2번 답변드리겠습니다.

평가위원님들을 학부모라고 가정하고 설득하는 말을 하겠습니다.

학부모님 안녕하세요? 자유학년제 때문에 고민이 많으시죠? 시험이 없으니 공부에서 손을 놓는 것은 아닐까, 학업 수준이 낮아지진 않을까, 저도 멀리서 보았다면 충분히 그렇게 생각했을 거예요. 학부모님도 잘 아시겠지만 과거에는 대학 간판만 보고 전공은 성적에 맞추어 가자는 풍조가 강했고 그러다 보니 성인이 돼 시행착오를 겪는 친구들을 많이 보았어요. 이 전공이 맞나 수도 없이 고민해 보고, 자신이 지향하는 것을 늦게 깨닫고

전과나 편입을 준비하기도 하고 혹은 계속 방황하는 친구도 있었고요. 대학교에 가서야 처음 경험해 보는 것들도 있었어요. 이런 과정을 거쳐보니, '아, 풍부한 경험으로 내가 좋아하고 잘하는 것은 이거구나'라고 깨닫는 시간이 꼭 필요하다고 느꼈고, 그것이 '자유학년제'라고 생각합니다. 자유학년제를 통해 아이들이 다양한 진로를 체험해 보고 자신의 꿈을 찾아가더라고요. 꿈과 목표를 설정한 아이들은 목표를 이루기 위해 자발적으로 공부를 이어가고요. 학급에서 만족도를 조사해 보았는데 자유학년제가 오히려 도움이 된다는 답변이 더 많았답니다. 내적 동기는 결코 단시간에 만들어지는 것도, 돈을 주고 구매할 수 있는 것도 아니라고 생각해요. 내적 동기가 있다면 자연스레 학업 능력은 올라갑니다! 그러니 학부모님, 자유학년제로 우리 아이가 공부를 안 하게 되면 어떡하지 고민하지 마시고 우리 아이들이 자기 적성에 맞는 꿈을 찾을 수 있도록 많은 격려 부탁드립니다!
이렇게 학부모님의 고민에 대해 공감하면서 학부모님들께서 경기교육 정책의 필요성을 이해할 수 있도록 하는 교사가 되도록 노력하겠습니다. 이상입니다.

자기 평가	
체감 난도	ⓢ ⓜ ⓗ ➔ 원인 파악:
답변을 잘한 문제	
부족한 문제	
보완 계획	
스터디원의 핵심 피드백 내용	

2016학년도

| 구상형 |

1. 전문적 학습공동체의 의의와 참여하고 싶은 전문적 학습공동체를 제시하고, 이를 통해 얻고 싶은 것과 이를 실천하기 위한 구체적 방안을 말하시오.

2. 경기도 정책인 행복한 학교는 '학생이 자신의 삶의 의미와 가치를 스스로 발견하고 핵심 역량을 체득하는 배움의 학교'를 의미한다. 학급 내 실현 방안을 말하시오.

| 즉답형 |

1. 인생에서 슬펐거나 실패한 경험을 말하고, 이를 통해 얻은 경험이 앞으로의 교직생활에 어떤 도움이 될지 말하시오.

2. 학교에 관심 없는 학부모들이 있는 학교에서 학부모를 학교공동체에 참여시킬 수 있는 방안을 말하시오.

구상하기

🎯 해설 및 예시 답변

구상형 1

키워드 #전문적 학습공동체 의의 #참여 #효과 #실현 방안

해설

정책을 제시했을 때, 앞머리(서론) 부분에 정의를 한 줄 정도로 짧게 언급하면 전문성을 드러낼 수 있다.

예시 답변

구상형 1번 답변드리겠습니다.

전문적 학습공동체는 교사 스스로 공동체를 구성해 전문성을 키우는 모임입니다. 전문적 학습공동체의 의의를 두 가지 말씀드리겠습니다. 첫째, 교사들이 함께 공동 연구에 참여하면서 해당 분야에 대한 전문성이 향상될 수 있습니다. 둘째, 동료 교사와의 협력 관계를 바탕으로 민주적인 학교 문화가 정착될 수 있습니다.

제가 참여하고 싶은 전문적 학습공동체는 '학생의 성장을 돕는 심리상담'을 주제로 한 전문적 학습공동체입니다. 하나의 교실에는 내향적인 아이, 외향적인 아이, 배움이 빠른 아이, 배움이 느린 아이 등 각기 특성이 다른 아이들이 있습니다. 아이마다 특성이 다른 만큼 아이들을 마주하는 방식도 달라져야 할 것입니다. 따라서 이와 관련된 전문적 학습공동체를 통해 선배 선생님들의 경험을 공유하고 전문지식을 함께 쌓음으로써 학생의 특성을 이해하고 효과적으로 상담하는 방식을 얻어가고 싶습니다.

이를 위한 두 가지 방안을 말씀드리겠습니다. 첫째, 전문 서적을 읽고 선배님들의 실제 사례를 나눔으로써 이론과 현장성을 연결 짓는 것입니다. 상담은 이론을 익히는 것과 동시에 실천하는 것이 중요하다고 생각합니다. 따라서 함께 전문 이론을 공부하고 선생님들께서 경험했던 사례, 사회적으로 이슈화되는 사례에 관해 이야기를 나눔으로써 이론과 현장을 연결 짓는 시간을 갖도록 하겠습니다. 둘째, 모의 상담을 통해 실천 역량을 키우고 싶습니다. 실제 학생들에게 다양한 상담 방식을 실천하는 것이 중요하기 때문에 선생님들과 함께 모의 상담을 진행해 봄으로써 상담에 대한 실천 역량을 키워나가고 싶습니다.

동료 교사와 원활한 의사소통과 협력을 바탕으로 학교의 어려움을 함께 해결하고 전문성을 키워나가는 교사가 되도록 하겠습니다. 이상입니다.

구상형 2

키워드 #행복한 학교 #실현 방안

해설

2016학년도 기준, 행복한 학교의 키워드인 ① 학생 스스로 자신의 삶의 의미와 가치 발견, ② 핵심 역량 체득에 초점을 맞춰야 한다. ①을 위해 욕구와 느낌 카드 등으로 자아 탐색하기 프로그램, 한 달에 한 번 상담으로 나를 돌아보는 상담 프로그램, 성찰 일기 쓰기 등의 방안을 제시해야 한다. ②에서는 핵심 역량 중 어떤 역량을 위해 어떻게 할 것인지 구체적으로 제시해야 한다. '의사소통 능력을 함양하기 위해 학급회의를 한 달에 한 번 시행할 것이다.' 등으로 말이다.

예시 답변

구상형 2번 답변드리겠습니다.

행복한 학교는 학생이 자기 삶의 의미와 가치를 스스로 발견하고 핵심 역량을 체득하는 배움의 학교를 의미합니다. 즉, 학생의 주체성이 발휘되는 학교 교육을 통해 학생과 교사가 함께 성장하는 것이 곧 행복한 학교라고 할 수 있습니다.

행복한 학교를 만들기 위한 학급 내 실현 방안을 두 가지 말씀드리겠습니다. 첫째, 1인 1목표 프로젝트를 진행하겠습니다. 학생 스스로가 자신을 찾아가기 위해서는 자신이 좋아하는 것을 바탕으로 목표를 달성해 가는 것이 중요합니다. 따라서 개별 상담을 통해 자신이 좋아하는 것을 찾아보고 스스로 달성할 수 있는 목표를 설정할 수 있게 하겠습니다. 나아가, 매일 매일의 목표 실천 정도를 성찰 노트에 기록함으로써 개인 피드백을 제공해 학생의 참여를 독려하도록 하겠습니다. 학생에게 목표를 달성하는 성공 경험이 누적된다면 스스로 자기 삶의 가치를 느낄 수 있을 것입니다. 둘째, 학생들과 함께 특색 있는 교실을 만들어 보겠습니다. 학생이 주체가 돼 의견을 내고 함께 특색 있는 교실을 만들어 감으로써 학생들은 의사소통 역량과 공동체 역량을 키울 수 있을 것입니다. 미래 사회를 살아감에 있어서 공동체와 효과적으로 소통하고 더불어 가는 역량은 필수적입니다. 이를 '특색 있는 교실 사업'을 통해 즐겁게 키워나갈 수 있다고 생각합니다. 실제로 저는 고등학생 때 학급 친구들과 함께 학급 달력을 만들어 게시하고, 창문을 꾸미는 등 우리 반만의 교실을 만들어 나간 적이 있습니다. 함께 의견을 발표하고 주체적으로 교실 꾸미기에 참여함으로써 '우리 반'이라는 공동체 의식과 뿌듯함을 느낄 수 있었습니다. 이처럼 학급 학생들과 함께 우리 반에 필요한 것을 이야기하고 우리 반만의 공간을 꾸며 나감으로써 주인의식을 가지고 협력하는 공동체 역량을 자연스럽게 배워갈 수 있게 하겠습니다.

학생이 주체적으로 학교의 주인이 되고 공동체와 함께 나아가는 교실을 만들기 위해 노력하는 교사가 되겠습니다. 이상입니다.

즉답형 1

키워드 #경험 #교직 생활

해설

'경험–깨달음(교직관)–실천계획'이 1세트인 문제이다. 교직관 문제는 패턴이 똑같으니 이 3가지를 잘 준비해 두어야 한다.

예시 답변

즉답형 1번 답변드리겠습니다.

제가 인생에서 실패했던 경험은 대학교 입시에서 실패의 쓴맛을 본 것입니다. 저는 같은 학과를 희망하는 친한 친구와 함께 공부하고, 학교생활을 하면서 함께 목표를 향해 달려갔습니다. 하지만 친한 친구는 원하던 학과에 합격했고 저는 떨어지고 말았습니다. 그 당시에 너무 힘들어 학교도 가지 않았습니다. 그러던 중 평소에 존경하던 수학 선생님께서 연락을 주셨고 지금의 실패 경험이 앞으로의 발전에 자양분이 될 것이라고 이야기해 주셨습니다. 선생님의 격려를 바탕으로 저는 실패 요인을 점검할 수 있었고 다시 대학교 입시를 준비했습니다. 이후에도 선생님께서는 종종 저에게 응원의 메시지를 주셨습니다. 이때의 실패 경험은 앞으로의 교직 생활에서 두 가지 도움이 될 것입니다. 첫째, 실패를 경험한 학생에게 성찰의 과정을 알려줄 수 있습니다. 실패가 끝이 아니라 시작의 과정임을 알려주고 그동안의 과정을 함께 돌아봄으로써 다시금 목표를 향해 달려갈 수 있도록 계획 정비에 도움을 줄 수 있을 것입니다. 둘째, 당시 수학 선생님처럼 학생 한 명, 한 명에게 끊임없이 관심을 주겠습니다. 오늘의 기분은 어떤지, 급식은 맛있게 먹었는지부터 시작해서 요즘 고민은 없는지 먼저 물어보고 다가가는 교사가 되도록 하겠습니다.

앞으로 학생들과 함께 소통하고 진심으로 다가갈 수 있는 따뜻한 교사가 되고 싶습니다. 이상입니다.

즉답형 2

키워드 **#학부모를 공동체에 참여시킬 수 있는 방안**

해설

직장 문제 때문인지, 관심이 없어서인지 파악하는 것이 중요하다. 생계를 위해 학교에 신경을 쓸 수 없는 학부모님들을 위한 온라인 참여 방안을 언급하면 좋다. 또한 학부모님을 대할 때 가장 중요한 것! 학생에 대한 관심과 이해, 학부모님의 관심에 대한 감사함을 먼저 표현하는 것이다. 학부모님과 충분한 신뢰 관계가 쌓인 후 참여를 요청해야 한다.

예시 답변

즉답형 2번 답변드리겠습니다.

학교는 학생과 교사만이 아니라 학부모가 함께하는 공간입니다. 학부모님들께서 학교에 관심을 가질 때 교육 주체들이 상호작용하는 진정한 교육이 이루어질 수 있습니다. 학부모를 학교공동체에 참여시킬 수 있는 방안을 두 가지 말씀드리겠습니다. 첫 번째, 학부모님과 함께하는 학급 행사를 통해 학부모님들의 참여를 유도하겠습니다. 첫 시험 첫날, 어버이날, 어린이날, 아이들 생일 등 특정 기념일이 있을 때 학부모님과 함께하는 행사를 기획하겠습니다. 학부모님도 학급 행사 참여를 통해 자녀와 함께하는 추억을 만들 수 있을 것입니다. 교실에서의 참여 경험은 학교에 관한 관심으로 이어질 수 있다고 생각합니다. 둘째, 온라인 소통 창구를 마련함으로써 학부모님의 참여를 독려하겠습니다. 맞벌이 가정의 경우 현실적으로 학교에 참여하는 것이 어려울 수 있습니다. 따라서 온라인 소통 공간을 마련해 공지 사항이나 학생들의 활동사진을 공유함으로써 맞벌이 가정의 학부모님들의 여건을 고려한 참여 방식을 도입하겠습니다.

학생, 학부모와 함께 소통하는 교사가 되겠습니다. 이상입니다.

자기 평가	
체감 난도	상 중 하 ➡ 원인 파악:
답변을 잘한 문제	
부족한 문제	
보완 계획	
스터디원의 핵심 피드백 내용	

(3) 비교과

구상하기

🎯 해설 및 예시 답변

구상형 1

키워드 #교과 특별실 #학생중심교육 방안

해설

학생이 중심이 되도록 교과 특별실을 꾸미는 방안을 고민해 보는 노력이 필요하다. 학생들이 많이 찾아올 수 있는 교과 특별실을 어떻게 만들 수 있을지 자신만의 아이디어를 담아보자.

예시 답변

구상형 1번 답변드리겠습니다.

학교의 유휴공간을 활용해 보건실을 재구성하고 학생중심교육을 실현하기 위해서는 학생들의 건강과 안전을 최우선으로 고려하면서, 보건실이 단순한 치료 공간을 넘어 학생들이 건강한 생활 습관을 배우고 실천할 수 있는 교육적 공간으로 발전할 수 있도록 운영하는 것이 중요합니다. 보건교사로서 학생 중심의 보건실을 운영하는 방안을 말씀드리겠습니다.

첫째, 다양한 건강교육 프로그램을 운영하고 싶습니다. 응급처치, 정신건강 관리, 스트레스 관리 등 학생들의 건강에 필요한 주제를 직접 체험할 수 있는 공간을 마련해 실생활 속에서 자연스럽게 건강 지식을 습득하고, 생활 속에서 이를 실천할 수 있을 것입니다. 또한 CPR, 자동제세동기(AED), 기본 응급처치 기술을 교육해 응급 상황에 신속하게 대처할 수 있도록 하겠습니다. 둘째, 보건실을 학생들의 건강 상담 공간으로 활성화하고 싶습니다. 학생들의 건강 상태나 건강 관련 고민을 듣고, 필요에 맞춘 건강 관리 프로그램을 제공하고 싶습니다. 영양 교과, 체육 교과와 연계해 맞춤형 식단이나 운동 프로그램을 추천하고, 상담 교과와 연계해 스트레스 관리와 정신 건강을 위한 마음 챙김 프로그램을 운영할 수도 있을 것입니다.

이와 같은 방안을 통해, 보건실이 단순한 치료와 응급처치의 공간을 넘어, 학생들의 전반적인 건강을 지원하고, 건강한 생활 습관을 교육하는 중심지로 자리매김할 수 있을 것입니다. 또한, 학생들이 보건실을 친근하게 느끼고, 필요시 언제든지 도움을 받을 수 있는 공간으로 인식하게 함으로써, 건강 중심의 학생 생활이 가능할 것입니다. 이상입니다.

구상형 2

키워드 #교과 관련 행사 기획

해설

교과 관련 행사를 기획함으로써 교과 전문성을 확인할 수 있는 문제이다. 경기교육을 녹여낸 답변을 준비한다면 눈에 띄는 답변이 될 수 있다.

예시 답변

구상형 2번 답변드리겠습니다.

저는 지역 특산물을 알리는 행사인 '마, 특, 소, 즉 마을의 특산물을 소개하는 프로그램을 만들겠습니다. 이는 혁신교육 3.0의 가치인 지역화와도 맥을 같이하며, 우리 지역에 대한 학생들의 자긍심과 이해도를 높여 지역에 대한 애정을 갖게 할 수 있을 것입니다. 구체적 방법을 두 가지 말씀드리겠습니다. 첫째, 학생이 직접 우리 지역을 소개하고 그 특산물이 왜 유명해졌는지 자연환경 등을 조사하게 하며, 이를 쉽게 알릴 수 있도록 온·오프라인 홍보 방안을 짜보는 것입니다. 이를 통해 학생들은 지역에 대한 이해도를 높일 수 있고 스스로 홍보 방안을 기획해 봄으로써 주체적인 자세를 기를 수 있을 것입니다. 둘째, 실제 특산물을 판매할 수 있도록 마을 주민들을 초대해 마을과의 연계성을 높이는 것입니다. 마을 주민들과의 연계를 통해 수업의 생동감을 살릴 수 있을 것입니다.

지역과 연계한 교과 축제를 통해 학생들은 내 고장을 알고 자긍심을 기르며, 자기주도적 역량도 기를 수 있으며, 지역사회 측면에서는 지역사회의 인적, 물적 인프라를 적극 활용할 수 있다는 장점이 있을 것입니다. 이상입니다.

💡 혁신교육 3.0은 이재정 전 교육감 시절 핵심 가치이다. 《사이다 면접》에서는 이를 소급하지 않고, 내용을 유지하는 것을 원칙으로 한다.

키워드 #정신적 폭력 해결 방안

해설

서론에서 정신적 폭력에 대한 정의나 사회적으로 정신적 폭력이 증가하고 있는 상황에 대해 간단히 언급하면서 매끄럽게 답변하자.

예시 답변

즉답형 1번 답변드리겠습니다.

사회가 점차 발전함에 따라 학생들 사이에서 신체적 폭력보다 언어나 SNS 등을 활용한 정신적 폭력이 증가하고 있습니다. 정신적 폭력으로 인한 상처는 눈에 직접적으로 보이지 않으나, 학생에게 평생의 상처가 될 수 있기 때문에 정신적 폭력을 진단하고 이를 예방하는 것이 중요합니다. 정신적 폭력을 줄이기 위한 방안을 3가지 말씀드리겠습니다. 첫째, 언어 순화 주간을 설정하겠습니다. 언어 순화 주간을 설정해 이 기간에는 비속어나 은어를 고운 말로 바꿔서 말하는 연습을 하는 것입니다. 언어 순화 주간에 썼던 언어 습관이 그 이후에도 유지될 수 있도록 학급에서 언어 순화를 가장 잘 지킨 학생을 선정해, 학생들이 바른 말을 쓸 수 있도록 독려하겠습니다. 둘째, 나 전달법으로 나의 감정을 진술하게 전달하고 상대의 감정을 존중하는 방법을 안내하겠습니다. 감정 표현하는 방법을 모르거나 잘못 배워 친구들에게 상처를 주는 경우도 있다고 생각합니다. 따라서 학생들에게 타인에게 상처를 주지 않으면서도 자신의 감정을 정확히 전달할 수 있는 방법을 알려주겠습니다. 셋째, 사이버 공간에서 발생하는 정신적 폭력을 예방하기 위해 디지털 시민성 교육을 강화하겠습니다. 학생들이 온라인상에서 올바르게 소통하고, 책임감 있는 디지털 행동을 취할 수 있도록 사이버 괴롭힘의 심각성, 개인정보 보호의 중요성, 올바른 SNS 사용법 등을 가르친 후 실천 규약을 함께 정해보겠습니다.

현장에 나아가 학교폭력 문제에 관심을 두고, 예방 교육에 힘쓰는 교사가 되겠습니다. 이상입니다.

즉답형 2

키워드 #교과 안내 사항 3가지

해설

신입생은 새로운 환경에 대한 설렘과 의욕, 걱정을 동시에 느끼고 있을 것이다. 신입생들의 걱정을 해소하기 위한 내용과 설렘과 의욕을 충족시켜주기 위한 내용을 동시에 싣는다면 '신입생'이라는 시기를 잘 이해하고 있다는 인상을 줄 것이다.

예시 답변

즉답형 2번 답변드리겠습니다.

✧ 사서 교과

신입생들은 학교생활에 대한 설렘과 호기심으로 가득 차 있을 것입니다. 신입생들에게 저의 교과인 사서 교과와 관련해 도서관 이용에 대한 안내가 필요할 것입니다. 저는 도서관 이용 안내를 크게 3가지로 나누어 수록하겠습니다. 첫째, 도서관 이용 시간 및 대여 절차입니다. 신입생들이 입학하면서 도서관 이용 수칙을 익히는 것이 가장 중요할 것입니다. 따라서 도서관 이용 시간 및 대여 절차를 먼저 안내함으로써 신입생들의 학교생활을 돕겠습니다. 둘째, 교과 연계 목록입니다. 신입생들은 학업 의욕이 넘쳐나는 시기로, 교과와 연계한 도서 목록은 무엇이 있는지 관심이 많을 것입니다. 따라서 교과 연계 목록을 제공함으로써 학생의 수업 참여를 도우면서도 학생의 학업 의욕을 뒷받침하겠습니다. 셋째, 도서관 행사 및 프로그램 설명입니다. 사서교사로서 앞으로 진행하게 될 다양한 행사를 설명함으로써 학생들이 프로그램에 참여할 수 있도록 독려하겠습니다. 이상입니다.

✎ **상담 교과**

첫째, 상담의 중요성을 수록하겠습니다. 제가 학창 시절 때 상담실은 학교생활에 문제가 있는 학생들만 가는 것이라고 오해를 하는 친구들이 많았습니다. 따라서 신입생들에게 상담은 누구에게나 열려 있다는 점과 상담의 중요성을 설명하는 내용을 가장 먼저 알려주고 싶습니다. 둘째, 위클래스 프로그램을 소개하겠습니다. 전문 상담교사로서 위클래스가 하는 일과 앞으로 위클래스에서 진행할 행사, 프로그램을 소개함으로써 위클래스에 대한 장벽을 허물고 싶습니다. 셋째, 또래 도우미 모집 내용을 수록하겠습니다. 또래 도우미는 직접 상담 과정에 참여함으로써 문제 해결에 도움을 주는 같은 또래 학생입니다. 또래 도우미 활용은 또래 상담자의 긍정적 자아개념 형성, 자존감 향상뿐만 아니라 상담을 받은 또래에게도 긍정적 영향을 끼칠 수 있습니다. 따라서 또래 도우미 모집 내용을 수록함으로써 신입생들의 상담실에 관한 관심을 유도하겠습니다. 이상입니다.

자기 평가	
체감 난도	상 중 하 ➔ 원인 파악:
답변을 잘한 문제	
부족한 문제	
보완 계획	
스터디원의 핵심 피드백 내용	

2019학년도

| 구상형 |

1. 경기도교육청은 안전한 학교 문화를 조성하기 위해 다음과 같은 세부 과제를 운영하고 있다. 구체적인 실현 방안을 제시하시오.

> **세부 과제**
>
> ① 학습 안전망 강화
> - 개별 학생의 학습권 보장
> - 교육 격차 해소
>
> ② 건강한 교육환경 조성
> - 학생의 건강한 삶 보장
> - 학교 안전 내실화

2. 전문적 학습공동체 활동을 한다고 할 때, 전공과 관련한 연구 주제를 정하고 구체적인 활동 계획을 세워 보시오.

| 즉답형 |

1. 교육공동체 대토론회에서 학부모 참여율이 낮다면 이를 높이기 위해서 어떻게 할 것인지 구체적인 해결 방안을 말하시오.
2. A 학생은 속이 좋지 않다며 점심시간마다 밥을 먹지 않고 교실에 혼자 남아 있다. 이러한 상황에서 A 학생을 어떻게 지도할 것인지 구체적인 방안을 말하시오.

구상하기

해설 및 예시 답변

구상형 1

[키워드] **#안전한 학교 #교육 활동 방안**

[해설]

제시문의 내용을 모두 언급해야 한다.

[예시 답변]

구상형 1번 답변드리겠습니다.

경기도교육청이 안전한 학교 문화를 조성하기 위해 제시한 세부 과제를 실현하기 위한 구체적인 방안은 다음과 같습니다. 첫째 학습 안전망 강화 방안입니다. 저는 ①의 개별 학생의 학습권 보장을 위해 1:1 학습 코칭 및 멘토링 시스템을 구축하겠습니다. 개별 학생의 학습 상황을 지속적으로 모니터링하고 제가 직접 도움을 주거나 온라인 교육 플랫폼을 추천해 자기주도학습 능력을 강화시키고 학생의 성장을 돕겠습니다. 다음으로 ①의 교육 격차 해소를 위해 지역사회와의 연계 프로그램을 마련하겠습니다. 도서관, 청소년 센터 등 지역사회 자원을 활용해 학생들이 학습 자원에 더욱 쉽게 접근할 수 있도록 하고, 지역 내 자원봉사자들과 협력해 학습 멘토링 프로그램을 운영하겠습니다.

둘째, 건강한 교육환경을 조성하는 방안입니다. ②의 학생의 건강한 삶 보장을 위해 정신 건강 지원 프로그램을 기획하겠습니다. 요즘 학생들은 정신적으로 많은 스트레스를 겪는다고 합니다. 또한 몸이 아플 때는 병원을 찾는 일이 쉽지만, 심리적 어려움을 겪을 땐 도움을 구하는 일에 소극적이기 때문에 정신 건강 프로그램을 기획하고 싶습니다. 학교 내 상담실과 연계해 정기적으로 심리 상담을 받을 수 있도록 하며, 필요시 전문가와 연계해 보다 심층적인 지원을 제공하겠습니다. 다음으로 ②의 학교 안전 내실화를 위해 학교폭력 예방 프로그램을 강화하고 싶습니다. 학교의 안전이라고 하면, 시설 측면도 있지만 학생들이 마음 놓고 학교에 다니는 것을 의미하기도 합니다. 학교폭력 예방 교육을 더 철저히 할 것이며 학교폭력이 발생했을 때 신속하게 대응할 수 있는 시스템을 마련하겠습니다.

이와 같은 방안을 통해 학습 안전망을 강화하고 건강한 교육환경을 조성함으로써, 학생들이 안전하고 건강한 학교생활을 할 수 있도록 지원하겠습니다. 이상입니다.

구상형 2

[키워드] **#전문적 학습공동체 #교과 관련 주제 #계획**

[해설]

2016학년도에 동일한 문제가 출제됐다. 다시 한번 강조하지만 경기 정책을 아는 것을 넘어 '교사로서 나는 어떻게 적용할 것인지' 꼭 고민해야 한다. 전문적 학습공동체에 단순히 참여하는 것이 아니라, 전문적 학습공동체에서 어떻게 활동할 것인지까지 밝혀야 한다.

[예시 답변]

구상형 2번 답변드리겠습니다.

저의 교과인 전문상담과 관련한 전문적 학습공동체에 참여한다면 '학생의 성장을 돕는 심리상담'을 주제로 한 전문적 학습공동체를 운영하고 싶습니다. 하나의 교실에는 내향적인 아이, 외향적인 아이, 배움이 빠른 아이, 배움이 느린 아이 등 각기 특성이 다른 아이들이 있습니다. 아이마다 특성이 다른 만큼 아이들을 마주하는 방식도 달라져야 할 것입니다. 따라서 이와 관련된 전문적 학습공동체를 통해 선배 선생님들의 경험을 공유함으로써 학생의 특성을 이해하고 효과적으로 상담하는 방식에 대한 노하우를 얻어가고 싶습니다.

'학생의 성장을 돕는 심리상담'을 주제로 한 전문적 학습공동체를 운영하기 위한 계획을 두 가지 말씀드리겠습니다. 첫째, 전문 서적을 읽고 선배님들의 실제 사례를 나눔으로써 이론과 현장성을 연결 짓는 것입니다. 상담은 이론을 익히는 것과 동시에 실천하는 것이 중요하다고 생각합니다. 따라서 함께 전문 이론을 공부하고 선생님들께서 경험했던 사례, 사회적으로 이슈화되는 사례에 관해 이야기를 나눔으로써 이론과 현장을 연결 짓는 시간을 갖도록 하겠습니다. 둘째, 모의 상담을 통해 실천 역량을 키우고 싶습니다. 실제 학생들에게 다양한 상담 방식을 실천하는 것이 중요하기 때문에 선생님들과 함께 모의 상담을 진행해 봄으로써 상담에 대한 실천 역량을 키워나가고 싶습니다.

동료 교사와의 원활한 의사소통과 협력을 바탕으로 학교의 어려움을 함께 해결하고 전문성을 키워나가는 교사가 되도록 하겠습니다. 이상입니다.

즉답형 1

키워드 **#교육공동체 대토론회 학부모 참여 활성화 방안**

해설

교육공동체 대토론회에 대한 학부모 참여율이 낮은 이유는 다양하다. 생계 유지로 인해 시간이 없는 경우, 시간은 있으나 관심이 없는 경우, 관심은 있으나 토론회에 참여하는 것이 부담스러운 경우. 이렇게 다양한 원인을 분석하고 상황에 맞게 접근해야 한다.

예시 답변

즉답형 1번 답변드리겠습니다.

현재 문제 상황은 교육공동체 대토론회에서 학부모 참여율이 낮다는 것입니다. 학부모 참여율을 높이기 위한 구체적인 해결 방안을 두 가지 말씀드리겠습니다. 첫째, 온라인 설문조사를 활용해 학부모님들께서 교육공동체 대토론회에 참여하지 않는 이유에 대해 알아보겠습니다. 시간이 없어서 참여하지 못하는 것이라면 온라인 창구를 통해 학부모님께 토론회 안건에 대한 의견을 물음으로써 학부모님들이 교육공동체의 일원으로서 학교 교육활동에 참여할 수 있게 하겠습니다. 둘째, 교육공동체 대토론회의 중요성을 인식할 수 있도록 해 참여를 독려하겠습니다. 학부모님들께 교육공동체 대토론회를 통해 학교의 문제를 해결한 사례, 앞으로의 학교 교육 계획 등을 공지함으로써 교육 활동에 있어서 교육공동체 모두의 노력이 필요함을 인식할 수 있게 하겠습니다. 이상입니다.

즉답형 2

키워드 **#미급식 학생 지도 방안**

해설

일방적으로 학생에게 급식할 것을 지도하는 것이 아니라, 먼저 학생의 문제 상황을 이해하고 공감하는 자세를 가지는 것이 필요하다. 자신의 교직관을 드러내면서 학생 친화적인 모습을 보일 수 있는 지도 방안을 고민해 보자.

예시 답변

즉답형 2번 답변드리겠습니다.

교실에 혼자 남아 점심식사를 하지 않는 학생을 지도하기 위한 방안을 두 가지 말씀드리겠습니다. 첫째, 학생 개별 상담을 통해 아이가 밥을 먹지 않는 이유를 파악하도록 하겠습니다. 학생이 밥을 먹지 않는 이유는 실제로 속이 안 좋을 수도 있지만, 다이어트나 학급 내 갈등 상황, 가정의 문제 등 다양한 원인이 있을 수 있습니다. 따라서 해당 학생과 이야기를 통해 어떠한 상황인지를 정확히 파악해 보도록 하겠습니다. 또한, 가정에 전화 연락을 해 학생의 평상시 식습관이나 학부모님에게만 말한 문제 상황이 있는지 확인함으로써 학생의 상황을 면밀히 파악하겠습니다. 둘째, '다 같이 먹는 날'을 운영함으로써 학급 친구들끼리 함께 밥을 먹는 날을 만들겠습니다. 만약 학생이 밥을 먹지 않는 이유가 혼자 밥을 먹어서 그런 것이라면 학급 프로그램을 만들어 문제 상황을 해결하겠습니다. 학급 친화적인 분위기가 형성된다면 해당 학생도 어울리는 친구들이 생겨서 급식을 먹을 수 있게 될 것입니다. 이상입니다.

자기 평가	
체감 난도	ⓐ ⓑ ⓒ ➔ 원인 파악:
답변을 잘한 문제	
부족한 문제	
보완 계획	
스터디원의 핵심 피드백 내용	

2018학년도

| 구상형 |

1. 농어촌 지역에서 꿈의학교를 시행함으로써 학생들의 배움에 있어 기대되는 효과와 (해당 비교과) 교사로서 꿈의학교에서 할 수 있는 역할을 말하시오.

2. A 교사의 수업 시간에 B 학생이 복도에 나와 있는 것을 지나가다 우연히 목격하였다. B 학생에게 왜 수업에 참여하지 않는지 물어보니, 같은 반 학생과 갈등이 발생하여서 수업에 들어가기 싫다고 한다. 이 상황에서 B 학생을 지도할 방안과 A 교사와 함께 생활교육 전문성을 신장할 방안을 말하시오.

| 즉답형 |

1. 학생 자치 동아리의 학생들이 동아리 담당교사가 되어 달라고 부탁했다. 하지만 본인의 전공 분야도 아니고 흥미 있는 주제도 아니다. 이때 교사로서 어떻게 할 것인지 말하시오.

2. 본인이 '1일 진로 체험'을 운영한다면 어떻게 운영할 것인지 교육 방안을 말하시오.

구상하기

🎯 해설 및 예시 답변

구상형 1

키워드 #농어촌 지역 꿈의학교 효과 #교사로서의 역할

해설

농어촌 학생들로 특정한 이유는 지역 특성상 그동안 어려웠던 '다양한 경험'이 가능하다는 것이고, 이것이 큰 장점으로 부각되기 때문이다. 교사로서 학생들의 흥미, 특기를 파악해 적합한 꿈의학교를 추천한다거나 활동 과정에서 느낀 점을 서로 이야기해 보며 학생의 진로를 선택하고 방향을 설정하는 데도 도움을 줄 수 있다.

예시 답변

구상형 1번 답변드리겠습니다.

경기 꿈의학교는 경기도 학생들이 자신의 진로를 탐색하고 꿈을 실현하기 위해 마련된 교육 프로그램입니다. 농어촌 지역에서 꿈의학교를 시행함으로써 기대되는 효과를 말씀드리겠습니다. 첫째, 농어촌 학생들의 배움의 기회가 확대될 수 있습니다. 농어촌 지역은 도시에 거주하는 학생들에 비해 교육적 인프라가 부족하다고 할 수 있습니다. 농어촌 지역의 학생들이 꿈의학교에서 마련한 다양한 교육 프로그램에 참여함으로써 지역적 한계를 극복할 수 있을 것입니다. 나아가, 학생이 주체가 되는 경험을 통해 학생의 리더십도 향상될 수 있을 것입니다.

전문상담교사로서 꿈의학교에서 할 수 있는 역할을 두 가지 말씀드리겠습니다. 첫째, 개별 상담을 통해 학생에게 적합한 꿈의학교를 찾을 수 있도록 도움을 주겠습니다. 학생이 무엇을 좋아하는지, 어떤 활동을 좋아하는지 상담을 통해서 학생의 진로와 적성을 반영한 꿈의학교를 찾고 신청할 수 있도록 도움을 주겠습니다. 둘째, 꿈의학교에서의 경험을 바탕으로 학생 상담을 진행해 학생의 진로 선택에 도움을 주겠습니다. 꿈의학교에서의 활동 내용, 느낀 점 등을 함께 이야기함으로써 학생의 앞으로 진로 선택에 도움이 되도록 하겠습니다. 이상입니다.

💡 꿈의학교는 이재정 전 교육감 시절 추진했던 정책이지만, 《사이다 면접》에서는 이를 소급하지 않고 기출문제를 그대로 수록하는 것을 원칙으로 한다.

구상형 2

키워드 #학생 지도 방안 #동료와 생활교육 전문성 신장 방안

해설

교사의 전문성 신장 방안과 관련해 단순히 전문적 학습공동체에 참여한다고 말하기보다는 전문적 학습공동체에서 어떻게 활동할 것인지 고민해 봐야 한다.

예시 답변

구상형 2번 답변드리겠습니다.

현재 문제 상황은 A 교사의 수업 시간에 B 학생이 같은 반 학생과 갈등으로 인해 수업에 참여하지 않고 복도에 나와 있다는 것입니다. 저는 먼저 B 학생과 개별 상담을 통해 같은 반 학생과의 갈등 발생 원인을 파악하겠습니다. 폭력 등 신체적 압력 때문에 두려워서 피한 것인지, 단순히 감정을 조절하지 못한 것인지 이야기를 들어보겠습니다. 만약 신체적 압력이 있었다면 학생을 진정시키고 안전한 장소로 옮긴 후 담임교사에게 인솔하겠고, 단지 가기 싫다는 이유라면 진정시키고 B 학생과 함께 교실로 가서 자리에 앉을 수 있도록 하겠습니다.

다음으로, A 교사와 함께 생활교육 전문성을 신장할 방안을 두 가지 말씀드리겠습니다. 첫째, 동 학년 협의회로 생활지도에 대한 어려움과 노하우를 나누겠습니다. B 학생처럼 학교생활에 어려움을 느끼는 학생의 현황과 상황을 공유하고 선생님들이 함께 해결할 수 있도록 협의회를 갖겠습니다. 문제 학생은 해당 교사만의 책임이 아닌 공동의 책임이라고 인식한다면 학생의 문제행동을 더욱 현명하게 해결해 나갈 수 있을 것입니다. 둘째,

생활교육을 주제로 한 전문적 학습공동체를 자발적으로 조직해 생활교육 전문성을 신장해 나가겠습니다. 전문 서적을 함께 읽어나가고, 최근 유행하는 상담 이론 등을 함께 이야기하고 모의 실습함으로써 선생님들과 함께 생활교육 전문성을 함양해 나갈 수 있게 하겠습니다. 이상입니다.

즉답형 1

키워드 **#학생 지도 방안**

해설

자신의 교직관에 근거해 자신만의 학생 지도 방안을 이야기해 보자.

예시 답변

즉답형 1번 답변드리겠습니다.

저는 학생이 자치 동아리 담당교사가 돼 달라고 부탁한다면 흔쾌히 수락하도록 하겠습니다. 실제로 제가 기간제 교사를 할 때, 학생들이 축구 동아리 지도교사를 해달라는 부탁을 했었습니다. 사실 축구를 잘 모르는데 내가 해도 되나 싶었지만, 별 관련이 없는 저에게 올 정도면 다른 교사들에게 거절당한 건 아닐까 하는 마음에 수락하게 됐습니다. 아이들과 호흡하기 위해 다양한 룰을 공부했고 축구를 모르는 만큼 안전 측면에서 학생들을 챙겨주었습니다. 혹시나 저에게 또다시 이러한 제안이 들어오면 첫째, 동아리를 이해하기 위해 공부를 하겠습니다. 다양한 공부를 하며 학생을 이해하고 관점을 넓히는 기회가 될 것이라 생각합니다. 둘째, 저만의 시각에서 조언을 주겠습니다. 오히려 새로운 관점이 동아리에 윤활유가 될 수도 있을 것입니다. 동아리를 통해 학생들과 좋은 관계를 유지할 수 있을 것이고, 모르는 분야를 학습하며 교사로서 성장의 기회가 될 수 있을 것입니다. 이상입니다.

즉답형 2

키워드 **#진로교육 방안**

해설

경기도에서 지향하는 학생의 체험 중심, 활동 중심이 되게끔 방안을 마련하면 좋다. 1일 진로 체험을 제시하되 교과 특색이 드러나는 직업군을 설정하는 것이 좋다.

예시 답변

즉답형 2번 답변드리겠습니다.

전문상담교사로서 '1일 진로 체험'을 운영한다면 진로 심리 검사가 가능한 진로 체험 부스를 마련하겠습니다. 제가 고등학생 때 주위에 자신이 무엇을 해야 할지 모르겠다는 학생들이 많았습니다. 여전히 어떤 직업이 있는지, 자신이 무엇을 좋아하는지 모르는 학생들이 많을 것입니다. 따라서 저는 홀랜드 직업 성격 검사 등 다양한 진로 심리 검사를 할 수 있는 부스를 마련해 학생들이 성격 유형 검사에 참여할 수 있도록 하고, 결과를 바탕으로 학생 개별 상담을 진행하도록 하겠습니다. 이를 통해 학생들이 자신을 이해하고 진로 적성을 고민해 보는 계기가 될 수 있게 하겠습니다. 이상입니다.

자기 평가	
체감 난도	ⓢ ⓩ ⓗ ➜ 원인 파악:
답변을 잘한 문제	
부족한 문제	
보완 계획	
스터디원의 핵심 피드백 내용	

2017학년도

| 구상형 |

1. 다음은 A 교사의 일지이다. 이를 읽고 교사에게 부족한 자질 2가지와 이를 보완할 수 있는 계획을 세우시오.

> **교사 일지**
>
> 오늘은 힘들었다. 내일 있을 학교 행사를 준비하는데 다른 교사의 도움 없이 일했기 때문이다. 교장 선생님께서 며칠 뒤에 교과 수업 연구대회에 참여하라고 하셨다. 나는 비교과 교사인데, 참여해도 될까? 하는 생각이 든다.

2. 교사 대토론회에서 "앞으로 교복 이외의 옷을 입고 등교하는 학생은 규정에 따라 지도해야 합니다."라고 정해졌다. 그 후 교문 지도 시 체육복을 입고 등교하는 학생을 보았다. 이 학생을 어떻게 지도할지 평가위원을 학생이라고 가정하고 말하시오.

| 즉답형 |

1. 왜 간호사(or 영양사, 상담사)가 아니라 보건교사(or 영양교사, 전문상담교사)가 되려고 하는가? 보건교사(or 영양교사, 전문상담교사)로서 어떤 역할을 할 것인가? 또한 학교에서는 혼자서 해결할 수 없는 많은 문제 상황을 접하게 된다. 어떤 노력을 할 것인가?

2. 교사는 전문성을 신장해야 하고 교사의 전문성 여부는 학교 문화에 영향을 미친다. 교사가 전문성을 신장하기 위해 어떻게 해야 하는지 말하시오.

구상하기

🎯 해설 및 예시 답변

> **구상형 1**

> **키워드** **#교사로서 부족한 자질 분석 #보완 계획**

> **해설**

자신의 교직관을 바탕으로 답을 찾아야 한다. 교직관을 바탕으로 해당 교사에게 부족한 자질은 무엇인지, 그에 맞는 보완 계획을 고민해 보자.

> **예시 답변**

구상형 1번 답변드리겠습니다.

제시된 교사의 문제 상황은 다른 교사의 도움을 구하지 않았다는 점에서 협동심과 의사소통 능력이, '내가 참여해도 될까?'라고 하는 점에서 소속감이 부족하다고 볼 수 있습니다. 제가 기간제 교사로 현장에서 근무할 때 A 교사와 같은 고민을 한 적이 있습니다. 별실에 근무하고 있는 특성상 이러한 부분이 어려움이 됐습니다.

상황을 해결하기 위해 다음과 같은 계획을 세워보았습니다. 첫째, 제 교과에만 한정하지 않고 다른 교과와 융합해 프로젝트 학습을 구성하면서 협동심과 의사소통 능력을 키우는 것과 동시에 학생들의 전인적 성장에도 기여하는 교사가 되겠습니다. 둘째, 소속감을 키우기 위해 학교 체육대회나 축제 등 교사의 손길이 필요한 곳은 어디든 적극적으로 나서서 공동체의 일원으로서 조력하겠습니다. 셋째, 전문적 학습공동체에서 다양한 교과교사들과 함께하며 생활지도, 학생 이해 중심의 주제로 공동 연구에 힘쓰겠습니다.

이렇게 한다면, A 교사의 부족한 자질을 보완하고 협동심과 소통 능력, 소속감을 갖춘 교사로 성장할 수 있을 것입니다. 이상입니다.

> **구상형 2**

> **키워드** **#교사 대토론회 #학생 지도 방안 #학생이라고 가정**

> **해설**

교사 대토론회에서 규정에 따라 지도하기로 약속했다면, 일관적인 지도를 위해 규정을 지키고자 노력해야 한다. 하지만 그보다 중요한 것이 있다. 학생이 학교에서 제일 먼저 만나게 될 교사가 엄격한 잣대로 규정을 적용하려고 한다면 학생은 하루 종일 안 좋은 기분에서 헤어 나오기 어려울 것이다. 따라서 지도에 앞서 아침은 먹었는지? 얼굴이 피곤해 보이는데 어제 늦게 잔 건 아닌지? 간단한 질문으로 서로 긴장을 푸는 것부터 시작해야 한다. 그 후 체육복을 입고 등교한 이유를 물어보며 따뜻하게 접근하는 것이 중요하다. '학생이라고 가정하고 말하는 것'이므로 실제 학생을 대하듯 온화한 표정과 포근한 말투로 이야기해야 한다.

> **예시 답변**

구상형 2번 답변드리겠습니다.

문제 상황은 체육복을 입고 등교하는 학생을 지도하는 것입니다. 평가위원님들을 학생이라고 가정하고 학생 지도 방안을 말씀드리겠습니다.

A야 안녕? ○○○ 선생님이야. 이렇게 보는 건 오랜만이지? 아침밥은 먹었어? A가 오늘 체육복을 입고 등교한 특별한 이유가 있을까? 우리 학교 규정상 등교할 때는 교복을 입고 와야 하는 거 알고 있지? 그런데 오늘 규정을 지키기 어려운 특별한 상황이 있었니? A가 체육복을 입고 등교한 이유가 있는지 궁금했어. 우리가 오늘은 어쩔 수 없이 체육복을 입고 등교했지만, 다음부터는 교복을 입고 등교하자! 교복이 체육복보다 불편하긴 하지만 교칙은 다 같이 지켜야 하는 거잖아. A도 이해해 줄 수 있지? 오늘 좋은 하루 보내고 다음부터는 꼭 교복 입고 등교하자!

학생의 상황에 대해 공감적 자세를 취하면서 교복을 입지 않은 이유를 물어보고 규정을 알려줌으로써 학생이 다음부터는 교복을 입고 등교할 수 있도록 지도하겠습니다. 이상입니다.

키워드 #교사로서의 역할 #문제 해결 노력 방안

해설

교직관을 묻는 문제이다. 실무자가 아닌 교사로서 여러분의 자질을 확인하고자 했다. 또한 비교과 교사가 소외될 수 있는 현장 문제를 어떻게 해결할 것인지 물었다. 구상형 1번과 같은 맥락이다. 일관적인 답변을 해야만 진솔한 나를 보여줄 수 있다.

예시 답변

즉답형 1번 답변드리겠습니다.

저는 교사와 학생 사이 상호작용을 통해 함께 성장하는 학교를 꿈꾸고 있습니다. 제가 간호사가 아니라 보건교사가 되려고 하는 이유를 말씀드리겠습니다. 저는 학생들의 이야기를 들어주고 저의 지식이나 경험을 나누는 과정에서 보람을 느끼기 때문입니다. 간호사는 환자를 치료하는 행위가 주를 이룬다면, 보건교사는 치료뿐만 아니라 학생들과 교사 사이의 공감과 소통이 동반된다고 생각합니다. 그래서 저는 보건교사로서 학생들과 소통하면서 함께 성장해 나가고 싶습니다. 중학생 때 보건 선생님께서 저에게 약 처방뿐만 아니라 진심을 담아 조언을 해주셨던 경험이 있습니다. 머리가 너무 아파 보건실에 방문했는데, 선생님께서는 무작정 약을 주시는 것이 아니라 무슨 일이 있었는지 먼저 물어주셨습니다. 그리고 저에게 약이 아니라 비타민캔디를 챙겨주시며 부모님께 꼭 저의 마음을 들려드리라고 말씀해 주셨습니다. 저는 중학교 때 보건 선생님처럼 학생들 사이에서 소통 창구의 역할을 하고 싶습니다. 학생들이 힘들 때 부담 없이 저를 찾아올 수 있게 하고, 무작정 약을 주는 게 아니라 이야기를 통해 마음까지 치료해 주는 역할을 하고 싶습니다.

또한 학교에서 혼자서 해결할 수 없는 문제를 접하게 됐을 때 동료 선생님, 선배 선생님들께 도움을 청해 해결하도록 하겠습니다. 학교의 일원으로서 현재의 어려움을 솔직하게 표현하고 함께 해결 방안을 모색함으로써 문제 상황을 해결하겠습니다. 나아가, 저 역시 다른 동료 선생님, 선배 선생님들에게 어려움이 생겼을 때 도와줄 수 있는 부분이 있는지 확인하고 함께 문제 해결에 동참하겠습니다.

학생들과도, 선생님들과도 소통하는 교사가 되고 싶습니다. 이상입니다.

즉답형 2

키워드 #교사의 전문성 신장 방안

해설

교사의 전문성 향상 노력을 개인 측면, 교육 주체와의 협력 측면에서 모두 언급해야 한다. 전문적 학습공동체를 언급할 때는 단순히 전문적 학습공동체에 참여하겠다는 답변에서 멈추지 말고, 전문적 학습공동체에서 어떻게 활동할 것인지까지 이야기한다면 고민을 많이 했다는 인상을 줄 것이다.

예시 답변

즉답형 2번 답변드리겠습니다.

교사는 끊임없이 전문성 신장을 위해 노력해야 합니다. 교사의 전문성 신장을 위한 노력 방안을 두 가지 말씀드리겠습니다. 첫째, 대학원 진학을 통해 전문성을 신장해 나갈 수 있습니다. 시간이 흐름에 따라 새로운 이론이 등장하고 학계의 추세가 달라지기 때문에 끊임없는 공부는 교사에게 필수적일 것입니다. 따라서 저는 개인적으로 대학원에 진학해 시대 흐름에 따른 새로운 이론을 학습하고 이를 학교에서 적극적으로 실천하겠습니다. 둘째, 다른 선생님들과 전문적 학습공동체를 조직해 협력을 통해 교사 전문성을 신장할 수 있습니다. 학교에 있는 선생님들과 자발적으로 전문적 학습공동체를 조직해 관심 있는 주제를 선정하고 함께 토의하는 시간을 마련해 공동체의 전문성을 높이기 위해 노력하겠습니다. 이상입니다.

자기 평가	
체감 난도	ⓢ ⓩ ⓗ ➜ 원인 파악:
답변을 잘한 문제	
부족한 문제	
보완 계획	
스터디원의 핵심 피드백 내용	

2016학년도

| 구상형 |

1. 자신의 교직관, 교과 전문성을 바탕으로 한 진로교육 방안을 말하시오.

2. 자신의 직무와 관련해 학교 부적응 위기 청소년을 어떻게 발견하고 도울 것인지 말하시오.

| 즉답형 |

1. 삶에서 겪은 공동체 경험과 이를 통해 배운 것을 말하고 교직에서 어떻게 실현할 것인지 말하시오.

2. 전문적 학습공동체의 필요성과 어떤 전문적 학습공동체에 참여하고 싶은지 말하시오.

구상하기

🎯 해설 및 예시 답변

> **구상형 1**

> **키워드** #교직관 #교과 전문성 #진로교육 방안

> **해설**

① 교직관과 ② 교과 전문성을 포함한 진로교육 방안에 대해 이야기해야 한다. 자신의 교직관을 전달할 때는 그러한 교직관이 형성됐던 '배경', 즉 경험이 포함돼야 더 진솔하게 느껴질 것이다.

> **예시 답변**

구상형 1번 답변드리겠습니다.

저의 교직관은 학생과 끊임없는 소통을 통해 함께 성장하는 것입니다. 저의 교직관과 교과 전문성을 바탕으로 한 진로교육 방안을 두 가지 말씀드리겠습니다. 첫째, 홀랜드 성격 이론에 따른 진로 소그룹을 운영하겠습니다. 학생 개인 상담과 진로 심리 검사를 시행해 학생의 성격 유형을 확인하고 소그룹을 조직해 집단 상담을 이어 나가는 것입니다. 학생들은 자신과 비슷한 유형의 학생들과 이야기를 나눔으로써 자신의 성격 유형과 적성을 탐색해 갈 수 있을 것입니다. 둘째, 진로 체험의 날을 운영해 진로 상담실 앞에 체험 부스를 마련하겠습니다. 제가 고등학생 때도 자신이 무엇을 해야 할지 모르겠다는 학생들이 많았습니다. 여전히 어떤 직업이 있는지, 자신이 무엇을 좋아하는지 모르는 학생들이 많을 것입니다. 따라서 월별로 진로 체험 부스를 마련해 학생들이 진로 심리 검사에 참여할 수 있게 하고, 결과를 바탕으로 개별 상담을 진행하도록 하겠습니다. 전문상담교사로서 학생들과 끊임없이 마주함으로써 학생들이 꿈을 찾아갈 수 있도록 도움을 주는 교사가 되도록 하겠습니다. 이상입니다.

> **구상형 2**

> **키워드** #직무 #위기 청소년 도움 방안

> **해설**

자신의 교직관을 바탕으로 경험을 녹이면 좋다.

> **예시 답변**

구상형 2번 답변드리겠습니다.

저는 전문상담교사로서 학교 부적응 학생을 발견하고 돕기 위해 지속적으로 관찰하고, 담임교사, 교과교사와 자주 대화를 나누며 위기 학생을 조기에 발견해 상담으로 도움을 주겠습니다. 마음의 변화는 얼굴로 또는 행동으로 드러난다고 생각합니다. 저는 피곤하거나 우울할 때 주변 사람들이 알아차리고 관심을 주면 그것만으로도 큰 용기가 됐습니다. 구체적으로는 다음과 같이 노력하겠습니다. 첫째, 상담실에 한정적으로 있는 것이 아니라 많이 움직이며 학교 여러 곳에서 학생들과 부딪히고 표정이 어둡거나 힘들어 보이는 친구들에게는 도움의 손길을 내밀겠습니다. 온라인 상담방을 개설해 제가 미처 보지 못한 친구들을 위한 소통의 창구를 만들어 놓겠습니다. 둘째, 담임교사나 교과교사와 많은 이야기를 나누고 그러한 친구들을 파악한 후 상담하겠습니다. 이후 가정과 연대해 학생들의 전인적 변화를 위해 함께 노력할 것입니다. 이렇게 한다면, 상담을 요청해 온 학생뿐 아니라 더 많은 학생을 조기에 발견해 위기에서 도울 수 있을 것입니다. 이상입니다.

키워드 #공동체 경험 #배운 점 #실현 방안

해설

일상적인 경험에서 교훈을 만들고 이를 교직관과 연결시켜야 했다. 평소 다양한 주제에 관한 자신의 경험을 작성해 보고, 이러한 경험이 교사로서 나에게 어떤 영향을 주었고, 나를 거쳐 갈 학생들에게 어떤 도움을 줄 수 있는지 고민하는 시간을 가져야 한다.

예시 답변

즉답형 1번 답변드리겠습니다.

저는 고등학교 때 주제 탐구 동아리에서 동아리 부장을 맡았던 경험이 있습니다. 저를 포함해 동아리 부원들 대부분이 다른 동아리에 지원했다가 떨어진 친구들이어서 동아리에 대한 애정이 상대적으로 낮아 동아리 운영에 어려움이 있었습니다. 저는 동아리 부장으로서 부원들과 함께 동아리 활동을 하기 위해 미디어를 활용한 주제 탐구를 건의했습니다. 처음에는 의욕이 없었던 동아리 부원들도 다양한 미디어를 바탕으로 각자의 관심사를 탐구해 나감으로써 점차 동아리에 애정을 가져갔습니다. 나중에는 동아리 부원들이 자발적으로 건의했고, 저희는 동아리 부스 운영을 성공적으로 마칠 수 있었습니다. 저는 이때 소통이 공동체에 미치는 긍정적 영향에 대해 깨달았습니다. 이때의 경험은 교직에서 다양한 학생을 마주하면서 학생 개개인에게 관심을 가지고 소통하는 데 도움을 줄 수 있을 것입니다.

단 한 명의 아이도 포기하지 않고 끊임없이 소통하는 따뜻한 교사가 되도록 하겠습니다. 이상입니다.

즉답형 2

키워드 #전문적 학습공동체 필요성 #관심사

해설

전문적 학습공동체의 강점인 '집단 성장'에 대해 이야기하고 1교 1주제, 주제 중심, 학년 중심, 교과 중심 공동체 중 하나를 골라 구체적으로 어떤 주제로 공동체를 이어나가고 싶은지 이야기하면 된다.

예시 답변

즉답형 2번 답변드리겠습니다.

전문적 학습공동체는 교사 스스로 공동체를 구성해 전문성을 키우는 모임으로, 교사들이 공동 연구를 통해 함께 성장할 수 있습니다. 즉, 전문적 학습공동체는 자발적으로 교사들이 모여 토론을 진행함으로써 문제 상황을 해결하고 함께 성장할 수 있다는 점에서 필요성이 있습니다.

제가 참여하고 싶은 전문적 학습공동체는 학생의 성장을 돕는 심리상담을 주제로 한 전문적 학습공동체입니다. 하나의 교실에는 내향적인 아이, 외향적인 아이, 배움이 빠른 아이, 배움이 느린 아이 등 각각 특성이 다른 아이들이 있습니다. 아이들 각자의 특성이 다른 것처럼 아이들을 마주하는 방식 역시 달라야 한다고 생각합니다. 또한, 심리상담은 상담 이론을 학습하는 것도 중요하지만 실제로 상담을 적용하는 것도 중요합니다. 따라서 심리상담을 주제로 한 전문적 학습공동체에 참여함으로써 선배 선생님들의 사례를 듣고, 함께 이론 공부와 실천 방안을 연구해 나감으로써 아이들에게 효과적으로 다가갈 수 있는 방안에 대해 고민해 보고 싶습니다. 이상입니다.

자기 평가	
체감 난도	ⓢ ⓜ ⓗ ➜ 원인 파악:
답변을 잘한 문제	
부족한 문제	
보완 계획	
스터디원의 핵심 피드백 내용	

② 자기성장소개서

자기성장소개서는 그 명칭에서도 알 수 있듯이 '자신의 성장스토리'를 기재하는 것이므로 개인마다 강조해야 할 부분이 다르다. 따라서 자기성장소개서 기출문제 해설은 대략적인 답변의 포인트와 구상 방향에 대해서 언급하도록 하겠다. 다만, 가장 최근 기출인 2024학년도 문제의 답안은 실제 작성 형식에 따라 작성했다. 이를 통해 작성 방안에 대한 감을 익혀 보자.

우선순위를 고려해 최신 기출문제부터 접근하며, 2020학년도 이전 문제는 교육감이 다르므로 경기교육정책 문제는 가볍게 읽어만 보고 교직관 관련 문제를 중심으로 고민해 보자.

(1) 2024학년도

> **유치원·초등**
> 경기교육은 모든 학생이 인성과 역량을 키워가며 꿈을 실현할 수 있도록 자율, 균형, 미래와 함께합니다. 교사로서 학생의 인성과 역량을 신장할 수 있는 방안을 각각 하나씩 제시해 보세요.
>
> **중등 교과·비교과**
> 경기교육은 역량 중심 맞춤형 교육을 통해 학생의 역량을 키워가는 정책을 추진하고 있습니다. 이를 위해 필요한 교사의 역량은 무엇이고, 역량 강화를 위해 어떤 준비를 하고 있는지 제시해 보세요.

구상하기

🎯 답변 포인트

> 유치원·초등
> 키워드 #인성 #역량 #자율 #균형 #미래
> 문제의 키워드인 자율, 균형, 미래 키워드를 자기성장소개서 어딘가에는 꼭 언급해야 한다. 신장 방안을 작성할 때 본인의 경험(성장)+ 경기교육 방향성을 포함해야 한다.
>
> 예시 답변
> 경기교육은 자율, 균형, 미래의 가치 아래 기본 인성과 기초역량을 갖춘 인재를 양성하고자 합니다. 경기교육의 지향점과 저의 교직관인 '모두 함께 성장하기'를 고려했을 때 학생들에게 공동체적 인성과 협력적 문제해결 역량을 심어주고 싶습니다. 공동체적 인성을 갖추어야 자율과 균형의 가치를, 협력적 문제해결 역량을 갖추어야만 미래의 가치를 함양할 수 있기 때문입니다. 교사로서 학생의 인성과 역량을 신장할 방안은 다음과 같습니다.

첫째, 공동체적 인성 함양을 위해 학급 단합 활동을 기획하고 싶습니다. 학창 시절 학급에서 함께 음식을 만들어 먹고, 장기 자랑을 준비하면서 학급 친구들에 대해 더 깊게 이해하며 소속감이 증대했던 경험을 했습니다. 학생들이 직접 체육행사, 장기 자랑, 요리 등 하고 싶은 단합행사 프로그램을 기획하고 공동의 목표를 위해 함께 행사를 준비하는 과정에서 공동체 의식이 함양될 것입니다. 또한 준비 과정에서 사람마다 각자 강점이 있고, 이를 존중하고 협력해야만 모두 함께 성장할 수 있다는 것을 깨달을 수 있을 것입니다.

둘째, 협력적 문제해결 역량 함양을 위해 지역사회 문제 해결 프로젝트 학습을 시행하고 싶습니다. 학부 시절 학생회 활동을 하며 지역사회 봉사 활동에 참여한 적이 있습니다. 지역사회 환경 문제를 직접 인지하고 문제 해결을 위해 환경 정화 활동 및 생활 속 실천 규약을 제정하며 시민의식을 함양할 수 있었습니다. 교과 연계수업을 통해 학생들이 지역사회 문제를 직접 조사해 보고 해결할 방안을 구상할 수 있는 기회를 제공하겠습니다. 이렇게 한다면, 미래 사회에 놓인 다양한 환경 문제, 외교 문제 등을 주도적으로 해결할 수 있는 자세를 갖출 수 있을 것입니다.

이와 같은 방안을 통해 학생의 인성과 역량을 길러 미래 인재로 성장하는 데 도움을 줄 수 있는 교사가 되겠습니다.

중등 교과·비교과

키워드 **#미래 사회 교사 역량 #역량 강화 계획**

교사에게 필요한 역량을 언급하되, 그 이유를 구체적으로 설명해야 한다. 이유는 '학생의 역량을 키워가는 정책'과 관련이 있어야 하며 역량 강화 방안을 서술하되, 공동체 경험, 성찰(깨달음)이 포함돼야 한다.

예시 답변

미래에는 환경 문제, 외교 문제 등 다양한 문제가 발생할 것이며 세계화의 속도가 가속화될 것입니다. 따라서 학생들은 단순히 지식을 암기하는 것에서 벗어나 지식의 전이를 습득할 수 있어야 하며, 배운 것을 삶에 적용할 수 있어야 합니다. 따라서 교육 현장에서는 역량 중심 맞춤형 교육의 중요성이 높아졌습니다. 이를 위해 교사에게는 다음과 같은 역량이 필요하다고 생각합니다.

첫째, 비판적 사고와 문제해결 능력이 필요합니다. 교사는 학생들이 복잡한 사회 문제를 올바르게 바라보고, 해결하는 능력을 키울 수 있도록 조력하는 역할을 해야 합니다. 이를 위해서는 교사부터 비판적 사고를 통해 문제를 인식하고 해결 방안을 모색하는 능력을 갖추어야 합니다. 저는 이를 위해 최신 학술 논문 및 신문, 잡지 등을 정기적으로 구독하고 있습니다. 교육계의 동향뿐 아니라 정치, 사회, 문화 등 다양한 사회 현상을 이해하고, 이를 교육 현장에 적용할 수 있는 방안을 모색하고 있습니다. 혼자의 힘으로는 한계가 있기에 학부 동기들과 2주에 한 번씩 만나, 서로 스크랩한 자료를 공유하며 토의를 통해 비판적 사고력과 문제해결력을 강화하고 있습니다.

둘째, 개별화 학습 능력이 필요합니다. 학생들은 저마다의 학습 속도, 능력이 다르므로 교사는 학생 개인의 학습 요구를 이해하고 이에 맞춘 지원을 제공할 수 있어야만 학생들의 지식 전이 능력을 강화할 수 있을 것입니다. 저는 이를 강화하기 위해 학생 포트폴리오를 만들었습니다. 교육 실습생 시절, 학급 친구들에게 도움을 주고 싶어, 제가 관찰한 학생들의 발달 사항을 기록한 포트폴리오를 만들어 두었습니다. 이 내용은 다음에 상담할 때 좋은 자료가 돼 학생을 맞춤 지도하는 데 큰 도움이 됐습니다.

현장에 나가서 학생들의 비판적 사고력과 개인의 역량을 살릴 수 있도록 연수·자기 장학 등을 통해 꾸준히 공부하고, 동료 교사 및 지역사회와 함께 고민하고 노력하는 주도적인 교사가 되겠습니다.

(2) 2023학년도

유치원·초등

미래 사회 변화에 따른 인재 육성에 적합한 교사의 역량은 무엇이며, 그러한 역량을 기르기 위해 어떤 준비를 하고 있는지 제시해 보세요.

중등 교과·비교과

미래 사회 변화에 따른 적합한 교사의 핵심 역량을 제시하고, 그러한 역량을 기르기 위한 구체적인 계획을 서술하시오.

구상하기

🎯 답변 포인트

유치원·초등

키워드 | #미래 사회 인재 #인재 육성에 필요한 교사 역량 #역량 관련 준비

조건, 제시문 없이 자기 생각대로 풀어야 하므로 이 문항을 어떻게 풀어내느냐에 따라 수험생의 역량이 한눈에 보일 것이다. 출제 의도는 미래 사회 변화의 방향성을 경기교육의 관점으로 바라보느냐이다. 즉, 미래 사회 인재를 경기형으로 작성하고 이에 따른 교사 역량을 서술해야 했다. 이것은 '자기의 성장을 소개'하는 글이므로 자기 이야기, 관점, 성찰, 교직관 등이 반드시 포함돼야 한다. 포부를 넣으라는 말은 없지만 끝에 한두 줄 정도는 현직에서 어떻게 전문성을 발휘할 것인지 밝히자. 그러면 교원 전문성 강화를 강조하고 있는 경기교육에 걸맞은 자기성장소개서가 될 것이다.

중등 교과·비교과

키워드 | #미래 사회 교사 역량 #역량 강화 계획

중등 역시 조건, 제시문 없이 한 문항이 출제됐다. 자기 생각대로 풀어야 하므로 이 문항을 어떻게 풀어내느냐에 따라 수험생의 역량이 한눈에 보일 것이다. 출제 의도는 미래 사회 변화의 방향성을 경기교육의 관점으로 바라보느냐이다. 즉, 미래 사회 속 교사 역량을 경기형으로 작성해야 했다.

예시

- 미래 사회는 디지털화되며, 학교 교육에서도 디지털 활용 교육 및 디지털 윤리 교육이 매우 중시될 것임. 교사는 디지털 기술을 이해하고, 어떤 것을 주의해야 할지 고려해 교육에 적용할 수 있는 디지털 리터러시 역량이 필요함
- 미래 사회는 AI가 많은 부분에서 인간을 대체할 것임. 학교 교육에서 인공지능을 활용한 교육뿐 아니라 윤리교육을 할 수 있어야 함. 따라서 교사는 인공지능 활용 역량이 필요함. 또한, 인공지능이 대체할 수 없는 교사만의 전인적 능력이 중요함
- 미래 사회는 배움의 장소가 매우 다양해짐. 학생들은 자기주도 역량을 가지고 자기주도학습을 할 수 있어야 함. 따라서 교사는 학생의 자기주도 능력을 길러줄 수 있는 코칭 역량이 필요함
- 미래 사회에는 무엇보다 기초학력이 중요해짐. 신기술이 등장한다 하더라도, 기초학습 없인 아무것도 할 수 없음. 교사에겐 학생의 기초학력을 파악하고 부진한 학생이 있다면 원인을 가정과 연대해 파악하고 적절히 조치할 수 있는 감식안이 필요함

이것은 '자기의 성장을 소개'하는 글이므로 자기 이야기, 관점, 성찰, 교직관 등이 반드시 포함돼야 한다. 포부를 넣으라는 말은 없지만 끝에 한두 줄 정도는 현직에서 어떻게 전문성을 발휘할 것인지 밝히자. 교원 전문성 강화를 강조하고 있는 경기교육에 걸맞은 자기성장소개서가 될 것이다.

(3) 2020학년도

유치원·초등

1. **[경기혁신교육]** 혁신교육은 배움의 중심에 학생을 주체로 세워 교육공동체가 함께 학생의 성장을 지원하는 교육입니다. 현장의 교사가 된 이후 학교 및 학급 내에서 어떤 방식으로 혁신교육을 구현할 수 있을지, 경기도교육청의 '혁신교육 3.0' 정책에 기초하여 의견을 제시해 보세요.

2. **[학교민주주의]** 최근 학교 자치가 이슈가 됨에 따라 학교민주주의 문화의 중요성이 날로 강조되고 있습니다. 학교민주주의를 실천할 수 있는 신규 교사의 역할이나 실천 방안을 구체적인 비전과 함께 제시해 보세요.

3. **[인간존엄교육]** 교실 안에는 흥미, 적성, 소질, 능력, 수준이 제각기인 다양한 학생들이 모여 살고 있습니다. 인간존엄교육을 추구하기 위해 다양한 학생들이 평화롭게 학교생활을 할 수 있는 학급운영 방안을 제시해 보세요.

4. **[역량 강화]** 교사의 전문성은 어떻게 발휘되는 것일까요? 현장에서 사용해야 하는 '교육과정'을 중심으로 교사의 전문적 역량이 무엇인지를 고려하여, 교사로서 역량 강화를 위해 어떤 준비를 하고 있는지 제시해 보세요.

중등 교과·비교과

1. **[교직관]** 혁신교육에서 지역사회와 연계하는 교육생태계 구축(혁신교육지구, 마을교육공동체, 꿈의학교·꿈의대학)이 활성화되고 있습니다. 본인의 소속 학교와 인근 학교와의 공동교육과정을 운영한다고 할 때, 자신의 교육철학이 드러날 수 있는 교육 거버넌스 구축 계획을 설계해 보시오.

2. **[경기혁신교육]** 최근 우리 사회에 공교육(학교)과 교사 불신 현상이 심화되고 있습니다. 본인이 교직과정을 준비하면서 겪은 유사한 사례를 예를 들어 설명하고, 경기혁신교육이 추구하는 정책을 참고하여 이를 해결할 수 있는 실천 및 학습 방안을 마련해 보시오.

3. **[실천 경험]** 만약, 신규 교사가 열악한 농어촌 지역에 발령받는다면 어떻게 받아들여야 한다고 보는지, 자신이 자라온 환경과 비교하여 이에 대한 적응 계획을 제시해 보시오.

4. **[교직 적성]** 경기도교육청은 2022년까지 고교학점제를 도입하려 준비 중입니다. 고교학점제 도입과 관련하여 현재 본인이 준비한 어떠한 역량이 이 학점제의 방향과 맥을 같이하는지 설명하고, 이를 동료 교사와 어떤 전략으로 현장에 안착시킬 수 있을지 제시해 보시오.

구상하기

🎯 답변 포인트

1. 키워드 **#혁신교육 3.0 #혁신교육 구현 방안**

   경기혁신교육에 관한 문제이다. 혁신교육 3.0의 방향을 명확히 이해한 후 서술해야 한다. 이 문제는 이미 답을 정해놓고 있는데, 문제의 2가지 조건 ① 학생 주체, ② 공동체 협력을 실현할 수 있는 학급 운영 방침을 적어야 한다. 경기혁신교육 3.0의 핵심 가치인 '마을과 함께하는 교육', '지역 특색'을 서두에 언급한 후, 학생이 주체가 돼 마을과 함께하며 교육공동체가 협력할 수 있는 방안을 적었다면 논점을 정확히 짚었다고 볼 수 있다.

2. 키워드 **#학교민주주의 #역할 #실천 방안 #비전**

   학교민주주의에 대한 문제이다. 경기도에서 추구하는 학교민주주의의 방향을 명확히 이해한 후 방향성에 맞추어 나만의 방안을 모색해야 한다. 민주주의 카테고리 안에는 생각보다 많은 내용이 포함된다. 민주주의를 자의적으로 해석하는 것이 아닌, 경기도교육청의 지향 방향에 맞추어야 함을 명심하자.

3. 키워드 **#존엄교육 #평화로운 학교생활 방안**

   ① 존엄의 가치를 기술한 후 ② 이 방향에 맞게 제각기 다른 학생들이 평화롭게 학교생활을 할 수 있는 방안을 고민해 보아야 한다.

4. 키워드 **#교육과정 역량 #강화 준비**

   교육과정이라는 키워드를 놓치면 안 된다. 먼저 교육과정 재구성이 대두되며 교사에게 교육과정 문해력이 강조된다. 또한 창의성, 융합 능력 등도 필요하다. 이러한 역량을 기르기 위한 방안으로 공동의 노력을 활용하면 좋다. 전문적 학습공동체, 교사 연수, 동 학년 협의회 등을 통해 역량을 기르겠다고 서술한다면 경기도 교육청에서 추구하는 교사상에 부합한다.

중등 교과·비교과

1. 키워드 **#공동교육과정 #교육관 #거버넌스 구축 계획**

교직관에 대한 문제이다. 따라서 교육 거버넌스 구축 계획을 설계하기 전에 교직 철학을 먼저 두괄식으로 제시한 후, 이에 맞게 그 방안을 서술해야 한다. 또한 이 문제는 교육생태계, 교육 거버넌스 등 현장에서 쓰이는 용어의 개념을 명확히 알고 작성해야 했다. 교육생태계란 학교 교육을 둘러싼 모든 것, 즉 학생, 학교, 학부모 나아가 지역사회까지 포함하고 있다. 교육 거버넌스는 교육 공동목표 달성을 위해 이해당사자들의 투명한 의사결정을 돕는 모든 장치를 말한다. 어렵게 서술했지만, 다양한 주체들과 연대할 수 있는 교육 방안을 자신의 교육 철학이 드러나도록 서술하는 문제였다.

2. 키워드 **#교사 불신 현상 #교직과정 준비 중 사례 #경기혁신교육 #실천 및 학습 방안**

경기혁신교육에 대한 이해를 묻고 있다. 교직과정을 준비하며, 즉 교생실습 및 교육봉사 등을 준비하며 겪은 사례를 설명하고 이를 해결할 수 있는 방안을 '경기혁신교육' 속에서 제시해야 했다. 현장에서 자주 사용되거나 중요하게 거론되는 정책을 활용할 수 있는 방안을 세워야 했다. 또한, 이 문제는 전략적으로 써야 한다. 공교육 불신 현상을 쓰라고 해서 사석에서 나올 법한 이야기, 즉 '사교육 강사보다 공교육 교사 수업의 질이 낮다, 수능 문제 분석을 잘하지 못한다, 자유학기제 무용론이 나오고 있다' 등 공교육이나 현장 제도를 부정하거나 비난하는 방향으로 써서는 결코 좋은 인상을 줄 수 없다. 지필평가 직후 영화를 보는 것, 시간표에 따라 움직여 학생들이 질문할 수 있는 기회가 줄어든다는 점 등 개선 가능한 '상황'에 초점을 맞추어 작성해야 한다.

3. 키워드 **#농어촌 적응 계획 #환경 비교**

실천 경험을 묻고 있다. 여기에서는 나의 경험을 들어 어떻게 적응할 것인지 적어야 한다. 만약, 농촌에서 자란 경험이 있다면 '그러한 경험이 있었기에 잘 적응할 수 있다.'의 관점에서 구체적인 계획을 서술하면 좋다. 도시에서 자라 농촌 경험이 없다면 '농촌 봉사활동'을 간 일화, '할머니 댁에서 방학 동안 생활했던 이야기' 등을 곁들여 적응력을 보여주면 좋다. 아예 농촌 경험이 없다면 '도시에 살았기 때문에 농어촌을 경험해볼 기회가 부족했지만, 이를 성장의 기회로 삼아 제가 근무하는 농어촌을 알아보고 지역 특색을 고려한 교육을 만들기 위해 다음과 같은 노력을 하겠습니다.'라고 이야기하는 것이 좋다.

4. 키워드 **#고교학점제 방향 #역량 #협업 방안**

교직 적성에 대해 묻고 있다. 즉, 이 문항을 통해 교사로서의 자질을 갖추고 있는지의 여부를 확인하겠다는 것이다. 우선 고교학점제의 명확한 정의를 알고 있어야 한다. 이는 학생들이 진로에 따라 다양한 과목을 선택하고 수강해 누적 학점이 기준에 도달하면 졸업하는 제도이다. 학생 맞춤형 교육을 지향해 학생에게 진로 개척 역량과 자기주도성을 길러주는 데 의의가 있다. 이 방향성을 고려해 나의 역량을 제시해야 한다. '동료 교사'와의 협업이 조건으로 명시돼 있기에 이 조건도 놓쳐서는 안 된다.

(4) 2019학년도

유치원·초등

1. [교직관] 자신의 경험에 비추어 볼 때 학생에게 공정성을 가르치려고 한다면, 어떤 기준이 우선되어야 한다고 생각하시나요?

2. [경기혁신교육] 혁신교육의 핵심 가치가 무엇이라고 생각합니까? 그러한 가치를 실현하기 위해 본인이 교사양성과정 시절(대학, 대학원 등) 기울였던 노력에 대해 설명해 주세요.

3. [학교 자치] 교육 자치를 넘어 학교 자치가 최근 교육계의 화두입니다. 현장의 교사가 된 이후 어떤 방식으로 학교·학급 내에서 자치를 풀어갈지 자신의 의견을 제시해 보세요.

4. [실천 방안] 경기도교육청이 추구하는 4·16 교육체제의 가치와 방향에 비추어 볼 때, 그 정신을 구현할 수 있는 교사로서의 실천 방안을 두 가지 이상 제시해 주세요.

중등 교과 4번 문항 당해 연도 유치원·초등과 동일

1. [교직관] 지원자의 삶의 경험을 토대로 진로를 고민하는 고등학교 1학년 학생에게 필요한 상담 메시지 또는 학급 훈화를 작성해 보시오.

2. [경기혁신교육] 교육 자치를 넘어 학교 자치가 최근 교육계의 화두입니다. 자신이 경험한 학교 교육에 비추어 볼 때, 학교 자치의 실현에서 교사로서 자신의 역할을 계획해 보시오.

3. [실천 경험] 자신의 학창 시절 또는 교사양성과정 시절(대학, 대학원 교육과정이나 실습 등)에 느꼈던 학교의 바람직하지 못한 관행을 두 가지 이상 제시하고, 교사가 된다면 관행을 바로잡기 위해서 어떻게 실천하고 싶습니까?

중등 비교과 2~4번 문항 당해 연도 유치원·초등과 동일

1. [교직관] 고등학교 1학년 학생이 진로에 관한 상담을 요청했다면, 지원자의 삶의 경험을 바탕으로 어떤 메시지를 줄 것인지 작성해 보시오.

구상하기

📍 답변 포인트

유치원·초등

1. **키워드** **#공정성의 기준**

   교육의 공정성을 알고 있는지 확인하는 것을 넘어 수험생이 제시한 '기준'을 통해 가치관을 파악하고자 하는 어려운 문제이다. 공정성과 관련된 경험을 통해 얻은 교육 가치관과 이를 어떻게 학생에게 가르칠지 경험-교직관-계획을 한 세트로 서술해야 한다. 흔히 교육 현장에서 공정성, 즉 '공평함'을 논하는 경우는 '기회의 균등' 문제가 가장 크다. 환경에 따른 교육의 불평등 관점에서 기회를 보장할 수 있는 다양한 사례, 즉 교육 약자(다문화가정, 취약가정) 등의 사례를 통해 이를 잘 녹여내야 한다.

2. **키워드** **#혁신학교 핵심 가치 #가치 실현 노력**

   2018학년도 문제와 거의 똑같다. 혁신교육의 가치에 대한 명확한 이해를 바탕으로 관련 경험을 서술해야 한다. 또한 과거 경험-가치관(혁신교육에 대한 나만의 가치)-실천 계획까지 한 세트로 묶어서 서술한다면 논점을 정확히 짚었다고 할 수 있다.

3. **키워드** **#학교 자치 실현 방안**

   학교 자치에 대한 명확한 이해가 선행돼야 한다. 학생 자치의 방향은 학생 주도, 교사 조력임을 명심하자. 그 후 이것의 적용 방안을 서술해야 한다. 관련 경험을 곁들인다면 평가위원의 눈에 띄는 글이 될 수 있을 것이다.

4. **키워드** **#4·16 교육체제 정신 #실천 방안**

   4·16 교육체제에 대해 소홀히 한 수험생이라면 안전의 관점에서만 서술할 것이다. 하지만 창의, 협력, 공공, 생태, 자율의 가치 모두를 고려하고 이것을 실현할 수 있는 방안을 서술해야 한다. 정책 내용이 포함되는 문제는 그 이해 정도에 따라 글의 수준이 천차만별이니 《사이다 면접》을 통해 경기교육의 윤곽을 잘 잡고 작성해야 한다.

2

중등 교과

1. 키워드 **#경험 #고1 진로 상담 메시지·학급 훈화**

교직관에 대한 문제이다. 과거의 경험을 통해 만들어진 교직관을 서술한 후 상담 메시지나 훈화를 한 세트로 묶어 서술해야 했다. 메시지나 학급 훈화라는 조건에 초점을 맞추어 말하듯이 부드럽게 서술했다면 문제의 논점을 정확하게 짚었다고 할 수 있다.

2. 키워드 **#학교 자치에서 교사의 역할**

경기혁신교육에 대한 이해가 선행돼야 한다. 학교 자치에 대한 정확한 이해를 바탕으로 관련 경험을 서술한 후 이를 실현할 수 있는 방안을 작성해야 했다. 따라서 현재 학교 자치가 어떻게 이루어지고 있는지, 그 방향에 대해서 꼼꼼히 살펴본 후 그것과 맥을 같이해야 한다. 또한 경험을 서술할 때는 학교 자치를 실현하지 못해 안타까웠다거나 부정적인 사례를 언급하는 것이 아닌, '담임 선생님이 학급회의를 월 2회 이상 실시해 소통이 자유로운 반이어서 자치의 중요성을 어렸을 때부터 실감했다.' 혹은 '스스로 학급의 규칙을 정하게 하셨던 담임 선생님 덕분에 스스로의 일을 직접 고민하고 계획하며 실천하는 학생이었다.' 등 긍정적이고 밝은 사례를 서술하는 것이 보다 전략적인 선택이라고 할 수 있다.

3. 키워드 **#교사양성과정 #바람직하지 못한 관행 #바로 잡을 실천 방안**

바람직하지 못한 관행을 제시하라고 했지만 사석에서나 이야기할 법한 적나라하고 개인적인 일화를 일반화해 평가위원분들을 간접적으로 무시해서는 안 된다. 공교육에 대한 신뢰를 바탕으로, 누구나 공감할 수 있는 사례, 즉 수행평가를 할 때 이름을 가리지 않고 명단을 돌린다거나 학기 말 남는 시간에 단순히 영화를 관람하며 시간을 보낸다거나 하는 환경의 문제를 사례로 적어야 똑똑한 수험생이라고 할 수 있다. 개인 교사에 관한 부정적 시선이 아닌, 어쩔 수 없는 상황 탓에 만들어진 문제를 기술해야 글을 읽는 평가위원이 불편하지 않을 것이다.

중등 비교과

1. 키워드 **#삶의 경험 #고1 진로 상담 메시지**

교직관에 대해 묻고 있다. '경험-교직관(깨달음)-이를 통해 내가 제시할 수 있는 방향'이 한 세트로 움직여야 한다. 또한 '메시지'라는 조건에 맞추어 학생에게 상담을 하듯 부드러운 투로 서술하면 좋다.

(5) 2018학년도

유치원·초등·중등 교과·비교과

1. **[교직관]** 자신의 성장이 언제 많이 일어났다고 생각하나요? 교육적 성장이 있었던 경험에 대해 말하고, 그 경험이 앞으로 교직 생활에 어떤 영향을 미칠 것인지 말해 보시오.

2. **[경기혁신교육]** 혁신학교에서 가장 중요한 가치가 무엇이라고 생각하는지 자신이 이해한 혁신학교를 바탕으로 그 가치에 대한 고민을 말해 보시오.

3. **[실천 경험]** 학창 시절 자신을 가장 힘들게 했던 것이 무엇인지 말하고, 교사가 되었을 때 똑같이 고민하고 있을 학생에게 해 줄 수 있는 교사의 실천 방안을 말해 보시오.

4. **[교직 적성]** 4차 산업혁명 시대에서 현직 교원들에게 가장 필요하다고 생각되는 역량은 무엇인가요? 그렇게 생각한 이유를 말하고, 학급 경영을 하는 담임교사 입장에서 그 역량을 구현하는 방법 1가지를 말해 보시오.

구상하기

🎯 답변 포인트

유치원·초등·중등 교과·비교과

1. 키워드 **#교육적 성장 경험 #교직 계획**

교직관에 대한 문제이다. 과거 경험에서 얻는 교직관, 그리고 그것이 미칠 영향(실천 계획)을 한 세트로 서술하면 된다.

2. 키워드 **#혁신학교 가치 #고민**

혁신학교의 가치인 민주성, 협력성, 창의성, 공공성 중 본인이 생각하는 중요한 가치를 선택해야 한다. 이후 '가치에 대한 고민'으로는 이것이 왜 중요하며, 어떠한 문제의식에서 출발했는지 학생의 변화, 교육의 변화의 관점에서 필요성을 제기해야 한다. 이 문항에서 경기교육의 이해 정도가 천차만별로 드러나게 됐다.

3. 키워드 **#학창 시절 고민 #실천 방안**

실천 경험을 묻고 있다. 자신을 가장 힘들게 만들었던 모든 경험이 아니라 교육적으로 가치 있는 경험을 선별해야 하는 전략적인 문제였다. 과거의 경험이 현재의 교직관을 만들고 앞으로 계획과도 연관되는 전형적인 교직관 문제이다. 성장 과정이 드러나는 문항에서 평가위원은 수험생에게 인간적인 매력을 느끼고, 가슴 깊이 공감할 수 있기 때문에 진솔하게 답변해야 한다. 개인적인 일화 중 교육적 가치가 있는 순간은 언제든 나올 수 있으므로 미리 정리해 두자.

4. 키워드 **#4차 산업혁명 시대 교원 역량 #이유 #역량 구현 방안**

교직 적성을 묻고 있다. 교직에 적합한 사람인지 그 자질을 확인하는 문항이다. 따라서 4차 산업혁명 시대 교원의 역량을 묻는 문제의 이면에는 '현 상황에서 당신이 생각할 때 가장 중요한 교사의 가치가 무엇인지' 당신의 생각을 묻고 있다. 더불어 ① 4차 산업혁명 시대 교원의 역량, ② 그 원인, ③ 담임교사로서 구현하는 방법 3가지 요건을 충족시켜야 한다. 한편으로 답이 정해져 있는 문제인데, 4차 산업혁명 시대에는 무엇보다 인간의 협동, 창의성 등이 중요하다. 기계가 대체할 수 없는 영역이 인간만의 능력, 즉 의사소통 능력, 협업 능력, 창의성이기 때문이다. 이렇게 정해진 답을 내가 생각한 것처럼 잘 녹여내야 하는 전략적 면모가 필요한 조금 까다로운 문제였다.

(6) 2017학년도

유치원·초등

1. **[교직관]** 본인의 교사상은 무엇이며, 이것을 정립하는 데 영향을 미쳤던 책 한 구절을 출처와 함께 간단히 인용하고 그 이유를 설명하시오.

2. **[경기혁신교육]** 경기도교육청은 '학생중심교육'과 '현장중심교육'을 지향하고 있습니다. 학생중심교육으로 행복한 배움을 실현하기 위한 구체적인 방법을 수업과 학급 운영 영역에서 각각 한 가지 이상 제시해 보시오.

3. **[실천 경험]** 소통과 협업 등 집단지성의 힘을 발휘하여 무엇인가를 성취했던 경험과 그 의미에 대해 설명하시오.

4. **[교직 적성]** 3월 입학 첫날, 학급 담임을 맡았습니다. 어떻게 학급을 운영할 계획인지 인사말과 포부를 담아 가정통신문으로 작성해 보시오.

중등 교과 1, 3, 4번 문항 당해 연도 유치원·초등과 동일

2. **[경기혁신교육]** 경기혁신교육이 지향하는 핵심 철학과 가치를 제시하고, 이를 직무 영역에서 어떻게 구현할 것인지 실현 방안을 두 가지 이상 제시하시오. (직무 영역: 교육과정-수업-평가, 학급 운영, 생활지도 영역 중 택1)

중등 비교과 1~3번 문항 당해 연도 중등 교과와 동일

4. **[교직 적성]** "요즘 젊은 교사들은 모범생이고, 공부만 잘하다 보니 현장의 아이들을 이해하는 데 한계가 있어. 소명감은 없고, 직업 안정성 하나 바라보고, 방학 때 해외여행 다니는 것만 기다리는 교사들이 많아!"라며 면전에서 교사를 비판하는 시골 어르신에게 어떤 대답을 하시겠습니까?

구상하기

🎯 답변 포인트

유치원·초등

1. 키워드 **#교사상 #책 구절 #이유**

교직관을 묻는 문제이다. 과거의 경험(독서)으로 인해 얻은 교직관을 서술해야 한다. 더불어 교직에 나아가 이를 어떻게 실천할지 짧게라도 서술한다면, 경험–깨달음(교직관)–실현 계획을 살피려는 출제 의도에 부합한다.

2. 키워드 **#학생 중심 #현장 중심 #방안**

학생중심교육과 현장중심교육 방안을 온전히 이해한 후 그 방향에 맞게 수업과 학급 운영 방안 1~2가지를 서술해야 한다. 학생이 주체가 돼 스스로 할 수 있는 방안을 모색하면 된다.

3. 키워드 **#협동 경험 #의미**

실천 경험을 묻는 문제이다. 반복 언급하지만 단순히 경험만 나열해서는 안 된다. 소통, 협업 등의 경험 ➡ 그것으로 깨달은 의미(교직관) ➡ 현장에서의 실천 계획을 순서대로 서술하자. 문제 유형이 '실천 경험'에 초점을 맞추었기 때문에 경험을 보다 자세히 기술하면 문제의 논점을 잘 짚었다고 할 수 있다.

4. 키워드 **#학급 운영 계획(인사, 포부) #가정통신문 형식**

문제의 조건으로 ① 운영 계획 내포 ② 인사말 ③ 포부, 총 3가지가 제시돼 있는데 이는 교직관을 파악하고자 한 것이다. 자신의 교직관을 드러내는 문장으로 인사말을 열고(②), 과거의 어떤 경험으로 어떤 가치관을 갖는 교사가 돼 앞으로 학급을 이렇게 운영하겠다(①)라는 것을 서술한 뒤 그것에 구체적인 실천 계획 및 포부(③)를 서술하면 논점을 정확히 짚었다고 할 수 있다.

중등 교과

2. 키워드 **#혁신교육 철학과 가치 #실현 방안 2가지 #직무 영역 선택**

2016학년도 문제와 마찬가지로 당해 연도 교육감의 행보, 반복적으로 강조하는 말 등을 통해 교육청이 실질적으로 가고자 하는 길을 파악해 서술해야 한다. 그리고 이것과 방향이 같은 나만의 방안을 작성해야 한다. 문장의 순서는 핵심 철학과 가치를 서술하고 ➡ 직무 영역 중 1가지를 고른 후 ➡ 상세한 방안 2가지를 서술하면 된다.

중등 비교과

4. 키워드 **#모범생 #학생 이해의 한계 #소명감 없음 #직업 안정성 #해외여행**

공교육에 대한 긍정적 관점을 드러내면서도 아주 전략적으로 영리하게 써야 하는 문제이다. 어르신 말에 동의해 이분법적 시각으로 나쁜 교사, 좋은 교사라는 인식으로 접근한다면, 절대 현장에서 함께 일하고 싶은 동료 교사로 선택받지 못할 것이다. 가장 무난한 방안은 "저는 학창 시절에 방황을 많이 하던 학생이었는데, 선생님의 도움으로 학교에 정을 붙이고 저 같은 친구들을 돕는 교사가 되기 위해 교직의 길을 걷게 됐습니다."라는 등의 개인적 일화로 설득하는 것이다.

(7) 2016학년도

유치원·초등

1. **[교직관 및 교직수행 계획]** 예비 교사로서 교직관과 교육철학을 정립하는 데 영향을 받은 교육 분야의 책 이름과 선정 이유를 설명해 주세요. 아울러, 임용 이후 20년차 교사가 될 때까지 5년 단위로 본인의 생애 주기별 성장 목표 목록(버킷리스트)을 작성해 보십시오.

2. **[경기혁신교육의 이해]** 경기교육이 풀어야 할 핵심 과제를 두 가지 이상 밝히고, 이러한 과제를 해결하기 위한 본인의 실천 계획을 밝혀주십시오.

3. **[교직을 위한 성장 노력]** 대학교(원) 재학 중에 학생과 학교 현장을 이해하기 위한 교육봉사·실천 경험을 소개하고, 깨달은 점을 제시하여 주십시오.

4. **[자질 및 태도]** 열심히 노력을 하지만 성적이 좋지 못한 우리 반 학생 ○○이가 상담을 하러 왔습니다. 삶의 경험을 토대로 ○○이에게 용기를 북돋을 수 있도록 편지를 써주십시오.

중등 교과·비교과 1~3번 문항 당해 연도 유치원·초등과 동일

4. **[자질 및 태도]** 교사 직무를 수행하는 데 예상되는 본인의 최대 강점과 약점을 한 가지씩 써주세요. 자신의 강점을 극대화한 실천 약속(교실과 학교) 한 가지와 약점을 극복하기 위한 실천 계획(방안)을 써주십시오.

구상하기

🎯 답변 포인트

유치원·초등

1. 키워드 #교직관 #책 이름과 선정 이유 #5년 단위 20년 버킷리스트

교직관 및 교직 수행 계획 문제는 '과거 경험−교직관−교직 수행 계획'을 한 세트로 묶어 서술해야 한다. 따라서 교육 분야의 책을 읽은 과거의 경험이 어떠한 교직관을 만들어 냈으며, 이를 달성하기 위한 계획은 어떠한지 순서대로 작성해야 한다. 또한 문제에서 생애주기별 성장 목표를 5년 단위로 끊어 제시하라고 했다. 이 부분을 놓치지 말고, 단위를 잘 나누어 서술해야 한다.

2. 키워드 #경기교육의 과제 2가지 #실천 계획

정책 문제는 크게 시책 이해, 운영 방안, 고민 해결로 나뉜다고 했는데 이 중 두 번째 케이스인 경기교육이 나아가야 할 방안에 관해 묻는 문항이다. 여기에서는 실천 계획도 중요하지만, 경기교육의 고민을 명확히 파악하는 것이 중요하다. 경기도교육청 공식 블로그나 교육감의 인터뷰를 통해 당해 가장 중요하게 여기는 혁신교육의 가치가 무엇인지를 파악해야 한다. 그 후 이 방향과 맥을 같이하는 내용을 적어야 한다.

3. 키워드 #교육 봉사 경험 #깨달은 점

교직을 위한 노력 문제이다. 경험을 소개하고 이를 통해 깨달은 점, 즉 교육관 및 교직관을 적어야 한다. 이 경우는 다시 이야기하지만, 마지막에 실천 계획을 짧게라도 서술해 흐름의 일관성을 확보해야 교사로서의 소양을 잘 드러낼 수 있다.

4. 키워드 #성적이 좋지 못한 ○○이에게 편지 #나의 경험

자질 및 태도에 관한 문제이다. 과거 경험이 만든 나의 가치관을 담은 메시지를 보내는 것이 핵심이다. 이때 문제의 조건인 '편지'에 초점을 맞추어 보다 따뜻하게 메시지를 작성해야 한다.

중등 교과·비교과

4. 키워드 #강점과 이를 극대화한 실천 방안 #약점과 극복 방안

자질 및 태도를 묻는 문항이다. 그런데 이 문제는 전략적으로 영리하게 써야 하는 문제이다. 강점과 약점을 묻는 문항에서는 특히 약점을 서술할 때 주의하자고 했다. 약점인 듯 보이는 강점을 쓰거나, 약점의 보완 계획을 서술해 나의 강점을 강화하는 방향으로 서술해야 한다. 또한 강점을 드러낼 때 지적 능력이나 스펙을 나열하는 것이 아닌 경기도 교사에게 요구하는 협업 능력, 공동체성을 드러내면 좋다.

③ 집단토의

집단토의는 최대 6명이 현장에서 합을 맞춰야 하는 시험이므로 자신의 생각이나 구상한 대로 흘러가지 않는다. 따라서 기출 해설은 구상 및 토의 포인트와 키워드 위주로 말씀드리고자 한다. 앞뒤로 살을 잘 붙여 협력적인 토의를 완성하시길 바란다.

(1) 초등

> **2020학년도**
> 다음과 같은 상황에서 존엄, 정의, 평등의 가치를 실현할 수 있는 방안에 대해 논하시오.
>
> > 쉬는 시간 담임교사가 화장실에 간 사이 A가 B를 쫓다가 급하게 닫은 문에 손을 찧는 사고가 발생했다. 돌아온 담임교사는 다투고 있는 A와 B를 말리고 우선 A를 양호실에 보낸 다음 B에게 사과를 시키고 상황을 종결시켰다. 그 후 각 관계자들의 생각은 다음과 같다.
> >
> > - 담임교사: 평소 장난이 심하던 A가 그 정도로 끝나서 다행이었어. 내가 할 수 있는 일은 다 한 것 같아. 수업만으로도 벅찬 하루였어.
> > - A 학생: 다친 건 나인데 왜 B는 별로 혼내지 않은 거지? 선생님은 나만 미워하셔.
> > - B 학생: 평소에 A한테 피해를 많이 받았는데 억울해.
> > - 반 학생들: 평소와 다르게 A가 다치다니 별일이네?
> > - A의 학부모: A가 다친 게 이번이 처음이 아닌 것 같아. B 학부모는 왜 사과를 하지 않는 거지? 학교폭력대책자치위원회를 열어야겠어.
> > - B의 학부모: 애들끼리 장난치다가 있을 수도 있는 일인데 A 학부모는 왜 저러지? B가 사과도 했다는데 학교로 가봐야겠어.

구상하기

🎯 구상 및 토의 포인트

문제에 2020학년도 경기도교육감이 신년사에서 언급한 존엄, 정의, 평등이라는 키워드가 등장했다. 토의의 진행 방향은 크게 2가지이다. 먼저 주체별로 범주를 나눠 진행하는 것이다. 6가지 문제 상황을 보고, 문제의 키워드를 실현할 수 있는 방안을 찾는 식으로 진행하면 된다. 혹은 키워드에 제시한 대로 존엄, 평화, 평등의 가치를 실현할 수 있는 방안, 즉 3가지의 범주로 진행해도 좋다. 먼저 발언권을 잡은 사람이 토의의 흐름을 가져가게 되므로 이 점을 유념해 먼저 선점하는 것도 전략 중 하나이다. 제시문을 분석해 보자.

문제 상황
- 담임: ① 장난이 심한 A가 약하게 다친 것을 다행이라고 여김
         ② 상황 파악 등을 하지 않고 할 도리를 다했다고 생각함
- A: 교사에 대한 신뢰가 낮음. B를 탓함
- B: 교사에 대한 신뢰가 낮음. A를 탓함
- 반 학생들: A가 다친 것에 대해 신기해하는 반응임. 갈등이 아닌 A에게 집중함
- A 학부모: A의 문제를 차근차근 해결하려는 것이 아닌 정황을 알아보지 않고 학교폭력대책위원회에 회부하려고 함
- B 학부모: 같은 학부모의 마음을 헤아리지 못하고 학교부터 가려고 함

해결 방안
단순히 해결 방안을 제시하면 토의의 논점에서 어긋난다. 문제 속 키워드인 존엄, 정의, 평등이라는 가치를 반드시 언급해야 한다.
- 담임 선생님은 A와 B를 표면상으로 화해시키고 상황을 종결하고 있다. 또한 수업에 지친 나머지 생활지도를 하고 싶지 않아 한다. 이런 담임에게 동 학년 협의회, 전문적 학습공동체로 좋은 지도 방안을 공유한다면 담임교사의 존엄을 보장할 수 있을 것이다. 또한 담임 역시 A에 대해 상담이나 긍정 훈육으로 더 깊이 바라보려고 한다면 A의 존엄 역시 실현할 수 있을 것이다.
- 학생 A와 B는 교사에 대한 신뢰도가 낮다. 사제동행 프로그램으로 A와 B의 마음을 들여다볼 수 있다면, 인간 존엄의 가치를 실현할 수 있다. A와 B의 억울함을 해결해 평등의 가치도 실현할 수 있다.
- 반 학생들은 방관하고 있다. 학급회의나 회복적 생활교육으로 방관자가 아닌 함께 문제를 해결해 나가는 공동체로 의식하는 교육이 필요하다. 또한 학급에서 월 1회 이상 인성교육을 실시하면 좋겠다. 역할 놀이 등을 통해 문제 학생의 입장이 돼보는 교육을 시행한다면 서로를 이해하고 배려하며 정의의 가치를 실현할 수 있다.
- 학부모는 서로 대화하려 하지 않고, 학교 기관에 의존하려 하고 있다. 소통하기 위해 담임이 중재의 자리를 마련한다면 존엄과 정의의 가치를 실현할 수 있을 것이다.

자기 평가	
체감 난도	⑤ ⑥ ⑦ ➡ 원인 파악:
예상대로 된 부분	
변수로 발생한 부분	
위 상황에 대한 계획	
토의 총평	

2019학년도

다음은 2학년 담임 A의 교단 일지이다. A 교사가 겪고 있는 문제를 공동의 문제로 인식하고 함께 해결하고자 한다. 교사를 지원할 수 있는 다양한 협력 체제와 그 역할에 대해 논하시오.

A 교사의 교단 일지

- ○월 ○일: 우리 반에는 하늘이라는 ADHD 학생이 있다. 하늘이는 의자에 올라가거나 밖으로 뛰쳐나가는 등 돌발행동을 보인다.
- ○월 ○일: 다른 반은 이러지 않는데 우리 반만 이러는 것 같다.
- ○월 ○일: 하늘이의 학부모님은 상담할 때 1학년 때 선생님과 비교하시며 나의 전문성을 의심하였다. 내가 교사 생활을 계속할 수 있을지 걱정이 된다.
- ○월 ○일: 우리 반 도영이가 책상에 침을 뱉는 등 하늘이의 행동을 따라 한다.

구상하기

🎯 구상 및 토의 포인트

문제에는 A 교사가 겪고 있는 문제를 '공동의 문제'로 인식할 것이라는 문장이 주어졌다. 학생, 학부모, 교사, 학교 지원 체제, 지역사회 등 교육공동체와 함께 해결할 수 있는 방안을 모색해 보아야 한다. 범주를 나눠보면 날짜에 따라 총 4개로 나눌 수 있다. 범주마다 키워드를 잡고 해결 방안을 골고루 구상하자.

A 교사가 겪고 있는 문제

- ADHD 학생인 하늘이의 돌발행동
- 다른 반은 이러지 않는다는 것이 A 교사의 생각일 수도 있고, 진짜 그럴 수도 있음. A 교사의 생각이라면 인식의 문제, 실제로 그런 것이라면 명확한 원인을 찾아야 함
- A 교사에 대한 학부모의 불신
- 도영이의 모방행동

협력 체제와 역할

단순히 해결 방안을 제시하는 것이 아닌 협력 체제를 언급하고, 그것이 할 수 있는 역할을 구체적으로 명시해야 한다. 그래야만 논점을 제대로 파악했다고 볼 수 있다. 예시 답안은 다음과 같다.

- ADHD 학생의 돌발행동 때문에 힘들어하는 교사를 위한 협력 체제 중 하나로 Wee클래스나 Wee센터가 있다. 하늘이에게 맞춤 상담을 하거나, 교원 심리치료가 병행될 수 있다. 또한 지역사회 속 지역 인프라를 활용하는 방안이 있다. ADHD 학생에게 적합한 교육을 시행하는 지역 자원을 적극 활용하면 하늘이와 교사를 도울 수 있다.
- 2학년 교사협의회, 전문적 학습공동체로 A 교사를 지원할 수 있다. 문제행동 학생은 그 반 담임의 몫이 아니다. 공동의 규칙을 세우고 일관적 지도를 해야 하며, 힘든 A 교사를 위해 좋은 아이디어를 공유할 수 있다. 또한 전문적 학습공동체에서 회복적 생활공동체 방안이나 문제행동 학생 지도 방안을 교류한다면 A 교사에게 도움이 될 것이다.
- 가정에서도 A 교사와 협력해야 한다. 교사가 교단 일기를 쓰듯이 학부모님께도 가정에서 일어난 일에 대해 가정 일지 작성을 부탁드릴 수 있다. 이를 통해 하늘이를 이해하는 데 도움을 받을 수 있다. 또한 1학년 담임 선생님도 A 교사와 협력할 수 있는 대상이다. 하늘이를 미리 경험해 본 선생님이기에 좋은 지도 방안을 공유해 주시면 참고할 수 있다.
- 도영이의 또래 모방은 흔히 일어날 수 있는 일이다. 교육청도 하나의 대안이 될 수 있는데, 우수 생활지도 사례집 등을 발간해 같은 상황에서 어떻게 지도했는지 다양한 선생님들의 지도 방안을 나눈다면 이런 경우를 효과적으로 해결할 수 있다. 또한 도영이와 반 친구들에게 교사의 고민을 진솔하게 털어놓고 공동의 협조를 구하는 것도 한 방법이다.

자기 평가	
체감 난도	⑤ ⑥ ⑥ ➔ 원인 파악:
예상대로 된 부분	
변수로 발생한 부분	
위 상황에 대한 계획	
토의 총평	

2018학년도

인턴교사제를 실시하게 된 배경을 고려하여, 이를 도입할 경우 예상되는 변화에 관하여 논의하시오.

구상하기

🎯 구상 및 토의 포인트

한 문장으로 제시돼 구상부터 토의 진행까지 많은 수험생들이 난항을 겪었던 이 문제는, 범주를 나누어 진행하는 것이 무엇보다 중요하다. 문제를 잘 분석해 범주를 나누어 진행했다면 어렵지 않게 토의의 방향성을 잡을 수 있다.

'인턴교사'라는 교육 정책에 관한 내용이다. 인턴 교사는 한동안 온라인을 뜨겁게 달군 중요한 교육 이슈이다. 평소 교육 이슈까지 잘 챙겨두는 것이 중요하다는 것을 확인할 수 있는 문제였다.

실시하게 된 '배경'을 고려하라는 문장이 들어갔으므로, 토의의 첫 출발은 반드시 배경에 대해 언급해야 한다. 인턴교사제가 필요한 이유, 도입된 배경 등을 먼저 토의한 후 예상되는 변화를 세부적으로 나누어 '긍정적' 측면의 변화, '부정적' 측면의 변화에 대해 이야기해야 한다. 중요한 점은! 부정적 측면을 이야기했다면 반드시 이를 해결할 수 있는 대안을 언급해야 한다는 것이다. 그래야만 수정해 더 좋은 길로 갈 수 있다. 대안까지 챙긴다면 교직에 대해 충분히 고민한 사람으로 비칠 수 있을 것이다. 이렇게 범주를 쪼개 접근한다면 한 줄짜리 문제이지만 알차게 40분을 채울 수 있다.

자기 평가	
체감 난도	ⓈⓂⒽ ➡ 원인 파악:
예상대로 된 부분	
변수로 발생한 부분	
위 상황에 대한 계획	
토의 총평	

2017학년도

경기도교육청에서는 성장교육, 융합교육, 혁신교육을 지향한다. 다음 제시문을 보고 미래 학교 교육에 대해 토의하시오.

1. 알파고의 등장으로 '제4차 산업혁명' 시대에 접어들었다. 4차 산업혁명을 이끌어 나가기 위한 미래의 학교 교육이 어떻게 변화해야 할지 논하시오.

2. 최근 경기도교육청은 중간고사, 기말고사 등 일제 고사를 폐지하고 교사별 평가 권한을 강화하기로 하였다. 평가의 방안과 교사의 전문성 신장 방안을 논하시오.

구상하기

🎸 구상 및 토의 포인트

이 문제는 미래 학교 교육에 대해 토의하되 '성장', '융합', '혁신'이라는 키워드에 맞추어 방향성을 제시해야 했다. 세 가지 키워드를 놓쳐서는 안 된다. 다음으로 범주를 나눠보자. ① 4차 산업혁명에 대비한 미래 학교 변화, ② 평가, 두 범주에 대한 키워드를 골고루 작성해야 한다.

① 4차 산업혁명이나 기술의 발전에 따른 교육 방안에 대해 묻는 경우 '소프트웨어', '기술 교육', '컴퓨터 교육' 쪽에만 초점을 맞출 수 있다. 물론 이런 것도 중요하지만 4차 산업혁명으로 인해 인간 소외 문제, 사람들 간의 의사소통 저하 문제 등이 예견되고 있음을 고려해야 한다. 이러한 것들을 보완하고 기계가 대체하지 못할 인간만의 영역, 능력을 강화하는 교육을 언급한다면 미래 교육에 대해 다각도로 생각해 보았음을 드러낼 수 있다. 타인과의 의사소통 역량을 강화할 수 있는 협동학습, 창의성 및 감수성 함양을 위한 인문 교육 및 창의·융합 학습, 성장중심평가 방안 등을 구체적으로 이야기한다면 다른 수험생과 분명 차별화될 것이다. 토의 문제에 '성장, 융합, 혁신'이라는 키워드를 넣었으므로 이러한 가치를 직접 넣거나 녹여서 제시해야 한다.

② 마찬가지로 성장, 융합, 혁신이라는 키워드를 포함해 교사의 평가 방안과 전문성 함양 방안을 이야기해야 한다.
- 평가 방안: 크게 성장중심평가, 과정중심평가를 말한 후 이를 실현할 수 있는 세부적인 교육 방안을 말하면 좋다. ⑩ 프로젝트 학습, 멘토–멘티, 누가기록 작성, 포트폴리오 등
- 전문성 신장 방안: 교원이 내재적으로 '성장'할 수 있는 자기 장학 활용, 교사 간 수업 나눔과 수업 친구 형성을 통해 함께 '협동'해 전문성을 올릴 수 있는 방안, 학생들의 피드백을 통해 새로운 교육을 실현해 보며, 다시 피드백으로 수정해 함께 만들어 가는 수업 등 키워드를 직접 언급하거나 자연스레 녹여서 언급하면 좋다.

두 범주에 대한 토의 시간 배분을 고르게 해야 한다.

자기 평가	
체감 난도	상 중 하 ➜ 원인 파악:
예상대로 된 부분	
변수로 발생한 부분	
위 상황에 대한 계획	
토의 총평	

2016학년도

학생, 학급 친구들, 학부모, 옆 반 선생님의 이야기를 보고 초임교사인 김 교사 학급의 문제를 해결할 수 있는 방안을 토의하시오.

- 영우: 친구들은 내 말을 안 들어주고, 선생님은 잘못이 없는 나를 혼내기만 해.
- 학급 친구들: 영우는 소리를 질러. 내 옆자리에 앉지 않았으면 좋겠어. 선생님은 맨날 화를 내.
- 영우 학부모: 색안경을 끼고 영우를 보는 것 같아.
- 다른 학부모: 선생님은 영우에 대해 다른 조치를 취하지 않아.
- 옆 반 선생님: 저 반은 시끄러워. 선생님 문제일까? 학생 문제일까?

구상하기

🎯 구상 및 토의 포인트

학교 현장에서 충분히 발생할 수 있는 '문제행동 학생'에 대한 해결책을 묻는 문제이다. 먼저 제시문에서 '문제점을 분석'하는 일부터 철저히 해야 한다. 그래야만 대안의 방향성을 찾기 쉽고 40여 분의 토의 시간을 알차게 메울 수 있다. 그 다음으로 범주를 쪼갠다. 영우, 학급 친구들, 영우 학부모, 다른 학부모, 동료 교사 총 5가지 범주로 나눌 수 있다. 범주당 키워드를 골고루 적어야 한다. 문장을 쪼개어 키워드를 잡아보면 다음과 같다.

문제점
- 영우: ① 친구들과의 소통 부재 ② 교사와 영우의 신뢰 관계가 형성되지 않음
- 학급 친구들: ① 영우의 문제점만 지적 ② 문제 학생을 피하기만 함 ③ 학급 문제를 공동의 문제로 생각하지 않음
- 영우 학부모: 영우에게 문제가 없다고 생각함
- 다른 학부모: 선생님의 지도를 존중하지 못함
- 다른 선생님: 영우 반의 문제를 자신과는 무관한 일로 생각함

해결 방안 | 문제점에 맞는 방안 강구
- 영우: 영우를 따뜻하게 대해 주고 먼저 힘든 부분을 들어줌. 문제행동을 일으키는 원인을 상담을 통해 찾아봄(가정 문제인지 혹은 병적 원인이 있는지 등). 충분히 신뢰가 쌓인 후 학급 친구들의 힘든 점을 이야기하고 차차 개선하기로 약속함
- 학급 친구들: 학생들이 영우에게 갖는 불만을 파악함. 솔직하게 학급 운영을 하며 힘든 점을 털어놓고 공동의 협조를 구함. 공동체 생활의 중요성을 함께 의논해 봄. 영우를 학급에 잘 정착시킬 수 있는 방안을 함께 고민해 보며 영우의 장점도 이야기해 줌
- 영우 학부모: 학부모의 상황과 마음을 먼저 공감해드림. 학교에서 어떤 일이 있었고, 어떤 상담활동을 했는지 누가기록을 보여드리거나 학급 친구들의 진술을 토대로 객관적으로 문제를 전달함. 영우의 문제를 함께 해결해 나갈 수 있도록 부탁드림
- 다른 학부모: 학급 상황을 공유해, 교사나 학급 상황을 탓하는 것이 아닌, 협력의 자세를 취할 수 있도록 부탁드림
- 다른 선생님: 선배 교사분들께 학급 경영에 관해 조언을 구함

실제 토의는 영우 ➡ 학급 친구들 ➡ 영우 학부모 ➡ 다른 학부모 ➡ 다른 선생님 순으로 진행하는 것이 좋다. 또한 범주당 시간 배분을 고르게 하는 것이 중요하다.

자기 평가	
체감 난도	ⓢ ⓜ ⓗ ➡ 원인 파악:
예상대로 된 부분	
변수로 발생한 부분	
위 상황에 대한 계획	
토의 총평	

(2) 중등

> ### 2020학년도
> 다음 자료를 참고하여 민주시민교육의 올바른 방향에 대해서 논하시오.
>
> | 자료 |
> | --- |
> | 1. 민주시민교육이란 민주시민으로서 사회 참여에 필요한 지식, 가치, 태도를 배우고 실천하게 하는 교육을 말한다. |
> | 2. 민주시민교육은 단순히 이론을 학습하는 것이 아니라 참여하고 실천하는 것을 배우는 것이다. |
> | 3. 민주시민교육에 대한 학생들의 시민 지식은 세계 2위이다. 청소년, 환경운동, 인권운동, 기부, 자선, 외국인 문화단체 등 6개 영역에서 시민 지수는 평균보다 6%~31% 낮게 나온다. |
>
> **조건**
> 1. 학교민주주의 방향에 대한 자신의 생각을 포함할 것
> 2. 자신의 교과와 연계한 민주시민교육 방안을 제시할 것
> 3. 학생 주도 민주시민교육 활동 방안을 제시할 것

구상하기

🎯 구상 및 토의 포인트

민주시민교육이라는 주제로 토의를 진행하고 있다. 범주를 조건 1~3번 순으로 나누어 구상하고 토의하는 것이 흐름상 좋다. 다만 반드시 자료 속 키워드를 언급해 가며 토의를 진행해야 한다. 자료와 조건을 분석해 키워드를 찾아보면 각각 다음과 같다.

| 자료 |

1. 사회 참여에 필요한 지식, 가치, 태도를 배우고 실천
2. 이론을 배우는 것이 아닌 참여하고 실천하는 것을 배움
3. 지식은 높지만, 시민 지수는 평균보다 낮음

즉, 자료의 공통적인 내용은 이론이나 지식이 아닌 실천성을 배우고 실행해야 한다는 것이다. 이것을 서두에 먼저 말한 후 시작하면 토의 논점을 제대로 짚었음을 보여줄 수 있다.

| 조건을 토대로 한 발언 예시 |

1. 학교민주주의 방향은 실천성을 강조하는 방향으로 가야 한다. 민주시민이란 결국 사회에 대한 문제의식을 가지고 이를 직접 현실에서 실천하는 사람이기 때문이다. 자료 3번을 보면 더욱 그러한 필요성이 강조된다. 이론적 지식은 높지만, 지수가 낮은 걸로 보아서 이론을 암기하고 시험을 보는 교육이 아닌 살아 있는 교육을 해야 한다.
2. 역사 교과와 연계한 민주시민교육 방안은 다음과 같다. 앞서 말한 것처럼 실천성을 위한 교육이 돼야 하며, 역사 교과는 그러기에 매우 적합한 과목이다. 역사 교과에서는 현대사 시간에 민주화 운동에 대해 학습하고 있다. 이를 시민교육과 연계해 특히 선거에 초점을 맞추고 싶다. 더불어 사는 민주시민 교과서를 역사 교과에 적극 활용해, 선거의 중요성을 깨닫게 해줄 것이다.
3. 특히 학생 주도로 이를 실현하기 위해서 먼저 선거의 개념, 유권자의 태도에 대해 고민할 거리를 던져준 후 역대 선거에서의 문제점을 분석하는 시간을 갖겠다. 이를 자유롭게 토론하면서 생각을 확장하며 학생 스스로 민주주의에 대해서 깨닫게 하는 시간을 줄 것이다. 또한 모의정당 만들기, 공약 만들기, 선거운동하기, 투표하기 등 일련의 실천적 활동을 통해 투표의 중요성을 알도록 하겠다. 이렇게 한다면 제시문에서 이야기한 것처럼 사회 참여에 필요한 지식, 가치, 태도를 배우고 실천하게 하는 교육을 달성할 수 있을 것이다.

자기 평가	
체감 난도	상 중 하 ➡ 원인 파악:
예상대로 된 부분	
변수로 발생한 부분	
위 상황에 대한 계획	
토의 총평	

2019학년도

경기혁신교육 3.0시대를 맞이하여 경기미래교육의 방향에 대한 방안을 논의하시오.

> 미래교육은 학생 주도적인 학습을 위해 미래 핵심 역량을 길러내야 한다. 이를 위해 스스로 탐구하고, 상상하고 도전하는…… (생략) …… 미래 인재 육성을 위한 환경을 조성해야 한다.
> 경기미래교육 2030의 비전은 행복하게 배우고 함께 성장하는 학습공동체이며, 인간상은 배움을 즐기는 학습인, 실천하는 민주시민, 소통하고 공감하는 감성인, 함께하는 세계인이다.

발언 시 다음 조건을 포함할 것

조건 1. 미래 사회에 필요한 학생들의 역량

조건 2. 경기미래교육의 방향에 대한 자신의 생각

조건 3. 경기미래교육을 실천할 학교에서 구체적인 교육 활동

구상하기

🎯 구상 및 토의 포인트

문제를 먼저 분석해 보자. 문제 속에 혁신교육 3.0을 언급했기에 이것의 핵심 가치인 '마을과 함께하는 교육', 혁신교육의 '지역화'를 서두에 언급한 후 진행하면 좋다.

제시문이 나올 경우 그냥 주어지는 것이 아니므로 꼼꼼하게 분석해야 한다.
자기주도적 학습, 탐구, 상상, 도전, 행복한 배움, 함께 성장, 학습인, 민주시민, 감성인, 세계인이라는 키워드에 동그라미를 치고 시작해야 한다. 이러한 제시문에서 파악할 수 있는 역량을 제시한 후 이런 역량을 심어줄 수 있는 경기교육 방향을 제시해야 한다. 그리고 이를 실천하기 위해 학교에서 할 수 있는 구체적 방안을 말해야 한다. 즉, 조건들이 따로 노는 것이 아니라 조건 1을 위한 조건 2, 조건 2를 위한 조건 3이 돼야 한다는 말이다.

- 조건 1의 역량을 이야기할 때에는 역량만 말하는 것이 아니라 '~한 점에서 ~역량이 필요하다.'라고 이야기 하면 좋다. ⑩ 스스로 탐구하고 상상하고 도전한다는 측면에서 자주적 행동 역량이 필요합니다. (이후 다른 역량도 제시)
- 조건 2 역시 '~한 역량을 고려했을 때 ~방향으로 나아가야 한다.'라고 발언해야 한다. ⑩ 이러한 역량들과 혁신교육 3.0의 지향점을 고려해 경기미래교육은 개성과 다양성의 공존이라는 방향으로 나아가야 합니다. (이후 부연 설명)
- 조건 3 또한 '~한다면 앞서 말한 ~역량을 달성해 ~방향으로 나아갈 수 있을 것이다.'라고 앞의 발언과 맞 물려 이야기해야 한다. ⑩ 첫째, 학급회의를 정기화해 다양한 의견을 수렴하고 의사소통을 하는 연습을 하겠습니다. 이를 통해 앞서 말한 자주적 행동 역량과 협력적 문제 해결력, 민주시민 역량을 고취할 수 있을 것입니다.

발언은 조건 1에 대해 충분히 논의한 후 조건 2, 3의 순서대로 이야기해도 되고 조건 1-2-3을 한 사람이 한 번씩 몇 회에 걸쳐 이야기해도 무관하다. 다만 본인이 제시한 발언과 발언이 맞물리는 이야기를 한 토의자가 논점을 정확하게 짚었다고 할 수 있다.

자기 평가	
체감 난도	⑤ ⑥ ⑦ ➜ 원인 파악:
예상대로 된 부분	
변수로 발생한 부분	
위 상황에 대한 계획	
토의 총평	

2018학년도

꿈이 성장하는 교육을 위해 다음 주체들의 고민을 해결하기 위한 교사의 역할에 대해 논의하시오.

- 학생: 4차 산업혁명에 대해 관심이 많아. 미래에 유망한 직업이 뭐가 있을까? 알고 싶어.
- 교사: 학생 스스로 성장할 수 있는 방안이 뭐가 있을까? 다양한 학습경험을 제공해 주고 싶어.
- 학부모: 지역 인프라를 적극 활용하고 싶어. 사교육비 절감이 된다면 더 좋을 거 같아.

구상하기

구상 및 토의 포인트

문제를 분석해 보면, ① 학생들의 꿈이 성장하는 교육이어야 하고 ② 주체들의 고민을 해결하기 위한 '교사의 역할'을 논해야 한다. 범주는 크게 3가지이다. 학생, 교사, 학부모가 말하는 고민을 잘 분석하고 해결책을 교사의 입장에서 제시하자. 또한 이 방향이 학생들의 꿈이 성장하는 교육이어야 한다.

제시문을 분석하면 다음과 같다. 문장을 끊어 읽으며 키워드를 찾아보자.

문제점

1. 학생: 4차 산업혁명에 관심이 많음. 미래 유망 직업이 궁금하고 알고 싶음
2. 교사: 학생 스스로 성장 방안을 고민함. 다양한 학습 경험을 제공하고자 함
3. 학부모: 지역 인프라를 적극 활용하고자 함. 사교육비 절감을 원함

키워드를 해결하기 위한 방안은 다음과 같다. 다시 한번 강조하지만, 교사의 역할에 초점을 맞추자. 이후 이 방향이 꿈이 성장하는 교육임을 언급하자.

해결책

- 학생의 고민을 해결할 수 있는 교사의 역할: 4차 산업혁명에 관심이 많은 학생을 위해 진로 활동이나 창의적 체험활동 시간에 4차 산업혁명을 주제로 학생 체험중심 수업을 진행함. 분당구 한국 잡월드로 체험학습을 가서 학생이 직접 미래 유망 직업을 찾아볼 수 있도록 프로젝트 학습을 기획함. 스스로 탐구하는 과정에서 더 큰 동기가 유발되며 꿈이 성장할 수 있음
- 교사의 고민을 해결할 수 있는 방안: 동 교과 선생님들과 협업해 성장중심평가 개발에 힘을 씀. 단순한 평가가 아니라 학생의 성장이 가능하도록 포트폴리오 등을 활용한 수행평가를 진행한다면 학생의 성장을 도울 수 있음. 과제물을 제출할 때 피드백을 통해 성장을 조력함. 다양한 학습 경험을 위해 학생의 강점을 평소에 잘 파악해, 그림이나 음악 등으로 학습을 경험할 수 있도록 타 교과 선생님들과 협업을 함. 그렇다면 학생들의 꿈이 성장할 수 있음
- 학부모의 고민을 해결할 수 있는 교사의 역할: 지역 인프라를 활용하고픈 학부모를 위해 인적 자원인 사람 책을 적극 활용함. 경기도에는 다양한 문화시설 및 교육기관이 있으므로 이를 활용함. 파주에는 출판단지가 있는데, 이를 활용해 팝업북을 만들고 재미있게 독서를 하며 내적 동기를 기르면 자연스레 학습에 대한 흥미가 생기고 장기적으로 사교육비 절감에 효과가 있을 수 있음. 학생의 진로를 잘 파악해 꿈의대학, 꿈의학교, 몽실학교 등을 학생에게 추천함

자기 평가	
체감 난도	상 중 하 ➡ 원인 파악:
예상대로 된 부분	
변수로 발생한 부분	
위 상황에 대한 계획	
토의 총평	

2017학년도

제시문에 나오는 학교의 문제점과 민주적 학교 운영 체제를 활성화하기 위한 방안을 논하시오.

> **제시문**
> - A 학생: 학교 축제를 학생인 우리 손으로 직접 준비하고 싶어. 그러면 더 재미있을 텐데.
> - B 학생: 불합리한 학교 교칙을 고치고 싶은데 어떻게 고쳐야 할지 모르겠어.
> - C 교사: 학생이 학교의 주인이고, 교육의 주체라는 생각이 부족한 것 같아.
> - D 교사: 이웃 학교의 교장은 학생회 대표를 교장실로 불러서 정기적으로 학생회의 건의 사항을 수렴하고 있어.

구상하기

🎯 구상 및 토의 포인트

제시문 속 학교의 문제점을 언급하고, 운영 체제를 활성화하기 위한 두 가지 방안을 찾아야 했다. 범주는 총 4 가지로 A, B, C, D의 고민과 해결 방안을 골고루 구상해야 한다.

제시문 속 키워드를 찾아보면 다음과 같다.

문제점
- 전반적인 문제점: 학교가 민주적이지 않으며, 학생이 학교의 주인이라는 인식이 자·타의적으로 부족함
- A: 학교 축제를 학생이 직접 준비하지 않고 있음
- B: 학생이 느끼기에 불합리하다고 생각하는 교칙이 있음. 교칙 개정을 어떻게 해야 할지 모른다고 말하는 것으로 미루어보아 평소 학생의 생각을 진솔하게 들어볼 수 있는 학교 대토론회 등의 소통 창구가 부족함
- C: 학생의 주체 의식이 부족함. 학생을 긍정적으로 바라보고 있지 않음
- D: 이웃 학교에서는 정기적으로 학생 의견을 수렴하는데 우리 학교는 그러지 못함. 이웃 학교에서 학생을 별도의 공간이 아닌 교장실로 불러서 의견을 수렴함. 학생들에겐 불편함이 느껴지는 공간일 수 있음

해결책
문제를 해결하기 위한 방법은 다음과 같다.

- A: 학생이 스스로 축제를 준비해야 함. 학년별, 학급별로 각자의 색깔이 드러날 수 있도록 학년 콘셉트, 학급 콘셉트에 맞춰 축제 부스 등을 운영함. 축제 프로그램 구성을 스스로 할 수 있도록 공식적인 회의 시간을 부여함 등
- B: 교칙 개정을 위한 교육공동체 대토론회 등을 마련함. 교칙이 필요한 이유와 개정해야 하는 이유를 학생, 교사, 학부모 등이 모여 토론하고 이를 반영하도록 함. 그뿐만 아니라 이후에 어떤 내용을 개정할 때에도 학생들의 의견을 수렴할 수 있도록 정기적 회의 기구, 소통 우체통 등을 구성함 등
- C: 주체 의식을 함양할 수 있는 프로그램을 개설함. 과목별 융합 수업을 통해서 시민의식, 자치의 중요성에 대한 주제로 블록타임제를 구성함. 자유학년제에서 주제학습으로 '민주시민' 등을 교육함. 교사는 학생을 가능성 있는 존재로 보려고 노력해야 함 등
- D: 유휴 교실 등을 활용해 학생자치회 자체 공간을 만듦. 교원–학생 회의를 정기적으로 추진함 등

자기 평가	
체감 난도	ⓢ ⓩ ⓗ ➡ 원인 파악:
예상대로 된 부분	
변수로 발생한 부분	
위 상황에 대한 계획	
토의 총평	

2016학년도

다음 교사협의회 내용을 보고 문제 해결 방안을 논의하시오.

교사협의회 내용
- A 교사: 수업 시간에 학생들이 자꾸 잠을 자서 고민입니다.
- B 교사: 나는 열심히 하지만 학생들의 만족도가 낮아서 고민입니다.
- C 교사: 수업 종이 치고 시작하기까지 10분이 걸립니다.
- D 교사: 교원평가, 학부모의 요구 등에 맞추어야 하므로 수업을 바꾸고 싶은데 혼자서는 어렵습니다.

구상하기

🎯 구상 및 토의 포인트

이 문제는 교사가 수업을 진행하며 겪는 다양한 문제 상황을 주고 이를 해결하는 방법을 토의하는 것이다. 현장 문제인 만큼 피상적인 정책들을 나열하는 것이 아닌, 당장 학교에 가서 써먹을 수 있을 만큼 구체적이고 현실적인 답안을 제시해야 한다. 범주는 총 4개로 A~D 교사 문제의 해결 방안을 고루 말해야 한다. 역시 해결 방안을 찾기 전에 문제점부터 찾아보자. 제시문을 분석하면 다음과 같은 문제점이 보일 것이다.

문제점
- A 교사: 학생들이 수업 시간에 잠을 자는 문제
- B 교사: 학생의 낮은 만족도 문제
- C 교사: 수업 시작 전까지 시간이 오래 걸리는 문제
- D 교사: 수업을 바꾸기 위해 도움 필요

해결책
제시문 속 키워드를 해결하기 위한 방안은 다음과 같다.

- A 교사: 학생이 자는 원인을 확인하고 친밀감을 형성하기 위해 개인 상담 병행. 교과 도우미 같은 역할을 부여해 책임감 부여. 작은 성취에도 칭찬하며 내재적 동기 향상. 학생의 흥미를 고취시키기 위해 동기 유발 프로그램을 교사 간 공유. 교사의 설명식 수업이 중심이 되는 것은 아닌지 확인 후 프로젝트 학습, 협동 학습 등 학생중심수업 방안 도입 등
- B 교사: 수업 영상을 촬영해 자기 장학 시행. 수업 친구를 만들고 수업 나눔을 해 수업 발전. '수업 기술 향상'이라는 전문적 학습공동체를 만들고 참여. 학생들에게 익명의 피드백을 부탁해 반영 등
- C 교사: 학급의 특성을 고려해 '3반의 역사 시간 규칙 만들기' 등 맞춤 수업 약속을 만드는 시간을 마련하고 아이들이 직접 규칙을 정하게 한 후 책임감 부여 등
- D 교사: 교원 평가 직후 동 교과 교사들이 모여 원인을 분석하고 좋은 방안을 교류하며 개선 계획 수립. 수업 나눔, 전문적 학습공동체 활용 등

토의의 원활한 진행을 위해 A 교사부터 D 교사 순으로 이야기를 나누거나, 각 교사의 문제점을 먼저 토의한 후 해결 방안을 들어보는 순서도 괜찮다.

자기 평가	
체감 난도	상 중 하 ➜ 원인 파악:
예상대로 된 부분	
변수로 발생한 부분	
위 상황에 대한 계획	
토의 총평	

(3) 비교과

2020학년도

학교 진로교육 방향에 대해서 제시문을 참고하여 조건에 맞게 토의하시오.

제시문

1. 진로교육은 교육과정 중심과 창의적 체험활동으로 나뉜다. 창의적 체험활동에는 자율활동, 동아리활동, 봉사활동, 진로활동이 있다.
2. 진로교육을 지역사회와 연계해야 한다.
3. '진로보다는 진학이 우선이다.', '진로교육은 진로담당 교사만 하는 것이다.' 같은 진로교육에 대한 오해가 있다.

조건

1. 학교 진로교육 방향에 대한 본인의 생각
2. 교과와 연계하여 진로교육의 실천 방안
3. 진로교육을 통한 역량을 강화하기 위한 학생 중심 진로교육 방법

구상하기

🎯 구상 및 토의 포인트

문제를 먼저 분석해 보면 학교의 진로교육 방향을 고민하고 있음을 알 수 있다. 범주는 조건에 따라 3가지로 나눌 수 있다. 조건에 따라 이야기를 진행하지만 그 안에는 반드시 제시문 속 키워드를 언급해야 한다. 먼저, 제시문의 키워드를 분석하고 이를 토의에 어떻게 녹여낼지 살펴보자.

제시문 속 키워드
---

1. 진로교육의 방향: 진로 교과 시간, 창체 시간에 할 수 있는 것으로 나누어 제시하자.
2. 지역사회와 연계할 수 있는 방안을 이야기하자.
3. 진로교사뿐 아니라 타 교사와 협력으로 달성하는 것이 진로교육이라는 인식을 만들자.

조건(범주)에 따른 구상 키워드

반드시 제시문 속 키워드를 언급하며 진행해야 한다.

1. 학교 진로교육은 학생의 실천 중심으로 이루어져야 함. 결국 진로라는 것은 학생들이 선택하고 나아가야할 길이므로 지식을 전달하거나 단순히 소개하는 것을 넘어 직접 생각하고 체험하며 고민할 수 있도록 해야 함. 제시문 1을 살펴보면 진로교육을 할 수 있는 다양한 시간이 마련돼 있음. 정규 진로 교과 시간 외 창의적 체험활동 시간에 학생의 적성을 먼저 파악한 후 영상, 인터넷 프로그램 등을 통해 다양한 직업을 소개하고 간접 경험할 수 있도록 할 것임. 이후 학생 스스로 유망 직업, 나에게 맞는 직업을 태블릿으로 검색해보게 하는 활동을 통해 주체성을 길러줄 것임
2. 상담 교과와 연계할 때 진로교육은 아주 좋은 시간이 될 수 있음. 나의 강점인 상담을 통해 학생들의 흥미와 동기 등을 먼저 파악할 것임. 제시문 3처럼 학생의 진로는 진로교사만 담당한다는 고정관념에서 탈피하여, 상담교사로서 학생의 고민이나 방향성을 제시해 줄 것이고 이를 담임교사에게 전달한다면 공동의 노력으로 학생이 꿈을 이루는 데 도움이 될 수 있을 것임
3. 학생 중심의 진로교육 방안을 위해 제시문 2처럼 지역사회와 연계할 것임. 우리 마을에는 다양한 직업군이 있음. 마을 속에서 원하는 직업을 조사하도록 자율활동 시간에 프로그램을 구성할 것임. 마을 주민의 협조가 필요한 만큼 주변을 다니며 미리 협조를 구해 학생들이 원활하게 진로교육을 할 수 있도록 조력할 것임

자기 평가	
체감 난도	상 중 하 ➡ 원인 파악:
예상대로 된 부분	
변수로 발생한 부분	
위 상황에 대한 계획	
토의 총평	

2019학년도

경기교육에서는 교육생태계의 확장을 위해 노력하고 있다. 다음의 조건을 포함하여 교육생태계 확장 방안에 대해 논의하시오.

1. 학생에게 필요한 역량
2. 교사로서 교육생태계 확장에 대한 생각
3. 교육생태계 확장을 위한 교육 활동

구상하기

🎯 구상 및 토의 포인트

경기교육은 교육에 영향을 미치는 범위를 교사, 학생, 가정에서 몇 발자국 더 나아가 마을, 교육청, 지역사회로까지 확장하고 있다.

발언 방향은 2019학년도 중등 문제와 동일하다. 학생에게 필요한 역량을 제시하고 이러한 역량을 달성하기 위해서 교육생태계는 어떻게 나아가야 하는지 방향을 제시해야 한다. 그리고 이를 위해 학교에서 할 수 있는 방안을 말해야 한다. 조건들이 따로 노는 것이 아니라 조건 1을 위한 조건 2, 조건 2를 위한 조건 3이 돼야 한다. 발언은 조건 1에 대해 충분히 논의한 후 조건 2, 3의 순서대로 이야기해도 되고 조건 1-2-3을 한 사람이 한 번씩 몇 회에 걸쳐 이야기해도 무관하다. 다만 본인이 제시한 발언과 발언 사이가 맞물리는 이야기를 한 토의자가 논점을 정확하게 짚었다고 볼 수 있다.

발언 예시

1. 첫 번째 발언: 교육생태계 확장을 위해 학생에게 필요한 역량은 민주시민 의식입니다(조건 1). 교육생태계란 학생의 교육 공간에서 교육에 영향을 미치는 다양한 요인들이 유기적으로 연결된 것을 일컫습니다. 이 범위를 더 확장하기 위해서 학생은 민주시민의식을 갖추고, 자신을 둘러싼 주변의 일에 관심을 가지며 직접 고민해 보며 참여하고 실천할 수 있어야 합니다. 예를 들어 단순히 마을을 내 동네라고 보는 관점을 넘어 우리 동네에는 어떠한 것들이 있고 어떠한 문제가 있으며 내가 할 수 있는 일은 무엇일까? 하는 생각을 할 때 마을은 진정한 교육생태계로서 학생에게 의미 있는 공간으로 와닿을 수 있을 겁니다.
2. 두 번째 발언: 저는 교사로서 생태계의 확장이 교육적으로 효과적이라고 생각합니다(조건 2). 우리 마을, 나라를 넘어 전 세계적 이슈에 관심을 가지고 고민을 해볼 때 진정한 민주시민 역량을 달성할 수 있고 앎과 삶의 연계가 가능하다고 봅니다.
3. 세 번째 발언: 생태계 확장을 위해 저는 현재 세계적으로 논쟁거리가 가득한 주제들에 대해 이야기하며 실천 방안을 모색할 수 있는 토의식 수업을 구성해 보고 싶습니다. 이 과정에서 세계 문제는 뉴스 속, 신문 속 이야기가 아닌 나와 우리의 이야기라는 것을 이해할 수 있고 참여하고 실천하는 민주시민으로 성장할 수 있기 때문입니다. 그렇게 한다면 교육 생태계의 범위가 유의미하게 확장될 수 있을 것입니다(조건 3).

자기 평가	
체감 난도	상 중 하 ➡ 원인 파악:
예상대로 된 부분	
변수로 발생한 부분	
위 상황에 대한 계획	
토의 총평	

2018학년도

'학생중심교육'을 만들기 위해 다음 담화문을 통해 교육공동체가 협력할 수 있는 방안에 대해 본인의 전공과 관련하여 논의하시오.

담화문

- 교사 1: 학생중심교육을 위해 다양한 방식으로 교육을 하고 싶어.
- 교사 2: 교육공동체의 의견을 듣기 위한 다양한 방법으로 소통하기를 원해.
- 교사 3: 학생중심교육을 실현하기 위해 교사, 지역사회, 학생 등 모든 교육공동체가 협력할 수 있는 방법이 필요한 것 같아.

구상하기

🎯 구상 및 토의 포인트

문제를 먼저 분석해 보자. 키워드는 다음과 같다. ① 학생중심교육, ② 교육공동체 협력 방안, ③ 전공 연계. 범주는 총 3가지이다. ① 다양한 방식으로 교육하기, ② 다양한 방식으로 공동체와 소통하기, ③ 모든 교육공동체와 협력하기

비교과 교사는 실무 담당자가 아닌 '교사'이다. 교사로서의 역량을 보여줘야 한다. 또한 혼자 별실을 쓰게 되는 경우가 많기에 학교 현장에서 '어울림과 소통'의 덕목이 요구된다. 문제의 조건에서는 이러한 점을 반영했다고 볼 수 있다.

키워드를 해결할 수 있는 발언 예시

- 교사 1: 저는 영양교육을 하며 역사과와 협업을 하고 싶습니다. 영양소나 건강에 대한 교과서 중심의 학습은 학생들에게 큰 관심을 일으키지 못할 것입니다. 저는 역사과와 함께 주제학습, 프로젝트 학습으로 학생들이 좋아하는 음식을 직접 골라 그 음식의 역사와 문화, 현대의 입맛에 맞게 변천된 과정 등을 탐구하게 하겠습니다. (이후 부연 설명)
- 교사 2: 저는 온라인 플랫폼에 '금쪽이 상담소'를 개설해 자녀 상담 및 말하기 기법, 상담 피드백, 원하는 상담 내용 요청 등을 주제로 학생, 학부모님, 동료 교사들과 소통하고 싶습니다. 시공간을 초월한 온라인이기에 활성화가 쉬울 것입니다. 상담은 학생들의 정서적 안정과 건강을 위해 매우 중요한 교육 활동입니다. 문제 아이만 상담을 받는다는 인식에서 탈피해 학생중심교육을 위해 상담 활동이 꼭 병행돼야 한다는 것을 구성원들 모두 인식할 수 있도록 하겠습니다. (이후 부연 설명)
- 교사 3: 저는 보건교사로서 교사–지역사회–학생이 연대하며 학생중심교육을 실현하기 위해 주제학습을 적극적으로 해보고 싶습니다. 예를 들어 '금연교육'이라는 주제로 도덕교사와 미술교사와 연계해 주제학습을 하는 것입니다. 학생들이 스스로 왜 담배를 피우면 안 되는지 생각해 보게 하고, 미술 시간에 포스터를 제작해 마을 곳곳에 부착시켜 놓는 것입니다. 마을 어르신들은 학교와 연대해 혹시 학교 주변에서 흡연을 하는 친구들이 있는지 '마을 폴리스' 역할을 해주시고 학생들은 마을에 있는 담배꽁초를 줍는 봉사활동을 하는 것입니다. "담배 피우지 마."라고 일방적으로 주입하는 것이 아닌 보건교육 시간, 도덕 시간에 이런 것들을 직접 생각해 보고 마을로 들어가 활동하는 프로그램은 공동의 노력으로 학생중심교육을 달성하는 효과적인 방안이 되리라고 생각합니다.

자기 평가	
체감 난도	상 중 하 ➡ 원인 파악:
예상대로 된 부분	
변수로 발생한 부분	
위 상황에 대한 계획	
토의 총평	

2017학년도

다음 상황에 처해 있는 학교가 있다. 이 학교의 교육비전을 공동 토의하여 도출하시오.

- 학교: 신도시 외곽에 있는 개교한 지 2년 된 고등학교
- 학생: 학업 성취 수준이 낮고 무기력하고, 학교폭력이 빈번히 발생함
- 교사: 변화를 시도하고자 하는 노력이 강한 교사가 많음
- 학부모: 대부분 맞벌이 가정이며, 학교 운영과 프로그램에 학부모가 대부분 참여하지 못함

구상하기

🎯 구상 및 토의 포인트

이 문제에서는 문제 상황의 해결 방안을 찾는 것이 아닌 '교육 비전'을 도출해야 하는 것이 포인트이다. 비전이란 쉽게 말해 장기적 목표를 뜻한다. 목표란 것은 현실을 분석하고 현실보다 더 나은 지향점을 말한다. 따라서 이 학교가 처해 있는 현실 상황을 제대로 분석하는 일부터 시작했다면 옳게 방향을 잡았다고 볼 수 있다. 범주는 총 4가지 영역이다. 학교, 학생, 교사, 학부모의 입을 통해서 본 이 학교의 현실을 명확히 분석한 후 교육 비전을 도출해야 한다.

[현실 분석]
• 학교: 신설 학교 ➡ 개교 당시 목표는 있을 것이나 현실 상황이 고려되지 않음. 신설교이기 때문에 아직은 어수선하지만 그만큼 성장 가능성이 크다는 것이 어찌 보면 기회일 수도 있음
• 학생: 성취도 낮음, 무기력, 폭력 ➡ 성취도와 내적 동기를 올리고 폭력을 줄여야 함. 이를 위해서 교사들의 관심, 수준에 맞는 학습, 협동으로 해결할 수 있는 다양한 수업 및 학급 운영 방안이 필요함
• 교사: 변화 지향적 ➡ 긍정적임. 다 같이 머리를 모아 좋은 대안을 모색할 수 있는 가능성이 높음. 동 교과, 동 학년 협의회나 전문적 학습공동체, 교사 자율연수 등을 함께한다면 학교의 발전이 가속화될 수 있음
• 학부모: 생계형으로 바쁨 ➡ 이러한 상황 속에서도 가정과의 연대 방안을 짜야 함. 연대할 수 있는 시공간을 확대해 온라인 메신저, 대화방 등을 적극 활용해야 함

이렇게 전반적으로 현실 상황에 대해 논의를 하고 해결 방안을 고민해 보았다면, 이제 학교가 걸어가야 할 길에 대한 비전을 짜야 한다. 이때 중요한 점! 비전을 한 토의자당 하나씩만 이야기해도 6개나 나온다. 비전이란 것은 궁극적으로 추구하는 장기적 목표이므로, 발언들을 공통의 범주로 묶고 묶어 하나로 정리해 나가는 과정, 즉 생각을 잘 간추리는 과정이 반드시 포함돼야 한다. 반드시 발언들을 정리하고 정리해 하나의 문장, 한 가지의 사고로 정리하는 연습을 하자!

자기 평가	
체감 난도	ⓢ ⓜ ⓗ ➡ 원인 파악:
예상대로 된 부분	
변수로 발생한 부분	
위 상황에 대한 계획	
토의 총평	

2016학년도

경기 핵심 과제인 '안전한 학교'를 만들기 위해 구성원 전체가 참여하여 공동으로 실천 가능한 방안에 대해 토의하시오.

- 과제 1. 건강하고 안전하고 쾌적한 학교 환경 조성
- 과제 2. 배움에서 소외되는 학생이 없도록 하기
- 과제 3. 재난 위기 상황 발생 시 구축 방안과 대응 능력 증진

구상하기

🎯 구상 및 토의 포인트

문제를 먼저 분석해 보자. 경기기본계획 중 '안전한 학교'를 큰 키워드로 잡고 토의를 진행하도록 했다. 밑줄을 쳐야 할 곳은 '구성원 전체'의 참여와 '공동'의 실천이다. 교사 혼자 할 수 있는 방안이 아니라 협력의 측면에서 대안을 물었다는 점이 중요한 포인트이다.

다음으로 범주를 나눠보면 총 3가지 영역에서 이야기를 나누어야 한다. 과제 1~3 영역에서 대안을 골고루 제시하자. 제시문별 키워드를 분석하면 다음과 같다.
1. 건강, 안전, 쾌적한 학교 환경 조성
2. 배움에서 소외되는 학생 없애기
3. 재난 위기 구축 방안, 대응 능력

이것에 대한 해결 방안을 구성원 전체가 할 수 있는, 공동의 방안으로 풀어내야 한다. 답안은 교육 전반적인 내용을 제시하되 자신의 전공 특성이 포함되면 좋다. 간호사, 영양사, 전문상담사가 아닌 보건교사, 영양교사, 전문상담교사로서의 내 생각을 담아낸다면 교직관을 드러내고 교사로서의 역할에 대해 충분히 고민했음을 어필할 수 있다. 제시문 속 키워드를 해결할 수 있는 공동의 실천 방안은 다음과 같다.

발언 예시
1. 과제 1: ① 교사와 학생이 클린day를 만들어 사제지간에 정도 쌓고 쾌적한 환경을 만들기 위해 '함께' 청소한다. ② 전문상담교사로서 아이들과 수업에서 라포르를 쌓기 어렵다는 점을 고려해 위클래스에서 쉬는 시간, 점심시간을 활용해 다양한 상담 놀이 및 교육 프로그램을 구성하고 싶다. 이때 위클래스에서 지켜야 할 규칙과 질서를 학생들과 '함께' 만들며 안전하고 건강한 상담 환경을 만들고 싶다. 등등
2. 과제 2: 문제를 대충 읽었다면 '교사가 학생을 도와준다.'라는 개인적 관점으로 풀어낼 여지가 있다. 꼭 협업과 공동의 참여라는 포인트를 넣자. ① 학생 간 멘토-멘티를 연결해 '협동'하게 한다. ② 학부모와의 상담을 통해 배움으로부터 멀어지려는 근본적인 원인을 파악하고 가정과 '연대'해 해결 방안을 마련한다. 등등
3. 과제 3: ① 교직원 간 '회의'와 '협업'을 통해 대응 매뉴얼을 알기 쉽게 만들어 학생들에게 배포하고 곳곳에 붙여 놓는다. ② 보건교사로서 위급 상황 시 반드시 지켜야 할 안전교육을 시행하되, 학생들이 이를 알기 쉽도록 학생들과 '협업'해 플래시 몹을 만들고 싶다. 5분 내외의 UCC를 만들어 담임교사에게 '협조'를 부탁해 조회 시간에 방송으로 나침반 5분 안전교육을 시행한다면 아이들이 재난 위기 상황 발생 시 대응력을 키우는 데 도움이 될 수 있을 것이다. 등등

자기 평가	
체감 난도	ⓢ Ⓜ Ⓗ ➡ 원인 파악:
예상대로 된 부분	
변수로 발생한 부분	
위 상황에 대한 계획	
토의 총평	

사이다 면접

PART 3 면접 예상문제는 주제별 예상문제 45문항, 실전 모의고사 5회 35문항으로 구성하였다.

CHAPTER 01 주제별 예상문제(45문항)

《사이다 면접 Input》의 THEME과 연계하여 내용을 충실히 이행했는지 확인하기 위한 목적으로 제작하였다. THEME 순서대로 문제를 구성하였으니, 해당 주제를 공부한 후 복습용으로 풀어보면 좋다. 답변이 부족한 경우, 해당 THEME로 돌아 가서 다시 내용을 숙지하자.

CHAPTER 02 실전 모의고사 5회(35문항)

기출문제와 동일한 유형, 구성으로 모의고사를 제작하였다. 초등, 중등은 5문항, 비교과는 7문항이 출제되는 것을 고려하여, 1 회당 5문제를 기본으로 하되 각 회차마다 비교과용 2문제를 추가로 수록하였다. 비교과 수험생뿐 아니라 다른 급에서도 풀어 보면 도움이 될 것이다.

PART

3

2025 면접 예상문제

01 · 주제별 예상문제(45문항)

📄 해설 p.337

❶ 경기형 교직관 및 교사 전문성 관련 문제(THEME 1~2)

01 새로운 경기교육을 실현하기 위해 '미래' 측면에서 학교 현장에서 어떤 학생상이 필요한지 말하고, 그러한 학생을 양성하기 위한 수업 방안과 생활지도 방안을 각각 2가지씩 제시하시오.

> 미래는 경기교육이 열어가는 새로운 길입니다.
> 모든 학생이 저마다의 꿈을 스스로 펼치고 함께 만들어갈 수 있도록
> 경기교육은 미래를 향해 나아가겠습니다.

구상하기

➡ 관련주제: THEME 1

02 본인의 교직관과 사회 변화를 고려하여, 경기도교육과정 중점 역량 중 가장 중요하다고 생각하는 것을 하나 고르고 구체적인 교육 방안을 수업 측면과 학급 운영 측면에서 각각 하나씩 제시하시오.

> **경기도교육과정 중점 역량**
> 자기관리 역량, 지식정보처리 역량, 창의적 사고 역량, 심미적 감성 역량, 협력적 소통 역량, 공동체 역량, 문제해결 역량

구상하기

➜ 관련주제: THEME 1

03 교사에게 필요한 수업 운영 및 평가 역량에서의 핵심을 말하고, 이를 강화하기 위한 구체적인 계획을 말하시오.

구상하기

➜ 관련주제: THEME 2

04 다음 경기 미래교육 인재상 중 하나를 골라, 인재 양성을 위한 구체적인 교과 지도 방안, 지역사회 활용 방안을 제시하시오.

> • **배움으로 삶을 만들어가는 학습인:** 기초학력을 기반으로 삶을 주도적으로 설계하고 새로운 가치를 창출
> • **공감하며 실천하는 포용인:** 공감과 포용으로 존중, 배려, 협력, 책임을 실천
> • **함께 미래를 열어가는 세계인:** 사회 변화에 능동적으로 참여하고 세계시민으로의 역할 수행
> • **환경과 공존하는 건강한 생태인:** 지구 환경과의 공존을 위해 개인과 사회적 차원에서 성찰하고 실천

구상하기

➜ 관련주제: THEME 3

05 제시문의 교육을 바라보는 관점에 대한 경기교육과 유네스코의 공통점을 찾고, 교사로서 이를 실천하기 위한 방안을 3가지 답변하시오.

교육을 바라보는 관점

경기교육	유네스코
• 공동재로서 교육을 위한 공동체 역할 • 지역교육협력 • 인성·시민교육, 학부모 교육	협력, 협업, 연대 기반 교육

구상하기

➜ 관련주제: THEME 1, 3

06 1인 1스마트 기기를 수업에 활용할 때의 장점 3가지를 말하고, 스마트 기기를 활용할 교과 지도 방안을 말하시오.

구상하기

➜ 관련주제: THEME 4

07 다음은 교사 협의회 내용 중 일부이다. 각 교사들의 고민 해결을 위한 구체적인 방안을 제시하시오.

> • **A 교사:** 교과와 연계한 인공지능 활용 교육 방안을 고민 중입니다.
> • **B 교사:** 인공지능 활용 교육뿐 아니라 윤리교육 방안 역시 고민해야 할 것 같네요.
> • **C 교사:** 인공지능이 만능이 될 순 없을 것 같네요. 인공지능이 대체할 수 없는 우리 교사들의 역할이 무엇일지 생각 중입니다.

구상하기

➔ 관련주제: THEME 4

08 교과수업에서 챗GPT와 같은 생성형 AI를 활용할 방안을 말하고, 수업 활용 시 유의 사항을 3가지 답변하시오.

구상하기

➡ 관련주제: THEME 4

09 자기 교직관을 바탕으로 제시문 (가), (나)에서 공통적으로 강조하는 것을 분석하고, 이에 따른 교사의 교육 방안을 3가지 제시하시오.

> (가) 개인별 맞춤형 교육은 학생들의 다양한 수준과 학습 스타일을 반영하여 교육 환경과 방식을 조정함으로써 학습 효과를 최대화할 수 있다. 이를 통해 학생들은 자기주도학습 능력을 향상하고, 학습 동기를 지속적으로 유지할 수 있다. 또한, 학습 능력을 높이고 자신감을 키울 수 있다.
>
> (나) 인공지능 기술은 교육에 다양한 변화를 가져오고 있다. 그중 학습자 모델링은 학습자의 특성을 분석하여 맞춤형 교육을 제공하는 기술이다. 인공지능을 활용해 학습자에게 적합한 자료를 추천하거나 적절한 학습 경로를 제시함으로써 개별화 교육을 실현할 수 있다.

구상하기

➡ 관련주제: THEME 4

10 다음 자료를 읽고 인공지능을 교육에서 활용할 때의 유의점을 말하시오.

> 2020년 12월 AI 전문 스타트업 회사는 인공지능 AI챗봇 프로그램을 출시하였다. 이 회사는 실제 대화 데이터를 모아 딥러닝 방식으로 AI를 학습시켰다. 그런데 일주일 만에 사고가 났다. AI챗봇에게 사이버 성폭력이 진행되었으며, AI챗봇은 무분별하게 수집된 정보를 학습해 심각한 가치관의 편향성을 드러내었다. 결국 출시된 지 20일 만에 서비스가 폐기되었다.

구상하기

➔ 관련주제: THEME 4, 5

11 다음은 경기도교육청의 인성 기반의 디지털 역량이다. 이 중 하나를 골라 학생에게 역량을 함양할 방안을 교과 지도, 학급 운영 측면에서 각각 2가지씩 제시하시오.

디지털 안전	디지털을 안전하게 활용하기
디지털 윤리	디지털 윤리의식 갖추기
디지털 책임	디지털을 책임감 있게 활용하기
디지털 소통	디지털 세상에서의 올바른 소통과 관계 형성하기

구상하기

➔ 관련주제: THEME 5

12 다음 제시문을 분석하여, A 학교의 디지털 시민교육 방안을 제시하시오.

디지털 시민교육 목표
디지털 사회에 필요한 인성과 역량을 갖춘 시민 양성

A 학교 교육공동체 요구 분석
- **학교**: 학교자율과제 연계, 학생들에게 디지털 시민의식 고취 목표
- **학생**: 학교 교육에 대한 높은 참여도, 높은 디지털 활용 역량
- **교사**: 온라인 사회 문제에 대한 깊은 조예, 디지털 관련 전문성 함양
- **가정**: 자녀의 윤리적 디지털 사용에 대해 높은 관심, 자녀의 온라인 소통 문제 해결 요구

---

③

구상하기

➔ 관련주제: THEME 5

13 학생의 기초학력 보장을 위해 수업과 평가 측면에서의 교육 방안을 각각 2가지씩 답변하시오.

구상하기

➔ 관련주제: THEME 7

14 A 학교의 현안과 자원을 분석하여 A 학교에서 추진해야 할 교육 방안을 3가지 제시하시오.

A 학교 현안

• 농촌 지역 구도심 소재 학교로 기초학력 검사에서 부진 학생 비율이 증가하고 있다.

• 자기주도학습이 가능한 학생과 그렇지 않은 학생들 사이의 학습 격차가 심하다.

• 다문화가정 학생 재학 비율이 3년 연속 증가하고 있다. 이중언어학습뿐 아니라 학생의 사회성, 심리적 지원이 필요하다.

자원

1. 학생들의 학교 교육에 대한 높은 참여율

2. 디지털 인프라 및 1인 1스마트 기기 구축

3. 지역사회 인적 자원 풍부

4. 교사들의 높은 열정

구상하기

➡ 관련주제: THEME 7

15 [자료 1]을 분석한 결과를 포함하여 기초학력 보장의 필요성 3가지를 말하고, [자료 2]를 참고하여 교사로서의 지도 방안을 3가지 답변하시오.

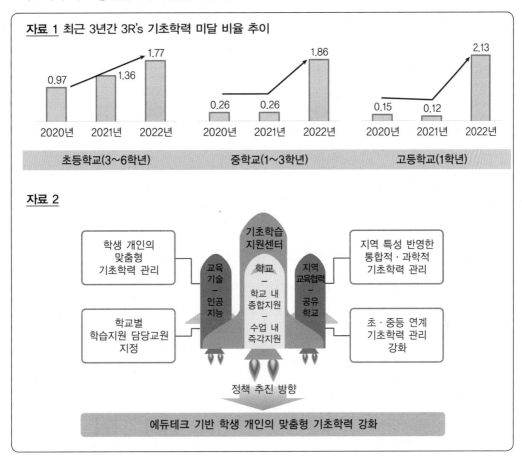

구상하기

➔ 관련주제: THEME 7

16 다음은 경기 인성교육의 범주이다. 사회 변화를 고려했을 때 가장 중요하다고 생각하는 것 1가지를 고르고, 이 범주를 달성하기 위한 구체적인 인성교육 방안을 제시하시오. 단, 조건의 내용을 반드시 포함하시오.

인성교육 범주

1. 도덕적 인성: 예, 효, 정직, 감사, 정의, 지혜 등
2. 공동체적 인성: 존중, 배려, 협력, 책임, 소통 능력, 갈등해결 능력 등
3. 수행적 인성: 자기 규제, 낙관주의, 회복탄력성, 인내, 끈기, 용기 등
4. 지적 인성: 메타인지, 창의성, 신중함, 비판적 사고, 호기심 등

조건

1. 제시한 교육 방안의 필요성을 언급할 것
2. 교육공동체와 함께하는 인성교육 방안을 제시할 것
3. 교과 연계 방안을 제시할 것
4. 학생의 체험 중심이 될 것

구상하기

➔ 관련주제: THEME 8

17 다음 취지로 도입된 경기도교육청의 교육 내용을 말하고, 이를 현장에 적용하고 발전시키기 위한 교사의 역할을 3가지 제시하시오.

> 경기도교육청은 학생에게 더 다양하고 심도 있는 교육을 할 수 있도록 공교육의 영역을 확장하고자 한다. 학과 수업뿐 아니라 예체능, 과학 실험 등 학생이 배우고 싶은 교육을 공교육에서 제공할 것이다.
>
> 임태희 경기도 교육감

구상하기

➜ 관련주제: THEME 9

18 세계시민교육 교수학습 방안을 구안할 때 지향점과 주의 사항을 각각 3가지 답변하시오.

구상하기

➜ 관련주제: THEME 10

19 IB 교육과정이 사교육을 조장한다는 학부모 의견에 대해 IB 교육과정-수업-평가의 취지가 드러나도록 상담하시오. (단, 평가위원을 학부모라고 생각하고 얘기할 것)

구상하기

➜ 관련주제: THEME 11

20 성장단계별 진로교육과 맞춤형 진로교육이 필요한 이유를 각각 제시하시오.

구상하기

➜ 관련주제: THEME 12

21 다음 학생 실태조사를 바탕으로 지역사회와 함께하는 진로교육 프로그램을 실시하고자 한다. 구체적인 지도 방안을 제시하시오.

> **실태조사 결과**
> 1. 좋아하는 분야는 있지만, 관련 역량을 함양할 방안에 대한 지식이 부족하다.
> 2. 주입식 교육보다 스스로 선택하고 경험할 수 있는 기회를 찾고 있다.
> 3. 성장단계에 맞는 맞춤 진로교육을 원한다.

구상하기

➔ 관련주제: THEME 12

22 다음 A 학교의 상황에 적합한 독서교육 방안을 제시하시오.

> • **학교**: 도서관 환경 구축, 독서 수업 관련 예산 확보
> • **교사**: 교과 융합 수업을 위한 전문성 확보, 독서 관련 전문적 학습공동체 참여
> • **학생**: 학교 교육에 관한 높은 신뢰, 주도성과 능동성 함양

구상하기

➔ 관련주제: THEME 13

23 다음 교사들의 회의 내용을 읽고, 문제를 해결하기 위한 구체적인 방안을 제시문을 참고하여 제시하시오.

교사 회의 내용 중 일부

A 교사: 학생들이 SNS 게시물을 읽느라 책을 읽지 않아요.

B 교사: 학생들은 자신의 감정을 표현하거나 글 쓰는 것을 어려워해요.

C 교사: 학생들이 줄임말을 쓰고 쇼츠를 보니 질 높은 대화가 되지 않아요.

제시문

프로젝트 학습은 학생들이 실제 문제를 해결하거나 특정 과제를 수행하면서 능동적으로 참여하는 학습법이다. 이 접근 방식은 자기주도학습 능력을 향상시키는 데 도움을 주며 비판적 사고와 문제 해결 능력을 개발하는 데 기여한다. 이 학습 방법은 팀워크를 요구하기 때문에 학생들은 서로 협력하고 의견을 나누며 효과적으로 소통하는 방법을 배우게 된다.

구상하기

➡ 관련주제: THEME 14

24 다음 A 학교의 자율과제 방향과 SWOT을 참고하여, A 학교에 필요한 자율과제를 도출하고, 구체적인 교육 방안을 제시하시오.

> **A 학교 자율과제 방향**
> 학생 중심 프로젝트 활동
>
> **A 학교 SWOT 분석**
> S: 학생의 학교 교육에 관한 높은 신뢰, 구성원 간 소통 원활
> W: 교과 융합 프로그램 부족, 삶과 연계되는 주제 학습 미비
> O: 지역 자원 풍부, 교사들의 전문성 및 열정 보유
> T: 지역사회 생태환경 문제 보도, 지역 주민들의 교육력 부족
>
> 학교자율과제: _____

구상하기

➡ 관련주제: THEME 15, 17

25 학교 현장에 생태환경교육이 필요한 이유를 3가지 말하고, 구체적인 교과 연계 방안과 학급 운영 방안을 1가지씩 제시하시오.

구상하기

➔ 관련주제: THEME 15

26 다음 제시문의 시사점을 밝히고, 교권과 인권을 상호존중할 수 있는 학교 문화를 만들기 위한 교육 프로그램과 교사의 자세를 각각 1가지씩 제시하시오.

> 학생 인권 향상이 교권 증진에 도움이 될 것이라는 의견에 대해서 모든 조사 대상의 과반수가 동의하는 것으로 나타났으나, 학생과 보호자는 85% 이상 높은 동의 수준을 보이는 반면, 교원의 경우 65% 수준으로 인식 차이가 상당히 큰 것으로 나타났다.

구상하기

➔ 관련주제: THEME 16

③ 교육 정책 이해 및 적용 관련 문제(THEME 17~24)

27 자신의 교직관과 다음 학기의 도입 취지를 고려하여 이 시기에 하고 싶은 교육 내용을 말하시오.

> • **초**: 성장이음과정
> • **중**: 생각의 힘을 키우는 학기

구상하기

➜ 관련주제: THEME 17, 19, 29

28 교사교육과정 설계 및 운영 시 고려해야 할 점을 3가지 답변하시오.

구상하기

➜ 관련주제: THEME 18

④ 교과 지도(전공 연계) 방안 관련 문제(THEME 25~31)

29 다음 제시문 1, 2의 취지에 맞는 구체적인 교과 지도 방안에 대해 수업 내용을 사례로 들어 제시하시오.

> **제시문 1**
> 학습의 전이는 실생활에 가까운 맥락을 제공할 때 쉽게 일어나므로, 수업은 삶의 맥락 속에서 지식을 구성할 수 있도록 설계되어야 한다. 학생들이 배운 내용이 삶과 직접 연결된다고 느낄 때 더 몰입하게 되며, 교사교육과정 재구성으로 학습 경험의 폭과 깊이를 확장할 수 있다. 삶의 맥락 중심 수업은 학생의 삶을 확장하고, 새로운 변화 대응, 문제 해결, 사회적 책임과 실천, 변혁적 도전 정신을 강조한다. 또한, 학교 밖 교육활동 공간과 지역사회의 인적 자원을 활용하여 학생들이 당면한 문제를 논의하고 구체적인 실천으로 이어지도록 지원하는 수업을 지향한다.
>
> **제시문 2**
> 깊이 있는 이해를 위해서 학생이 명확하게 문제를 이해하고 탐구과정에서 지적 호기심을 유발하는 질문이 중요하다. 아울러 사실과 주제에 대해 학생들이 끊임없이 질문을 만들고 답하면서 문제를 깊게 파고들며 탐구할 수 있도록 설계가 필요하다. 이를 위해 탐구−실행−성찰 과정을 담은 깊이 있는 수업을 위한 프레임워크 전략을 적용하고 있다.

구상하기

◆ 관련주제: THEME 25

30 에듀테크를 활용해 학생평가를 할 때 장점과 유의 사항을 각각 2가지씩 제시하시오.

구상하기

◆ 관련주제: THEME 26

31 논술형 평가를 할 때 장점과 교사에게 필요한 역량을 각각 2가지씩 제시하시오.

구상하기

3

➜ 관련주제: THEME 26

32 교과 특별실을 재구성한다고 할 때, 지향하는 방향성을 말하고 공간을 활용한 교과(전공) 연계 방안을 제시하시오.

구상하기

➜ 관련주제: THEME 27

33 융합 수업의 필요성을 말하고, 교과융합수업을 위해 함께하고 싶은 전공을 하나 선택하여, 구체적인 교육 방안을 제시하시오.

구상하기

➜ 관련주제: THEME 28

34 탈북학생을 지도할 경우 교사의 유의 사항을 3가지 말하시오.

구상하기

➜ 관련주제: THEME 30

5 학급 운영 방안 관련 문제(THEME 32~39)

35 유의미한 조회 시간을 위한 교육 방안과 그것이 필요한 이유를 제시하시오.

구상하기

➡ 관련주제: THEME 32

36 다음의 상황을 고려하여 사이버폭력 예방 교육이 중요한 이유를 3가지 말하고, 사이버폭력 예방 교육에 반드시 포함할 내용을 말하시오. 또한 폭력사항 조사 시 교사가 갖춰야 할 요령을 3가지 말하시오.

> A 학생이 본인 온라인 계정에 올린 사진을 누군가가 우스꽝스럽게 합성하여 만든 사진이 떠돌아다니고 있다. A 학생은 빠른 속도로 퍼져 나가는 사진에 고통을 받고 있으며, 누가 그런 것인지 알 수 없어 더욱 힘들어하고 있다. B 학생은 A 학생을 도와 선생님께 이 사실을 말하고 싶지만 본인이 신고했다는 사실이 알려지면 피해를 입을까봐 고민 중이다.

구상하기

➡ 관련주제: THEME 33

37 성장배려학년제를 담당하는 교사의 역할을 3가지 이상 제시하시오.

구상하기

➡ 관련주제: THEME 34

38 학교 교육에서 대중문화와 유튜브를 활용한 교육이나 비평 교육이 필요한 이유를 말하고 구체적인 교육 방안을 제시하시오.

구상하기

➡ 관련주제: THEME 35

39 다음 상황에서 효과적인 자기주도학습 운영 방안을 말하시오.

> • A 학생: 선생님은 스스로 학습을 중요하게 여기시지만, 할 수 있는 게 아무것도 없는데 스스로
> 해보는 것이 중요하다고 말씀하시니 더욱 자신감이 없어져.
> • B 학생: 열심히 했는데 결과가 안 나오니까 별로 하고 싶은 마음이 없어져.
> • C 학생: 수업 활동 속에서 스스로 무언가를 해볼 때 정말 즐거워.

구상하기

‣ 관련주제: THEME 37

40 학교자율과제를 도출하기 위해 교사 회의를 진행하는 상황에서 제시문의 C 교사가 제시할 의견과 구체적인 교육 방안을 말하시오. 또한 이 교육을 위해 교사가 갖춰야 할 역량은 무엇인지 3가지 밝히시오.

> A 교사: 학교자율과제 프로젝트 학습 주제를 결정하기 위해 학생들의 실태 파악이 중요할 것 같아
> 요. 저는 우리 학교에 다문화가정 학생이 많다는 점을 특징으로 삼고, 세계의 문화를 소개
> 하는 주제 학습을 하고 싶어요.
> B 교사: 동의합니다. 교과 융합 수업을 한다면, 우리 교사들의 전문성을 잘 활용할 수 있을 거예요.
> 더불어 학교에서 에듀테크를 꼭 활용하라고 강조했는데, 이번에 이것을 시도해 보는 것이
> 좋을 것 같네요.
> C 교사: 두 분 선생님 말씀을 종합하면 우리 학교에서는 _____답변할 부분_____ 교육이 적합할 것
> 같군요.

구상하기

‣ 관련주제: THEME 17, 38

41 통합교육 시 교사의 유의 사항을 3가지 말하시오.

구상하기

➔ 관련주제: THEME 39

6 현장 문제 해결 방안 관련 문제(THEME 40~50)

42 제시된 아동학대 현황을 보고, 아동학대 학생을 조력할 때의 접근 방향성에 대해 말하시오. 또한, 아동학생 의심 학생을 발견했을 때 조치 방안을 말하시오.

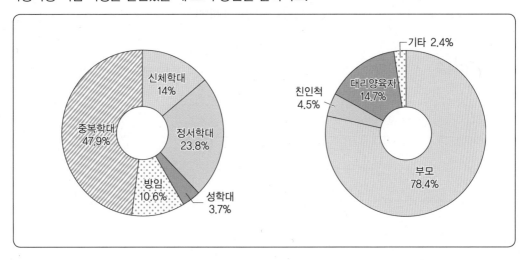

구상하기

➜ 관련주제: THEME 41

43 다음 상황에서 효과적인 학급 운영 방안을 말하시오.

> • **A 학생**: 학급에서 수업 분위기를 저해하는 B 학생을 학교생활교육위원회에 회부하지 않는 담임 선생님이 이해되지 않는다.
> • **B 학생**: 친구들은 나를 이해하지 못하고, 무슨 일이 생기면 나를 나무라기만 한다.
> • **C 학생**: 학급 아이들은 서로를 탓하고, 비난하기 바쁘다.

구상하기

➡ 관련주제: THEME 45

44 B 교사의 입장에서 다음 상황을 해결하기 위한 방안을 말하시오.

> A 교사는 딱히 개인 업무로 정해지지 않은 컴퓨터 수리, 회의록 작성, 교무실 총무 업무 등을 B 신규 교사에게 요청하고 있다. B 교사는 배운다는 마음으로 처음에는 열심히 하였으나 맡은 업무와 상관없는 일이 계속 추가되어 난처한 상황이다.

구상하기

➡ 관련주제: THEME 45

45 다음 교사의 발언 속 문제점을 지적하고 이를 해결하기 위한 학교 문화 개선 방안을 제시하시오.

> • **A 교사**: 여학생들끼리 조를 하면 수다를 떨어서 안 되고, 남학생끼리 조를 하면 장난만 쳐서 성비를 2:2로 맞춰서 조를 짜야겠어요.
>
> • **B 교사**: A 교사 학급의 영우는 참 남자답더라고요. 운동 잘하고 리더십 있고.
>
> • **C 교사**: 이번에 급훈을 "10분 더 공부하면 아내 얼굴이 바뀐다."로 정할까 봐요.

구상하기

➜ 관련주제: THEME 50

📑 해설 p.382

2025학년도 경기도 공립교사 임용후보자 선정경쟁시험 2차

개별면접 1회

관리 번호		수험 번호	

【구상형】

1. 제시문 2의 내용을 제시문 1의 방향으로 구현할 구체적인 교육 방안을 말하고, 이때 필요한 교사의 역량과 역량 강화를 위한 노력 방안을 제시하시오.

제시문 1 경기도교육청의 새로운 교수·학습 방향

• **사유하는 학생**: 개인의 경험, 지식, 문화, 사회적 맥락에 따라 구성된 가치와 신념을 탐색하고, 이에 대해 비판적으로 생각하며 스스로 자신의 믿음과 가치에 대해 깊이 성찰하는 학생

• **깊이 있는 수업**: 학생이 개념 이해를 바탕으로 삶의 맥락을 반영한 문제를 해결하는 학습을 강조하는 수업으로, 학생의 사유와 질문으로 학생과 교사 주도성이 조화를 이루어 비판적 사고 및 문제해결 역량 등 미래 역량을 향상시키는 데 중점을 두는 수업

제시문 2 경기도교육청의 중점 사업 중 일부

경기도교육청은 에듀테크 기반 맞춤형 교육을 통해 학생 간 교육 격차 해소에 힘쓰고 있다. 올해 4월 30일까지 도내 학교에 보급된 스마트 단말기는 134만2895대로, 학생 수 123만9638명 대비 107.4%의 보급률을 기록했다. 정부는 내년부터 초등학교 3~6학년, 중학교, 고등학교에서 디지털 교과서를 도입할 예정인데, 디지털 교과서에는 용어사전, 멀티미디어 자료, 평가 문항 등이 포함되어 스마트 기기의 사용이 필수적이기 때문이다.

2. 건강하고 안전한 학습 환경을 만드는 것은 무엇보다 중요하다. 제시문을 고려하여 담임교사와 교과교사로서의 교육 방안을 각각 2가지씩 제시하시오.

> **제시문**
> **제거(E):** 학생의 심리적 불안, 과도한 학업 스트레스
> **감소(R):** 학생 간 학습 성취도 격차, 교사의 수업 준비 시간 부담
> **증가(R):** 심리적 안정과 자존감 향상을 위한 활동, 학교 내 상담 프로그램
> **창조(C):** 학생 정서 지원을 위한 프로그램 개발, 교사와 학생 간의 소통 활성화

3

3. 다음 환경 분석 결과를 토대로 A 학교의 학교자율과제를 정하고자 한다. 다음 빈칸을 채우고, 이를 실현하기 위한 구체적인 교육 방안을 제시하시오.

> *학교자율과제: ＿＿＿＿＿＿＿＿＿＿＿＿＿＿＿을/를 통한 ＿＿＿＿＿＿＿＿＿＿＿＿＿＿＿
>
> **A 학교 환경 분석 결과**
> • **강점(S):** 학부모의 학교 교육에 대한 높은 참여, 지역사회의 학교와의 높은 협력 의지
> • **약점(W):** 지역 자원 활용 부족, 학교–가정 간 인성교육의 연계 미비
> • **기회(O):** 지역사회 자원 풍부, 인성교육 관련 학교 예산 증가
> • **위협(T):** 가정 내 교육 부재로 인한 학생들의 기본 생활 습관 부족, 학생들의 어른 공경 의식 부족

【즉답형】

1. 학교에서 인성 메시지를 담은 종소리를 제작한다고 할 때, 포함하고 싶은 가사 내용을 한 구절 이야기하고 이를 실현하기 위한 교육 방안을 3가지 제시하시오.

2. 지역사회와 협력하여 제시문의 A 학생을 도울 수 있는 교육 방안을 제시하시오.

> **A 학생 상황**
>
> A 학생은 늘 무기력하다. 생계를 유지하기 위해 보호자는 모두 일터에 나가 가정에 혼자 있는 시간이 많으며, 문화 체험, 진로 탐색 기회 등의 경험이 부족한 상태이다. 여가 시간을 컴퓨터나 휴대폰을 하며 보내다 보니 인터넷·스마트폰 고위험군으로 나오기도 했다.

【추가 즉답형(비교과)】

3. 새 학기 시작 직후 가정에 가정통신문을 보낸다고 할 때, 포함할 내용 3가지와 그 이유를 말하시오.

4. 다음 교사의 학급 상황을 보고 각 학생들의 문제를 해결하기 위한 교사의 역할을 제시하시오.

> • A 학생은 친구들과 친해지고 싶어 하지만 갑작스런 행동이나 상황에 맞지 않는 발언으로 분위기를 저해할 때가 많다. 친구들이 피하자 A 학생은 더 과장되게 행동하고 있다.
> • B 학생은 학교에 잘 오지 않는다. 이유를 물어봐도 말이 없고, 어쩌다 오는 날도 조퇴를 하기 일쑤다.
> • C 학생은 게임에 깊이 빠져있으며 관련 유튜브를 개설하여 수익을 창출하고 있다. 학부모님은 C 학생을 이해하지 못해 가족 간 갈등이 잦은 편이며, 학교 수업에는 집중하지 못한다.

2025학년도 경기도 공립교사 임용후보자 선정경쟁시험 2차

개별면접 2회

관리 번호		수험 번호	

【구상형】

1. 제시문 1의 교육을 실현하기 위한 방안을 제시문 2를 참고하여 3가지 답변하시오.

제시문 1

더 정의롭고, 평화로우며, 관용적이고, 포용적이며, 안전하고, 지속가능한 세상을 만드는 데 앞장설 수 있도록
필요한 학습자의 지식과 기술, 가치와 태도를 계발하는 것   유네스코

제시문 2

교육은 한 가지 방향으로만 이뤄져서는 안 된다. 학교교육과정과 연계하여 운영할 수 있도록 교사는 기획력
을 갖추고 있어야 한다. 하지만 교사의 일방적 주도가 되지 않고 일상적 실천이 가능하도록 학생 참여 중심
이 되어야 한다. 마지막으로 지역사회 자원을 연계할 수 있어야 한다.

**2. A 학교에서는 학교자율과정으로 '문해력 교육'을 실시하고자 한다. 문해력 교육의 필요성을 3가지
말하고, 다음 교육공동체의 의견을 고려하여 구체적인 교육 방안을 제시하시오.**

교육공동체의 의견

• **학생:** 교과서에 모르는 단어가 너무 많아서 수업이 힘들어.
• **학부모:** 아이들이 직접 글을 작성해 봤으면 좋겠어.
• **교사:** 에듀테크를 활용했으면 좋겠어.
• **학교:** 학급 학생들이 합심하여 성공적으로 과제를 달성했으면 좋겠어.

3. 제시문을 분석하여 A 학생의 문제를 해결할 수 있는 구체적인 방안을 제시하시오.

> **제시문**
>
> 에듀테크 활용과 지역교육협력으로 학생 맞춤형 교육을 실현하여 학생 스스로 꿈을 펼치는 새로운 미래를 열어가겠습니다.
>
> 경기교육 기본계획 중
>
> **A 학생 상황**
>
> A는 늦은 시간까지 게임을 한다. 최근에는 유튜브에 빠져 늦잠을 자서 매번 지각을 한다. 가끔은 쉬는 시간에 유튜브를 보고 싶어 휴대폰을 제출하지 않을 때도 있다. 집중력이 부족하고, 책을 오래 읽지 못한다.

【즉답형】

1. 교육 실습생 기간 중 동료 교원들과 생활하며 어려웠던 점을 말하고, 교사가 되어 비슷한 상황에 직면했을 때, 이를 어떻게 해결할 계획인지 답변하시오.

2. 김 교사의 문제점을 분석한 후, 김 교사가 우려하고 있는 부분을 해결할 수 있는 수업 방안을 제시하시오.

> 김 교사는 스마트 기기를 활용한 수업을 진행하고 있다. 기존처럼 교과서, 유인물 중심으로 수업해도 충분한데 에듀테크를 활용하는 사회 분위기에 의문이 든다. 학생들에게 스마트 기기를 주면 수업에 참여하지 않고 딴짓을 할 게 뻔하고 스마트 기기 의존도가 높아지면 더 큰 문제인 것 같아 진행하고 싶지 않다.

【추가 즉답형(비교과)】

3. 사회 문제를 고려하여, 학교 현장에서 필요하다고 생각하는 교육을 제시문에서 하나 골라 구체적인 교육 방안을 제시하시오.

> **제시문**
> • 마약 예방 교육
> • 도박 예방 교육
> • 디지털 성범죄 예방 교육

4. 미래형 학교를 구성한다고 할 때, 반드시 있어야 한다고 생각하는 공간과 그 이유를 3가지 답변하시오.

개별면접 3회

관리 번호		수험 번호	

【구상형】

1. 다음 사회·환경 변화 중 한 가지를 골라, 구체적인 사회상을 말하고 교육에의 시사점과 교사에게 필요한 역량에 대해 말하시오.

> **미래사회·환경 변화**
> 1. 디지털 대전환 시대
> 2. 초지능·초연결·초융합 사회
> 3. 저출산·고령화·다문화
> 4. 기후 위기, 생태 환경 변화

2. 다음 A 교사의 수업 성찰 노트를 읽고 고민을 해결하기 위한 방안을 3가지 말하시오.

> **수업 성찰 노트**
> • **3월 ○일**: 오늘은 야심차게 학생 중심 수업 1차시 내용을 시도했다. 하지만 서준이는 교육 활동을 소개하고 있는 내게 "선생님, 꼭 그거 해야 돼요? 귀찮아요. 그냥 답 불러주세요."라고 말했다. 난 아무 말도 하지 못했다.
> • **4월 ○일**: 오늘 수업은 학생들의 발표 수업 후 피드백을 하는 형식으로 진행했다. 발표자인 영우의 프레젠테이션을 마치고 피드백을 시작하자, 영우는 내 말을 끊고 "선생님, 제 발표에 대해 지적하는 것이 기분 나빠요."라고 말했다. 수업 분위기가 싸해졌다.
> • **6월 ○일**: 이찬이네 모둠은 각자가 제 역할을 잘 하지 못할 때 항상 비난하고 서로를 탓하기 바쁘다. 이찬이는 배움이 느려, 늘 모둠 안에서 구박을 받는다. 이런 수업을 구상해서 미안해졌다.

3. 다음 제시문의 시사점을 도출하고, 이를 해결하기 위한 방안을 제시하시오.

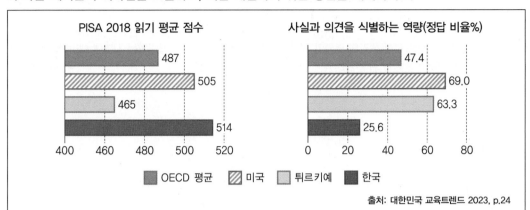

출처: 대한민국 교육트렌드 2023, p.24

*PISA: OECD 주관 세계 각국 학생들의 읽기, 수학, 과학적 소양의 성취수준을 평가해 국제적인 지표를 비교 파악하는 연구

【즉답형】

1. 다음 교사의 입장에서 교육공동체 연대의 방향으로 문제를 해결할 방안을 제시하시오.

A 학생은 학급 친구들에게 지속적으로 기분 나쁜 별명을 부르며 감정을 상하게 하여 몇 차례 담임교사인 나의 지도를 받았다. 그런 일이 빈번해지니 학부모님이 찾아와서, 나의 생활지도 방식을 지적하였다. 생활지도 방식이 A 학생에게 적합하지 않으니 앞으로 개입하는 것을 멈춰줄 것을 당부하고 돌아갔다.

2. 다음 제시문을 읽고, IB 교육과정을 위한 교사의 역량은 무엇인지 말하고, 역량 강화 계획을 밝히시오.

> IB 교육은 질문하고 탐구하며 생각의 크기와 힘을 키우는 교육이다. 이제는 급변하는 시대에 대비해 다른 사람의 생각을 인정하고 스스로 답을 찾아가는 교육으로 변화해야 한다.
>
> 임태희 교육감

【추가 즉답형(비교과)】

3. 경기교육의 지향점을 고려하여 미래에도 지속되어야 하는 교육, 중단해야 하는 교육, 새롭게 만들어갈 교육을 1가지씩 이유와 함께 제시하시오.

4. 다음의 갈등 상황을 해결하기 위한 방안을 말하시오.

> A 학교에서 교직원 회의를 통해 담임교사가 돌아가면서 방과 후에 학생들의 생활지도를 담당할 것을 합의하였다. 하지만 B 교사는 자기는 그 의견에 동의한 적이 없으며, 생활지도 업무는 생활지도 교사가 담당하는 것이기에 방과 후 생활지도에 참여하지 않겠다는 의사를 밝혔다.

2025학년도 경기도 공립교사 임용후보자 선정경쟁시험 2차

개별면접 4회

관리 번호		수험 번호	

【구상형】

1. 다음은 경기도교육과정의 특성 중 하나이다. 제시문을 분석하여, 학생에게 필요한 교과 교육 방안을 제시하시오.

기초소양의 토대 위에 역량을 함양하는 교육과정

기초소양은 학습자가 자기주도적으로 학습하기 위해 모든 교과 학습의 기반이 되는 능력으로 역량을 키우기 위한 깊이 있는 학습의 토대가 된다. 기초소양을 바탕으로 학교에서는 지식 중심 교육이 아닌 실생활을 살아 가는 데 필요한 역량을 중심으로 교육과정을 운영한다.

---

2. 다음은 A 교사의 교단 일지이다. A 교사가 겪고 있는 문제를 공동의 문제로 인식하고 이 상황을 함께 해결하기 위한 교육공동체의 역할을 제시하시오.

교단 일지

• ○월 ○일: 우리 반 동우는 불안장애와 우울증이 있다.
• ○월 ○일: 동우 어머니는 신규 교사인 나의 전문성을 의심하며, 동우의 자해 여부도 파악하지 못했냐며 나무라신다.
• ○월 ○일: 주변 교사들에게 생활지도에 관한 어려움을 토로하였으나, "신규 때는 원래 힘든거야. 시간이 지나면 그런 문제는 다 적응돼."라며 대수롭지 않게 넘기신다.

---

3. 다음 상황을 해결하기 위한 방안을 말하시오.

> 이 교사는 생성형 AI를 활용한 수업에 관한 연수를 여러 개 듣고, 자기 장학을 하며 야심 차게 수업에 활용할
> 계획을 세웠다. 생생형 AI에게 질문을 던져, 글쓰기 초안을 작성하라고 학생들에게 이야기하자 모두 즐겁게
> 참여했지만 나원이의 표정은 좋지 않았다. 나원이는 이 교사에게 말했다.
> "선생님, 저는 글쓰기 수업에 생성형 AI를 활용하고 싶지 않아요. 그러면 제가 스스로 생각하지 못해서 저의
> 창의력이 발전되지 못하는 거 아닌가요?"

【즉답형】

1. 다음은 경기교육과 유네스코에서 바라본 교사에 대한 관점이다. 공통 요소를 찾고, 이와 관련하여
   신규 교사로서 노력 방안을 3가지 제시하시오.

경기교육	유네스코
• 미래교육 역량 강화	• 지식 생산자
• 자율성 및 전문성 강화	• 사회 변화 핵심 주체
• 교육 활동 보장	• 전문성

2. 다음 설문 결과를 분석하고 이와 관련하여 신규 교사로서의 자세와 다짐을 3가지 말하시오.

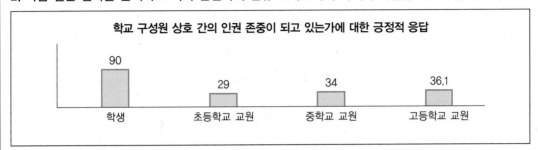

학교 구성원 상호 간의 인권 존중이 되고 있는가에 대한 긍정적 응답

학생	초등학교 교원	중학교 교원	고등학교 교원
90	29	34	36.1

【추가 즉답형(비교과)】

3. 자기 교직관을 담아, 첫 수업 시간에 학생들에게 하고 싶은 말을 제시하시오.

4. 다음 상황에서 A 학생을 조력할 교육공동체 연대 방안을 제시하시오.

> 학급의 A 학생은 흡연을 시작하더니 그 장면을 SNS에 자발적으로 올리기도 한다. 또 점차 등교하지 않는 날이 많아졌다. 가정에 연락하여 협조를 구해봤으나 집에서도 지도가 힘든 상황이라는 답변만 돌아왔다.

개별면접 5회

관리 번호		수험 번호	

【구상형】

1. 자료 1을 참고하여 자료 2의 실현 방안을 담임교사와 교과교사로서 각각 2가지씩 제시하시오.

> **자료 1 A 학교 상황 분석**
> - **제거(E):** 학생들의 자기주도학습 부족, 디지털 기기 과의존
> - **감소(R):** 학생 간 디지털 기기 활용 격차, 교사 간 디지털 역량 차이
> - **증가(R):** 디지털 기반 협력 학습, 다양한 멀티미디어 콘텐츠 활용
> - **창조(C):** 디지털 플랫폼을 활용한 맞춤형 학습 지원, 교사의 디지털 리터러시 교육 역량 강화
>
> **자료 2**
> 교육의 디지털 대전환 시대에 교육 분야의 디지털 기술 접합은 다른 분야에 비해 늦은 편이다. 교육과 디지털 시대의 흐름을 접합시키는 것이 중요하다. 또한 교사들의 디지털 리터러시 신장이 중요하다. 학생들의 경우 디지털 원어민에 가까우나 학교 안에는 다양한 선생님이 있고, 개인별 디지털 리터러시 차이가 있는 편이기에 이 차이를 잘 채워야 한다. 마지막으로 디지털 플랫폼을 수업의 툴로만 여기는 것이 아닌 수업, 평가, 피드백, 진로지도에 이르기까지 우리 교육 전 영역이 디지털 기술과 접합하는 것이 중요하다.
>
> 교육감 인터뷰 중

2. 생태환경교육이 중시되고 있다. 아래를 참고하여 교과교사로서 생태환경교육을 실현할 수 있는 방안을 2가지 제시하시오.

> - **교육 철학:** 사유하는 학생, 깊이 있는 수업
> - **교육 방향:** 질문이 자유로운 수업, 서로 다른 생각을 존중하는 수업

3. 자신의 교직관과 다음 설문조사를 참고하여 학급 운영 방안과 담임교사로서의 자세를 제시하시오.

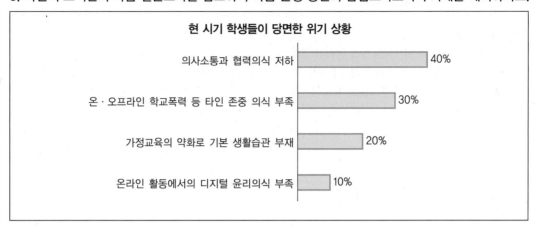

현 시기 학생들이 당면한 위기 상황

위기 상황	비율
의사소통과 협력의식 저하	40%
온·오프라인 학교폭력 등 타인 존중 의식 부족	30%
가정교육의 약화로 기본 생활습관 부재	20%
온라인 활동에서의 디지털 윤리의식 부족	10%

【즉답형】

1. 다음은 경기교육에서 제시한 교사의 역할과 핵심역량 중 일부이다. 다음과 같은 역량을 키우기 위해 어떠한 노력을 해왔는지 말하시오.

- **교육과정 전문가**: 교육과정 역량, 수업 운영 및 평가 역량
- **생활교육 전문가**: 생활교육 역량, 진로교육 역량

2. 다음 A 학교의 상황을 고려하여 교사의 역할을 3가지 이상 말하시오.

A 학교의 상황
- 학급에 아직 진로를 생각하지 않은 학생이 있음
- 학급에 마케팅에 관심이 있는 학생은 많으나 학교 과목에 개설되지 않음
- 담당 교과에 최소 성취 수준 미도달 학생이 있음

【추가 즉답형(비교과)】

3. 인공지능의 역기능으로 딥페이크 피해, 가짜 뉴스 확산, 혐오·차별·편향 등 윤리 문제가 거론되고 있다. 이를 해결하기 위한 학교에서의 교육 방안을 3가지 제시하시오.

4. 제시문의 학생을 대하는 구체적인 지도 방안 및 상담 방안을 각각 제시하시오.

- A 학생: ADHD 증상이 있다. 충동적인 행동을 많이 하며, 친구들에게 화를 잘 낸다.
- B 학생: 자존감이 낮아 누군가가 자기를 지적하는 것을 견디지 못한다. 문제 행동에 대해 지도를 할 경우, "왜 나한테만 그래요."라고 하며 억울해하고 지도에 불응한다.
- C 학생: 수업 시간에 잡담을 하여 교과 교사들에게 지속적으로 지적을 받는다.
- D 학생: 학교에 등교하지 않고, 학업중단 의사를 밝혔다.

예상문제 80문항
꼼꼼 해설

예상문제 해설 방향

PART 3 예상문제 80문항은 주제별 예상문제 45문항, 개별면접 실전 모의고사 5회 35문항으로 제작해 최대한 다양한 교육 주제를 실전 면접 문제와 유사한 유형으로 연습해 볼 수 있도록 구성했다.

또한 문제마다 THEME와 연계해 해당 페이지를 안내했으니, 모의 면접이 끝난 후에 부족한 부분은 바로 보충 학습을 하면 좋다. 또한 스터디원들과 피드백하는 과정과 최선의 답안을 정리하는 습관을 들이면 면접에 큰 도움이 될 것이다.

면접은 자기 생각과 의견을 전달하는 것이므로 답변은 참고용으로만 보고, 자신이 직접 구안해야 한다. 답안을 적어놓는 것만으로도 그것이 정답이고, 이대로 말해야 할 것 같은 압박이 들 수 있다. 답안을 암기한다면 같은 책을 본 사람들은 모두 불리할 것이다. 따라서 예상 답안의 해설을 참고해 본인만의 답변을 꼭 마련해야 한다.

서론, 결론을 아무 생각 없이 습관적으로 말하는 사람들이 많다. 서론과 결론에 아무 말이나 넣는 것이 아니라는 것을 이제는 알 것이다. 경기 정책 개념이 나온다면, 정의를 서론에 언급하면 좋고 결론에는 기대 효과나 포부를 넣으면 출제 의도에 부합한다.

01 ᐧ 주제별 예상문제(45문항) 해설

🗐 문제 p.292

❶ 경기형 교직관 및 교사 전문성 관련 문제(THEME 1~2)

01

평가영역	THEME 1. 경기형 교직관 수립
해설	경기교육의 3대 기조인 자율, 균형, 미래에 해당하는 인재상을 잘 파악하고 이에 걸맞은 교육 방안을 제시해야 한다.

예시 답변 ﹕ 경기교육의 3대 기조 중 미래 측면에서 필요한 인재상은 자기주도적이고 창의적인 사람입니다. 미래 사회는 세계화, 다문화 사회 등으로 인한 다양한 사회적 문제를 마주할 것이므로, 학생들이 스스로 사고하고 문제를 해결하는 능력이 필요하기 때문입니다. 또한 인공지능과 같은 기술이 만연한 사회에서 인간은 기존에 없던 새로운 아이디어를 창출하고, 예술, 문화, 철학 등 감성적인 영역에서 독창적인 결과물을 만들어내기에 인간의 창의성은 인공지능이 대체할 수 없는 중요한 가치를 지닌다고 생각합니다.

자기주도적이고 창의적인 인재를 양성하는 방안을 말씀드리겠습니다. 먼저 수업 방안입니다. 첫째, 프로젝트 학습을 진행하겠습니다. 프로젝트 학습은 학생들이 주도적으로 문제를 해결하면서 학습의 주체가 되는 수업 방식입니다. 다양한 문제 상황에서 해결책을 모색하는 과정에서 창의성과 협업 능력을 키울 수 있습니다. 예를 들어, 지역사회 환경 문제를 해결하기 위한 프로젝트 학습을 통해 학생들은 지역사회 문제에 대한 비판적 사고와 해결책을 모색하기 위한 능동성을 갖출 수 있을 것입니다. 둘째, 융합교육을 하겠습니다. 예를 들어 사회, 미술과의 융합으로 환경 문제를 해결하기 위한 토의·토론 후 직접 친환경 비누 등을 만드는 수업을 한다면 학생들의 융합적 사고가 향상될 것이며 미래 사회의 복잡한 문제를 다양한 시각으로 분석하고 해결하는 창의적 사고력을 함양할 수 있을 것입니다.

다음으로 생활지도 방안입니다. 저는 학급 차원에서 자기주도적 학습 환경을 조성하겠습니다. 예를 들어, 학생들에게 학습 일지를 작성하게 하고, 정기적으로 스스로 성과를 평가할 수 있게 하겠습니다. 저는 학습일지를 피드백하고 앞으로 계획을 수립하는 데 도움을 줄 것입니다. 이를 통해 학생들은 책임감과 자기주도성을 강화할 수 있을 것입니다. 둘째, 협력과 소통을 강화하는 교실 문화를 만들겠습니다. 학생들이 다양한 의견을 존중하고, 협력과 소통의 가치를 배울 수 있도록 다양한 협력 활동을 실천하겠습니다. 예를 들어, 학급 내에서 정기적인 학급회의 시간을 통해 학생들이 집단지성으로 교실, 교내 문제를 해결할 수 있게 해 보다 효과적인 방안을 떠올릴 기회를 부여하겠습니다.

현장에 나아가 학생들을 미래인재로 양성하기 위해 노력하는 교사가 되겠습니다. 이상입니다.

자기 평가		
체감 난도		ⓢ ⓜ ⓗ ➡ 원인 파악:
스터디원의 피드백	잘한 부분	
	부족한 부분	
해당 주제에 대한 시험 전까지 계획		

02

평가영역	THEME 1. 경기형 교직관 수립
해설	교직관과 사회 변화에 적합한 역량을 골라야 한다.

예시 답변: 저의 교직관은 학생들이 각자의 잠재력을 적극적으로 발휘할 수 있도록 조력하는 교사가 되는 것입니다. 급변하는 사회에서는 학생들이 다양한 문제를 주도적으로 해결할 수 있는 능력이 필요하다고 생각합니다. 이를 고려할 때, 문제해결 역량이 가장 중요하다고 생각합니다. 미래 사회에서 학생들은 단순한 지식 습득을 넘어서 실제 상황에서 스스로 문제를 파악하고 적절한 해결책을 찾는 능력을 갖춰야 하기 때문입니다.

문제해결 역량을 기르기 위한 수업 측면에서의 교육 방안을 말씀드리겠습니다. 저는 문제 중심 학습을 실천하겠습니다. 문제 중심 학습은 사회의 실제적인 문제를 제시하고, 이를 해결하는 과정을 통해 학생들이 비판적 사고와 창의적 문제해결 능력을 기를 수 있는 수업 방식입니다. 예를 들어, 기후변화, 빈부 격차 등의 사회 문제를 해결하기 위한 과제를 주고, 학생들이 모둠을 이루어 문제를 분석하고 다양한 해결책을 제시하는 방식입니다. 학생들은 탐구하고, 자료를 분석하며, 다양한 대안을 모색하는 과정에서 문제해결 역량을 습득할 수 있을 것입니다.

둘째, 학급 운영 측면에서는 학생 자치 활동을 강화하겠습니다. 학급에서 반의 특성을 고려한 규칙을 만들거나, 학급 운영에서 발생하는 문제, 예를 들어 소통 문제, 1인 1역과 같은 역할 분담 문제에 대해 학생들이 스스로 논의하고 해결하는 시간을 정기적으로 갖는 것입니다. 이를 통해 학생들은 직접 주변의 문제를 짚어보고 해결책을 제시하며, 결정된 사안을 실행할 수 있습니다. 이렇게 한다면 학생들의 내면에 있던 능력을 적극적으로 발휘할 기회가 될 것입니다.

현장에 나아가 학생들이 실제 삶에서 직면할 수 있는 다양한 문제를 능동적으로 해결할 수 있는 능력을 길러주는 교사가 되겠습니다. 이상입니다.

자기 평가		
체감 난도		⑨ ⑨ ⑨ ➡ 원인 파악:
스터디원의 피드백	잘한 부분	
	부족한 부분	
해당 주제에 대한 시험 전까지 계획		

03

평가영역	THEME 2. 교사 전문성 및 미래교육 역량 강화
해설	정답이 있는 문제이다. 경기도교육청에서 학생 주도 수업 설계, 평가 설계 및 피드백 능력이 필요하다고 제시했으므로, 이와 비슷한 내용의 답변을 해야 한다.

예시 답변: 교사에게 필요한 수업 운영 및 평가 역량의 핵심은 학생 중심의 수업 설계 능력과 개별 맞춤형 피드백 능력이라고 생각합니다. 왜냐하면 미래 사회에는 사회 문제가 복잡해지면서 학생들의 문제해결력이 중요해질 것이기 때문입니다. 학생들의 문제해결력을 강화하기 위해 스스로 탐구하고 성찰하는 수업이 필요합니다. 또한 평가는 학생의 현재 상태를 점검하며, 앞으로의 발전 방향을 모색하는 방향으로 이루어져야 합니다. 따라서 개별 맞춤 피드백을 통해 학생의 역량 강화를 도모해야 합니다.

이를 위한 구체적인 방안을 말씀드리겠습니다.

먼저 수업 역량 강화를 위해 저는 다양한 교수학습 전략을 습득하고 실습할 수 있는 연수를 듣겠습니다. 단순히 강의를 듣는 것을 넘어 연수 후에는 동료들과 현장에 적용하는 방안을 고민해 보고, 수업에 적용한 후에 성찰 과정을 거치도록 하겠습니다. 학생들과 개별 면담을 통해서 수업에서 성장이 일어난 지점, 부족한 점 등을 파악해서 다음 차시 수업에 반영하도록 하겠습니다.

다음으로 평가 역량 강화를 위한 계획입니다. 저는 인공지능, 데이터 등 정보기술을 병행해 학생의 상황을 분석한 뒤, 맞춤 피드백을 하겠습니다. 평가에 기술을 도입한다면 정확하게 학생의 상태를 분석해 적절한 피드백을 줄 수 있을 것입니다. 다만, 내적동기 향상이나 자신감 고취 등은 기계가 대신할 수 없다고 생각합니다. 저는 학생들에게 따뜻한 조언과 격려로 학생들의 성장을 돕겠습니다. 이상입니다.

자기 평가		
체감 난도		ⓢ ⓜ ⓗ ➡ 원인 파악:
스터디원의 피드백	잘한 부분	
	부족한 부분	
해당 주제에 대한 시험 전까지 계획		

04

평가영역	THEME 3. 새로운 경기교육
해설	인재상을 선택했다면, 그 이유를 함께 제시해야 설득력이 있다.

예시 답변 저는 경기 미래교육 인재상 중 '공감하며 실천하는 포용인'을 선택하겠습니다. 현대 사회는 온·오프라인에서 다양한 배경과 가치관을 가진 사람들이 공존하므로, 학생들이 타인에 대한 공감 능력을 키우고 존중과 배려를 실천하는 것이 매우 중요하다고 생각합니다. 이러한 포용인을 양성하기 위한 교과 지도 방안과 지역사회 자원을 활용할 방안을 말씀드리겠습니다.

저는 인성교육 관련 교과교육을 실시하겠습니다. 학생들이 국어 시간에 배우는 문학 작품에는 다양한 등장인물이 나옵니다. 등장인물이 처한 입장을 살펴보고, 그 인물의 감정을 공감하는 활동을 진행하겠습니다. 또한 도움이 필요한 인물을 상담하는 활동을 통해 공감 능력과 타인을 존중하는 능력을 기르겠습니다.

다음으로 지역사회 자원 활용 방안입니다. 저는 지역사회의 다문화가정과 연계한 프로그램을 통해 학생들이 다양한 문화와 배경을 이해하고 포용하는 태도를 기를 수 있도록 지도하겠습니다. 예를 들어, 지역 도서관에서 다문화 행사를 하거나 다문화가정의 학생들과 교류하는 활동이 있다면, 학생들과 함께 참여하고 싶습니다. 이를 통해 학생들이 다양한 문화적 배경을 존중하고 이를 자연스럽게 받아들이는 경험을 쌓을 수 있게 하겠습니다.

현장에 나아가 학생들이 타인에 대한 공감과 배려를 실천하며, 포용적인 태도를 내면화할 수 있도록 조력하는 교사가 되겠습니다. 이상입니다.

자기 평가		
체감 난도		⑤ ⑥ ⑦ ➡ 원인 파악:
스터디원의 피드백	잘한 부분	
	부족한 부분	
해당 주제에 대한 시험 전까지 계획		

05

평가영역	THEME 1. 경기형 교직관 수립, THEME 3. 새로운 경기교육
해설	제시문 속 공통점을 잘 분석하고 이를 도달할 수 있는 실천 방안을 제시해야 한다.

예시 답변 경기교육과 유네스코가 교육을 바라보는 관점에서 공통으로 강조하는 요소는 협력과 공동체의 중요성입니다. 경기교육은 교육을 공동재로 보고, 지역사회, 학부모 등 교육공동체와의 협력을 중시합니다. 유네스코 역시 협력, 협업, 연대를 기반으로 하는 교육을 강조합니다.

교사로서 협력과 공동체 연대를 통한 교육 방안을 제시하겠습니다.

첫째, 지역사회와의 협력을 강화하겠습니다. 경기교육과 유네스코 모두 교육을 공동체적 책임으로 보고 있습니다. 교사는 지역사회와의 긴밀한 협력을 통해 교육의 효과를 높일 수 있을 것입니다. 이를 실천하기 위해, 지역사회 전문가를 초청하거나 현장 체험학습을 통해 지역 내 다양한 기관에 방문하겠습니다. 예를 들어, 지역의 복지기관, 문화예술 단체와 연계해 실제 생활과 밀접한 수업을 구성하고, 이를 통해 학생들이 공동체의 일원으로서 사회에 기여할 수 있는 기회를 제공하겠습니다.

둘째, 교육활동으로 인성교육과 시민교육에 힘쓰겠습니다. 경기교육은 인성·시민교육을 중시하고 있으며 유네스코에서 강조하는 협력, 연대는 인성교육과 시민교육을 위한 필수조건이기도 합니다. 저는 학생들이 협력적 태도를 기르고 세계시민의 역할을 배울 수 있도록 다문화교육, 인권교육, 환경교육 등을 통해 학생들이 다양한 문화적 배경과 사회적 문제를 이해하고, 공동의 문제 해결을 위한 연대와 협력을 실천할 수 있도록 지도하겠습니다.

마지막입니다. 저는 교육의 공동재적 성격을 강화하기 위해 학부모와 협력하겠습니다. 최근 몇 년간, 언론은 학부모와 교사가 마치 대립각을 세운 것처럼 보도해 왔습니다. 하지만 교육은 학교와 가정의 연대가 있어야만 효과적일 수 있다고 생각합니다. 교사의 전문성을 통해 학부모가 신뢰할 수 있도록 '학부모의 날'을 개최해 교육의 방향성과 목표를 공유하고, 학교와 가정이 협력해 학생들이 더 나은 시민으로 성장할 수 있는 환경을 조성할 것이며, 온·오프라인 소통 창구를 마련해 학생의 성장을 함께 도모하겠습니다.

현장에 나아가 협력과 공동체의 가치로 학생의 성장을 위해 노력하는 교사가 되겠습니다. 이상입니다.

자기 평가		
체감 난도		⑨ ⑨ ⑨ ➡ 원인 파악:
스터디원의 피드백	잘한 부분	
	부족한 부분	
해당 주제에 대한 시험 전까지 계획		

평가영역	THEME 4. 에듀테크 활용 교육
해설	스마트 기기의 장점이 반영된 교과 지도 방안을 말한다면 더욱 설득력을 얻을 수 있다.

예시 답변 1인 1스마트 기기를 수업에 활용할 때 장점은 다음과 같습니다.

첫째, 스마트 기기를 사용하면 학생들은 개인의 학습 속도와 스타일에 맞춰 학습할 수 있습니다. 학생들은 개별의 스마트 기기를 통해 자신에게 필요한 학습을 할 수 있기에 학습 효율성이 높아지고 자율성이 강화됩니다.

둘째, 스마트 기기를 통해 교사는 실시간으로 학생들의 학습 진도를 확인하고 피드백을 제공할 수 있습니다. 또한, 학생들은 다양한 학습 자료에 즉시 접근할 수 있습니다. 이러한 즉각적인 반응은 학습 효과를 높입니다.

셋째, 스마트 기기는 학생들 간의 협력적 학습을 촉진하고, 디지털 플랫폼을 통해 소통할 기회를 제공합니다. 온라인 토론, 공동 문서 작성, 그룹 프로젝트 등 디지털 도구를 활용한 협력적 학습은 현대 사회에서 필수적인 소통 및 협력 기술을 기르는 데 도움이 됩니다.

다음은 스마트 기기를 활용한 역사 교육 방안을 말씀드리겠습니다.

영어 교과는 1인 1스마트 기기를 활용할 경우, 교육적 효과가 매우 높은 과목이라고 생각합니다. 저는 영어 연극 활동을 통해 학생주도성을 길러주고 싶습니다. 우선 소모둠으로 나눠 구글 협업프로그램을 활용해 공동 시나리오를 작성한 후 사이버 원어민 애플리케이션을 통해 발음 및 오역을 교정하며 대본을 완성하고 연극 준비를 합니다. 그 과정에서 챗GPT와 같은 생성형 AI를 활용한다면, 맞춤 교사가 돼 학생의 질문에 대한 답변을 실시간으로 할 수 있습니다. 챗GPT와 같은 생성형 AI를 사용할 때는 답변의 신뢰성 문제, 질문의 구체성 등 유의할 것이 있습니다. 이를 사전 교육한 후에 학생 수준에 맞는 학습 질문을 통해 완전 학습이 가능하게 하겠습니다. 교사로서 저는 순회 지도를 통해 학생에게 필요한 교육적 피드백을 제공할 것이며, 활동 내용을 누적 기록하게 해, 훗날 학생의 성취 수준을 파악하는 데 활용할 것입니다. 이를 통해 완전 학습, 개별화 학습을 하고자 합니다.

현장에 나아가 적재적소에 에듀테크를 활용할 수 있는 교사가 되겠습니다. 이상입니다.

자기 평가		
체감 난도		ⓢ ⓜ ⓗ ➡ 원인 파악:
스터디원의 피드백	잘한 부분	
	부족한 부분	
해당 주제에 대한 시험 전까지 계획		

07

평가영역	THEME 4. 에듀테크 활용 교육
해설	제시문 속 A, B, C 교사의 발언을 짚으며, 구체적인 답변을 제시하면 된다. 교과 연계 방안의 경우에는, 교육과정 성취 기준 몇 가지를 대략적으로 암기해 두고 필요한 부분에 근거를 들어 답변하면 전문성을 드러내는 데 도움이 된다.

예시 답변 교사 협의회에서 나온 교사들의 고민을 해결하는 방안을 말씀드리겠습니다. 먼저 A 교사는 교과와 연계한 인공지능 활용 방안을 고민 중입니다. 저의 교과인 음악 교과에서의 인공지능 활용 방안은 다음과 같습니다. 음악과 성취 기준에 '음악적 의도나 아이디어를 여러 매체나 방법에 적용해 자기주도적으로 창작한다.'라는 내용이 있습니다. 이 성취 기준을 달성하기 위해 인공지능 작곡 애플리케이션을 활용하고 싶습니다. 학생들에게 '나의 미래'를 주제로 자기 취향에 맞게끔 인공지능 애플리케이션의 도움을 받아 작곡하고, 그 음에 가사를 붙이는 활동을 하는 것입니다. 이 과정에서 학생들은 성취감을 느낄 수 있고, 자기 생각을 가사로 표현하는 과정에서 자기주도성, 창의성, 감성 능력을 발현할 수 있습니다. 학급 친구들과 발표회 시간을 갖고, 작곡한 노래를 공유하는 과정을 통해 공동체 역량을 함께 키우고 싶습니다.

다음으로 B 교사는 인공지능 윤리 교육 방안을 고민 중입니다. 이를 해결하기 위해 딥페이크 기술을 활용한 교육을 생각해 보았습니다. 딥페이크는 딥 러닝과 가짜를 의미하는 페이크의 합성어로, 쉽게 말해 합성 프로그램을 말합니다. 이것은 고인을 살아있는 인물인 것처럼 복원해 생동감을 주기도 하지만 초상권 문제나 비윤리적인 상황에 노출될 우려가 있습니다. 유명 작곡가가 살아서 연주하는 것처럼 딥페이크 기술을 직접 활용해 보며 기술의 장점을 이해하되, 부적절하게 사용할 때 초래되는 문제점, 올바른 사용 태도에 대한 소모둠 토의 활동을 진행하고 싶습니다. 전체 토의를 통해 모둠에서 나온 내용을 공유하며, 인공지능을 무분별하게 사용하는 것이 아닌, 윤리적 목적과 태도를 준수하며 사용할 것을 다짐할 수 있도록 하고 싶습니다.

마지막으로 C 교사는 인공지능이 대체할 수 없는 교사의 역할을 생각 중입니다. 인공지능이 효율적인 학습, 생동감 있는 학습을 제공할 수 있을지라도 학생이 그것에 대한 동기나 흥미가 없다면 무용지물이라고 생각합니다. 따라서 교사는, 인공지능이 할 수 없는 동기 부여, 회복탄력성 등 정서적 안정과 내면의 힘을 길러주는 역할을 해야 합니다.

현장에 나아가 인공지능 활용의 장점과 유의 사항을 모두 고려해 교육에 도입할 수 있는 교사가 되겠습니다. 이상입니다.

자기 평가		
체감 난도		상 중 하 ➡ 원인 파악:
스터디원의 피드백	잘한 부분	
	부족한 부분	
해당 주제에 대한 시험 전까지 계획		

평가영역	THEME 4. 에듀테크 활용 교육
해설	교과 연계 방안은 성취 기준에 근거해 답변하면 좋다. 따라서 수업 실연, 면접 준비 과정에서 성취 기준을 자주 들여다보고 이해하는 과정이 필요하다. 챗GPT 사용은 맹목적인 사용이 되지 않도록, 사전 교육을 충분히 하고 중간에 교사가 피드백, 시연을 통해 윤리적이고 적절한 사용이 될 수 있도록 신경 써야 한다.

예시 답변: 중학교 국어 수업에서 생성형 AI를 활용할 방안을 말씀드리겠습니다. 중학교 국어과 성취 기준에는 '다양한 자료를 재구성해 내용을 체계적으로 조직하고 청중이 이해하기 쉽게 발표한다.'가 있습니다. 이를 실현하기 위해 생성형 AI를 사용하는 방법을 고민해 보았습니다. 청자를 고려한 말하기를 주제로 스크립트를 작성하는 과정에서 생성형 AI를 보조 교사로 활용하는 것입니다. 생성형 AI는 발표문을 도입부·전개부·정리부로 나누어, 꼭 들어갈 말을 안내하거나 발표 목적이나 대상의 특성에 맞는 적절한 설명 방법을 안내할 수 있습니다. 학생들은 생성형 AI를 통해 아이디어를 얻은 후 효율적으로 살을 붙여가며 대본을 완성할 수 있습니다. 기술의 맹목적 사용이 되지 않도록, 추후 발표 준비와 실행 과정을 되돌아보고 느낀 점을 작성하고 발표하는 시간을 통해 올바른 사용이었는지 스스로 점검하게 할 것입니다. 이렇게 생성형 AI를 활용한다면 학생들은 국어 수업에 더 활발하게 참여할 수 있고, 글쓰기 능력과 인공지능 활용 능력, 윤리성을 향상할 수 있을 것입니다.

생성형 AI를 교육에 활용할 때 유의 사항은 다음과 같습니다.

첫째, 사전 교육을 철저히 해야 합니다. 생성형 AI 원리와 한계점, 윤리적 사용에 관한 시사점을 안내해서 학생들이 인공지능 활용의 장점, 문제점을 스스로 이해하며 올바른 사용이 될 수 있도록 유도해야 합니다.

둘째, 생성형 AI의 답변을 무조건 수용하는 것이 아닌 비판적 수용, 검토 능력의 중요성을 안내해야 합니다. 빠른 결과를 도출하는 것에만 집중하지 않고, 학습 중간에 피드백 과정을 통해 무조건 답변 내용을 수용하고 있진 않은지 성찰하는 시간을 제공해야 합니다.

셋째, 학생들이 질문 능력을 강화할 수 있도록 사고를 자극해야 합니다. 기기에 모든 것을 맡기는 것이 아니라 순회 지도, 피드백을 통해 한 번에 원하는 답이 나오지 않아도 포기하지 않고 원하는 답변을 유도할 수 있도록 학생들의 사고를 자극하는 피드백을 제공해야 합니다. 이상입니다.

자기 평가		
체감 난도		ⓢ ⓜ ⓗ ➡ 원인 파악:
스터디원의 피드백	잘한 부분	
	부족한 부분	
해당 주제에 대한 시험 전까지 계획		

09	평가영역	THEME 4. 에듀테크 활용 교육
	해설	교직관, 제시문 분석, 교사 교육 방안과 같은 모든 조건을 짚어서 답변해야 한다.

예시 답변 저의 교직관은 '스스로 성장할 수 있는 잠재력 있는 학생, 그런 학생을 양성하는 교사'입니다. 이를 바탕으로 제시문 (가), (나)에서 공통으로 강조하는 것을 분석하면 '학생 맞춤형 수업으로 개별 성장을 도모하는 것'입니다.

(가) 제시문은 개인별 맞춤형 교육의 장점을, (나) 제시문은 에듀테크를 활용한 맞춤형 교육의 필요성을 이야기하고 있습니다. 이에 따른 교사의 교육 방안을 제시하면 다음과 같습니다.

첫째, 인공지능 기술을 활용해 학습자 특성을 파악한 후 학생 수준에 맞는 자료를 추천하거나 학습 경로를 제시하겠습니다. 개인별 특성과 성장 속도를 고려하지 않고 학년마다 똑같은 과제물, 똑같은 형태의 문제를 제공하는 것이 아니라 에듀테크를 활용해 학생 수준을 파악하고 각 학생에게 맞는 학습과 문제를 통해 학생의 성장을 돕겠습니다. 이때, 가정과 연계해, 가정에서도 스스로 학습할 수 있는 플랫폼을 안내해 완전 학습을 위해 노력할 것입니다. 그렇다고 기술에만 의존하는 것이 아닌, 에듀테크와 인간다움을 공존하는 관계 중심 수업을 위해 협력 학습과 과정 중심 피드백을 시행하겠습니다.

둘째, 지역과 학교 사정을 고려한 학교자율과정을 통해 학교 특색에 맞는 프로젝트 수업을 진행하겠습니다. 학생의 선택권을 강화하기 위해 학교 SWOT을 고려한 몇 개의 주제를 게시한 후 학생이 직접 골라 기획하는 주제 중심 융복합 프로젝트 수업을 진행하고 싶습니다. 학생들은 자신이 선택한 문제에 대해 책임감을 갖고 주도적으로 학습할 수 있을 것입니다.

셋째, 고등학교에 근무하게 될 경우, 고교학점제 최소 성취 수준 보장을 위해 기초학력보장 교육을 시행하겠습니다. 성취수준보장을 위한 예방 교육, 개별 피드백을 통해 개별 학생 특성에 맞는 교육을 위해 노력할 것입니다. 이를 통해 학생의 잠재력을 발견하고 키워주는 교사가 되겠습니다. 이상입니다.

자기 평가		
체감 난도		ⓢ ⓜ ⓗ ➜ 원인 파악:
스터디원의 피드백	잘한 부분	
	부족한 부분	
해당 주제에 대한 시험 전까지 계획		

10

평가영역	THEME 4. 에듀테크 활용 교육, THEME 5. 디지털 역량
해설	제시문에서 확인할 수 있는 내용을 언급한 후 유의점을 말해야 한다.

예시 답변 제시문에는 AI챗봇 프로그램에게 사이버 성폭력이 발생한 문제, AI챗봇에 가치관 편향성이 반영된 문제가 보입니다. 이를 바탕으로 인공지능을 교육에 활용할 때의 유의점을 말씀드리면 다음과 같습니다.

첫째, AI를 활용할 때는 목적에 맞게 윤리적으로 사용해야 합니다. 학교 교육에서는 에듀테크 활용 교육을 하는 것뿐 아니라 디지털 윤리교육과 시민교육을 통해 학생들이 AI를 올바르게 사용할 수 있도록 해야 합니다.

둘째, 실제 대화를 학습한 AI의 학습 내용 속에는 인간의 가치관 편향, 성차별, 인종차별 등이 반영된다는 것을 이해해야 합니다. 학교 교육에서는 AI가 도출한 결과를 무조건 신뢰하는 것이 아닌, 이 안에 인간의 관점이 투영됐음을 안내하는 교육이 있어야 합니다. 나아가 편향적 생각을 탈피하기 위한 인권교육, 시민교육이 강화돼 사람들이 올바른 가치관을 가지고 생활하도록 해야 하며, 이런 바른 가치관이 투영된 데이터로 AI가 학습할 수 있어야 합니다. 이상입니다.

자기 평가		
체감 난도		상 중 하 ➡ 원인 파악:
스터디원의 피드백	잘한 부분	
	부족한 부분	
해당 주제에 대한 시험 전까지 계획		

11

평가영역	THEME 5. 디지털 역량
해설	선택형 문제이므로, 선택한 이유를 제시하면 설득력을 얻을 수 있다. 또한, 교육 방안을 제시할 때 성취 기준을 근거로 답변하면 좋다.

예시 답변 저는 인성 기반 디지털 역량 중 디지털 소통을 선택하겠습니다. 학생들은 디지털 공간에서 게임, SNS 등을 통해 다양한 사람들과 교류합니다. 따라서 타인의 의견을 존중하고, 다양한 관점을 수용하는 법을 학습해야 합니다. 또한, 디지털 사회에서 책임감을 가지고 행동하는 것은 건강한 사회를 유지하는 데 중요합니다. 허위 정보의 확산을 방지하고, 타인에 대한 존중을 바탕으로 한 온라인 행동을 통해 건강한 디지털 문화를 형성할 수 있습니다. 따라서 저는 디지털 소통 능력을 길러줄 방안을 다음과 같이 생각해 보았습니다.

먼저 교과 지도 측면입니다. 초등학교 사회 과목에는 편견과 차별을 주제로 학습하는 단원이 있습니다. 저는 이와 연계해 인터넷에서 떠도는 유행이나 밈 중에 우리가 무의식적으로 사용하고 있는 혐오 표현이 있는지 찾아보게 하고 싶습니다. 아무렇지 않게 쓰는 단어의 어원, 의미 등을 분석해 보며 디지털 사회 속에 얼마나 많은 편견과 차별이 있는지 문제의식을 느끼고, 이를 올바르게 수정해 상호 소통할 수 있는 자세를 갖추도록 하겠습니다. 둘째, 가족의 형태와 역할 변화 단원과 연계한 방안입니다. 디지털 사회는 다양한 문화적 배경을 가진 사람들이 쉽게 소통하고 협력합니다. 다양한 형태의 가족, 다문화 사회의 모습을 학습하며 이런 사회 속에서 갖춰야 할 우리의 태도에 대해 학생들이 직접 토의·토론해 보며, 디지털 세상에도 다양한 사람이 있다는 것을 이해하고, 타인의 문화적 차이를 존중하고 이해할 수 있게 하겠습니다.

다음으로 학급 운영 방안에 관한 내용입니다. 첫째, 학급 내 디지털 소통 규칙을 설정하겠습니다. 학급을 운영하다 보면 빠르게 공지 사항을 안내하기 위해 단체 채팅방 등을 개설하기도 합니다. 이때, 디지털 공간에서 소통할 때 지켜야 할 규칙을 학생들과 함께 정하겠습니다. 먼저 소모둠으로 토의해 학생들의 발언권을 보장하고, 여기에서 나온 안건으로 학급 차원에서 다시 한번 토론을 진행하겠습니다. 둘째, 디지털 소통 및 협력 프로젝트를 시행하겠습니다. 시간을 그냥 흘려보내기 쉬운 조회 시간을 활용해 프로젝트 학습을 하는 것입니다. 학급에서 1인 1스마트 기기를 활용해, 학급 친구들에게 알려주면 좋은 건강 정보, 상급 학교 진학 정보, 시사 상식 등 정보를 취합하고 편집해 매주 한 모둠씩 발표하는 방식으로 진행하겠습니다. 디지털 도구를 활용한 협력 프로젝트를 진행한다면 학생들은 온라인에서도 원활하게 소통하고 협력하는 법을 배울 수 있고, 이를 통해 상호존중과 건전한 의사소통의 중요성을 체험적으로 학습할 수 있을 것입니다. 이상입니다.

자기 평가		
체감 난도		ⓢ ⓜ ⓗ ➡ 원인 파악:
스터디원의 피드백	잘한 부분	
	부족한 부분	
해당 주제에 대한 시험 전까지 계획		

12

평가영역	THEME 5. 디지털 역량
해설	제시문의 내용을 언급하며 답변을 전개해야 문제 분석력을 보여줄 수 있다.

예시 답변 제시문의 A 학교 교육공동체 요구 분석을 참고한 결과 A 학교의 디지털 시민교육 방안으로는 학교 자율과제와 연계해 가정과 함께하는 디지털 시민교육을 추진할 수 있습니다.

우선 A 학교는 학부모가 자녀의 윤리적 디지털 사용에 관심이 많습니다. 가정과 함께하는 디지털 시민교육 주간을 설정해 '우리 집 디지털 사용 습관 분석' 프로젝트를 구성한다면 참여율이 높을 것입니다. 가족 모두 모여 각자 SNS나 온라인 댓글 흔적, 메신저 대화방을 검토해 보고 올바른 언어로 의사소통하고 있는지, 맹목적으로 누군가를 비난하진 않았는지, 나와 의견이 다른 사람을 향해 날 선 반응을 보이진 않았는지 스스로 검토하도록 합니다. 그 후 학생들과 부모님의 토론으로 온라인에서 의사소통할 때의 예절에 대해 함께 이야기를 나누고, 가정 내 디지털 이용 수칙을 정합니다. 이후 학교에 돌아와 가정에서 있었던 일을 공유하고 학급 친구들과의 토론으로 '우리 반 디지털 사용 습관 규칙'을 마련하고 싶습니다. 이때, 학생들의 높은 디지털 활용 역량을 활용해 에듀테크 플랫폼에서 카드 뉴스나 영상 등으로 이용 수칙을 이해하기 쉽게 제작하고 이를 학교와 각 가정에 공유하면 좋겠습니다. 이럴 경우, 가정에서 자녀의 윤리적 디지털 사용뿐 아니라 학부모님께서도 자신의 사용 습관에 관심을 기울일 수 있을 것입니다. 또한 교사들의 온라인 사회 문제에 대한 조예와 디지털 전문성을 활용해 디지털 사회에서 겪었던 불편했던 경험을 토의하고 해결책을 학생들이 직접 찾아보게 하는 문제해결학습을 구성한다면 A 학교의 디지털 시민 역량이 강화될 것입니다. 문제해결학습의 결과를 홈베이스 등에 전시해 놓고, 갤러리 워크식으로 구성원 모두가 공유하면 더욱더 윤리적인 사용이 될 것입니다. 이상입니다.

자기 평가		
체감 난도		상 중 하 ➡ 원인 파악:
스터디원의 피드백	잘한 부분	
	부족한 부분	
해당 주제에 대한 시험 전까지 계획		

13

평가영역	THEME 7. 기본·기초학력 보장 교육
해설	경기도교육청의 지향점에 맞는 에듀테크, 지역사회 자원 활용 측면에서 답변하면 된다.

예시 답변 학생의 기초학력 보장을 위한 교육 방안을 수업과 평가 측면에서 각각 2가지씩 제시하겠습니다. 먼저 수업 측면의 교육 방안입니다.

첫째, 맞춤형 학습을 제공하겠습니다. 학습 진도에 맞춰 기초 개념을 충분히 설명하고, 부족한 부분을 보완하는 시간을 확보함으로써 모든 학생이 기초학력을 성취할 수 있게 하겠습니다. 이때 인공지능 튜터를 활용하거나 수준별 맞춤 과제를 제공해 기초학력이 부족한 학생들이 맞춤 수업을 받을 수 있게 하겠습니다.

둘째, 지역사회 자원을 적극 활용하겠습니다. 수업에서 개별 맞춤형 수업을 한다고 해도 여러 명의 학생이 있기에 맞춤형 학습이 어려울 수 있습니다. 이를 보완하기 위해 수업 시간 외의 시간을 활용해 지역사회 멘토링을 연계한다거나, 집에서도 학습할 수 있도록 온라인 프로그램을 제공하도록 하겠습니다.

다음은 평가 측면의 교육 방안입니다. 먼저 형성 평가를 적극 활용하겠습니다. 수업 중간에 형성 평가를 자주 해 학생들의 이해도를 실시간으로 점검하고, 즉각적인 피드백을 제공함으로써 기초 개념을 놓치지 않도록 하겠습니다. 또한 평가 결과에 따라 방과 후 지도를 병행하겠습니다.

둘째, 평가에 따른 개별 피드백을 제공하겠습니다. 평가를 한 후, 학생별로 부족한 부분을 보충할 수 있도록 학습 목표와 학습 전략을 제시함으로써 기초학력을 갖출 수 있게 하겠습니다.

모든 학생이 기초학력을 성취할 수 있도록 환경을 마련하는 교사가 되겠습니다. 이상입니다.

자기 평가		
체감 난도		ⓢ ⓜ ⓗ ➡ 원인 파악:
스터디원의 피드백	잘한 부분	
	부족한 부분	
해당 주제에 대한 시험 전까지 계획		

14

평가영역	THEME 7. 기본·기초학력 보장 교육
해설	A 학교 현안과 자원을 모두 활용한 교육 방안을 제시해야 한다.

예시답변: A 학교에서는 학교 현안에 따라 기초학력 보장, 학습 격차 완화, 다문화가정 학생 교육 지원을 추진해야 합니다. 제시된 자원을 활용한 구체적인 교육 방안을 말씀드리겠습니다.

첫째, 1인 1스마트 기기와 지역사회 인적 자원을 활용해 기초학력 보장 교육을 할 수 있습니다. 에듀테크로 학생의 기초학력을 정확하게 진단한 후, 맞춤형 콘텐츠를 제공하는 것뿐 아니라 지역 인적 자원을 통해 멘토링 프로그램을 도입할 수 있습니다. 또한 교사가 AI가 진단한 결과를 토대로 방과 후에 학생을 직접 대면 지도해 기초학력을 보장할 수도 있습니다.

둘째, 학생들의 학교 교육에 대한 높은 참여율을 활용해 학습 격차를 좁히는 방안이 있습니다. A 학교는 자기주도학습이 잘되고 있는 학생들이 있습니다. 이런 친구들을 멘토로 삼아 학생들끼리 멘토, 멘티 학습 분위기를 만들어 또래 교수로 학습 격차를 좁히는 것입니다. 교사는 서로 조력하는 분위기가 잘 유지될 수 있도록 동기 부여와 정서적 지지를 할 수 있어야 합니다.

셋째, 지역사회 인적 자원과 에듀테크를 활용해 다문화가정 학생을 조력할 수 있습니다. A 학교는 다문화가정 학생이 계속 증가하고 있으며 언어 지원뿐 아니라 사회성, 심리 지원이 필요한 상황입니다. 교내에서 학생과 교사들을 대상으로 다문화 감수성 교육을 하는 것뿐 아니라 지역 인적 자원을 통해 다문화가정 학생의 심리 상담을 하면 좋고, 이중언어 사용을 돕는 애플리케이션 및 교육 사이트를 안내한다면 언어 측면에서도 도움을 받을 수 있을 것입니다. 교사는 자원과 학생을 연계하는 일뿐 아니라 다문화가정 학생의 가능성을 적극적으로 지지하고 상담 활동을 통해 필요로 하는 맞춤 교육을 제공할 수 있어야 합니다. 이상입니다.

자기 평가		
체감 난도		ⓢ ⓜ ⓗ ➜ 원인 파악:
스터디원의 피드백	잘한 부분	
	부족한 부분	
해당 주제에 대한 시험 전까지 계획		

15

평가영역	THEME 7. 기본·기초학력 보장 교육
해설	자료를 분석한 결과를 포함하고, 자료를 참고해 답변하라고 했으므로 제시문 분석력이 필요한 문제이다.

예시 답변 : 기초학력 부진 학생은 보통 또는 그 이상의 지능을 가지고 있음에도 기초학습 능력 및 교과학습 능력이 부진한 상태의 학생을 의미합니다. 학교는 이 학생들의 기초학력을 보장해야 하며, 그 필요성은 다음과 같습니다.

첫째, 제시문처럼, 최근에 기초학력 미달 학생이 지속해서 증가하고 있어 사회적 우려가 증대되고 있기 때문입니다. 둘째, 코로나19로 인한 기초학력 저하 현상이 학습 결손 및 학습 격차로 이어졌으며, 이를 단기간에 회복하는 것은 한계가 있기에 꾸준히 노력해야 합니다. 셋째, 기초학력은 개인의 존엄성을 지키며 사회 속에 살아갈 수 있는 전제 조건이므로 반드시 보장해야 합니다.

이를 위한 교사의 지도 방안을 자료 2에 근거해 답변하면 다음과 같습니다. 자료에는 기초학력 강화를 위해 교내 지원, 교육 기술 활용, 지역교육 협력 체제를 제시하고 있습니다. 저는 이에 따라 3가지 방안을 말씀드리겠습니다.

첫째, 교내 지원 체제를 적극 활용하겠습니다. 수업 중에 학생들의 활동 내용을 잘 관찰하고 1인 1스마트 기기 등을 활용해 학생 맞춤 교육을 한 후 학습 데이터를 누적한 결과를 잘 보관해 성장 정도를 확인하겠습니다. 만약, 교사 혼자의 힘으로 해결되지 않는 문제가 있을 경우 교내 위클래스, 대안 교실과 연계해 학생의 기초학력을 향상할 것입니다.

둘째, 학생 개인 맞춤형 기초학력 관리를 위해 에듀테크를 활용하겠습니다. 학습자 수준을 파악해 가정에서 학습할 수 있는 기초학력 보장 플랫폼을 안내하거나, 학습자 수준에 맞는 교정 프로그램을 추천하겠습니다.

셋째, 지역사회 자원과 지역 인적 자원을 활용해 맞춤형 지도를 할 수 있도록 연계하겠습니다. 지역사회 기초학력 보장 프로그램, 교대·사대 학생 멘토링으로 방과 후 보정학습을 할 수 있도록 지역 자원을 잘 이해한 후 적절하게 연계할 것입니다.

현장에 나아가 학생들의 기초학력 보장에 주의를 기울이는 교사가 되겠습니다. 이상입니다.

자기 평가		
체감 난도		ⓢ ⓜ ⓗ ➡ 원인 파악:
스터디원의 피드백	잘한 부분	
	부족한 부분	
해당 주제에 대한 시험 전까지 계획		

16

평가영역	THEME 8. 인성교육
해설	조건에 따라 인성 범주를 선택하고, 교육이 필요한 이유, 교육공동체와 함께하는 방안, 교과 연계 방안, 학생 체험 중심을 모두 포함해야 한다.

예시 답변 : 사회 변화를 고려했을 때, 제가 가장 중요하다고 생각하는 인성교육 범주는 도덕적 인성입니다. 디지털 대전환 시대에 디지털 소통이 활발해지면서 사람 간의 물리적 접촉이 줄어들고 있지만, 여전히 인간적인 상호작용은 중요합니다. 도덕적 인성은 온라인상에서 공감과 배려를 통해 건강한 인간관계를 유지하고, 사이버 폭력이나 혐오 발언 등 비윤리적 행동을 방지하는 데 이바지할 수 있기 때문에 중요하다고 생각합니다.

저는 이를 실현하기 위해 구체적으로 '감사의 마음을 표현하는 창작물 만들기'를 하고자 합니다. 이는 '미술 표현 과정에서의 경험을 성찰하고 삶의 문제 해결에 활용할 수 있다.'라는 성취 기준을 실현하면서 조건에서 제시된 학생 체험 중심, 교육공동체와 함께하는 방안입니다. 구체적인 방안은 다음과 같습니다.

학생들은 학교생활을 하며 다양한 교육공동체를 만나게 됩니다. 가족, 등·하교 안전 도우미 선생님, 교사, 조리 실무사님 등에게 느꼈던 감정을 공유하는 시간을 갖고 토의로 이런 마음을 나눈 뒤, 감사를 표현하는 창작물을 만들어 직접 가져다드리는 것입니다. 그 후 짧은 답장 받아오기를 미션으로 해 공동체 간 서로 존중하고, 배려하며 마음을 나누는 시간을 가져보고 싶습니다. 이렇게 한다면 도덕적 인성을 함양해, 디지털 시대에 인간이 기술을 책임 있게 사용하고, 사회적으로 올바른 방향으로 발전시키는 데 이바지할 수 있을 것입니다. 이상입니다.

자기 평가		
체감 난도		상 중 하 ➡ 원인 파악:
스터디원의 피드백	잘한 부분	
	부족한 부분	
해당 주제에 대한 시험 전까지 계획		

17

평가영역	THEME 9. 경기공유학교
해설	문제에서 묻지 않았어도 공유학교의 정의를 간략하게 설명하면 경기 교사로서의 역량을 드러낼 수 있다.

예시 답변 제시문에서 말하는, 경기도교육청이 공교육의 영역을 확장해 학과 수업뿐 아니라 예체능, 과학 실험 등 학생이 원하는 다양한 교육을 제공하기 위해 도입한 교육은 공유학교입니다. 공유학교는 지역사회와의 협력을 기반으로 학생의 특성에 맞는 맞춤 교육과 다양한 학습 기회를 보장하기 위한 지역교육협력 플랫폼을 의미하며 경기이룸학교, 경기이룸대학 등이 있습니다.

공유학교를 적용하고 발전시키기 위한 교사의 역할을 3가지 제시하면 다음과 같습니다.

첫째, 지역과 학교 상황을 고려한 프로그램을 제안할 수 있어야 합니다. 교육과정에서 다루지 못한 교육 중 학생들에게 필요한 교육에 대해 고민하고 이를 지역사회 교육자원을 활용해 기획할 수 있도록 조력해야 합니다.

둘째, 공유학교의 취지를 학교에 알리고, 학생들에게 참여를 독려해야 합니다. 좋은 프로그램이 있어도 알지 못하면 참여할 수 없기 때문입니다. 조회 시간을 활용하거나 홈베이스에 게시물을 부착해 공유학교에 관해 안내를 해야 합니다.

셋째, 학생의 개별성을 고려해 프로그램을 추천해야 합니다. 학생들이 공유학교에 대해 알고 있다 하더라도 필요성을 느끼지 못할 수 있습니다. 따라서 교사는 학생을 관찰하고, 상담한 결과를 토대로 학생의 진로와 흥미를 고려한 프로그램을 추천할 수 있어야 합니다.

현장에 나아가 공교육의 영역을 확장해 학생의 특성에 맞는 맞춤 교육에 앞장서는 교사가 되겠습니다. 이상입니다.

자기 평가		
체감 난도		상 중 하 ➡ 원인 파악:
스터디원의 피드백	잘한 부분	
	부족한 부분	
해당 주제에 대한 시험 전까지 계획		

평가영역	THEME 10. 세계시민교육
해설	세계시민교육의 지향점과 주의 사항을 3가지씩 답변하면 된다.

예시 답변 세계시민교육 교수학습 방안을 구안할 때 지향점을 먼저 말씀드리겠습니다.

첫째, 학생들의 참여의식을 고취할 수 있는 방향이어야 합니다. 세계시민교육은 학생들이 전 지구적 문제에 공감하고 해결하려는 태도를 보이도록 설계돼야 합니다. 학생들이 인권, 평화, 환경 문제 등 세계 이슈에 대해 비판적으로 사고하고 전 지구적 문제에 공감하고 해결하려는 태도를 보이도록 해야 합니다.

둘째, 문화적 다양성을 존중하는 방향이어야 합니다. 학생들이 다양한 문화와 인종, 종교를 존중하는 태도를 기르고, 서로 다른 문화적 배경을 가진 사람들과 협력할 수 있는 능력을 배양하도록 해야 합니다. 이를 통해 다문화 사회에서 살아가는 학생들이 편견 없이 타인을 존중하고, 협력적인 세계시민으로 성장할 수 있어야 합니다.

셋째, 협력과 연대의 중요성을 강조해야 합니다. 세계시민교육은 학생들이 글로벌 사회에서 상호 협력과 연대의 중요성을 이해하고, 공동의 목표를 위해 협력하는 능력을 기르도록 해야 합니다. 협력을 통해 세계적 도전과제를 함께 해결하는 능력을 기를 수 있어야 합니다.

다음으로 주의 사항을 말씀드리겠습니다.

첫째, 복잡한 문제에 대해 간단한 해결책을 제시하지 않아야 합니다. 사회 문제를 여러모로 검토해 보고, 학생 스스로 문제를 해결하기 위한 창의적 의견을 모색할 기회를 부여해야 합니다.

둘째, 특정 정치적 이념이나 편향된 견해를 주입하지 않도록 주의해야 합니다. 세계시민교육은 객관적이고 중립적인 입장에서 다양한 의견과 관점을 다루어야 합니다. 균형 잡힌 시각을 유지하도록 주의해야 합니다.

셋째, 지나치게 추상적 개념을 피해야 합니다. 세계시민교육에서 너무 추상적인 개념을 다루면 학생들이 이해하기 어렵고 실천으로 이어지기 힘들 수 있습니다. 현실적인 사례와 구체적인 활동을 통해 세계시민의 역할을 체감할 수 있도록 교육해야 합니다. 이상입니다.

자기 평가		
체감 난도		ⓢ ⓜ ⓗ ➡ 원인 파악:
스터디원의 피드백	잘한 부분	
	부족한 부분	
해당 주제에 대한 시험 전까지 계획		

19

평가영역	THEME 11. IB 교육과정
해설	IB 교육과정이 사교육을 조장한다는 오해를 하고 있으므로, 그렇지 않다는 내용이 포함돼야 한다. 또한 평가위원을 학부모라고 가정하라고 했으므로 너무 기계적인 말투보다 실질적인 상담 및 소통 능력이 드러나도록 자연스럽게 말하는 것이 좋다.

예시 답변: 안녕하세요. 학부모님. IB 교육과정을 '수업을 영어로 진행하는 것'이라고만 알고 계실 경우, 충분히 그런 생각을 하실 수 있을 거예요. 하지만 한국어판 IB의 경우, 초등학교와 중학교는 모든 과목을 한국어로 진행하며, 고등학교의 경우 영어와 연극 수업을 제외한 모든 과목을 한국어로 수업하고 평가하므로 영어 사교육 과열은 발생되지 않을 것으로 예상됩니다.

IB 취지를 들어보신다면 오해를 더욱 잘 해소하실 수 있을 것 같아요. IB 프로그램의 교육과정은 초-중-고 연결성을 갖고, 자기주도성을 기반으로 문제 해결력을 신장시키는 방향으로 설계됐어요. 따라서 수업은 탐구, 토론, 발표 중심의 학습자 주도 수업입니다. 또한 교사가 지속적으로 피드백을 통해 학생의 성장을 조력하고, 과정 중심의 논·서술형 평가로 이루어집니다. 탐구나 토론, 발표, 과정 중심 논술이라는 것은 단기적인 사교육으로 교육 성과를 보장받기 어려운 영역이라는 것을 잘 아실겁니다. 학업 충실성과 스스로의 생각을 강화시키는 수업이므로, 학교 교육과정에 충실하다면 이전 교육보다 더 좋은 효과를 볼 수 있을 것이라고 예상됩니다. 이상입니다.

자기 평가		
체감 난도		상 중 하 ➜ 원인 파악:
스터디원의 피드백	잘한 부분	
	부족한 부분	
해당 주제에 대한 시험 전까지 계획		

평가영역	THEME 12. 진로·진학교육
해설	성장단계별 진로교육, 맞춤형 진로교육의 필요성을 각각 제시하면 된다.

예시 답변: 먼저 성장단계별 진로교육의 필요성을 말씀드리겠습니다. 성장단계별 진로교육이 필요한 이유는 단계별로 필요로 하는 진로교육 내용이 다르기 때문입니다. 예를 들어, 중학교 1학년은 자기 이해 및 진로를 탐색하는 시기로 중학교 교육과정 및 첫 학기 적응을 위한 상담이 필요하며, 중학교 2학년은 본격적으로 적성을 탐색하고 진로를 설계하는 시기이기에 진로 연계 체험활동 등을 안내해야 합니다. 중학교 3학년은 고교학점제를 이해하고, 선배와의 진로 상담 등을 통해 학교급 전환 시기에 적합한 교육이 필요합니다. 따라서 교사는 획일화된 진로교육이 아닌 학생의 성장단계를 이에 하고, 이에 필요한 진로교육 내용에 대한 전문성을 지니고 있어야 합니다.

다음으로 맞춤형 진로교육의 필요성을 말씀드리겠습니다. 현대 사회의 학생들은 개성이 매우 강하며 사회 변화의 양상도 다양해졌기에 진로 선택의 폭이 넓어졌습니다. 또한 평생학습 시대에 도래하며 한 가지 이상의 직업을 갖고 살아갈 것이기에 자기주도적으로 진로를 설계하는 역량이 필요합니다. 따라서 교사는 1:1 상담 및 상담 프로그램 결과 분석을 통해 개별 맞춤형 상담을 할 수 있어야 합니다.

현장에 나아가 학생의 성장단계 및 개별 특성에 맞는 진로교육을 하는 교사가 되겠습니다. 이상입니다.

자기 평가		
체감 난도		⑨ ⑧ ⑦ ➜ 원인 파악:
스터디원의 피드백	잘한 부분	
	부족한 부분	
해당 주제에 대한 시험 전까지 계획		

21

평가영역	THEME 12. 진로·진학교육
해설	제시문의 내용을 언급하며 답변해야 문제 분석력을 드러낼 수 있다.

예시 답변 제시문의 실태조사 결과를 바탕으로 지역사회와 함께하는 진로교육 방안을 말씀드리겠습니다. 먼저 실태조사 결과 1을 참고해, 학생들에게 좋아하는 분야와 관련해 지역사회 내에 개설된 경기이룸대학, 경기이룸학교의 프로그램을 추천해 주거나 공동교육과정 내 개설 과목을 추천해 관련 역량을 함양할 수 있도록 조력하겠습니다. 역량 함양 방안에 대한 지식이 부족한 상태이므로 그 방안을 소개한다면 학생들이 좋아하는 분야에서 역량을 쌓을 방법에 대해 구체적인 계획을 세울 수 있을 것입니다.

다음으로 실태조사 결과 2를 참고해, 학생이 스스로 경험하는 기회를 보장하기 위해 좋아하는 분야와 관련한 일에 종사하고 있는 지역 명인 인터뷰를 시행하도록 과제를 부여하겠습니다. '휴먼 라이브러리' 즉, 지역사회 인사를 모아놓은 책을 학급에 갖춘 후 책 속에서 관련 명인을 찾아 인터뷰 요청을 하도록 하겠습니다. 저는 학생에게 인터뷰할 때 주의할 점 등을 안내하고 학생들에게 사전 질문지를 제작할 수 있도록 해 피드백하겠습니다. 또한 안전교육을 실시해 안전하게 인터뷰하고 돌아올 수 있도록 지도하겠습니다.

마지막으로 실태조사 결과 3을 참고해 학교 간 연계를 통해 '중–고가 함께하는 ○○지역 고등학교 설명회', '미리 보는 고등학교 교육과정', '선배와의 대화', '학교 방문 및 학과 체험' 등을 주최하겠습니다. 학생에게 필요한 맞춤 진로교육을 위해 초–중, 중–고 학교 간 연계를 할 수 있어야 합니다. 저는 교사로서 원활한 의사소통 능력으로 다른 급의 교사들과 연락망을 만들어 연계 과정 운영에 이바지하겠습니다. 이상입니다.

자기 평가		
체감 난도		ⓐ ⓑ ⓒ ➡ 원인 파악:
스터디원의 피드백	잘한 부분	
	부족한 부분	
해당 주제에 대한 시험 전까지 계획		

평가영역	THEME 13. 독서교육
해설	제시문의 내용을 언급하면서 답변한다면, 문제 분석력을 보여줄 수 있다.

예시 답변 : A 학교 상황을 고려했을 때, 필요한 교육은 도서관 중심의 교과 융합 독서교육입니다. A 학교는 도서관 환경이 구축돼 있고 예산도 있으며 교사의 융합 수업 및 독서 관련 전문성이 확보됐기에 이를 성공적으로 달성할 수 있을 것입니다. 저는 국어교사로서 사서교사, 상담교사와 융합해 다음과 같은 독서교육을 하고 싶습니다.

중등 국어 성취 기준에는 '문학을 통해 타자를 이해하고 공동체 문제에 참여하는 태도를 지닌다.'라는 내용이 있습니다. 저는 먼저, 교과서에 수록된 문학 작품의 원작을 도서관에서 학생들과 함께 읽고 싶습니다. 그 후 상담 교과와 연계해 상담의 기본 원리를 학습한 후 등장인물에게 상담의 말, 응원의 말을 건네는 활동을 하고 싶습니다. 한번 학습을 해본 후에 학생들이 도서관에서 사서교사의 도움을 받아 자기 수준에 적합한 책을 고르는 연습을 하고, 이후 등장인물에게 보내는 편지를 작성하게 한 후 낭독 대회를 하고 싶습니다. 이후 왜 그 도서를 선정하게 됐는지, 많은 인물 중 왜 그 인물을 선정해 상담의 말을 작성했는지, 어떤 부분에서 마음이 움직였고, 어떤 의도로 무슨 말을 해주고자 했는지 토의하는 시간을 갖게 하고 싶습니다. 또한 필요한 말이었는지, 대화를 통해 등장인물의 감정이 긍정적으로 움직였는지 등에 대해 성찰하는 시간을 갖게 하고 싶습니다. 이 과정에서 독서 능력과 학생의 주도성·능동성이 향상될 뿐 아니라 공감 능력 향상과 인성교육도 가능할 것입니다. 또한 도서관 인프라를 활용하는 습관도 기를 수 있을 것입니다.

현장에 나아가 학교 상황에 맞는 독서교육을 통해 학생들의 인성교육과 공감 능력 향상에 도움을 주는 교사가 되겠습니다. 이상입니다.

자기 평가		
체감 난도		상 중 하 ➜ 원인 파악:
스터디원의 피드백	잘한 부분	
	부족한 부분	
해당 주제에 대한 시험 전까지 계획		

23

평가영역	THEME 14. 문해력 향상 교육
해설	답변 내용에 제시문 문장을 언급해 문제 분석력을 보여주면 좋다.

예시 답변 교사 회의에서 제기된 문제를 해결하기 위해 프로젝트 학습을 통한 문해력 교육 방안을 제시하겠습니다. 프로젝트 학습은 제시문에서 알 수 있듯이 학생들이 능동적으로 참여해 자기주도학습 능력을 향상할 수 있고 비판적 사고, 문제 해결 능력, 소통 능력을 키우는 데 효과적이므로, 이 방식을 적용하면 교사 회의에서 제기된 학생들의 다양한 문제를 해결할 수 있을 것입니다.

구체적으로 말씀드리면, 독서 기반 프로젝트 학습을 하겠습니다. 학생들이 SNS 게시물에서 가장 많이 읽어 알고리즘으로 뜨고 있는 주제를 검토해 보고 공통된 관심사를 갖고 있는 학생들끼리 소그룹을 이뤄 이와 관련한 도서를 선정하게 하는 것입니다. 그렇다면 A 교사의 말에서 알 수 있듯 SNS 게시물을 읽느라 책을 읽지 않는 문제를 해결할 수 있을 것입니다. 그 후 함께 같은 책을 읽고 책의 주제, 책과 SNS 게시물 내용의 차이점에 대해서 먼저 개인별로 간단히 작성하게 합니다. 그렇게 한다면 B 교사가 이야기한 글쓰기 부족 문제도 해결할 수 있을 것입니다. 스스로 작성한 내용을 토대로 SNS와 독서에 관한 내용에 관해 토론하게 하거나 팀별로 책을 읽고 난 소감 등에 대해 이야기를 나눠보게 합니다. 이렇게 한다면 C 교사가 걱정한 질 높은 대화 부족 문제 역시 해결될 수 있을 것입니다.

현장에 나아가 학생 중심 독서교육에 앞장서는 교사가 되겠습니다. 이상입니다.

자기 평가	
체감 난도	ⓢ ⓜ ⓗ ➔ 원인 파악:
스터디원의 피드백 — 잘한 부분	
부족한 부분	
해당 주제에 대한 시험 전까지 계획	

24

평가영역	THEME 15. 생태환경교육, THEME 17. 학교자율과제·학교자율시간·성장이음과정
해설	SWOT을 분석한 결과가 교육 방안에 반영돼야 한다.

예시 답변 A 학교 자율과제의 방향과 환경 분석을 토대로 도출한 자율과제는 '교과 융합 지역사회 생태환경 보호 프로젝트'입니다. SWOT 분석의 위기와 위협 요소를 보면, 교과 융합 프로그램과 삶과 연계되는 주제 학습이 부족하다는 것을 알 수 있습니다. 또한 지역사회 생태환경 문제가 보도됐습니다. 이를 해소하기 위해 '교과 융합 지역사회 생태환경 보호 프로젝트'를 실시하면 좋을 것입니다. 학생이 학교 교육에 신뢰가 높고, 학교 문화가 자율적이며 교사의 열정이 있고 구성원 간 소통이 원활하므로 교육 방안은 성공적으로 추진될 수 있을 것입니다. 구체적 교육 방안은 다음과 같습니다.

과학, 미술 교과가 연계해 먼저, 우리 지역 문제를 보도한 생태환경 프로그램을 함께 시청한 후 원인을 분석하는 것입니다. 그 후 학생, 지역주민 차원에서 환경 문제를 해결하는 방안을 토론 활동을 통해 학생들이 스스로 생각할 수 있는 시간을 부여하겠습니다. 지역주민들의 교육력 부족 문제를 해결하기 위해 구성원과 함께 토론하는 시간을 가지면 유의미한 결과를 도출할 수 있을 것입니다. 또한 지역 자원이 풍부한 점을 활용해 유관 기관, 환경 전문가 등의 자문을 얻어, 학생들이 우리 지역에서 실천할 수칙을 정리한 후 창작물을 제작하게 합니다. 에듀테크 플랫폼을 활용해 카드 뉴스, 홍보 포스터를 제작하고 출력해 학교 내에 게시하는 것은 물론 지역 사회 공식 SNS에 업로드해 캠페인을 확장하고 싶습니다. 학생들은 이 경험을 통해 삶과 앎을 연계할 수 있고, 학생 주도로 프로젝트를 진행하는 과정에서 시민의식을 향상할 수 있을 것입니다. 이상입니다.

자기 평가		
체감 난도		ⓐ ⓑ ⓒ ➡ 원인 파악:
스터디원의 피드백	잘한 부분	
	부족한 부분	
해당 주제에 대한 시험 전까지 계획		

25

평가영역	THEME 15. 생태환경교육
해설	교육방안은 〈2022 개정 교육과정〉에 근거해 학생이 탐구하고 성찰하는 수업이 되도록 기획하면 좋다.

예시 답변 학교 현장에서 생태환경교육이 필요한 이유를 3가지 말씀드리면 다음과 같습니다.

첫째, 기후변화에 대응할 수 있는 능력을 함양해야 하기 때문입니다. 미래 사회 문제 중 하나로 손꼽히는 것이 기후변화로 인한 사회 문제입니다. 학교 교육을 통해 학생들이 지구의 기후변화와 그에 따른 환경 문제에 대해 올바르게 인식하고, 기후위기 대응에 필요한 실천적 지식을 쌓아야 합니다.

둘째, 지속 가능한 삶의 가치관을 확립하기 위해서입니다. 생태환경교육은 자원의 소중함을 이해하고 절약하는 습관을 기르게 합니다. 이를 통해 학생들은 개인의 행동이 지구 환경에 미치는 영향을 인식하고, 지속 가능한 삶의 방식에 대해 고민하며 시민의식이 성장할 것입니다.

셋째, 생태 감수성을 기르기 위해서입니다. 생태환경교육을 통해 학생들은 인간중심 사고에서 벗어나 자연과의 연대감을 느끼고, 생태계의 균형을 보호해야 한다는 책임감을 키울 수 있습니다. 이는 학생들의 감수성과 공감 능력을 높이는 데 기여합니다.

생태환경교육을 실천할 방안을 말씀드리겠습니다. 먼저 교과 연계 방안입니다.

보건 교과에는 기후위기와 기후행동에 관한 단원이 있습니다. 핵심 아이디어를 바탕으로 기후위기와 생물 다양성의 관계, 기후변화 피해에 대한 공감, 기후위기 대응 원칙에 대한 토의, 기후행동 계획 및 실천 등을 위한 토의·토론 학습을 하고 싶습니다. 이렇게 한다면 학생들의 기후위기 대응 능력과 생태 감수성이 향상될 수 있을 것입니다.

학급 운영 방안으로는 친환경 생활 실천 캠페인을 추진하고 싶습니다. 학급에서 일주일에 한 번씩 '친환경 실천의 날'을 정해 학생들이 일상에서 실천할 수 있는 환경 보호 활동을 함께 계획하고 실행할 수 있도록 하는 것입니다. 예를 들어, 일회용품 사용 줄이기, 재활용품 분리배출 등을 실천하며 학급 전체가 참여하는 캠페인을 통해 공동의 목표를 달성해 나가는 경험을 제공하고 싶습니다.

현장에 나아가 생태환경교육에 앞장서는 교사가 되겠습니다. 이상입니다.

자기 평가		
체감 난도		상 중 하 ➜ 원인 파악:
스터디원의 피드백	잘한 부분	
	부족한 부분	
해당 주제에 대한 시험 전까지 계획		

평가영역	THEME 16. 학교 구성원의 권리와 책임
해설	서두에 제시문 분석 결과를 이야기한 후 이와 관련한 프로그램과 교사의 자세를 제시하면 된다.

예시 답변 제시문에서는 '학생 인권 향상'과 '교권 증진'의 상관관계를 묻는 응답에 학생과 보호자는 높은 긍정을 보이지만, 교원은 그렇지 않아 학생 인권과 교권에 대해 교육 주체별로 서로 다르게 인식하고 있는 것을 알 수 있습니다. 이럴 경우, 진정한 의미의 상호존중이 어렵고 갈등을 유발할 수 있으므로 학교 교육에서는 한쪽만 만족하는 문화가 아닌 서로 믿고 존중할 수 있는 문화가 필요함을 시사합니다.

상호존중하는 학교 문화를 만들기 위한 교육 프로그램은 다음과 같습니다. 창의적 체험활동 시간 등을 통해 '교육공동체 생활 규약 협의'를 하고 싶습니다. 교육공동체 간 진솔한 대화를 통해 서로 존중하고 배려할 수 있는 문화 분위기를 만드는 방안입니다. 한쪽에서 참거나 무조건 배려하는 것이 아닌 상호 책임과 의무를 바탕으로 해야 할 일을 규정하고, 각자 부탁할 사항 등을 공유하며, 존중 문화를 확산하면 좋을 것입니다. 이후 이런 규약이 잘 지켜지고 있는지 점검하는 시간을 통해 학생 인권과 교권을 이분법적으로 바라보며 대립하는 것이 아닌 함께 존중하는 것임을 교육공동체가 스스로 느끼게 하고 싶습니다.

다음으로 상호존중하는 학교 문화를 만들기 위한 교사의 자세를 말씀드리겠습니다. 저는 교사로서 뚜렷한 교육 철학을 바탕으로, 학생과 건강한 사제 관계를 형성하기 위해 솔선수범할 것입니다. 또한 교사 자존감을 바탕으로 교직에서 상처받는 일이 생긴다고 해도 상처를 방치하지 않고 회복하고자 노력할 것입니다. 가정과의 연대로 원활한 의사소통 창구를 마련하는 것도 잊지 않겠습니다.

현장에 나아가 건강한 학교 문화를 만드는 데 기여하는 교사가 되겠습니다. 이상입니다.

자기 평가		
체감 난도		상 중 하 ➡ 원인 파악:
스터디원의 피드백	잘한 부분	
	부족한 부분	
해당 주제에 대한 시험 전까지 계획		

③ 교육 정책 이해 및 적용 관련 문제(THEME 17~24)

27

평가영역	THEME 17. 학교자율과제·학교자율시간·성장이음과정, THEME 19. 자유학기·생각의 힘을 키우는 학기·진로연계교육, THEME 29. 초등 놀이 활성화
해설	성장이음과정, 생각의 힘을 키우는 학기의 취지에 맞는 답변을 해야 한다.

예시 답변 저는 '아이들의 잠재력을 꽃피우는 햇살 같은 교사'를 꿈꾸고 있습니다. 성장이음과정은 기초학력과 기본생활습관을 형성할 수 있도록 설계한 연계 교육과정입니다. 저의 교직관과 성장이음과정의 도입 취지를 고려했을 때, 저는 학생의 잠재력을 꽃 피울 수 있는 기본에 충실한 교육을 하고 싶습니다. 구체적인 교육 방안은 다음과 같습니다.

첫째, 기초소양교육입니다. 초등학교 1~2학년은 한글 해득과 기초 수학의 습득에 매우 중요한 시기입니다. 이 시기에 학습 흥미를 잃는다면, 기초학력 부족 문제가 생길 수 있습니다. 저는 학생들이 놀이를 통해 자연스럽게 학습 내용을 익히도록 해 학습 잠재력을 꽃피울 수 있도록 조력하겠습니다.

둘째, 인성교육을 하겠습니다. 바른생활과 즐거운생활을 활용해 바른 언어습관과 놀이를 통한 공동체 의식을 형성할 수 있게 하겠습니다. 타인과 더불어 살고, 서로 배려하며 존중하며 살 수 있는 첫걸음을 즐겁고 자연스럽게 익히도록 하겠습니다.

셋째, 신체활동을 강화하는 활동을 하겠습니다. 건강한 신체에 건강한 정신이 깃든다는 말이 있습니다. 교과 학습 외에도 창의적 체험활동과 동아리 활동을 통해 신체활동을 강화하고, 체육 시간 외에도 다양한 신체 놀이와 운동을 통해 학생들이 신체적으로 건강한 습관을 길러, 건강하게 공동체 생활을 하는 첫발을 내디딜 수 있게 하겠습니다. 이상입니다.

자기 평가		
체감 난도		상 중 하 ➡ 원인 파악:
스터디원의 피드백	잘한 부분	
	부족한 부분	
해당 주제에 대한 시험 전까지 계획		

평가영역	THEME 18. 교사교육과정
해설	짧은 한 문장에 경기 정책이 제시된 문제로, 서론을 넣으면 유리하다. 묻지 않았어도 교사교육과정에 대한 정의를 설명한 후 본론으로 넘어가면 경기교사로서의 소양을 드러낼 수 있다.

예시 답변 교사교육과정은 교사가 학생의 삶을 중심으로 공동체성에 기반해 교육과정을 적극적으로 해석하고 학생의 성장 발달을 촉진하도록 편성·운영하는 교육과정을 의미합니다. 교사교육과정 설계 및 운영 시 고려할 점을 3가지 답변하겠습니다.

첫째, 수업 설계는 여러 교과의 핵심 개념을 연결해 사고하고, 이를 삶의 문제 해결에 적용할 수 있도록 통합적으로 이루어져야 합니다. 단순 활동 중심의 주제 통합보다는 중요한 문제나 여러 교과의 핵심 아이디어를 중심으로 교과를 통합하는 것이 중요합니다.

둘째, 따라서 교사는 전문성과 자율성을 바탕으로 협력해 수업의 질을 높여나가야 합니다. 혼자의 힘이 아닌, 동학년 모임, 교과별 모임, 전문적 학습공동체 등 다양한 교육 주체와 협력해 교육과정과 수업에 대해 적극적으로 탐구해야 합니다.

셋째, 교과서 중심의 진도 나가기 수업에서 벗어나 교과 내용 체계와 성취 기준에 근거해 학생의 특성·학교 여건을 고려해 학생의 학습과 성장을 도울 수 있어야 합니다. 교사는 학생의 인지적 능력뿐 아니라 사회·정서적 능력을 계발해야 하며, 이를 위해 다양한 상호작용과 협력적 문제 해결 기회를 제공해야 하고, 학생이 새로운 상황에서 학습 내용을 언제, 어떻게, 왜 적용해야 하는지를 스스로 이해할 수 있도록 성찰의 기회를 마련해야 합니다. 이상입니다.

자기 평가		
체감 난도		상 중 하 ➜ 원인 파악:
스터디원의 피드백	잘한 부분	
	부족한 부분	
해당 주제에 대한 시험 전까지 계획		

④ 교과 지도(전공 연계) 방안 관련 문제(THEME 25~31)

29

평가영역	THEME 25. 사유하는 학생·깊이 있는 수업
해설	제시문을 분석한 내용을 제시해, 문제 분석력을 드러내면 좋다. 교과 지도 방안을 제시할 때는 단원명이나 성취 기준을 근거로 한다.

예시 답변 제시문 1에서는 학습의 전이를 촉진하기 위해 수업을 삶의 맥락 속에서 구성하고 학생들에게 실천 적인 문제 해결을 강조해야 할 것을 이야기합니다. 제시문 2에서는 깊이 있는 탐구와 성찰을 유도하기 위해 학생 의 호기심을 자극하는 질문 중심 수업을 설계해야 할 것을 이야기하고 있습니다. 저는 이를 토대로 한 국어 수 업 방안을 제시하겠습니다.

먼저 제시문 1에 따라 삶과 밀접하게 연결된 주제를 바탕으로 주제 중심 수업을 진행하겠습니다. 중학교 국어 듣기·말하기 영역에는 '토의에서 다양한 의견을 교환해 대안을 마련하고 문제를 해결한다.'라는 성취 기준이 있 습니다. 모둠별로 모여 지역 언론 매체나 뉴스 기사를 분석하고 사회 문제에 대한 의견을 교환한 후 학급 전체가 모여 해당 문제에 대한 대안을 마련하는 시간을 갖고 싶습니다. 이때 이런 현상이나 문제에 대해 온·오프라인으 로 특강을 진행해 줄 수 있는 지역사회 인적 자원이 있다면 더욱 효과적으로 제시문 1의 목표를 달성할 수 있을 것입니다.

저는 교사로서 지역사회의 이슈가 담긴 콘텐츠를 제공한 후 제시문 2에서 언급한 것과 같이 '왜 이러한 사건이 지역사회에서 논란이 되고 있는가?' 또는 '이 기사가 다루고 있는 사건이 지역사회에 미치는 영향은 무엇인가?' 와 같은 질문을 통해 학생들의 지적 호기심을 유발하겠습니다. 토론을 마친 후에 타인의 말을 경청했는지, 자신 이 제시한 대안에 혐오나 편견이 섞인 표현은 없었는지 성찰하는 시간도 부여하겠습니다.

현장에 나아가 제시문에서 강조하는 삶의 맥락을 중심으로 한 수업과 질문을 통한 탐구–실행–성찰 수업을 통 해 학생들의 지식의 전이와 깊이 있는 학습에 도움을 주는 교사가 되겠습니다. 이상입니다.

자기 평가		
체감 난도		ⓢ ⓜ ⓗ ➡ 원인 파악:
스터디원의 피드백	잘한 부분	
	부족한 부분	
해당 주제에 대한 시험 전까지 계획		

평가영역	THEME 26. 역량 기반 학생평가
해설	에듀테크 활용 시 장점인 맞춤형 교육, 유의할 점인 개인정보 문제는 반드시 포함해야 논점을 제대로 이해했다는 것을 보여줄 수 있다.

예시 답변 에듀테크를 활용해 학생평가를 할 때의 장점을 먼저 말씀드리겠습니다.

첫째, 실시간 피드백을 제공할 수 있습니다. 온라인 퀴즈나 시험 플랫폼에서 학생들이 문제를 풀면 즉시 정답 여부를 확인할 수 있으며, 자동으로 채점된 결과를 실시간으로 받을 수 있습니다. 이를 통해 학생들은 자신의 학습 상태를 즉시 확인하고, 오류를 신속하게 수정할 수 있습니다. 또한, 교사는 이를 통해 개별적인 피드백을 제공할 수 있어 학생의 성장을 도울 수 있습니다.

둘째, 에듀테크 플랫폼은 학생의 성장 과정에 대한 데이터를 수집하고 분석할 수 있습니다. 교사는 데이터를 활용해 성장과정과 정도를 확인할 수 있고, 이에 따른 개별 맞춤 학습 계획을 수립할 수 있습니다. 학생의 필요에 맞는 추가 지원을 제공함으로써 학습 효과를 극대화할 수 있습니다.

다음으로 에듀테크 활용 시 유의 사항을 2가지 말씀드리겠습니다.

첫째, 온라인 퀴즈나 시험을 볼 경우 개인 인터넷 접속 환경을 점검하고, 사전 교육을 통해 시행착오를 줄여야 합니다.

둘째, 학생들이 제출한 자료에 개인정보가 포함될 수 있으므로 학기 초에 개인정보 동의서를 받아 보관해야 하며, 제출한 자료에 대한 관리 방안 등에 대해 동 교과 교사들 간의 협의를 해야 합니다. 이상입니다.

자기 평가		
체감 난도		ⓢ ⓜ ⓗ ➜ 원인 파악:
스터디원의 피드백	잘한 부분	
	부족한 부분	
해당 주제에 대한 시험 전까지 계획		

31

평가영역	THEME 26. 역량 기반 학생평가
해설	논술형 평가의 장점과 교사에게 필요한 역량을 차례대로 제시하면 된다.

예시 답변 학교에서 논술형 평가를 도입할 때의 장점은 다음과 같습니다.

첫째, 학생의 비판적 사고 및 탐구 능력을 향상합니다. 논술형 평가는 학생이 주어진 주제에 대해 깊이 있는 분석을 하고, 자신의 의견을 논리적으로 정리해 제시하는 능력을 요구합니다. 이를 통해 학생들은 주어진 답을 찾는 방식에서 벗어나 비판적 사고와 탐구 능력을 기를 수 있습니다.

둘째, 논술형 평가는 학생들에게 창의적인 사고와 문제 해결 능력을 요구합니다. 학생들은 주어진 문제를 해결하기 위해 다양한 시각에서 접근하고 창의적인 해결책을 제시합니다. 이 과정에서 복잡한 미래 사회에 갖춰야 할 문제해결력과 창의력을 함양할 수 있습니다.

다음으로, 논술형 평가를 진행할 때 교사에게 필요한 역량에 대해 말씀드리겠습니다.

첫째, 문항 개발 역량이 필요합니다. 중요하고 핵심적인 내용으로 문항을 만들되 문항을 해결하는 데 필요한 가정이나 조건을 명확하게 제시해야 합니다. 또한 논술형 평가의 취지를 살려, 고차원적인 사고가 가능하도록 문항을 개발할 수 있어야 합니다.

둘째, 글쓰기 형식을 가르치기 위한 교수학습 능력과 피드백 능력이 필요합니다. 학생들이 사고한 내용을 글로 표현하게 하기 위해서는, 글쓰기 수업이 선행돼야 합니다. 또한 교사는 학생들이 작성한 논술형 답변에 대해 개별적인 피드백을 제공하고, 학생들이 개선할 점을 파악할 수 있도록 도울 수 있어야 합니다. 이를 통해 학생들은 글쓰기 능력을 향상하고, 비판적 사고를 발전시킬 수 있습니다.

현장에 나아가 논술형 평가와 관련한 역량을 갖추기 위해 노력하는 교사가 되겠습니다. 이상입니다.

자기 평가		
체감 난도		ⓢ ⓜ ⓗ ➡ 원인 파악:
스터디원의 피드백	잘한 부분	
	부족한 부분	
해당 주제에 대한 시험 전까지 계획		

평가영역	THEME 27. 수업 전문성 강화
해설	교과 특별실 구상 방안은 교육공동체 의견 수렴, 지역 특색 반영 등 경기형 재구조화 내용이 포함돼야 한다.

예시 답변: 먼저 공간 재구성의 방향성을 말씀드리겠습니다. 교과 특별실을 구성할 때, 교사의 의견만 반영하는 것이 아닌 교육공동체의 의견을 수렴하겠습니다. 또한 지역과 학교의 특색이 반영된 특별실을 만들고 싶습니다. 지역의 역사, 문화, 특성을 반영한 특별실을 마련한다면 학생들은 자신이 살고 있는 지역에 대한 이해와 애정을 가질 수 있습니다. 마지막으로 학생들이 모여서 그룹 활동을 할 수 있는 광장형 공간을 구성하고, 기기를 현대화해 스마트 학습 공간으로 만들어 미래인재를 양성하기 위한 공간을 만들고 싶습니다.

다음으로 공간을 활용한 교과 수업 방안을 말씀드리겠습니다. 저는 지역을 대표하는 문학인, 독립운동가 등을 학생들이 직접 조사해 교실 한편에 게시하는 학생 주도 '문학관'을 구성하고 싶습니다. 업적과 역사적 배경이 담긴 내용을 구성해 전시함으로써 우리 지역의 특색을 반영한 교과실을 운영하는 방안입니다. 또한 태블릿을 비치해 디지털 박물관을 만들고 싶습니다. 우리 학교의 내력, 학교의 상징물, 학교 활동을 전시해 놓고자 하며, 학생들이 직접 학교 굿즈를 제작해 전시하고 싶습니다. 학교 활동이 추가될수록 디지털 박물관 페이지도 늘어날 수 있습니다. 학생들은 이 과정에서 소속감을 느끼고 학교, 지역에 대한 자긍심을 느낄 수 있습니다. 또한 역사는 먼 과거의 이야기이거나 교과서 속 나열된 사실이 아닌 우리 삶과 밀접하다는 것을 느낄 수 있을 것입니다. 이상입니다.

자기 평가		
체감 난도		⓼ ⓜ ⓗ ➜ 원인 파악:
스터디원의 피드백	잘한 부분	
	부족한 부분	
해당 주제에 대한 시험 전까지 계획		

33

평가영역	THEME 28. 창의·융합교육
해설	융합 수업 방안을 말하되, 성취 기준에 근거해 답변한다.

예시 답변: 학교에서 융합 수업이 필요한 이유는 다음과 같습니다. 4차 산업혁명 시대에 기술이 대체할 수 없는 인간만의 능력은 창의성, 협동 능력입니다. 또한 현실 세계의 문제는 단일 분야의 지식으로 해결하기 어렵습니다. 따라서 융합 수업을 통해 학생들에게 창의성, 협동 능력, 문제 해결 능력을 길러줄 수 있어야 합니다.

저는 영양 교과와 과학 과목을 융합해 '채식 급식 프로젝트'를 추진하고 싶습니다. 초등 과학 교과 성취 기준에는 기후위기와 관련된 내용이 있습니다. 학생 성취 기준과 현 사회 문제를 반영해 과학 시간에 채식 급식 프로젝트를 한다면 학생 삶과 연계한 수업이 가능할 것입니다.

구체적인 방안은 다음과 같습니다. 먼저 교과 활동 시간에 스마트 기기를 활용해 학생들이 직접 기후변화 현상의 예시, 기후변화의 심각성을 파악하게 한 후 기후변화가 우리 생활에 미치는 영향과 기후변화 대응 방법에 대한 토의를 진행합니다. 그리고 기후변화 대응 방안 중 하나로 학생들 스스로 채식 메뉴를 개발해 보게 하고 실제 급식 메뉴로 선정하는 것입니다. 학생들이 구성한 식단이 실제 반영된다면, 학생들은 기후 대응에 더욱 관심을 가질 수 있을 것입니다. 또한 이렇게 융합교육으로 학생의 삶을 중심으로 한 프로젝트를 진행한다면, 대안을 찾는 과정에서 창의력과 문제해결력을 향상할 것입니다. 이상입니다.

자기 평가		
체감 난도		상 중 하 ➡ 원인 파악:
스터디원의 피드백	잘한 부분	
	부족한 부분	
해당 주제에 대한 시험 전까지 계획		

평가영역	THEME 30. 통일교육·탈북학생 교육
해설	유의 사항에 대해 설명하되, 답변에 편향이나 차별 요소가 포함됐는지 확인해 보자.

예시 답변 탈북학생을 지도할 때는 학생들이 겪고 있는 독특한 배경과 어려움을 이해하고, 적절한 지원을 제공하는 것이 중요합니다. 다음은 교사가 유의해야 할 사항들입니다.

첫째, 탈북학생들의 문화 및 심리적 특성과 배경을 이해해야 합니다. 탈북학생들은 북한에서의 경험으로 인해 다양한 문화적, 심리적 특성과 배경을 가질 수 있습니다. 교사는 이들이 겪은 경험과 그로 인해 발생할 수 있는 심리적 어려움을 이해하고, 이를 존중하며 접근해야 합니다. 필요한 경우 심리적 지원을 제공할 수 있는 전문가와 협력하는 것이 필요합니다.

둘째, 언어 및 학습 격차를 고려해야 합니다. 탈북학생들은 한국어 능력이나 학습 내용에 있어서 다른 학생들과 격차가 있을 수 있습니다. 교사는 이들의 언어적, 학습적 필요를 이해하고 적절한 지원을 제공해야 합니다. 맞춤형 학습 자료를 제공하고, 한국어 보충 교육이나 학습 멘토링을 지원해 학생들이 학습에 적응할 수 있도록 돕는 것이 중요합니다.

셋째, 탈북학생들은 이전의 경험으로 인해 타인에 대한 신뢰를 쉽게 형성하지 못할 수 있습니다. 따라서 교사가 신뢰를 구축하는 것이 중요합니다. 학생에게 지속적으로 관심과 배려를 보이고, 신뢰를 쌓기 위해 정기적인 소통과 긍정적인 피드백을 제공해야 합니다. 안정감을 주는 환경을 조성하는 것도 필요합니다. 이상입니다.

자기 평가		
체감 난도		⓼ ⓜ ⓗ ➡ 원인 파악:
스터디원의 피드백	잘한 부분	
	부족한 부분	
해당 주제에 대한 시험 전까지 계획		

⑤ 학급 운영 방안 관련 문제(THEME 32~39)

35

평가영역	THEME 32. 학급 경영
해설	필요성을 제시하라고 했으므로, 이 점에 주목해 답변해야 한다.

예시 답변 　조회 시간은 학생들이 하루를 시작하는 중요한 순간으로, 학급의 분위기를 조성하고 학생들의 정서적 안정감을 높이는 데 큰 역할을 합니다. 저는 조회 시간에 학생들과 함께 건강한 생활 습관을 형성하거나 지역사회의 주요 소식을 전하는 시간을 갖고 싶습니다. 건강한 신체에 건강한 정신이 깃드는 법이며, 나 자신만을 위하는 삶이 아닌 사회의 일원으로서 책임감을 느끼고 사는 것이 중요하기 때문입니다.

먼저 건강한 생활 습관 형성을 위해 몇 개의 소모둠이 돌아가면서 균형 잡힌 식사, 충분한 수면, 운동의 중요성 등을 주제로 한 간단한 정보를 제공하고, 이후 아침에 간단한 스트레칭 및 운동을 하며 하루를 시작하고 싶습니다. 정신적 안정은 학습에 대한 집중력을 높이고, 스트레스와 불안을 줄여 학습 효율성을 높이는 데 중요한 역할을 합니다. 또한 함께 가벼운 운동을 하는 것이 학생들의 사회적 기술과 협력 능력을 기르는 데 도움이 되기 때문입니다.

다음으로 지역사회의 주요 소식을 모둠별로 1주에 하나씩 조사해 와서 발표하는 시간을 갖도록 하고 싶습니다. 지역사회 소식을 접하고, 문제점이 있다면 함께 해결해 보는 시간을 갖겠습니다. 아침 시간을 지역사회의 문제로 시작한다면 학생들은 자신의 지역에서 발생하는 문제에 더 관심을 두고, 적극적으로 참여하며 해결책을 모색하는 자세를 기를 수 있을 것입니다. 이는 장기적으로 지역사회의 발전과 학생들의 사회적 참여를 증진하는 데 도움이 될 것입니다.

현장에 나아가 유의미한 조회 시간을 위해 노력하는 교사가 되겠습니다. 이상입니다.

자기 평가		
체감 난도		상 중 하 ➔ 원인 파악:
스터디원의 피드백	잘한 부분	
	부족한 부분	
해당 주제에 대한 시험 전까지 계획		

평가영역	THEME 33. 학교폭력 예방 교육
해설	문제에 제시문의 상황을 고려하라는 말이 있으므로 제시문의 상황을 언급해야 한다.

예시답변 제시문의 A 학생 사진이 빠르게 유포되고, 유포자를 알 수 없듯이 사이버폭력은 첫째 시공간의 제한이 적고, 둘째 은밀하게 발생할 수 있으며, 셋째 기록이 영구적으로 남을 수 있다는 점에서 예방 교육이 중요하다고 생각합니다.

사이버폭력 예방 교육에 포함될 내용은 다음과 같습니다. 먼저 B 학생처럼 우려하지 않도록 신고자는 비밀이 보장됨을 안내해야 합니다. 또한 확신할 수 없는 정보나 음란물을 함부로 게시하지 않고, 타인의 정보에 대해서는 반드시 동의를 구해야 한다는 내용이 포함돼야 합니다.

학교폭력 사안이 발생했을 때 교사가 갖춰야 할 조사 시 행동 요령을 말씀드리겠습니다.

첫째, 교사는 학교폭력 사안을 인지하고 있다는 것에 대해 말하지 않고, 학교생활이나 교우관계에 대해 물어보는 등 다양한 방식으로 관찰해야 합니다. 가해학생 등에게 교사가 학교폭력 사실을 알고 있다는 것을 너무 성급히 이야기하면 다른 학생들을 더 괴롭힐 위험이 있으므로 주의해야 합니다.

둘째, 다수 또는 다른 학생이 보는 앞에서 피·가해 사실을 조사하지 않고 관련 학생을 개별로 조사해야 합니다.

셋째, 학생들의 진술이 일치하지 않더라도 사실관계를 추궁하거나 대답을 강요하는 행위는 지양하고 객관적 증거를 확인해야 합니다.

현장에 나아가 학교폭력 예방 교육에 힘쓰고, 사후 처리 시 주의 사항을 꼭 유념해 조사하는 교사가 되겠습니다. 이상입니다.

자기 평가		
체감 난도		상 중 하 ➡ 원인 파악:
스터디원의 피드백	잘한 부분	
	부족한 부분	
해당 주제에 대한 시험 전까지 계획		

37

평가영역	THEME 34. 초등 저학년 학교생활 적응 방안
해설	서론을 넣으면 유리한 문제이다. 교사의 역할을 말하기 전에 성장배려학년제의 정의를 말하면서, 경기 정책을 잘 알고 있다는 것을 드러내면 좋다.

예시 답변 성장배려학년제는 초등학교 1~2학년 학생들의 안정적인 학교생활 적응을 위해 관계 형성, 놀이 중심 활동, 기초 학습 등을 집중적으로 지원하는 교육과정을 의미합니다. 이러한 성장배려학년제를 담당하는 교사의 역할을 3가지 제시하겠습니다.

첫째, 저학년 발달 단계를 고려한 놀이 환경을 구성해야 합니다. 초등학교 저학년 학생들은 학교생활이 낯설 것입니다. 따라서 유치원 교육과정과 연계한 놀이 중심 교육과정을 운영하고 학급에 퍼즐, 블록 등 학습용 놀이 도구를 갖춰 학생들이 학습 내용을 자연스럽고 재미있게 익히도록 해야 합니다.

둘째, 학생의 관심, 심리, 행동, 성장 배경 등을 고려한 개별 맞춤 지도가 필요합니다. 학생들을 잘 관찰해 개인별로 필요한 개별화 교육을 도입해야 하며, 서로 협력해 학교생활을 원활하게 할 수 있도록 공동체 규칙을 익히는 시간을 부여해야 합니다.

셋째, 이를 위해 교사는 학부모와 소통이 필요합니다. 온·오프라인 상담 창구를 개설해 학생의 학습과 정서적 상태에 대한 정보를 공유하고, 가정에서 지원을 독려해야 합니다. 학부모와의 정기적인 상담이나 회의를 통해 학생의 발달 상황을 공유하고, 학부모가 학생의 학습과 성장에 어떻게 지원할 수 있는지 안내해야 합니다. 가정과 학교가 협력할 때 학생의 전인적인 성장을 기대할 수 있을 것입니다.

현장에 나아가 성장배려학년제의 취지를 이해하고, 저학년 학생들의 학교 적응과 안정적 학습을 도울 수 있는 교사가 되겠습니다. 이상입니다.

자기 평가		
체감 난도		ⓢ ⓜ ⓗ ➡ 원인 파악:
스터디원의 피드백	잘한 부분	
	부족한 부분	
해당 주제에 대한 시험 전까지 계획		

평가영역	THEME 35. 학생 문화 이해
해설	문제의 요건에 따라 학교 교육에서 대중문화와 유튜브를 활용한 교육이나 비평 교육이 필요한 이유를 말하고 구체적인 교육 방안을 제시하면 된다. 이때 교사의 일방적인 강의식 방식이 아닌, 학생 주도의 학습이 될 수 있도록 설계해야 한다.

예시 답변: 학교 교육에서 대중문화와 유튜브를 활용한 교육 및 비평 교육이 필요한 이유는 학생들이 자주 접하고, 관련 진로를 희망하기도 하지만 이와 관련한 다양한 역량을 키우기 위한 교육은 제대로 받지 못하기 때문입니다. 학교에서 올바른 교육을 통해 학생들이 현대 사회에서 중요한 매체와 콘텐츠에 대한 비판적 사고 능력을 기르고, 정보의 홍수 속에서 효과적으로 정보를 선별해 접하며, 창의적 사고를 촉진하는 데 도움을 줄 수 있어야 합니다.

구체적인 교육 방안은 다음과 같습니다

첫째, 대중문화와 유튜브 콘텐츠 분석 수업입니다. 학생들에게 다양한 유튜브 방송이나 대중문화 콘텐츠를 시청하게 한 후, 이를 비평하는 과제를 제공합니다. 모둠원끼리 콘텐츠 안에 담긴 메시지, 문화적 배경, 편향 등을 분석하고 평가하는 활동을 하는 것입니다. 또한 이러한 현상이 사회와 문화에 미친 영향에 대해 토의하게 합니다. 이 과정에서 학생들은 콘텐츠를 그냥 소비하는 것을 넘어, 대중문화가 사회에 미치는 영향을 이해하고, 콘텐츠를 비판적으로 분석하는 능력을 기를 수 있습니다.

둘째, 학생들이 주제를 정해 유튜브 콘텐츠를 제작하는 프로젝트를 진행하겠습니다. 예를 들어, 학교생활을 주제로 한 브이로그, 지역사회 문제를 다루는 다큐멘터리, 교육적인 내용을 설명하는 영상 등을 제작하게 합니다. 이 과정에서 학생들은 창의적 사고를 발휘하고, 협업 능력을 기를 수 있습니다. 이후 학생들이 제작한 유튜브 콘텐츠를 서로 리뷰하고 피드백하는 시간을 부여하겠습니다. 이를 통해 학생들은 다른 사람의 의견을 듣고, 자신의 콘텐츠를 개선하는 기회를 얻으며, 효과적인 커뮤니케이션 능력도 키울 수 있습니다.

마지막으로 미디어 리터러시 교육을 시행하겠습니다. 같은 현상을 다룬 뉴스 기사, 유튜브 콘텐츠, 소셜 미디어 게시물 등을 비교하고, 그 안에 담긴 정보의 신뢰성을 판단하는 연습을 하겠습니다. 학생들은 이를 통해 미디어 리터러시 능력을 강화하고, 정보의 출처와 신뢰도를 분석하는 방법을 배울 수 있습니다.

현장에 나아가 대중문화와 유튜브를 활용한 교육을 통해 학생들이 정보 사회에서 중요한 인재로 성장할 수 있도록 조력하는 교사가 되겠습니다. 이상입니다.

자기 평가		
체감 난도		ⓢ ⓜ ⓗ ➜ 원인 파악:
스터디원의 피드백	잘한 부분	
	부족한 부분	
해당 주제에 대한 시험 전까지 계획		

39

평가영역	THEME 37. 자기주도학습
해설	A 학생, B 학생, C 학생의 발언을 모두 반영한 운영 방안을 제시해야 한다.

예시 답변 일관적인 운영이 아닌, 학생의 특성과 상황에 맞춘 자기주도학습 운영은 학생들이 학습에 대한 긍정적인 태도를 유지하고, 학습 효과를 극대화하는 데 도움이 됩니다. A, B, C 학생의 상황에 맞는 효과적인 자기주도학습 운영 방안을 말씀드리겠습니다.

첫째, A 학생은 스스로 학습할 수 있는 능력에 대한 자신감이 부족해 자기주도학습을 어려워하고 있습니다. 이런 경우 처음부터 큰 목표를 설정하기보다는, 달성 가능한 작은 목표를 설정하도록 도와야 합니다. 예를 들어, 하루에 10분씩 특정 주제에 대해 학습하거나, 작은 과제를 완수하도록 하는 것입니다. 이럴 경우, 성취감을 느끼고 자신감이 향상될 수 있습니다. 또한 A 학생이 수행한 학습 활동에 대해 구체적이고 긍정적인 피드백을 제공하며, 학생이 노력한 부분을 인정하고 격려해야 합니다. A 학생에게 학습 일지를 작성하게 한다면 자신의 학습 과정을 명확하게 인식하고 점진적인 성장을 기록할 수 있어 자신감이 더욱 고취될 것입니다.

다음으로 B 학생은 열심히 노력했지만, 결과가 미비해 동기 부여가 부족해졌습니다. 이럴 때 학습의 결과보다는 과정의 중요성을 강조해야 하며, 능력 부족이 아닌 노력 부족에 원인을 두어야 합니다. 또한 어떤 부분에서 어려움이 있었는지 함께 분석하고, 더 나은 접근 방식을 모색할 수 있도록 효과적인 학습 전략을 함께 논의하면 자신감을 기를 수 있을 것입니다.

C 학생은 수업 활동 속에서 스스로 무언가를 해볼 때 즐거움을 느낍니다. 이런 학생들에게는 자율적으로 프로젝트를 기획하고 수행할 기회를 제공하는 것이 필요합니다. 학생이 흥미를 느끼는 분야나 주제를 탐구할 수 있도록 지원해 학습의 자율성과 즐거움을 유지할 수 있도록 해야 합니다.

현장에 나아가 학생의 상황에 맞춘 자기주도학습을 운영하는 교사가 되겠습니다. 이상입니다.

자기 평가		
체감 난도		ⓢ ⓜ ⓗ ➡ 원인 파악:
스터디원의 피드백	잘한 부분	
	부족한 부분	
해당 주제에 대한 시험 전까지 계획		

평가영역	THEME 17. 학교자율과제·학교자율시간·성장이음과정, THEME 38. 다문화교육
해설	C 교사의 답변은 A 교사와 B 교사의 의견을 종합한 내용이어야 한다.

예시 답변 C 교사는 A 교사와 B 교사의 의견을 종합해, 에듀테크를 활용한 교과 융합 다문화 이해 수업을 제시할 것입니다. 이 주제는 A 교사가 말한 것처럼 학교의 다문화적 배경을 반영하고, B 교사가 말한 것처럼 교과 융합과 에듀테크를 활용해 학생들의 관심을 끌며 교육적 효과를 높일 수 있을 것입니다.

구체적인 교육 방안은 다음과 같습니다. 사회, 미술 교과와 융합해 '세계의 문화 큐레이팅' 활동을 하는 것입니다. 소모둠으로 나누어 스마트 기기를 활용해 각국의 문화, 역사, 전통 등을 조사합니다. 이후 모둠별로 에듀테크 애플리케이션을 활용해 온라인 박물관 전시실을 구현합니다. 이후 각 팀은 자신이 전시한 문화의 내용을 전자칠판 등을 통해 소개합니다. 이후 학급 친구들이 모여 서로가 준비한 다른 문화와의 비교를 통해 공통점과 차이점을 논의합니다. 이렇게 한다면, 다문화 이해 능력을 고취하면서 학습의 흥미를 높이고, 협업과 창의적 표현 능력도 향상할 수 있을 것입니다.

에듀테크를 활용한 교과 융합 다문화 이해 수업을 할 때 교사가 갖춰야 할 역량은 다음과 같습니다.

첫째, 교사는 성취 기준을 고려해 교과목을 융합하고 프로젝트 학습을 효과적으로 설계하며 학습 목표를 달성할 수 있는 과제를 개발하는 능력을 갖추어야 합니다.

둘째, 에듀테크 도구와 플랫폼에 대해 이해하고 학생들이 이를 적극적으로 활용할 수 있도록 도와야 합니다.

셋째, 다문화교육의 중요성을 이해하고, 다양한 문화적 배경을 가진 학생들이 상호존중과 이해를 바탕으로 학습할 수 있는 환경을 조성해야 합니다.

현장에 나아가 학교 현안에 맞는 자율과제를 도출하고 이를 효과적으로 운영할 수 있도록 적극적으로 참여하는 교사가 되겠습니다. 이상입니다.

자기 평가		
체감 난도		상 중 하 ➡ 원인 파악:
스터디원의 피드백	잘한 부분	
	부족한 부분	
해당 주제에 대한 시험 전까지 계획		

41

평가영역	THEME 39. 특수교육·통합교육
해설	장애학생과 비장애학생 모두를 고려한 유의 사항을 말해야 한다.

예시답변 통합교육에서 교사는 장애학생과 비장애학생 모두가 존중받고 배려하는 환경을 조성하는 것이 중요하다고 생각합니다. 이러한 측면에서 교사가 유의해야 할 사항을 말씀드리겠습니다.

첫째, 장애학생이 편안하고 안전하게 학습할 수 있도록 교실의 물리적 환경을 조정해야 합니다. 예를 들어, 이동이 불편한 학생을 위한 좌석 배치, 청각장애 학생을 위한 시청각 지원 도구, 시각장애 학생을 위한 촉각적 자료 등을 준비해야 합니다. 그뿐만 아니라, 심리적으로도 안정감을 느낄 수 있도록 교사는 장애학생에게 격려와 지지를 아끼지 않아야 합니다.

둘째, 비장애학생들이 장애학생을 이해하고, 배려할 수 있도록 교육하는 것도 중요합니다. 장애에 대한 편견이나 오해를 줄이기 위한 장애 이해 교육을 진행하고, 서로 돕고 협력할 방법을 안내해야 합니다. 협동 학습 등으로 비장애학생들이 장애학생과 자연스럽게 소통할 기회를 제공하고, 문제나 갈등이 생길 때는 문제 자체를 바라보고 공정하고 명확한 지침을 통해 해결할 수 있도록 해야 합니다.

셋째, 장애학생과 비장애학생 모두가 존중받는 긍정적인 학급 분위기를 만드는 것이 중요합니다. 이를 위해 교사는 포용적이고 차별 없는 학급 문화를 구축해야 합니다. 학급 구성원 모두가 서로의 다름을 인정하고, 다양성을 존중하는 태도를 가질 수 있도록 교육해야 합니다.

현장에 나아가 통합교육을 위해 물리적, 심리적으로 안전한 환경을 제공할 수 있는 교사가 되겠습니다. 이상입니다.

자기 평가		
체감 난도		상 중 하 ➡ 원인 파악:
스터디원의 피드백	잘한 부분	
	부족한 부분	
해당 주제에 대한 시험 전까지 계획		

⑥ 현장 문제 해결 방안 관련 문제(THEME 40~50)

42

평가영역	THEME 41. 위기 학생
해설	그래프가 제시되었으므로 분석 결과를 언급해야 문제분석력을 드러낼 수 있다.

예시 답변 제시된 첫 번째 아동학대 현황 그래프를 보면, 중복 학대의 비율이 높다는 것을 알 수 있습니다. 이는 아동학대를 경험한 학생을 조력할 때 통합적 관점에서 접근해야 함을 시사합니다. 두 번째 그래프를 보면 학대 대상자의 79%가 부모임을 알 수 있습니다. 이는 부모 교육과 가족 기능 강화를 위한 적극적 지원이 필요함을 시사합니다.

다음으로 아동학대 의심 학생을 발견했을 때 조치 방안을 말씀드리겠습니다. 교사는 아동학대 신고 의무자입니다. 따라서 학대 정황을 발견했을 때 학대 증거가 은폐되지 않도록 주의한 후 증거 사진을 확보해 아동학대 조사에 적극적으로 협조할 것입니다. 만일, 성학대의 정황을 파악했다면 증거 확보를 위해 옷을 갈아입히지 않고 진술 오염 방지를 위해 상담 없이 바로 112에 신고하겠습니다. 신고 후에는 신고 전과 동일한 태도로 학생을 대하고, 아동의 욕구나 분위기에 민감하게 반응하여 재발하지 않도록 주의를 기울일 것입니다. 이상입니다.

자기 평가		
체감 난도		⑤ ⓒ ⓗ ➔ 원인 파악:
스터디원의 피드백	잘한 부분	
	부족한 부분	
해당 주제에 대한 시험 전까지 계획		

43

평가영역	THEME 45. 갈등 문제
해설	회복적 생활교육 방식으로 접근하거나 각 학생의 요구 사항을 해결하는 방향이어도 좋다.

예시 답변 제시된 상황에서 학생들의 발언을 통해, 학급 친구들 간 서로 배려하거나 이해하는 자세를 보이지 않고 담임 선생님의 지도 방식을 존중하지 못하는 학생도 있다는 것을 알 수 있습니다. 저는 이 문제를 해결하기 위해 회복적 생활교육의 관점에서 접근하겠습니다.

회복적 생활교육이란 처벌이 아닌 구성원의 노력으로 다 같이 문제를 해결해 나가는 관점입니다. 통제가 아닌 존중, 자발적 책임, 협력을 목표로 합니다. 이런 관점에서 다 같이 학급회의를 개최해, 학급 문제 상황을 공유하고 서로 진솔한 대화를 나눠보고 싶습니다. 이때, B 학생의 인권뿐 아니라 타 학생들의 수업권도 소중한 권리임을 인지할 수 있도록 공감적 말하기를 해야 하며, B 학생은 어느 부분에서 존중받지 못한다고 느껴지는지 서로 이야기를 나눠야 합니다. 또한 담임교사 역시 대화에 참여해 자기 교직관을 진솔하게 전달해야만 B 학생을 처벌하지 않고 시간을 부여하는 이유에 대해 학생들의 공감을 얻을 수 있을 것입니다. 이렇게 한다면, C 학생이 지적한 서로 탓하고 비난하는 문화가 아닌 공감적 이해를 바탕으로 자기의 요청 사항을 정중하게 부탁하는 학급 문화가 정착될 수 있을 것입니다. 이상입니다.

자기 평가		
체감 난도		ⓐ ⓑ ⓒ ➜ 원인 파악:
스터디원의 피드백	잘한 부분	
	부족한 부분	
해당 주제에 대한 시험 전까지 계획		

평가영역	THEME 45. 갈등 문제
해설	제시문의 문제 상황을 간략하게 언급한 후 해결 방안을 제시하면 된다. 이때 무조건적 거절이나, 무조건적 수용의 자세가 아닌 상대의 말을 들어보고, 나의 입장을 나 전달법으로 말한 뒤 공동의 노력을 도모하는 '너-나-우리 전략'을 사용하면 좋다.

예시 답변 B 교사에게 부닥친 문제는 개인 업무로 정해지지 않은 일이 자꾸 추가돼 부담을 느끼는 것입니다. B 교사의 관점에서 이를 해결할 방안을 말씀드리겠습니다.

먼저 A 교사의 대화를 통해 업무가 추가되고 있는 상황을 파악해 보겠습니다. A 교사 역시 업무가 계속 추가돼서 이것을 B 교사와 나누는 상황일 수도 있으므로 A 교사가 B 교사에게 요청하는 이유와 A 교사의 상황에 관한 대화를 나누겠습니다. A 교사 관점에서 어려운 상황이 있다면 이것을 깊이 공감하되 B 교사 또한 업무가 매번 추가돼 힘든 상황이라는 것을 나 전달법으로 솔직하게 전달하겠습니다. A 교사에게 어려운 일이 있다면, 협조할 것을 약속하면서도 두 교사의 힘으로 해결할 수 없는 일이라면 협의회 등을 통해 문제 상황을 공유하고 공동의 협조를 부탁하겠습니다. 이상입니다.

자기 평가		
체감 난도		⑤ ⑥ ⑥ ➡ 원인 파악:
스터디원의 피드백	잘한 부분	
	부족한 부분	
해당 주제에 대한 시험 전까지 계획		

45

평가영역	THEME 50. 양성평등 및 성인지 감수성
해설	제시문을 먼저 분석한 후 양성평등한 학교 문화를 만들기 위한 방안을 제시하면 된다.

예시 답변 제시된 교사들의 발언 속에서 알 수 있는 문제점은 세 교사 모두 성인지 감수성이 부족하다는 점입니다. A 교사는 여자, 남자의 특성을 고정하고 있고 B 교사 역시 남자답다는 특성이 있다고 생각합니다. C 교사는 학급 운영과 관계없는 외모와 관련한 급훈을 지정하고 있습니다.

이 문제를 해결하기 위한 학교 문화 개선 방안을 제시하겠습니다.

먼저 학생들을 대할 때의 태도입니다. 제시문의 교사들과 같이 성별의 특성에 대한 고정관념이 있거나 외모로 여성을 평가하는 관습을 고치고 성별이 아닌 개인의 특성을 중심으로 바라보는 자세를 지녀야 합니다.

둘째, 학교 환경 점검을 해야 합니다. 학교에 부착된 포스터 중 남학생은 주도적인 모습, 여학생은 배려심 있는 모습 등 고정된 성 역할을 담진 않았는지 점검한 후 이를 올바르게 수정해야 합니다.

마지막으로 교사들 역시 성별을 중심으로 업무 분담을 하는 것이 아닌 개인의 관심이나 전문성을 기준으로 업무 분담을 해야 합니다. 이상입니다.

자기 평가		
체감 난도		상 중 하 ➜ 원인 파악:
스터디원의 피드백	잘한 부분	
	부족한 부분	
해당 주제에 대한 시험 전까지 계획		

개별면접 1회   문제 p.320

구상형

01

평가영역	THEME 4. 에듀테크 활용 교육, THEME 25. 사유하는 학생·깊이 있는 수업
해설	요구하는 조건이 많은 문제이다. 제시문 2의 내용 요약하고, 제시문 1의 방향을 분석해 구현할 구체적인 교육 방안을 제시하고, 교사의 역량과 역량 강화를 위한 노력 방안까지 말해야 했다. 주어진 구상시간을 모두 활용해 꼼꼼하게 조건을 체크하자.

예시 답변 구상형 1번 답변드리겠습니다.

제시문 2에서는 '에듀테크 기반 맞춤형 교육'을 강조하고 있습니다. 이를 경기도교육청의 새로운 교수학습 방향으로 구현하기 위한 구체적인 교육 방안은 다음과 같습니다. 저는 학생 주도형 프로젝트 학습을 하고 싶습니다. 초등 실과 성취 기준에는 '균형 잡힌 식사의 중요성과 조건을 탐색해 자신의 식습관을 검토해 보고 건강한 식습관 형성에 적용한다.'라는 내용이 있습니다. 학생들은 요즘 미디어에 나오는 아이돌 몸매에 자신의 신체 상을 비교하기도 하고, 먹방 콘텐츠에서 나온 음식을 마구잡이로 먹기도 하는 등 균형 잡힌 식습관을 갖추고 있지 않습니다. 따라서 이를 주제로 프로젝트 학습을 진행하는 것입니다. 먼저 학생들은 스마트 기기를 활용해 온라인 보드에, 일주일 동안 먹었던 음식과 음식 선택의 기준, 이유에 대해 작성하도록 합니다. 스스로 식습관을 사유하고 다른 친구들의 의견을 공유하는 과정에서 비판적인 문제의식을 느낄 수 있습니다. 이후 토론 수업을 통해 학생들이 지녀야 할 식습관에 대해 토의하도록 합니다. 교사인 저는 학생들의 사고를 자극할 수 있는 질문을 통해 깊게 탐구할 수 있도록 조력해야 합니다. 또한 미디어에서 다루는 식습관에 대해서도 토의할 수 있도록 합니다. 이는 무분별하게 누군가의 식습관을 모방하는 것이 아닌 자신만의 기준으로 건강한 식습관을 형성하는 데 도움이 될 것입니다.

이때 교사에게 필요한 역량과 역량 강화를 위한 방안을 제시하겠습니다.

첫째, 에듀테크 활용 능력입니다. 스마트 기기를 교육적으로 활용할 수 있는 방안과 에듀테크 플랫폼을 익혀 학생들이 이 도구들을 효율적으로 사용할 수 있도록 지도하는 능력이 필요합니다.

둘째, 비판적 사고와 문제해결 역량을 촉진하는 수업 설계 능력이 필요합니다. 교사는 학생들이 다양한 사회적, 문화적 맥락에서 자신의 경험을 비판적으로 성찰할 수 있도록 유도하고, 이를 바탕으로 문제를 해결할 수 있는 학습 활동을 설계할 수 있어야 합니다.

교사 역량 강화를 위한 노력 방안은 다음과 같습니다.

첫째, 전문성 개발을 위한 연수 및 교육에 참여하겠습니다. 에듀테크 활용 능력을 강화하기 위해 교육청에서 제공하는 연수 프로그램에 적극적으로 참여해 최신 기술을 수업에 효과적으로 접목할 수 있게 하겠습니다.

둘째, 교사 간 협력을 활성화하겠습니다. 혼자보다 함께할 때 잠재력이 더욱 향상된다고 생각합니다. 다른 교사들과 협력해 우수한 수업 사례를 공유하고, 함께 새로운 교수법을 개발하며 역량을 강화하겠습니다. 이상입니다.

02

평가영역	THEME 23. 건강하고 안전한 학교, THEME 41. 위기 학생
해설	ERRC 모형에서 언급한 내용을 모두 반영하는 교육 방안이어야 한다.

예시 답변 구상형 2번 답변드리겠습니다.

제시문의 ERRC 분석 결과를 토대로 건강하고 안전한 학습 환경을 조성하기 위한 교육 방안을 말씀드리겠습니다. 먼저 담임교사로서의 교육 방안입니다.

학생들의 심리적 불안과 스트레스를 제거하고 안정감과 자존감을 올리기 위해 정기적인 감정 나누기 활동을 하겠습니다. 현대인들은 너무 바쁜 나머지 자신의 감정을 마주해 스스로 해결책을 세워볼 기회가 부족합니다. 저는 학급에서 일주일에 한 번 조회 시간을 활용해 학생들이 자신의 감정을 신호등의 색으로 표현하고 그 이유를 작성하며 감정을 마주할 수 있는 시간을 주겠습니다. 저는 교사로서 그 기록에 응원의 메시지를 남기도록 하겠습니다. 그렇게 한다면 제시문의 창조 영역의 교사와 학생 간의 소통 활성화를 달성할 수 있을 것입니다. 만약 기록에서 학생의 정서 문제가 발견된다면 교내 상담 프로그램과 연계하겠습니다. 이를 통해 불안을 조기 발견해 제거하고 학습에 집중할 수 있는 환경을 조성할 수 있을 것입니다.

두 번째로 학생 간 학습 성취도 격차 감소를 위해 에듀테크와 학급 내 멘토·멘티제를 실시하겠습니다. 학생들의 학업 능력을 분석하고 맞춤 지도를 하는 데는 인공지능의 도움을 받으면 좋습니다. 그렇다면 감소 영역에서 보이는 교사의 부담을 덜 수 있고, 정확하고 면밀한 분석이 가능할 것입니다. 하지만 내적동기 향상은 기술이 다룰 수 없는 부분이라고 생각합니다. 저는 학생들이 서로 협력해 학습하며 성장을 할 수 있도록 멘토·멘티를 활성화하겠습니다.

다음으로 교과 지도 방안입니다.

첫째, 저는 교과 융합 정서 지원 프로그램을 창출하고 싶습니다. 예를 들어, 미술 교과, 체육 교과와 연계해 예술 활동을 활용한 정서적 지원 프로그램을 개발하는 것입니다. 예체 활동을 통해 학업 부담에서 벗어나 학생들은 심리적 안정을 도모할 수 있습니다.

둘째, 에듀테크 활용 수업을 하고 싶습니다. 음악 교과는 직접 악기를 다루며 참여해야 좋은데, 여건상 1인 1악기를 다루지 못하는 경우가 있습니다. 이때 에듀테크 플랫폼은 대안으로 효과적입니다. 음악 교과 성취 기준에는 '느낌과 아이디어를 떠올려 여러 매체나 방법으로 자신감 있게 표현한다.'라는 내용이 있습니다. 학생들은 현재 감정을 들여다보고 전자 악기 애플리케이션을 활용해 작곡하도록 합니다. 감정을 음악으로 표현하는 과정을 통해 학생들은 자신을 이해하고, 묵은 스트레스를 해소할 수 있으며 나아가 심리적 안정을 도모하는 데에도 이바지할 것입니다.

현장에 나아가 학생들의 건강하고 안전한 학습 환경을 만들기 위해 노력하는 교사가 되겠습니다. 이상입니다.

03

평가영역	THEME 8. 인성교육, THEME 9. 경기공유학교, THEME 17. 학교자율과제·학교자율시간·성장이음과정
해설	자율과제를 도출한 근거를 제시해 답변에 설득력을 부여하면 좋다. 또한 환경 분석 내용을 반영하는 교육 방안을 제시해야 한다.

예시 답변 구상형 3번 답변드리겠습니다.

A 학교의 환경 분석 결과를 토대로 도출한 학교자율과제는 '교육공동체와의 협력을 통한 인성교육'입니다. 먼저 과제를 도출한 근거를 말씀드리겠습니다. A 학교의 강점 요소를 통해 학부모와의 협력과 지역사회 자원을 적극 활용할 수 있다는 것을 알 수 있습니다. 또 기회 요소를 통해 풍부한 지역 자원과 인성교육 관련 예산을 활용할 수 있음을 알 수 있습니다. 이를 바탕으로 한 인성교육 방안은 다음과 같습니다.

첫째, 지역사회의 어른들과 학생들이 정기적으로 만나 서로의 경험을 공유할 수 있는 멘토링 프로그램을 운영합니다. 경기교육에서 추진하는 휴먼 라이브러리는 지역사회의 인적 자원을 기록해 놓은 도서관입니다. 이를 활용해 지역사회 어른들과 학생들을 연계하는 것입니다. 인간관계, 사회생활, 생활의 지혜 등 어르신들은 다양한 경험을 보유하고 있습니다. 학교에서 멘토링 프로그램을 운영한다면 학생들은 어른들의 지혜를 배울 수 있고 어른을 존중하는 태도와 공경 의식을 갖출 수도 있을 것입니다.

둘째, 학부모와 함께하는 지역사회 봉사활동 프로젝트를 추진합니다. 지역의 복지 시설, 도서관, 공공기관과 협력해 학부모와 학생들이 함께 지역 봉사활동에 참여하도록 추진하는 것입니다. 학부모님과 함께 봉사활동을 하며 학생들은 가정 내 인성교육 부재 문제를 해결할 사회적 책임감을 기를 수 있습니다. 이후 참여 후기를 작성하게 해, 학생들에게 스스로 활동을 성찰할 시간을 부여한다면 교육적 효과를 더욱 극대화할 수 있을 것입니다. 이상입니다.

🎯 즉답형

01

평가영역	THEME 8. 인성교육
해설	경기도교육청에서는 인성 메시지를 담은 종소리 제작을 추진하고 있다. 2024학년도에 인성교육브랜드에 관련한 내용이 출제됐으니, 경기도교육청에서 추진하는 내용에 대한 교육 방안을 미리 생각해 두자.

예시 답변 즉답형 1번 답변드리겠습니다.

제가 학교 종소리에 포함하고 싶은 인성 메시지는 '서로를 존중하고, 배려하는 마음이 더 나은 세상을 만듭니다.'입니다. 이 메시지는 학생들에게 존중과 배려의 가치를 상기시켜 더 평화롭고 협력적인 학교 문화를 조성하려는 목적을 담고 있습니다.

이 메시지를 실현하기 위한 교육 방안 3가지를 말씀드리겠습니다.

첫째, 존중과 배려를 주제로 한 교실 토론 및 역할극 활동을 하겠습니다. 정기적으로 '존중'과 '배려'를 주제로 교내에서 이런 가치들이 잘 지켜지고 있는지 점검하고 발전 방안을 학생들이 직접 토론을 통해 모색하도록 하고 싶습니다. 또한 역할극을 통해 갈등 상황에서 상대방을 존중하고 배려하는 방법을 연습하도록 하고 싶습니다. 예를 들어, 친구가 힘든 상황에 부닥쳤다고 가정하고, 어떤 방식으로 도울 수 있을지에 대한 의견을 나누고 실천해 보는 것입니다. 이를 통해 학생들은 존중과 배려의 가치를 구체적인 상황에서 실천할 수 있는 공감 능력을 기를 수 있을 것입니다.

둘째, 학생 자치회와 함께 '배려 주간'을 운영하고 싶습니다. 학기 중 한 주를 '배려 주간'으로 지정하고, 학생들이 직접 배려와 관련된 활동을 기획하고 참여하도록 하는 것입니다. 배려하는 행동을 실천한 학생을 칭찬하는 '배려 상' 시상식을 열거나 존중과 배려의 의미를 담은 포스터 제작, 배려의 순간을 기록하는 사진전 등을 진행할 수 있습니다. 이를 통해 서로를 이해하고 존중하는 문화를 형성할 수 있습니다.

셋째, 존중과 배려를 주제로 한 지역사회 봉사활동을 추진하고 싶습니다. 지역사회와 협력해 봉사활동을 통해 존중과 배려의 가치를 실천할 기회를 제공하는 것입니다. 예를 들어, 노인복지시설 방문, 지역 환경 보호 활동 등을 통해 학생들이 타인을 배려하고 자연을 존중하는 경험을 쌓도록 하고 싶습니다. 이를 통해 학생들은 지역사회 구성원으로서 책임감을 기르고, 타인에 대한 공감 능력을 높일 수 있습니다. 이상입니다.

02	평가영역	THEME 6. 정보통신 윤리 교육, THEME 41. 위기 학생
	해설	제시문이 나올 경우, 반드시 제시문 분석 결과를 말해야 한다. 그래야만 제시문 분석력, 문제 해결력을 보여줄 수 있다. 최근에 수험생의 "답변 수준이 높아지며, 변별력을 높일 목적으로 제시문 분석 문제가 자주 출제되고 있다. 이때, 제시문을 제대로 분석하고 분석 결과를 보여줘야 고득점이 가능하다는 것을 잊지 말자.

예시 답변 즉답형 2번 답변드리겠습니다.

제시문 속 A 학생의 문제는 크게 3가지로 정리할 수 있습니다. 첫째, 무기력 문제. 둘째, 문화 체험 및 진로 탐색 기회 부족 문제, 셋째, 인터넷·스마트폰 고위험군 노출 문제입니다. 이 3가지를 지역사회와 협력해 해결할 방안을 말씀드리겠습니다.

첫째, 먼저 A 학생의 무기력 원인을 제대로 파악하는 것이 중요합니다. 이를 위해 교내 위클래스 상담뿐 아니라 필요하다면 지역사회 상담 센터와 연계할 수 있습니다. A 학생의 내면을 지역사회 전문가의 도움으로 깊게 들여다 보며, A 학생이 필요로 하는 것이 무엇인지 파악해 맞춤형으로 제공할 수 있어야 합니다. 이때 교사로서 저는 상담 결과를 공유받아 A 학생을 정확하게 이해하고, A 학생에게 필요한 맞춤형 교육 방안을 제공해야 합니다.

둘째, 문화 체험 및 진로 탐색 기회 부족 문제를 해결하기 위해 지역 내에 장소로 현장 체험학습을 가는 방안이 있습니다. 지역사회에는 훌륭한 문화자원들이 많습니다. 예를 들어 박물관, 미술관, 야영지 등으로 학급 현장 체험학습을 나가 문화 체험 기회를 제공한다면 지역에 대한 이해도를 높일 수 있고, A 학생의 문화적 소양도 높아질 수 있을 것입니다. 또한 진로 탐색 문제 해결을 위해 담임교사로서 1:1 상담을 한 후, 관련 경기이룸학교를 추천하는 방법이 있습니다. 경기이룸학교는 학교 안에서 배울 수 없었던 내용을 체험형으로 학습하는 공간입니다. A 학생에게 적합할 것 같은 과목을 추천하고, 연계해 준다면 무기력이 해소될 수도 있을 것입니다.

셋째, 인터넷·스마트폰 고위험 문제를 해결하기 위해 교내에서 '스마트폰 바른 사용 캠페인'을 주최하고, A 학생을 참여하게끔 하는 방법이 있습니다. 학생 주도로 포스터를 제작하거나 인터넷 카드 뉴스를 제작하게 하며 교사로서 저는 동기 부여와 중간 피드백을 통해 A 학생이 자발적으로 활동에 참여할 수 있게끔 정서적 지지를 해 줄 수 있습니다. 또한 상황이 심각하다면 지역사회 청소년 상담복지센터, 국립청소년인터넷드림마을 등 유관 기관과 연계해 A 학생을 조력할 수도 있습니다.

현장에 나아가 지역사회 자원을 잘 이해하고, 이를 학생의 특성에 맞게 연계할 수 있는 교사가 되겠습니다. 이상입니다.

🎯 추가 즉답형(비교과)

03	평가영역	THEME 32. 학급 경영
	해설	출제 의도가 드러난 문제일 경우 서론을 넣으면 좋다. 마치 '당신의 마음을 난 이미 다 알고 있어요!'라고 말하듯 말이다. 가정통신문에 포함될 내용을 물어보는 이유는 교사의 교직관을 보려는 것이다. 3월 신규 교사가 됐다고 생각하고 현실성 있는 진솔한 내용을 담아보자.

예시 답변 즉답형 3번 답변드리겠습니다.

새 학기 시작 직후 가정에 보낼 가정통신문에 포함될 내용 3가지와 그 이유를 말씀드리겠습니다. 새 학기 가정통신문은 교사의 첫인상이 담긴 기록이라는 점에서 신뢰 관계 형성을 위해 매우 중요한 자료입니다. 다음과 같은 것을 통해 교사로서 저의 모습을 소개하고, 영양교사로서 전문성을 드러내고자 합니다.

첫째, 자기소개 및 교직관을 담겠습니다. 학부모님들은 학생들의 어린 시절부터 무엇을 먹일지 많이 고민하셨을 것입니다. 학교에서도 밥은 잘 먹는지, 오늘은 무엇을 먹었는지 궁금하실 겁니다. 저는 새 학기 가정통신문에 제가 생각하는 급식 운영 방향과 영양교육에 대한 철학을 담은 자기소개를 작성해, 학부모님이 안심하고 학교에 보낼 수 있도록 신뢰를 주고 싶습니다.

둘째, 급식실 주관 프로젝트를 소개하겠습니다. 현장에서는 사회 변화에 발맞추어 기후위기 대응이나 다문화 사회 어울림, 지역사회 특색을 담은 급식을 시행하고 있습니다. 이때, 교사인 저 혼자만의 노력보다 교육공동체가 함께 의견을 모을 때 좋은 급식 메뉴가 선정될 수 있으며, 학생들은 본인이나 본인 가족의 의견이 반영된 급식을 먹을 때 사회 참여의 자부심과 뿌듯함을 느낄 수도 있을 것입니다. 따라서, 가정통신문에 프로젝트 계획과 시기를 작성해 참여를 독려하겠습니다.

셋째, 연락망입니다. 학생들이 급식하다 보면 불편한 상황이 생길 수 있습니다. 이때 담임교사에게 의견을 전달할 수도 있지만, 영양교사인 저에게 직접 연락을 해주었을 때 더 정확하고 빠른 소통이 가능할 수 있습니다. 따라서 저는 온라인 연락망을 구축해, 급식 운영에 대한 의견을 받고자 합니다.

이를 통해 건강하고 안전한 급식 문화를 조성하는 데 이바지하겠습니다. 이상입니다.

04

평가영역	THEME 32. 학급 경영, THEME 35. 학생 문화 이해, THEME 40. 문제행동 학생, THEME 41. 위기 학생
해설	각 학생들의 특성을 고려한 해결 방안을 제시해야 한다.

예시 답변 즉답형 4번 답변드리겠습니다.

학급의 각 학생들의 문제 해결을 위한 교사의 역할을 말씀드리겠습니다. 먼저 A 학생은 교우 관계에 어려움을 겪고 있습니다. 이 경우는 친구들과 재미있게 놀고 싶어 하는 욕구를 인정하되, 현재의 행동 방식으로 인해 고립되고 힘들어지므로 스스로 변화의 필요성을 느낄 수 있도록 도와야 합니다. A 학생의 돌발 행동 시 상대방의 느낌을 유추해 볼 수 있도록 질문하고, 바람직한 방식을 구체적으로 알려주어 공동체 생활을 도울 수 있어야 합니다.

다음으로 B 학생은 학교생활에 적응하지 못하는 문제가 있습니다. 이 경우 원인을 파악하는 것이 중요합니다. 학생이 말이 없다는 점을 고려해 가정과 연대해, 가정에서 학부모님께 무슨 이야기를 하진 않았는지 여쭙고 협조를 구해야 합니다. 또한 학생들이 많은 곳에서 비난하거나 부정적 평가 등을 하는 것보다는 학생이 잘하고 있는 행동에 먼저 관심을 주어 교사에게 마음의 문을 열 수 있도록 해야 합니다.

마지막 C 학생은 게임에 빠져있고 수업에 집중하지 못하는 문제가 있지만, 자기 특기로 유튜브를 개설해 수익을 창출하고 있다는 점에도 주목할 필요가 있습니다. 가족 간 갈등이 잦다는 점을 고려해 C 학생의 생활 측면, 진로 측면에서 도움을 줘야 합니다. 우선 요즘 청소년들은 게임을 관계 형성의 중요한 수단으로 여깁니다. 따라서 이를 문젯거리가 아니라 하나의 문화로 보는 시선이 필요함을 학부모님께 안내하겠습니다. 학교에서는 C 학생에게 게임 중독으로 인해 초래될 수 있는 문제를 알리고 스스로 통제 계획을 세울 수 있게 조력해야 하며, 가정에서는 오프라인에서 할 수 있는 취미 활동을 함께 하면서 게임 외의 즐거움을 찾을 수 있도록 돕는 등 가정과 학교에서 공동의 노력을 해야 합니다. 한편으로 학생의 재능을 인정하는 것도 중요합니다. 학부모님과의 상담을 통해, 학생이 유튜브로 수익을 창출하는 것은 엄청난 재능임을 알리고, 이와 연계해 직업 계획을 세울 수 있도록 진로교육 방안으로 경기이룸학교와 같은 지역사회 게임 관련 진로교육기관을 안내하면 좋습니다. 만약 학부모와 상담해 C 학생의 게임 몰입이 심각하다고 느껴질 경우에는 지역사회 유관기관과 연계해 상담 치료를 하는 방법도 있습니다. 이상입니다.

실전 모의고사 1회 자기 평가

체감 난도		상 중 하 ➔ 원인 파악:
스터디원의 피드백	잘한 부분	
	부족한 부분	

내용 이해도가 부족한 THEME	THEME 번호	
	보완 계획	

🎯 구상형

01

평가영역	THEME 15. 생태환경교육, THEME 25. 사유하는 학생·깊이 있는 수업, THEME 27. 수업 전문성 강화
해설	제시문 1의 내용이 세계시민교육을 의미한다는 것을 분석해야 하고 이를 제시문 2의 교육 과정 연계 방안, 학생중심 방안, 지역사회 자원 연계 방안의 관점에서 답변해야 하는 까다로운 문제이다.

예시 답변 구상형 1번 답변드리겠습니다.

제시문 1은 세계시민교육을 의미하고 있습니다. 세계시민교육은 글로벌 이슈에 대한 이해와 책임감을 키우며, 학생들이 포용적이고 평화로운 세상을 만들어가는 역량을 기르는 교육입니다. 제시문 2에서 말하는 교육 방안은 학교교육과정과 연계하고, 학생 참여를 중심으로 운영하며, 지역사회 자원을 활용하는 것을 포함하는 것입니다. 이와 관련한 3가지 방안을 제시하겠습니다.

첫째, 교육과정과 연계해 프로젝트 학습을 하겠습니다. 초등 사회과 성취 기준에는 '우리 사회에 다양한 문화가 확산하면서 나타나는 긍정적 효과와 문제를 분석하고, 나와 다른 사람이나 집단의 문화를 존중하는 태도를 기른다.'라는 내용이 있습니다. 학생들은 스마트 기기를 활용해 외국인 이주민 증가, 1인 가구와 비혼의 증가, 반려동물 양육 등 다양한 사회 변화에 대한 주제를 검색한 후 이때 발생하는 문제와 그 해결 방안을 토의합니다. 학생들은 이 과정에서 나와 다른 사람이나 문화에 대한 편견과 차별적 태도를 해소하고, 다른 사람과 문화를 존중하는 태도를 형성할 수 있을 것입니다.

둘째, 학생 실천 중심 방안입니다. 저는 학생들이 직접 기획하는 세계시민 캠페인을 진행하도록 장려하고 싶습니다. 예를 들어, 인권, 평등에 관한 문제를 주제로 학생들이 토론을 주도하며 다양한 관점을 공유하고, 학생 시각에서 실천할 방안을 고민하고 캠페인 활동을 진행하는 것입니다. 이를 통해 학생들은 자기주도적 학습 능력과 시민 의식을 함양할 수 있을 것입니다.

마지막, 지역사회 자원 연계 방안입니다. 지역의 비영리 단체나 시민단체와 협력해 봉사활동, 환경 정화 활동 등을 진행하는 것입니다. 이러한 프로그램을 통해 학생들은 지역 문제와 세계 문제의 연결성을 인식하고 지역사회 내에서 지속 가능한 발전과 환경 보존의 가치를 실천하는 경험을 쌓을 수 있을 것입니다. 이상입니다.

02

평가영역	THEME 14. 문해력 향상 교육, THEME 17. 학교자율과제·학교자율시간·성장이음과정
해설	공동체 의견을 고려한 교육 방안을 제시해야 한다.

예시 답변 구상형 2번 답변하겠습니다.

A 학교에서는 자율과정으로 문해력 교육을 하고자 합니다. 먼저 그 필요성 3가지를 말씀드리겠습니다.

첫째, 학생들의 학습 능력이 향상됩니다. 문해력은 학생들이 교과 내용을 정확히 이해하고, 비판적으로 사고할 수 있는 기초적인 능력입니다. 특히 교과서에서 낯선 단어와 개념을 이해하기 위해 필수적으로 갖춰야 할 사고입니다.

둘째, 창의적 사고력 및 의사소통 능력이 향상됩니다. 글을 읽고 쓰는 능력으로 학생들은 자기 생각을 논리적으로 정리하고 표현하는 능력을 기를 수 있습니다. 이는 다양한 문제 해결 과정에서도 큰 역할을 합니다.

셋째, 삶의 전반적인 적응력을 강화합니다. 문해력은 일상생활에서 정보를 처리하고 의사소통하는 데 필요한 중요한 능력입니다. 높은 문해력은 학생들이 사회에서 원활하게 소통하고, 자신감을 가지고 다양한 상황에 대처할 수 있도록 도와줍니다.

다음으로 교육공동체의 의견을 반영한 구체적인 교육 방안을 말씀드리겠습니다.

첫째, 학습도구어 학습 및 문해력 향상 활동입니다. 이는 학생과 학교 측의 의견 반영한 활동으로, 교과서에서 모르는 단어가 많다는 학생들의 의견을 고려해, 교과 학습 전에 학습할 단어를 카드나 게임 형식으로 만들어 적극적으로 참여해 학습할 수 있도록 설계합니다. 또한, 소모둠으로 나누어 교과서 속 낯선 단어에 대해 스마트 기기를 활용해 직접 조사하고 쉬운 용어로 정리해 온라인 보드에 게시하는 활동을 한다면 학교의 요구대로 협력해 과제를 달성하는 것도 실현할 수 있을 것입니다.

둘째, 에듀테크 활용 글쓰기 활동입니다. 이는 교사와 학부모의 의견을 반영한 교육 활동입니다. 생성형 AI를 활용해 학생들이 직접 글쓰기를 해보는 것입니다. AI에 글감을 주고 초안을 작성해달라고 명령어를 입력해, 그를 기초로 글쓰기를 전개해 나갑니다. 학생들은 흥미를 느끼고 글쓰기 활동에 참여할 수 있으며, 비판적 질문을 던져 생성형 AI로부터 피드백을 얻는 과정에서 사고력을 증진할 수도 있습니다. 이때, 무조건적 수용이 되지 않도록 교사의 피드백과 주변 친구들과의 협력을 통해 글쓰기를 완성한다면 문해력 향상에 더 큰 도움이 될 것입니다. 이상입니다.

03

평가영역	THEME 4. 에듀테크 활용 교육, THEME 6. 정보통신 윤리 교육, THEME 9. 경기공유학교, THEME 14. 문해력 향상 교육
해설	제시문의 키워드인 에듀테크 활용, 지역교육 협력의 방안을 통해 A 학생의 상황을 모두 해결할 수 있어야 한다.

예시 답변 구상형 3번 답변하겠습니다.

A 학생은 게임과 유튜브에 빠져있는 문제, 집중력 부족 문제, 독서 부족 문제가 보입니다. 이러한 문제를 해결하려는 방안을 제시문의 에듀테크 활용과 지역교육 협력 방안에 초점을 맞추어 답변하겠습니다.

먼저 에듀테크 활용한 방안입니다. 스마트 기기를 효과적으로 활용하면 삶의 질을 개선할 수 있습니다. A 학생의 게임 중독과 유튜브 과몰입 문제를 해결하기 위해, 에듀테크를 활용한 자기 관리 프로그램을 적용하겠습니다. 우선 스마트폰 사용 시간 확인 애플리케이션을 통해 A 학생의 활동 시간을 모니터링하고, A 학생이 학습 시간과 휴식 시간을 효과적으로 분리하고 관리할 수 있도록 돕습니다. 불필요한 알림 기능을 해제하고 디지털 디톡스 애플리케이션 등으로 사용을 제한할 수 있게 해 A 학생이 디지털 기기를 과도하게 사용하는 습관을 고치고, 책임감 있는 기기 사용 습관을 기를 수 있도록 합니다. 또한 A 학생이 책을 오래 읽지 못하는 문제를 해결하기 위해 A 학생에게 익숙한 스마트 기기를 활용한 전자책 혹은 오디오북을 활용한 독서 활동을 권장합니다. 이를 통해 독서에 대한 흥미를 높이고, 짧은 시간부터 시작해 점차 책을 읽는 시간을 늘리며 집중력을 기를 수 있습니다.

다음으로 지역교육 협력을 통한 방안입니다. A 학생이 유튜브와 게임에 과도하게 몰입하는 대신, 지역사회의 프로그램 혹은 문화자원을 활용해 건강한 여가 활동을 할 수 있도록 연계합니다. 지역사회 자원과의 협력을 통해 학생이 다양한 오프라인 활동에 참여할 기회를 제공한다면 유튜브와 게임 이외의 다양하고 건강한 여가 활동에 관심을 가질 수 있으며 학습 이외의 시간도 균형 있게 활용할 수 있을 것입니다. 이상입니다.

01

평가영역	THEME 1. 경기형 교직관 수립
해설	학교에서의 어려움, 문제 상황 등을 이야기할 땐 누구나 공감할 만한 수준의 것을 선택해 이야기해야 한다.

예시 답변 즉답형 1번 답변드리겠습니다.

교육 실습생 기간 중 동료 교원들과의 협력에서 가장 어려웠던 점은 한 사건을 해결하기 위해 생각보다 많은 교사들이 협력해야 한다는 점이었습니다. 제가 담당한 학급에 학업중단위기를 겪은 학생이 있었습니다. 이 학생은 흡연, 절도와 같은 문제행동을 동반했습니다. 이 친구를 지도하기 위해 담임교사뿐 아니라 학년부장 교사, 보건교사, 상담교사, 학생안전부 소속 교사 등 많은 인력이 투입된다는 것을 알게 됐고, 담임교사는 그 중심에서 다양한 교원들뿐 아니라 가정과도 소통해야 한다는 것을 새삼 깨달았습니다. 학생을 지도하는 과정에서 서로 교직관과 방식이 달라 마찰이 생기기도 하는 모습을 봤습니다. 이 경우, 학생을 지도하는 것보단 의견을 조율하는 것에 더 많은 시간이 투입되기도 한다는 것을 알았습니다. 학교에서 일어나는 문제와 이를 둘러싼 구성원 간의 갈등을 보며, 교사에게 협업 능력과 의사소통 능력을 강조하는 이유에 대해서 다시 한번 깨닫게 된 계기가 되기도 했습니다.

교사가 돼 비슷한 상황에 직면했을 때 이를 해결하기 위한 방안을 말씀드리겠습니다. 저는 공감적 경청의 자세로 여러 구성원과의 대화를 시도하겠습니다. 구성원들이 의견을 모으는 최종 목표는 학생의 안전하고 건강한 생활을 위한 것입니다. 이것을 잊지 않고, 저의 주장만 내세우는 것이 아닌 서로의 입장을 들어보고 의견을 조율할 줄 아는 열린 자세를 갖출 것입니다. 또한 많은 구성원들과 의견을 조율하는 일이 처음에는 어려울 수 있을 것입니다. 저는 선배교사님께 어려움을 공유하고, 해결 방안에 대해 자문을 구하며 빠르게 전문성을 갖춰가기 위해 노력하겠습니다. 이상입니다.

02

평가영역	THEME 4. 에듀테크 활용 교육, THEME 6. 정보통신 윤리 교육
해설	김 교사의 문제점, 김 교사가 우려하고 있는 부분에 대한 해결 방안을 모두 제시해야 한다.

예시 답변 즉답형 2번 답변드리겠습니다.

제시문의 김 교사는 스마트 기기 활용 수업에 소극적이며, 학생의 가능성을 잘 믿지 못한다는 문제가 있습니다. 수업에 앞서 김 교사는 긍정적인 학생관을 가져야 합니다. 교사의 생각은 행동으로 드러나기 때문입니다.

김 교사가 우려하고 있는 부분을 해결할 수 있는 수업 방안을 제시하겠습니다.

먼저 김 교사는 에듀테크를 사용하는 것에 의문을 가지고 있습니다. 교과서나 유인물을 디지털화한다면 학생들의 분실 우려가 사라질 수 있고, 중간중간 형성 평가 기록이 데이터로 누적돼 성장 정도를 확인하는 데에도 도움이됩니다. 따라서 평가 영역에서 김 교사에게 에듀테크 활용의 장점을 보여준다면, 마음을 바꿀 수 있을 것입니다.

다음으로 김 교사는 학생들이 수업에 참여하지 않을까 봐 걱정하고 있습니다. 이를 해결하기 위해 수업 시작 전에 규칙을 다 같이 정하는 시간이 필요합니다. 스마트 기기는 학습 용도로 사용할 것, 생성형 AI를 활용할 때는 비판적으로 수용할 것 등 학생들과 함께 사용에 관한 수칙을 작성해 게시판에 걸어둔다면 보다 책임감 있게 사용할 수 있을 것입니다.

마지막으로 스마트 기기 의존도가 높아지는 문제를 해결하기 위해 스스로 사용 내용을 성찰하는 시간을 부여해야 합니다. 불필요하거나 과도하게 사용하진 않았는지 월말 성찰 시간을 부여하고 계획을 수립하는 시간을 부여한다면 과의존 문제를 미리 방지할 수 있을 것입니다. 이상입니다.

🎯 추가 즉답형(비교과)

03

평가영역	THEME 36. 마약·도박·디지털 성범죄 예방 교육
해설	선택형 문제이므로 이유를 제시하면 좋다.

예시 답변 즉답형 3번 답변드리겠습니다.

저는 디지털 성범죄 예방 교육을 선택해 구체적인 교육 방안을 제시하겠습니다. 몇 달 전, 딥페이크 기술을 악용한 디지털 성범죄 문제가 발생했습니다. 디지털 성범죄 문제는 경각심을 놓치기 쉬운 부분이지만 유포, 재배포, 영구 소장 등의 2차 피해가 생길 수 있는 심각한 문제로, 예방과 대응 능력을 키우는 것이 중요하기 때문입니다.

구체적인 교육 방안은 다음과 같습니다.

첫째, 디지털 성범죄의 이해와 인식 개선 교육을 시행하겠습니다. 디지털 성범죄의 정의, 유형 그리고 사례를 설명하고, 문제 상황에서 어떻게 대처해야 하는지에 대해 교육하는 것입니다. 단순 강의식 수업으로 끝나지 않도록 학생들이 직접 참여할 수 있는 퀴즈를 넣어 참여도를 강화하겠습니다.

둘째, 디지털 성범죄 대응 능력 향상 교육을 하겠습니다. 예방이 가장 중요하지만, 혹시나 범죄에 노출됐을 때 신속한 대응도 무엇보다 중요합니다. 학생들에게 신뢰할 수 있는 상담처와 연락처를 제공하고, 문제 발생 시 신고하는 방법과 절차를 안내하겠습니다. 이후 가상 시나리오를 제공해 실제 상황에서 어떻게 대처할 수 있는지 모의 훈련을 해보겠습니다.

마지막으로 디지털 기기 사용에 대한 윤리교육을 하겠습니다. 디지털 기기는 인류의 발전을 가져다주기도 하지만 성범죄를 비롯한 다양한 사회 문제를 일으키기도 합니다. 윤리적 사용이 될 수 있도록 토의 수업을 통해 디지털 기기 사용 규칙을 정하고, 학생들이 각자 사용 계획을 작성해 자신의 디지털 기기 사용 습관을 점검하고 개선하도록 하겠습니다. 이상입니다.

04

평가영역	THEME 22. 경기형 공간 재구조화
해설	경기도교육청에서 제시한 미래형 교육 공간의 취지에 걸맞은 답변을 해야 한다.

예시 답변 즉답형 4번 답변드리겠습니다.

미래형 학교를 구성할 때 학교숲, 교실숲, 생태 텃밭, 옥상 정원 등 자연 친화적 생태 공간이 필요하다고 생각합니다. 그 이유는 다음과 같습니다.

첫째, 이 공간을 통해 학생들은 환경 보호와 지속 가능성의 중요성을 직접 체험할 수 있고 자연 생태계와의 상호작용을 통해 환경 문제에 대한 인식을 높이고, 책임감을 느낄 수 있습니다.

둘째, 학생들의 전인적 성장을 위해 필요합니다. 미래 사회에는 복잡한 사회 문제가 발생하고 다양한 사람들의 만남이 예상됩니다. 이때 문제해결력을 갖춘 유연한 사람이 필요합니다. 자연 친화적 생태 공간에서 학생들은 인간중심의 사고에서 벗어나 유연한 생각을 기를 수 있으며 폐쇄적인 공간을 벗어나 자유로운 공간에서 창의적인 생각을 향상할 수 있을 것입니다.

마지막으로 자연 친화적 생태 공간은 학교가 지속 가능한 미래를 위한 모델이 되는 데 기여합니다. 이 공간을 통해 학교는 에너지 효율성, 자원 절약, 폐기물 관리 등 지속 가능한 실천을 하게 됩니다. 학생들은 이를 통해 지속 가능한 생활 방식을 배우고, 환경 문제 해결을 위한 창의적이고 실용적인 접근 방법을 이해해 미래 사회에서 환경 문제를 효과적으로 해결하는 데 중요한 기초가 될 것입니다.

미래형 학교에서 자연 친화적 생태 공간은 단순한 미적 요소를 넘어 교육적, 건강적, 지속 가능성 측면에서 필수적인 역할을 하리라 생각합니다. 이상입니다.

실전 모의고사 2회 자기 평가		
체감 난도	상 중 하 ➜ 원인 파악:	
스터디원의 피드백	잘한 부분	
	부족한 부분	
내용 이해도가 부족한 THEME	THEME 번호	
	보완 계획	

개별면접 3회

📖 문제 p.326

🎯 구상형

01

평가영역	THEME 2. 교사 전문성 및 미래교육 역량 강화, THEME 3. 새로운 경기교육
해설	선택에 대한 이유를 제시하면 설득력을 줄 수 있다.

예시 답변 구상형 1번 답변드리겠습니다.

저는 제시문의 미래 사회 변화 모습 중 저출산·고령화·다문화 사회를 고르겠습니다. 왜냐하면 이미 지방뿐 아니라 수도권에서도 학령인구 감소로 인해 학교가 폐교되거나 통폐합되는 문제가 발생하고 있으며, 다문화 가정 학생의 비율이 지속적으로 증가하는 모습을 보이고 있기에 학교에서 중점적으로 이 문제에 대해 고민해야 한다고 생각하기 때문입니다.

우선 구체적인 미래 사회상은 다음과 같습니다. 미래 사회에는 노동 인력 부족으로 인해 생산성이 저하되거나 이를 대체하기 위해 많은 부분이 자동화될 것이며, 이에 따라 노동 여건이 변화될 것입니다. 또한 다문화 사회로의 가파른 진입은 다양한 문화적 배경을 가진 사람들이 공존하게 만들어 문화적 차이가 사회 문제로 대두할 수 있습니다. 이러한 것을 고려해 교육에서 필요한 내용은 다음과 같습니다. 획일적인 교육이 아닌 사회 변화에 대응할 수 있는 개인 맞춤형 교육 기회를 제공하면서도 그것이 개인주의로 흐르지 않도록 포용적인 인재를 양성할 수 있어야 합니다. 이와 관련한 교사의 역량을 3가지 말씀드리겠습니다.

첫째, 진단 및 평가 역량입니다. 학생 개개인의 학습 스타일, 능력, 관심사 그리고 학습 수준을 정확하게 파악하고 평가해 학생의 강점과 약점을 이해하고, 맞춤형 학습 계획을 수립할 수 있어야 합니다. 또한 학생들과 효과적인 소통을 통해 학습 상황을 피드백하고, 학습에 대한 자신감을 높이며, 학습 과정에서 겪는 어려움을 해결하는 데 도움을 줄 수 있어야 합니다. 둘째, 기술 활용 역량입니다. 개인 맞춤형 교육을 위해서는 교사의 감식안도 중요하지만, 인공지능을 활용할 때 더욱 빠르고 정확한 진단이 가능합니다. 따라서 최신 교육 기술과 도구를 활용해 개인별 맞춤형 학습을 제공할 수 있어야 합니다. 셋째, 다문화 이해 역량입니다. 학생들에게 다문화 이해 역량을 길러주기 위해서는 저부터 편견에 휩싸이지 않아야 합니다. 이를 통해 다문화 사회를 살아가는 학생들에게 건강하고 포용적인 태도를 길러줄 수 있어야 합니다. 이상입니다.

02

평가영역	THEME 25. 사유하는 학생·깊이 있는 수업, THEME 26. 역량 기반 학생평가, THEME 27. 수업 전문성 강화
해설	성찰 노트 속 문제 상황을 짚고, 이를 해결하기 위한 방안을 제시해야 한다.

예시 답변 구상형 2번 답변드리겠습니다.

먼저 3월 성찰 노트 속 고민 해결 방안을 제시하겠습니다. 성찰 노트에는 정답에 집중한 수업, 즉 결과 중심 수업을 지향하는 서준이의 모습이 담겨있습니다. 이를 위해 교사는 학생 중심 수업, 과정 중심 수업의 취지를 먼저 학생들에게 설명해야 합니다. 취지를 모르고 교육 활동에 참여할 때 학생이 정립해 놓은 가치관에 의존해 교육 활동 내용을 판단하는 문제가 생길 수 있습니다. 따라서 정답이 아닌 과제를 해결해 나가는 과정의 중요성과 학생에게 발달할 수 있는 사고력, 문제해결력 측면에서의 장점에 대해 충분히 이야기한 후 활동으로 이어가야 합니다.

다음으로 성찰 노트 4월에는 교사의 피드백을 불편해하는 영우의 모습이 담겨있습니다. 피드백을 제공할 때는 서로 신뢰 관계가 형성된 후에 시도해야 하며, 피드백의 목적, 취지에 대한 공감대를 먼저 형성한 후 시행해야 합니다. 또한 피드백하는 과정이 학생의 약점을 드러내는 것이 아닌, 성장을 위한 과정임을 안내한 후 시작해야 학생이 수용할 수 있습니다. 피드백할 때는 학생을 존중하는 어조를 사용해야 하며, '영우의 발표문은 몇 가지 문제점이 있구나.'와 같은 이인칭 형식이 아닌 '선생님은 영우의 작품에서 ~을 발견할 수 없었어'. '이 발표문에는 ~가 없구나!'와 같이 일인칭이나 삼인칭을 사용해야 합니다. 이렇게 한다면 영우가 불편해하는 문제를 해소할 수 있을 것입니다.

마지막으로 6월 성찰 노트에는 배움이 느린 이찬이와 이찬이를 이해하지 못하고 비난하는 친구들의 상황이 담겨있습니다. 모둠 활동에 앞서 배움의 속도에 차이가 있는 것은 자연스러운 일이며, 서로 협력했을 때 동반 성장할 수 있음을 안내하고, 협력이 이찬이뿐 아니라 조원 전체에게 도움이 될 수 있음을 안내해야 합니다. 그렇게 한다면 원활한 모둠활동이 될 수 있을 것입니다. 이상입니다.

03

평가영역	THEME 5. 디지털 역량, THEME 14. 문해력 향상 교육
해설	제시문 속 시사점을 정확하게 분석해 이에 적합한 교육 방안을 제시해야 한다.

예시 답변 구상형 3번 문제 답변드리겠습니다.

제시문 속 우리나라의 PISA 읽기 평균 점수는 다른 나라에 비해 높지만, 사실과 의견을 식별하는 역량은 현저하게 낮은 것으로 보입니다. 즉, 이 자료는 학생들에게 리터러시 역량이 필요함을 시사하고 있습니다. 우리나라 학생들은 인터넷 인프라를 갖춘 환경에 노출돼 있지만, 허위 정보나 필터 버블 현상에 대처할 수 있는 디지털 리터러시 역량이 낮습니다. 따라서 학교에서는 학생들의 문해력 교육 및 디지털 리터러시 교육을 강화해야 합니다. 이를 위해 '우리 조 정보 찾기 습관 되짚기' 수업 방안을 생각해 보았습니다.

먼저, 학급을 소모둠으로 나눠, 태블릿을 통해 수업 내용과 관련한 영상 및 기사 내용을 찾아 팅커벨과 같은 온라인 보드에 게시한 후 그 자료가 신뢰 있는 자료인지 근거를 들어 분석하게 합니다. 이후 학급 친구들과 공유된 자료를 보며, 모둠에서 정립한 자료의 신뢰도 기준이 적합한지 함께 분석해 보는 시간을 갖습니다. 이 과정에서 교사는 유의미한 질문을 통해 정보를 올바르게 획득하는 방법을 학생들이 깨달을 수 있도록 사고력을 자극합니다. 그 후 정보 습득 기준을 구글 협동 문서로 정리하게 합니다. 이러한 기준에 맞게 다시 정보를 찾아 링크를 게시하고 느낀 점을 토의로 공유하도록 합니다. 이 과정을 통해 인터넷 속 정보를 모두 사실로 알거나 조회수, 구독자 수를 기준으로 신뢰도를 평가하는 습관을 개선할 수 있으며 정보의 진위를 스스로 판단할 수 있는 리터러시 역량을 강화할 수 있을 것입니다. 이상입니다.

🎯 즉답형

01

평가영역	THEME 45. 갈등 문제, THEME 47. 학부모와의 소통 및 연대
해설	문제의 조건인 '교육공동체 연대의 방향'으로 해결해야 한다.

예시 답변 즉답형 1번 답변드리겠습니다.

제시문 상황은 A 학생이 친구들의 감정을 상하게 해 지도를 받았고, 학부모님은 지도 방식을 지적하며 A 학생의 문제에 개입하지 말 것을 요구하고 있는 갈등 상황입니다. 이를 교육공동체의 연대 방향으로 해결하도록 하겠습니다.

첫째, 서로 존중하는 학급 분위기를 형성하는 것이 중요합니다. A 학생뿐 아니라 학급 차원에서 서로 비난하거나 기분 나쁜 말을 하는 것을 예방하도록 고운 말 쓰기 프로젝트, 서로 감사 편지 보내기 프로젝트를 시행한다면 서로 배려하고 상호존중하는 분위기를 만들 수 있을 것입니다.

둘째, 학부모님과의 진솔한 소통을 통해 문제 상황을 공유해야 합니다. A 학생이 지속해서 지적받는 상황이 불편하게 느껴지는 것을 공감하지만, 지속적으로 A 학생을 지도할 수밖에 없었던 구체적인 상황을 안내하며 지도의 목적이 A 학생을 비난하기 위해서가 아니라, A 학생의 성장을 위한 것임을 이해시킬 수 있어야 합니다. 또한 이런 일을 방지하기 위해 학교 차원에서 학부모 교육을 해 교사의 교육 활동을 존중하고 서로 신뢰할 수 있는 분위기를 구축할 필요성이 있습니다.

셋째, 학교 차원에서 상호존중 토론회와 캠페인을 개최하면 도움이 될 것입니다. 교육공동체의 연대와 상호존중이 있어야만 학생들이 올바른 방향으로 성장할 수 있고, 구성원들이 상처 없이 교육 활동을 할 수 있음을 인지할 수 있도록 교육공동체 토론회와 학생 중심 캠페인 활동을 진행하는 것입니다. 이렇게 한다면 제시문 속 교사의 문제를 해결하는 데 도움이 될 것입니다. 이상입니다.

02

평가영역	THEME 11. IB 교육과정
해설	그 역량을 제시한 이유를 밝혀 답변에 신뢰를 부여하면 좋다.

에시 답변 즉답형 2번 답변드리겠습니다.

IB 교육과정을 효과적으로 운영하기 위해 교사가 갖추어야 할 역량과 그 역량을 강화하기 위한 계획은 다음과 같습니다. 먼저 교사에게 필요한 역량입니다.

첫째, 탐구 기반 학습 설계 역량입니다. IB 교육은 학생들에게 질문을 통해 학습하는 접근법을 중시합니다. 따라서 교사는 탐구 기반 학습을 설계하고, 학생들이 호기심을 가지고 학습할 수 있는 환경을 조성할 수 있어야 합니다.

둘째, 다양성 존중 및 협력 역량입니다. IB 교육은 타인의 생각을 인정하고 존중하는 태도를 강조합니다. 교사가 다양한 배경을 가진 학생들이 협력하며 서로의 관점을 이해하고 존중할 수 있도록 지도하기 위해서는 먼저 이러한 역량을 갖추고 있어야 합니다.

셋째, 자기주도학습 지원 역량입니다. IB 교육과정은 학생들이 스스로 학습 목표를 설정하고, 자율적으로 학습을 진행합니다. 따라서 교사는 학생들의 자기주도학습을 격려하고, 필요한 자원을 제공할 수 있어야 합니다.

다음으로, 역량 강화 계획을 말씀드리겠습니다.

첫째, 동료 교사들과 협업하겠습니다. 혼자 학습을 설계하는 것보다 다양한 교과군이 모여 탐구 기반 학습을 설계할 때 다양하고 창의적인 의견이 나올 수 있을 것입니다. 함께 모여 학생들의 비판적 사고력 강화와 탐구 기반 학습 설계 방안을 모색하고 실천하겠습니다.

둘째, 교실에서 다양성 및 포용력을 키우는 수업이나 교육 활동을 시행하겠습니다. 학생들의 다양한 배경과 의견을 반영한 수업을 설계하고, 모둠 활동을 통해 협력과 존중을 경험할 기회를 제공해 다양성과 협력의 가치를 내면화하겠습니다.

마지막으로 자기 평가 및 개선 계획 수립에 힘쓰겠습니다. 다양한 교육 활동을 일회성으로 끝내지 않고, 성찰하는 시간을 갖겠습니다. 또한 학생들에게 피드백받는 시간을 포함해 수업 방법을 조정하고, 효과적인 교육 전략을 지속적으로 발전시키겠습니다. 이상입니다.

🎯 추가 즉답형(비교과)

03

평가영역	THEME 2. 교사 전문성 및 미래교육 역량 강화, THEME 3. 새로운 경기교육
해설	경기도교육청 교육감이 직접 밝힌 내용이므로, 그 내용의 범위 안에서 답변해야 경기 교사의 지향점과 일치한다.

예시 답변 즉답형 3번 답변드리겠습니다.

경기교육의 지향점을 고려해 미래에도 지속돼야 하는 교육, 중단해야 하는 교육, 새롭게 만들어갈 교육을 말씀드리겠습니다.

먼저 계속해야 할 교육은 기본 인성교육입니다. 급격한 사회 변화와 기술 발전에도 불구하고 기본 인성교육은 학생들이 다양한 사회적 상황에 적응하고, 복잡한 문제를 윤리적으로 해결할 수 있는 능력을 기르는 데 도움을 줍니다. 인성교육을 통해 학생들은 자신의 가치관을 형성하고, 사회적 변화에 더 잘 적응할 수 있을 것입니다.

중단해야 할 것은 문제 푸는 기술에 집중하는 것입니다. 단순히 문제 푸는 기술에 집중하면 학생들이 실제 문제를 해결하는 데 필요한 전반적인 사고력과 창의성을 개발하지 못할 수 있습니다. 현대 사회에서는 복잡한 문제가 발생할 것입니다. 이를 해결하기 위해 보다 넓은 사고와 다양한 기술이 필요하기에 단순히 문제 푸는 기술을 가르치는 교육은 중단돼야 합니다.

새롭게 만들어야 할 것은 체력 향상입니다. 체력 향상 교육은 학생들이 건강한 생활 습관을 형성하는 데 도움을 줍니다. 어린 시절부터 규칙적인 운동을 습관화하면, 성인이 됐을 때도 건강한 생활 습관을 유지할 가능성이 높아집니다. 특히 고령화 사회가 예견되며 평생 건강의 측면에서 자신의 체력을 단련해 나갈 수 있는 능력은 매우 중요합니다. 따라서 체력 향상을 위한 교육이 새롭게 발전돼야 합니다.

현장에 나아가 경기교육의 지향점을 이해하고, 이에 걸맞은 교육을 할 수 있는 교사가 되겠습니다. 이상입니다.

04

평가영역	THEME 45. 갈등 문제
해설	제시문을 분석한 후 적합한 해결 방안을 제시해야 한다.

예시 답변 즉답형 4번 답변드리겠습니다.

제시문을 보면, A 학교의 교직원 회의를 통해 공동으로 협의한 내용에 B 교사는 다른 의견을 가지고 생활지도에 불참 의사를 밝히고 있습니다. 이러한 갈등 상황을 해결하는 방안을 말씀드리겠습니다.

생활지도는 모든 교사가 연대해 노력해야만 효과적으로 진행할 수 있습니다. 우선 B 교사에게 이러한 의사를 전달하기 전에, 생활지도를 할 수 없다고 말하는 개인적인 이유가 있을 수 있기에 그 견해를 들어보도록 하겠습니다. 어려운 점을 공감하고 경청했다면, B 교사도 저의 이야기를 들을 준비가 됐을 겁니다. B 교사에게 생활지도 교사만 학생을 지도할 때 생길 수 있는 문제에 대해 진술하게 말씀드리고 함께 이야기를 나눠보겠습니다. 한 교사만 생활지도에서 빠졌을 때 생길 수 있는 문제 상황 등을 나누며 합의점을 찾아가도록 하겠습니다. 추후 교사 협의회 등을 통해 함께 의견을 나누어보며 생각을 공유한다면 효과적인 해결책이 나올 수 있을 것입니다.

현직에 나아가 공감적 경청과 나-전달법, 공동체와 협력의 방안으로 갈등의 상황을 원만하게 해결해 나가는 교사가 되겠습니다. 이상입니다.

실전 모의고사 3회 자기 평가		
체감 난도	상 중 하 ➡ 원인 파악:	
스터디원의 피드백	잘한 부분	
	부족한 부분	
내용 이해도가 부족한 THEME	THEME 번호	
	보완 계획	

🎯 구상형

01

평가영역	THEME 1. 경기형 교직관 수립
해설	교육과정의 특징과 성취 기준을 반영한 내용을 제시해야 한다. 이때 학생이 자기주도적으로 활동할 수 있는 방안을 포함해야 취지에 적합하다.

예시 답변 '기초소양의 토대 위에 역량을 함양하는 교육과정'을 기반으로 한 체육교육 방안은 다음과 같습니다. 체육 교과의 성취 기준에는 '자신의 신체 조건이나 체력에 맞게 운동 처방 계획을 수립하고 안전하게 실천한다.'라는 내용이 있습니다. 저는 이를 달성하기 위해 먼저 학생들이 주도적으로 자신의 운동 계획을 수립하도록 지도하겠습니다. 이를 위해 학생들이 자신의 신체 조건과 체력을 객관적으로 평가할 수 있는 다양한 체력 측정 활동을 진행합니다. 이를 바탕으로 학생 스스로 자신의 운동 목표와 계획을 설정하도록 지도합니다. 이를 통해 자기주도적학습 능력을 키우고, 학생들의 책임감을 높이는 기회를 제공할 수 있을 것입니다. 이때 저는 교사로서 학생들과 일대일 상담을 병행해 맞춤형 운동 프로그램을 추천하겠습니다. 체력 유형에 따라 고강도, 중간 강도, 저강도 운동 프로그램을 나눠 제시하고, 각 학생이 자신의 능력에 맞는 프로그램을 선택할 수 있도록 하는 것입니다. 이를 통해 체육 수업에서 개별화된 학습 경험을 할 수 있으며, 개인의 특성에 맞는 목표를 정하고 달성할 때 성취감을 느낄 수 있을 것입니다.

마지막으로 안전 계획을 수립하도록 하겠습니다. 운동 계획을 실천하는 과정에서 안전이 중요하기 때문에, 운동 전후 스트레칭의 중요성, 운동 기구 사용법 등을 체계적으로 교육한 후 실시간 피드백을 통해 안전한 운동 수행을 장려하고, 스스로 운동 중에 일어날 수 있는 위험 상황을 예방할 수 있게 하겠습니다. 이러한 방안을 통해 학생들은 체육 역량을 키우고, 자기주도학습과 실생활에 필요한 체력 증진, 안전한 실천을 모두 충족할 수 있을 것입니다. 이상입니다.

02

평가영역	THEME 40. 문제행동 학생, THEME 45. 갈등 문제
해설	제시된 교단 일지 내용을 분석하고, 이를 해결하기 위한 교육공동체의 역할을 언급해야 한다.

예시 답변 A 교사는 불안장애와 우울증을 겪는 학생, 비협조적인 학부모, 도움을 주지 않는 동료 교사로 인해 어려움을 겪고 있습니다. 이 문제를 공동의 문제로 인식하고, 이 상황을 해결하기 위한 교육공동체의 역할을 제시하겠습니다.

첫째, 동우를 위해 A 교사뿐 아니라 상담교사, 보건교사가 연대하면 좋습니다. 동우가 겪는 불안, 우울, 자해 시도 등의 상황을 심리 측면과 건강 측면에서 전문적으로 분석하고 관련 도움을 줄 수 있어야 합니다.

둘째, 동우의 학부모는 A 교사를 존중하고 신뢰하며 협조하려는 태도가 필요합니다. 학생의 성장은 학교 교육뿐 아니라 가정과의 연대가 있을 때 효과적이기에, 동우의 상황이 속상해 누군가를 탓하고 싶은 점은 이해하지만, 교사에게 책임을 묻기보다 서로 협력해 문제를 해결하려는 마음을 지녀야 합니다.

마지막으로 동료 교사들은 신규 교사의 어려움을 이해하고, 교직 노하우를 통해 A 교사에게 조언할 수 있어야 합니다. A 교사는 학교 경험이 부족하기에, 협력 체제에 대한 실질적 이해가 부족하거나 예상치 못한 상황에서 효과적인 대응 방안이 빠르게 떠오르지 않을 수 있습니다. 동료 교사들은 신규 교사의 어려움을 헤아리고, 학교생활에서 공동으로 해결해야 할 문제로 인식하고, 함께 협의해 해결 방안을 모색할 수 있어야 합니다. 이상입니다.

03

평가영역	THEME 4. 에듀테크 활용 교육
해설	상황을 한 문장으로 정리한 후 해결 방안을 전개한다면, 문제 분석력을 보여줄 수 있을 것이다.

예시 답변 구상형 3번 답변드리겠습니다.

제시문의 이 교사는 생성형 AI를 활용한 수업을 하고자 하지만, 나원이는 이 경우 자신의 창의성이 저하될 수 있다고 문제를 거론하고 있는 상황입니다. 이 문제 상황을 해결하기 위한 방안을 말씀드리겠습니다.

나원이가 생성형 AI를 활용한 글쓰기 활동에 의문을 제기했다는 것은 이 교사가 이 활동의 취지를 학생들에게 충분히 설명하지 않은 것이라고 볼 수 있습니다. 그럴 경우, 생성형 AI가 글쓰기를 대신해 준다고 판단할 수 있어 학생들의 창의력을 저해할 수 있다는 우려가 생길 수 있습니다.

따라서 활동 전, 생성형 AI의 적절한 활용으로 창의력을 촉진할 수 있는 방안을 설명해야 합니다. 예를 들어, 생성형 AI는 아이디어 생성의 출발점으로 사용될 수 있으며, 학생들이 이를 바탕으로 독창적인 생각을 발전시킬 수 있다는 점과 AI를 활용해 초안을 작성하고, 인간의 비판적인 질문을 통해 글의 내용을 수정 및 발전시키는 과정에서 사고력과 창의적 사고를 증진할 수 있다는 내용을 말해야 합니다.

나원이에게도 생성형 AI의 답변을 그대로 수용한다면, 나원이가 우려하는 상황이 생길 수 있지만, 이 활동은 생성형 AI를 통해 글쓰기의 기초적인 구조나 주제를 정하고, 실제 글쓰기 활동은 스스로 작성하는 것이므로, 창의성 저하의 문제를 걱정하지 않아도 된다고 이야기해야 합니다. 이를 통해 나원이와 같은 학생들이 생성형 AI를 주도적으로 활용해 창의력을 발전시킬 수 있을 것이며, 기술을 대하는 긍정적인 태도를 형성하는 데 기여할 수 있을 것입니다. 이상입니다.

즉답형

01

평가영역	THEME 3. 새로운 경기교육
해설	경기교육과 유네스코에서 바라본 교사에 대한 관점이다. 공통 요소를 찾고, 그 근거를 제시해야 답변에 신뢰를 줄 수 있다.

예시 답변 즉답형 1번 답변드리겠습니다.

경기교육과 유네스코에서 바라본 교사에 대한 공통적인 관점은 전문성을 갖췄다는 점입니다. 두 기관 모두 교사가 높은 수준의 전문성을 갖추어야 한다고 강조하고 있으며, 이는 미래교육의 역량 강화와 사회 변화에 대한 핵심 역할 수행을 위해 필수적입니다.

신규 교사로서 전문성을 갖추기 위한 노력 방안을 3가지 말씀드리겠습니다.

첫째, 교육 관련 최신 지식과 기술을 지속적으로 배우고 실천하겠습니다. 미래 사회 변화에 발맞추어 IB 교육과정, 에듀테크 활용 교육, 논·서술형 평가 등에 관련한 연수의 중요성이 강조되고 다양한 교사 교육 프로그램이 개최되고 있습니다. 온·오프라인 연수에 참여해 교육 관련 연구를 게을리하지 않겠습니다.

둘째, 동료 교사와 협업하겠습니다. 경기교육에서 미래교육을 위해 추진하고 있는 학교자율과제, 교사교육과정은 교사 혼자의 힘으로는 효과적으로 달성하기 어렵다고 생각합니다. 동 교과 교사나 전문적 학습공동체를 구성해 성취 기준을 중심으로 함께 교수학습 내용을 기획하고 현장에 도입하며 성찰하고 보완해 나가겠습니다.

셋째, 지역사회 자원을 활용하겠습니다. 지역사회 이슈를 주제로 한 프로젝트나 토론 수업을 도입하고, 지역사회와 협력해 학생의 문제 해결을 돕는 과정을 통해 학생들의 시민의식을 강화하겠습니다. 이를 위해 지역사회 자원에 대해 충분히 이해하고, 이를 교육에 적재적소에 활용할 수 있게 하겠습니다.

이러한 노력을 통해 전문성을 갖춘 교사로 거듭나겠습니다. 이상입니다.

평가영역	THEME 16. 학교 구성원의 권리와 책임
해설	방어적인 태도나 아직 오지 않은 문제를 걱정하는 태도보다 상호존중의 자세를 갖추고 교사 자존감이 느껴지는 답변을 하는 것이 좋다.

예시 답변 즉답형 2번 답변드리겠습니다.

학교 구성원 간의 상호존중에 관한 설문조사에서 학생들은 90% 이상 긍정적이라고 응답했지만, 교원들의 긍정적 응답률은 학교급에 상관없이 모두 40% 미만이라는 결과가 나왔습니다. 상호존중 문화에 대한 학생과 교원 간 의견 차이가 존재하는 것으로 보아 구성원 간의 상호존중이 잘 되고 있지 않으며, 문제 상황에 대한 공유가 되고 있지 않은 것으로 보여집니다. 이와 관련해 신규 교사로서 자세와 다짐을 말씀드리겠습니다.

첫째, 상호존중의 자세를 바탕으로 학생과 교육공동체 구성원을 존중하되, 저 또한 존중받는 교사가 될 수 있도록 교사 자존감과 교직 철학을 바탕으로 신념 있는 교직 생활을 하며 솔선수범하겠습니다.

둘째, 상호존중 분위기를 형성하기 위해 학급 회의, 교육공동체 회의에 적극 참여해 다른 구성원의 의견에 귀 기울이면서 입장을 경청한 후 교사의 입장을 나–전달법으로 진솔하게 표현해 서로 존중하는 분위기를 형성하는 데 이바지할 것입니다.

셋째, 상처받는 일이 생길 때, 교사 자존감을 바탕으로 상처를 방치하지 않고 상담, 힐링캠프, 교육공동체에게 도움 요청 등의 방식으로 상처를 적극 치유하기 위해 노력할 것이며 상처 없는 학교 문화를 만들기 위해 구성원과 주기적으로 소통하겠습니다. 이상입니다.

🎯 추가 즉답형(비교과)

평가영역	THEME 27. 수업 전문성 강화
해설	교직관을 그냥 이야기하지 말고, 교직관이 만들어지게 된 계기, 스토리를 부여하면 진정성을 줄 수 있다.

예시 답변 즉답형 3번 답변드리겠습니다.

저는 수업 첫 시간에 제가 교사가 된 이유와 함께 제 교육철학을 소개해 학생들과 신뢰 관계를 형성하고 싶습니다. 저의 교직관은 학생과 함께 소통하며 동반 성장하는 교사가 되는 것입니다. 저는 고등학교 2학년 때 학교생활에 잘 적응하지 못해 방황을 심하게 하던 학생이었습니다. 그때 보건 선생님께서 저의 표정이 좋지 않은 날엔 항상 이유를 물어봐 주시며, 비타민을 주실 때도 있었고, 응원의 인사도 건네셨는데 그때 용기를 많이 얻어 학교에 잘 적응하게 됐습니다. 이때 저는 선생님과 같은 보건교사가 돼, 학생들의 아픈 곳을 치료해 주는 것을 넘어 아픈 마음까지 어루만져주고 싶다는 꿈을 꾸게 됐습니다.

하지만, 교육 실습생 시절에 바쁘게 돌아가는 학교 문화에 잘 적응하지 못하고 체력적으로 너무 힘이 들어 학생들의 마음을 돌볼 기회가 부족했습니다. 그때, 옛 기억을 더듬으며 지도 교사분의 도움을 받아 학생들과 이야기할 수 있는 시간을 마련했습니다. 보건실에 찾아오는 학생들의 목소리에 귀 기울이며, 학생들이 어려워하는 점, 필요로 하는 점을 알 수 있게 됐고 학생을 이해하게 되니 바쁜 학교생활에 활력이 생겨 즐거운 마음으로 일할 수 있었습니다. 학생과의 대화를 통해 저도 같이 성장한 것입니다. 이렇듯 저는 학생과의 소통을 통해 성장의 가치를 아는 사람입니다. 앞으로도 학교생활을 하며, 학생들 목소리에 귀 기울이고 같이 많은 이야기를 나누며 좋은 모습으로 성장하고 싶다는 것을 첫 시간에 이야기해 주고 싶습니다. 이상입니다.

04

평가영역	THEME 40. 문제행동 학생
해설	흡연, SNS 업로드, 등교 거부, 가정 협조라는 제시문 속 키워드에 대한 해결 방안이 모두 포함돼야 한다.

예시 답변 즉답형 4번 답변드리겠습니다.

상담교사로서 교육공동체와 연대해 A 학생을 조력할 방안을 말씀드리면 다음과 같습니다. 먼저 담임교사와 협력해 A 학생과의 정기적인 개별 상담을 진행하겠습니다. 학생의 감정과 고민을 경청해 학생이 자신의 문제를 스스로 이야기할 수 있게 하겠습니다. 학생이 느끼는 불안이나 스트레스를 공감하되, SNS에 흡연 장면을 올리는 것은 불특정 다수에게 빠르게 유포되는 문제가 있을 수 있기에 주의할 것을 안내하겠습니다. 또한 담임교사와 함께 학교 내에서 A 학생이 참여할 수 있는 다양한 활동을 고민해 보겠습니다. A 학생이 공동체 생활을 할 수 있도록 학급 활동을 한다거나, 등교해 학습에 참여한 날은 칭찬을 통해 긍정적 강화하는 방식을 통해 학습 동기와 학교생활에 관한 관심을 회복할 기회를 제공하겠습니다. 다음으로 보건교사와 연대해 흡연 예방 교육에 A 학생을 참여하게 해, 흡연의 위험성과 중독성에 대해 깨달을 수 있게 하겠습니다. 이를 통해 학생이 흡연의 해로움을 이해하고, 금연 결심을 도울 수 있을 것입니다. 가정과도 연계를 강화하겠습니다. 가정에서도 학생을 지도하는 일이 힘들겠지만, 가정과 학교가 함께 학생을 이해하고 조력할 때 올바른 성장이 가능하다는 것을 말씀드리고 학생의 문제 해결에 적극적으로 참여할 것에 대해 안내하겠습니다.

현장에 나아가서도 저의 전문성을 바탕으로 교육공동체와 연대해 학생을 조력하는 교사가 될 것을 약속드립니다. 이상입니다.

실전 모의고사 4회 자기 평가		
체감 난도	ⓢ ⓜ ⓗ ➡ 원인 파악:	
스터디원의 피드백	잘한 부분	
	부족한 부분	
내용 이해도가 부족한 THEME	THEME 번호	
	보완 계획	

🎯 구상형

01

평가영역	THEME 4. 에듀테크 활용 교육, THEME 5. 디지털 역량
해설	ERRC 모형과 자료 2의 내용을 모두 반영한 실현 방안이어야 한다.

예시 답변 구상형 1번 답변드리겠습니다.

자료 1의 ERRC 분석 모델을 참고해, 자료 2에서 제시한 디지털 교육의 실현 방안을 담임교사와 교과교사로서 각각 2가지씩 제시하겠습니다.

먼저 담임교사로서의 실현 방안입니다. 첫째, 학생들의 디지털 기기 과의존을 줄이기 위해 균형 잡힌 학습 환경을 제공하겠습니다. 학생들이 디지털 기기를 활용해 학습하는 시간과 일반적인 학습 방식을 적절히 조합해, 스스로 시간 관리를 할 수 있도록 함께 계획을 수립하는 시간을 갖고 적절한 피드백을 하겠습니다.

둘째, 학생의 수준과 필요에 맞는 디지털 플랫폼, 온라인 콘텐츠를 적극 추천하겠습니다. 학생 개개인의 학습 데이터를 바탕으로 학생들의 성취 수준에 적합한 사이트, 콘텐츠를 안내해 주도적으로 학습에 참여할 수 있도록 안내하겠습니다. 학생에게 친숙한 디지털 도구를 활용해 학습한다면, 흥미를 고취해 자기주도학습 능력을 올릴 수 있고, 디지털 기기 활용 격차도 좁힐 수 있을 것입니다.

다음으로 교과교사로서의 디지털 리터러시 교육 강화 방안입니다.

첫째, 디지털 리터러시 교육을 시행하겠습니다. 역사 이야기는 유튜브 콘텐츠로 자주 소개되는 주제 중 하나입니다. 하지만 콘텐츠에서 소개하고 있는 내용이 창작자의 견해임에도 실제 있었던 사실인 것처럼 비춰지는 경우도 있습니다. 저는 학생들을 소모둠으로 나눠 하나의 콘텐츠를 선정하게 한 후 그 안의 내용을 비판적으로 분석하는 수업을 구상하고 싶습니다. 교사별 디지털 리터러시 격차가 있다는 점을 고려해 동 교과 협력 학습으로 프로그램을 구상하겠습니다. 이 과정에서 콘텐츠 감식안과 디지털 역량을 키울 수 있으며, 협동해 프로그램을 구상하는 과정에서 리터러시 격차도 좁힐 수 있을 것입니다.

둘째, 플랫폼을 통한 협력 학습을 하겠습니다. 역사 과목은 연표나 이야기로 구성하면 더 이해하기가 쉬운 과목입니다. 구글 공유 문서 등을 활용해 모둠별로 학생들이 내용 재구조화를 함께할 수 있게 하겠습니다. 이를 통해 디지털 역량을 강화하고 디지털 기기 활용 격차를 좁힐 수 있을 것입니다. 이상입니다.

02

평가영역	THEME 15. 생태환경교육
해설	제시문의 키워드를 반영한 생태환경교육을 제시해야 한다.

예시 답변 구상형 2번 답변드리겠습니다.

학생이 생태환경에 대한 문제의식을 느끼고, 사회 문제를 해결할 수 있으려면 학교에서는 학생의 탐구와 성찰이 반영된 수업을 진행해야 합니다. 이런 취지에서 제가 생각한 생태환경교육 방안을 말씀드리겠습니다.

미술 교과에는 '주제를 탐구하고 의도를 반영해 적합한 표현을 계획할 수 있다.', '자신과 타인의 작품을 존중하며, 다양한 방법으로 공유하고 소통할 수 있다.'라는 성취 기준이 있습니다. 저는 이를 달성하기 위해 생태 문제해결을 위한 프로젝트 기반 학습을 추진하고 싶습니다. 먼저 학생들을 소모둠으로 구성합니다. 모둠별로 지역사회의 환경 문제에 대해 스마트 기기를 참고해 검색하고 탐구하도록 지도합니다. 활동 중에 언제든 질문이 가능한 환경을 만들어 학생들이 탐구 과정에서 어려운 점을 적극 해소할 수 있게 합니다. 지역사회 환경 문제를 탐구

한 후 모둠별 토의를 통해 해결책을 모색하게 합니다. 이후 소모둠에서 토의한 해결 방안을 미술 작품으로 표현하게 합니다. 작품을 학급 내에 전시한 후, 갤러리 워크식으로 관람합니다. 이후 자유토의 시간을 통해 작품의 의미, 해결 방안의 유효성 등에 대해 의견을 나누게 합니다. 이를 통해 학생들은 복잡한 환경 문제를 다양한 관점에서 바라볼 수 있으며, 깊이 있는 사고를 할 수 있습니다. 또한 나와 다른 사람의 생각을 존중할 수 있을 것입니다. 모든 활동이 끝난 후 개인별 성찰 시간을 부여해, 활동의 적극성과 추후 활동에서의 보완점 등을 모색해 보도록 하겠습니다.

이를 통해 학생들이 스스로 사고하며 깊이 있는 학습이 이뤄지도록 하겠습니다. 이상입니다.

03

평가영역	THEME 32. 학급 경영
해설	교직관과 설문조사 내용이 크게 달라서는 안 된다. 기본적인 교직관을 갖추고 있되, 상황에 따라 유연하게 적용할 수 있어야 한다.

예시 답변 구상형 3번 답변드리겠습니다.

저의 교직관은 '협력해 함께 성장하자'입니다. 저는 성장 과정에서 공동체와의 협력을 통해 어려움을 해결한 경험이 많았고, 혼자서 오해하거나 마음이 상했을 때 진정성이 담긴 소통으로 상대와 원만하게 갈등을 해결한 경우가 많았기 때문에 공동체적 가치를 매우 중요하게 여기게 됐습니다. 따라서 학급에서도 협력해 함께 성장하는 기쁨을 학생들과 공유하고 싶기에 이러한 교직관을 설계하게 됐습니다.

제시문을 보면 현 시기에 학생들이 당면한 위기로는 상대방을 배려하는 의사소통과 협력 의식 저하, 타인 존중이 부족하다는 것을 알 수 있습니다. 이는 저의 교직관으로 해결할 수 있는 부분이기도 합니다. 따라서 다음과 같은 학급 운영 방안을 고민해 보았습니다. 저는 학급 학생들과 함께 휴대전화 애플리케이션 메시지 함을 열어, 스스로 친구 혹은 가족과 소통하는 방식을 분석해 보도록 하겠습니다. 대화를 일방적으로 주도하진 않았는지, 습관적으로 비꼬거나 놀리는 말을 주로 사용하진 않았는지, 상대방의 감정을 무시하는 발언을 하진 않았는지, 친하다는 이유로 비속어를 무분별하게 사용하진 않았는지, 직접 분석하는 시간을 가져보겠습니다. 그 후 상대의 감정을 상하게 했던 표현을 어떻게 바꾸면 좋을지, 같이 바꿔보는 시간을 가진 후에 서로 배려하고 존중하며 말하기 위한 규약을 제정하고 공표하는 시간을 갖도록 하고 싶습니다. 교사의 일방적인 훈화가 아닌 스스로 탐구하며 성찰하는 자세를 통해 학생들은 상대를 배려하는 언어와 자세의 중요성을 내면화할 수 있을 것입니다.

다음으로 담임교사로서 저의 자세를 말씀드리겠습니다. 학생들은 교사를 통해 많은 것을 보고 배운다고 생각합니다. 교사로서 솔선수범해 학생을 존중하는 말하기를 사용할 것이며, 학급의 중요한 사항을 혼자 통보하는 것이 아닌 회의를 통해 결정하고 실천해 학생들에게 '같이'의 가치를 맛보게 하는 교사가 될 것입니다. 이상입니다.

🎯 즉답형

01

평가영역	THEME 2. 교사 전문성 및 미래교육 역량 강화
해설	제시문의 내용을 모두 언급해야 한다.

예시 답변 즉답형 1번 답변드리겠습니다.

경기교육에서 제시한 교육과정과 생활교육 전문가로 거듭나기 위해 제가 노력해 왔던 방안을 말씀드리겠습니다. 먼저 교육과정 전문가로서 교육과정 역량과 수업 운영 및 평가 역량을 기르기 위해 동기들과 함께 '교사교육과정' 관련 소모임을 만들어 직접 교육과정을 재구성해 보았습니다. 동기들과 협력해 성취 기준 중심으로 교육과정을 재구성한 후 수업을 직접 구상해 보고, 수업 나눔을 하고 있습니다. 학생들의 활동을 위한 활동이 아닌 학생들이 스스로 탐구하고 성찰할 수 있는 수업을 만들기 위해 그 지점을 집중적으로 관찰하고 성찰하고 있습니다. 또한 수업 장면을 녹화해 스스로 분석하며 보완·발전 계획을 수립하고 있습니다. 이를 바탕으로 수업 연구 대회에 참가해, '지역사회 자원을 활용한 사회 교육 방안' 모형을 제시하기도 했습니다. 평가 역량을 키우기 위해서는 IB 교육과정에 대해 동기들과 함께 학습하기도 했습니다. IB 교육과정에서의 서술형, 논술형 평가를 도입한 취지를 이해하기 위해 IB 프로그램을 먼저 도입한 국가들의 콘텐츠를 찾아보고, 경기도교육청에서 공식적으로 발표한 자료, 동영상을 찾아보았습니다. 이를 통해 교사에게 평가 역량 중 학생 밀착 피드백 능력이 중요하다는 것을 깨달았습니다.

다음으로 생활교육 전문가로서 생활교육 역량을 키우기 위해, 교육 실습생 시절에 담당 학급 학생들과 1:1 상담을 진행했습니다. 학생들이 갖는 고민은 무엇이며, 학교생활을 할 때 무엇이 힘든지 30명의 목소리를 듣는 과정에서 학생들의 마음을 이해할 수 있었고 현장에서 필요한 인성교육, 공동체 생활교육의 필요성을 깨달았습니다. 실무 역량을 키우기 위해, 담당 선생님께 교직 관련 상담을 요청해 실제 교사에게 필요한 역량에 대해 질문했으며 선생님께 추천받은 교직 실무 도서를 접하며, 단단하게 교직 철학을 수립하고 교사 전문성과 자부심을 바탕으로 교육공동체와 소통할 용기를 갖추었습니다. 진로교육 역량을 키우기 위해 경기이룸학교, 공동교육과정 등에 대해 직접 찾아보며 지역사회 자원에 대한 이해도를 높이기도 했습니다.

현장에 나아가 경기교육이 요구하는 교육 전문가로 거듭나기 위해 성실하게 노력할 것을 약속드리겠습니다. 이상입니다.

02

평가영역	THEME 20. 고교학점제·공동교육과정
해설	A 학교의 상황 3가지를 보고 진로, 과목 개설, 성취 기준 미도달 등의 키워드를 통해 고교학점제에 관련한 내용임을 분석할 수 있어야 하며, 이에 적합한 교사의 역할을 언급해야 한다.

예시 답변 : 즉답형 2번 답변드리겠습니다.

A 교사의 상황을 보면, 고교학점제의 상황에서 진로가 결정되지 않은 학생이 있고, 학급 학생들의 희망 과목이 교내에 개설되지 않았으며, 성취 수준 미도달 학생이 있다는 점이 보입니다. 이를 해결하기 위한 교사의 3가지 역할을 말씀드리겠습니다.

첫째, 교사는 일상 관찰, 다중지능검사 결과, 개별 상담 등을 통해 학생들의 장점을 파악해 학생들에게 적합한 진로를 추천하고 대화를 통해 진로를 찾아갈 수 있는 방향을 안내해야 합니다. 그러기 위해서 교사는 평소에 학생들을 애정 어린 시선으로 관찰할 수 있어야 하며, 학급 내 1인 1역, 학생주도학습 등의 활동을 활성화해 학생들의 특성을 잘 발견할 수 있어야 합니다.

둘째, 교내에 개설되지 않았지만, 학생들이 희망하는 마케팅 과목을 수강할 방법을 안내해야 합니다. 예를 들어 공동교육과정 거점교를 찾아서 안내하거나 온라인 공동교육과정 안내를 통해 학생들이 관련 과목을 이수할 수 있도록 절차와 방법을 안내해야 합니다. 교사는 여기에서 그치지 않고, 수강 신청을 잘했는지, 이수를 잘하고 있는지 점검해 학생의 성장을 위해 조력해야 합니다.

셋째, 교사는 성취 수준 미도달 학생을 파악하고 학생의 수준에 맞는 개인맞춤형 보충 수업을 해야 합니다. 물론, 이러한 학생이 많이 발생하지 않도록 수업 중간에 미도달 예상 학생을 파악해 적절한 교육을 병행하는 것이 중요합니다. 또한 성취 수준 미도달 학생이 생기지 않도록 예방 계획을 수립해야 합니다. 이상입니다.

추가 즉답형(비교과)

03

평가영역	THEME 4. 에듀테크 활용 교육, THEME 5. 디지털 역량
해설	딥페이크 피해, 가짜 뉴스 확산, 혐오·차별·편향 등 윤리 문제를 모두 해결할 수 있는 방안이어야 한다.

예시 답변 즉답형 3번 답변드리겠습니다.

인공지능의 역기능으로 인한 윤리적 문제를 해결하기 위한 교육 방안은 다음과 같습니다.

첫째, 윤리적 인공지능 활용 교육입니다. 학생들과 함께 딥페이크 기술을 활용해 기술이 도입된 취지와 바르게 사용했을 때의 장점을 습득할 수 있도록 합니다. 이후 토론 시간을 통해 악용할 때 어떻게 활용될 수 있으며, 문제는 무엇인지에 대해 학생들이 스스로 성찰할 수 있는 시간을 부여합니다. 이후 학생들과 함께 구글 공유 문서 등으로 인공지능의 윤리적 활용 서약서를 협동해 작성하게 하며, 기술의 올바른 사용을 익힐 수 있게 하겠습니다. 그렇다면 딥페이크 기술 악용으로 인한 피해가 줄어들 수 있을 것입니다.

둘째, 디지털 리터러시 교육을 하겠습니다. 학생들에게 가짜 뉴스와 진짜 뉴스를 주고, 신뢰성을 판단하게 하는 프로젝트 학습을 진행하겠습니다. 저는 교사로서 정보의 출처와 신뢰성을 평가할 방안을 안내하며 질문을 통해 학생들의 비판적 사고를 자극하겠습니다. 또한 순회 지도를 통해 학생들의 활동 내용을 검토하고 이에 대해 피드백하겠습니다. 학생 주도의 프로젝트 학습을 한다면 학생들이 콘텐츠를 무분별하게 받아들이는 것이 아닌 비판적 검토 능력으로 올바르게 정보를 수용할 힘을 기를 수 있을 것입니다.

셋째, 학생들에게 혐오, 차별, 편향 문제를 이해하고 예방하기 위한 역할극을 시행하겠습니다. 사회에 만연한 혐오 표현을 찾아보게 하고, 디지털 사회를 재구성한 역할극을 기획해 각자의 위치에서 혐오, 차별적인 단어에 무분별하게 노출됐을 때의 상황을 가정해 보겠습니다. 이후 어떤 감정이 들었는지 토론하는 시간을 병행하겠습니다. 이를 통해 학생들은 언어 사용의 신중함을 기를 수 있으며 포용적이고 다름을 인정하는 자세를 기를 수 있을 것입니다. 이상입니다.

04

평가영역	THEME 40. 문제행동 학생, THEME 41. 위기 학생, THEME 42. ADHD 학생
해설	A 학생부터 D 학생의 문제를 모두 해결할 수 있는 답변이어야 한다.

예시 답변 즉답형 4번 답변드리겠습니다.

저는 A 학생부터 D 학생을 대하는 지도 및 상담 방안에 대해 순서대로 말씀드리겠습니다.

먼저 A 학생입니다. A 학생은 ADHD 증상이 있습니다. 이 경우 충동적이거나 과잉 행동을 할 수 있습니다. 따라서 A 학생이 충동적이거나 화를 내는 것이 고의가 아닌 질병 특성임을 인지한 후 접근하겠습니다. ADHD 학생은 행동 특성 때문에 부정적인 피드백을 받을 가능성이 큽니다. 따라서 교사의 긍정적 강화와 칭찬이 중요합니다. 저는 A 학생이 작은 성취를 했을 경우, 크게 칭찬하고 격려해 주어 학생의 자존감을 높이고 동기를 부여할 수 있게 하겠습니다. 또한 소집단 학습으로 대인관계 기회를 제공하겠습니다. 상담 시에는 ADHD 학생이 모호하거나 복잡한 지시를 이해하는 데 어려움을 겪을 수 있다는 것을 이해해 명확하고 구체적인 지침을 주겠습니다. 또한 학부모와 협력해 학생의 특성에 맞는 교육 방안을 함께 모색해 가정과 학교에서 일관된 지원을 통해 A 학생의 어려움을 해결할 수 있도록 돕겠습니다.

다음으로 B 학생입니다. B 학생은 자존감이 낮아 누군가가 지적하는 것을 견디지 못하며 문제행동에 대해 지도할 경우, 억울해하며 불응하고 있습니다. B 학생을 지도할 때 자존감을 높이기 위해 긍정적인 행동에 대한 칭찬과 강화에 집중하겠습니다. 학생이 긍정적인 행동을 했을 때 즉시 칭찬하고, 그 행동이 왜 긍정적인지를 설명해 자존감을 높이겠습니다. 또한 학생의 자존감을 고려해 지도 방식을 조정하겠습니다. 문제행동을 지적할 때, 비난하기보다는 개선 방향을 제시하고, 학생의 강점을 강조하는 방식으로 접근하면 지도에 불응하는 문제가 좋아질 것으로 생각합니다. 상담할 때는 학생이 자신에 대한 긍정적인 인식을 가질 수 있도록 하고, 비판이나 지적에 대한 반응을 조절할 수 있는 문제 해결 기술을 교육하도록 하겠습니다.

다음은 C 학생입니다. C 학생은 수업 시간에 잡담해 교과 교사들에게 지속적으로 지적을 받고 있습니다. 수업 중 잡담을 줄이기 위해 학급 차원에서 회의를 통해 문제의식을 가지고 명확한 수업 규칙을 제정하도록 하겠습니다. 이를 시각화해 출력한 후 부착해 C 학생을 포함한 모든 학생이 규칙을 상기할 수 있게 하겠습니다. 또 C 학생과 개별 상담해 잡담하는 이유를 파악하고 학생의 말을 경청하면서, 수업 중 문제행동으로 인한 교사들의 어려움과 학급 친구들의 학습 방해 측면도 솔직하게 전달하겠습니다. 수업에는 분명한 규칙과 지켜야 할 질서가 있음을 안내한 후 함께 좋은 수업을 만들 것을 약속할 수 있게 하겠습니다.

마지막 D 학생입니다. D 학생은 학업중단 의사를 밝혔습니다. 먼저 학생, 학부모와 상담을 통해 학업중단의 원인을 명확하게 파악하고, 필요한 도움을 제공해야 합니다. 학업유지와 학업중단에 대해 같이 고민하며 학업을 유지했을 때와 중단했을 때의 장단점, 고민하는 문제의 해결 정도를 함께 정리해 본 후 이야기 나누겠습니다. 또한 충동적인 결정이 되지 않도록 학업중단숙려제를 안내하겠습니다. 숙려 기간 동안 학생의 안전과 건강 상태를 확인한 후 학생의 의사결정이 올바르게 될 수 있도록 가정과 연대하겠습니다.

현장에 나아가 다양한 학생들의 특성을 고려한 교육을 도입하는 교사가 되겠습니다. 이상입니다.

실전 모의고사 5회 자기 평가		
체감 난도		ⓢ ⓜ ⓗ ➡ 원인 파악:
스터디원의 피드백	잘한 부분	
	부족한 부분	
내용 이해도가 부족한 THEME	THEME 번호	
	보완 계획	

참고
문헌

1. 사이트

- 경기도교육청 블로그 http://blog.naver.com/go_edu
- 경기도교육청 사이트 http://www.goe.go.kr/
- 교육부 https://www.moe.go.kr/
- 대한안전교육협회 http://safetykorea.or.kr/
- 스마트쉼센터 https://www.iapc.or.kr/
- 아동권리보장원 http://www.korea1391.go.kr/new/
- 에듀넷·티-클리어 https://www.edunet.net/
- 에듀프레스(edupress) http://www.edupress.kr
- 학교폭력예방홈페이지 https://doran.edunet.net/main/mainForm.do
- 행복한 교육 1월~10월호 https://happyedu.moe.go.kr/

2. 문서

- 경기도 용인교육지원청, 「기초기본학력보장 추진 계획」, 2020.
- 경기도교육감직인수위원회, 「제18대 경기도교육감직인수위원회 백서」, 2022.
- 경기도교육연구원, 「경기도교육연구원_인사이트_1권 2호」, 2024.
- 경기도교육연구원, 「경기도교육연구원_인사이트_1권 3호」, 2024.
- 경기도교육연구원, 「경기도교육연구원_인사이트_1권 4호」, 2024.
- 경기도교육연구원, 「경기도교육연구원_인사이트_1권 5호」, 2024.
- 경기도교육연구원, 「경기도교육연구원_인사이트_2권 1호」, 2024.
- 경기도교육연구원, 「교육과정, 수업, 평가 운영 실태 및 일체화 방안 연구」, 2015.
- 경기도교육연구원, 「교육데이터 인사이트 1호」, 2024.
- 경기도교육연구원, 「교육시선 오늘 1~7호」, 2022.
- 경기도교육연구원, 「통계로 보는 오늘의 교육-통권 20호」, 2021.
- 경기도교육연구원, 「통계로 보는 오늘의 교육-통권 21호」, 2021.
- 경기도교육청 민주시민교육과, 「경기 다문화교육 추진 계획」, 2019. 2.
- 경기도교육청 보도자료, 「경기도교육청, 신규교사 임용시험 개선」, 2015. 5. 19.
- 경기도교육청 학교교육과정과, 「2020 원격교육 선도학교 '함께학교·먼저학교' 운영 사례」, 2020.
- 경기도교육청, 「'생각의 힘을 키우는 학기' 논술형 평가 운영 도움자료」, 2024.
- 경기도교육청, 「1급 정교사 자격연수-다문화사회속 교사의 역할(김연권)」, 2021.
- 경기도교육청, 「2016학년도 경기도교육청 교육정책 및 신규 교원 임용제도 설명회 자료」, 2015. 8. 28.
- 경기도교육청, 「2018학년도 경기도교육청 교육정책 및 신규 교원 임용제도 설명회 자료」, 2017. 6. 21.
- 경기도교육청, 「2020 교육복지우선지원사업 운영 지원 계획」, 2020.

- 경기도교육청, 「2020 혁신교육 추진 기본 계획」, 2019.
- 경기도교육청, 「2021 2학기 중등 원격수업 및 등교수업 출결 평가 기록 가이드라인」, 2021.
- 경기도교육청, 「2021 경기교육 주요업무계획」, 2020.
- 경기도교육청, 「2021~2022 학교로부터 시작하는 경기교육 기본계획 수립 계획」, 2020.
- 경기도교육청, 「2021~2023 경기교육 기본계획」, 2020.
- 경기도교육청, 「2022 개정 교육과정에 따른 2024학년도 초등학교 교육과정 편성 안내」, 2024.
- 경기도교육청, 「2022 개정 중학교 교육과정과 학교자율시간」, 2024.
- 경기도교육청, 「2022 개정교육과정 연계 디지털 소양 교육 가이드(중등)」, 2024.
- 경기도교육청, 「2022 개정교육과정 연계 디지털 창의역량 교육 사례집(초등)」, 2024.
- 경기도교육청, 「2022 개정교육과정 연계 디지털 창의역량교육 사례집」, 2024.
- 경기도교육청, 「2022 경기교육 주요업무계획」, 2021.
- 경기도교육청, 「2022 경기형그린스마트미래학교 추진 기본계획」, 2022.
- 경기도교육청, 「2022 과정중심 피드백 실천 사례집」, 2022.
- 경기도교육청, 「2022 교원역량강화 정책추진 기본계획」, 2022.
- 경기도교육청, 「2022 미래학교기획과 정책추진 기본계획」, 2022.
- 경기도교육청, 「2022 민주시민교육 정책추진 기본계획」, 2022.
- 경기도교육청, 「2022 융합교육정책과 정책추진 기본계획」, 2022.
- 경기도교육청, 「2022 중등 교사교육과정 도움자료」, 2022.
- 경기도교육청, 「2022 진로직업정책과 정책추진 기본계획」, 2022.
- 경기도교육청, 「2022 학교교육과정과 정책추진 기본계획」, 2022.
- 경기도교육청, 「2022 학생생활인권 정책추진 기본계획」, 2022.
- 경기도교육청, 「2022 혁신교육 정책추진 기본계획」, 2022.
- 경기도교육청, 「2022~2024년 학생 도박 예방 교육에 관한 기본계획」, 2022.
- 경기도교육청, 「2022년 G-스포츠클럽 Q&A」, 2021.
- 경기도교육청, 「2023 경기 기초학력 보장 시행 계획」, 2023.
- 경기도교육청, 「2023 경기교육 기본계획」, 2023.
- 경기도교육청, 「2023 디지털 미디어 문해교육 협력체 사례집」, 2023.
- 경기도교육청, 「2023 디지털 시민교육 이해자료」, 2023.
- 경기도교육청, 「2023 디지털 시민역량교육 실천학교 수업사례집」, 2023.
- 경기도교육청, 「2023 배움과 성장을 지원하는 과정중심피드백 실천 사례집」, 2023.
- 경기도교육청, 「2023 세계시민(학교민주시민) 교육 기본 계획」, 2023.
- 경기도교육청, 「2023 창의융합체험 추진 계획」, 2023.
- 경기도교육청, 「2023 초등 성장중심평가 이렇게 실천해요」, 2023.

- 경기도교육청, 「2023 초등학생 맞춤형 수업 기본 계획」, 2023.
- 경기도교육청, 「2023 학교 독서교육 및 도서관 운영 기본 계획」, 2023.
- 경기도교육청, 「2023 학생 주도성 프로젝트 활성화 계획」, 2023.
- 경기도교육청, 「2023 함께 만들어가는 고교학점제」, 2023.
- 경기도교육청, 「2023 함께 만들어가는 학생중심 학교교육과정(고등학교편)」, 2023.
- 경기도교육청, 「2023년 교원역량강화 정책추진 기본계획」, 2023.
- 경기도교육청, 「2023년 보도 자료」
- 경기도교육청, 「2023년 보편적·일상적 학교예술교육 기본계획」, 2023.
- 경기도교육청, 「2023년 융합교육정책과 기본계획」, 2023.
- 경기도교육청, 「2023년 정보통신윤리교육 추진 계획」, 2023.
- 경기도교육청, 「2023년 학교 내 대안교실 운영 매뉴얼」, 2023.
- 경기도교육청, 「2023년 학교급식 기본방향」, 2023.
- 경기도교육청, 「2023년 학교정책과 정책추진 기본계획」, 2023.
- 경기도교육청, 「2023년 학생건강과 정책 세부추진계획」, 2023.
- 경기도교육청, 「2023년 학생생활교육 정책추진 기본계획」, 2023.
- 경기도교육청, 「2023학년도 2학기 경기이룸대학 운영 안내서」, 2023.
- 경기도교육청, 「2023학년도 경기 고교학점제 추진 계획」, 2023.
- 경기도교육청, 「2023학년도 경기교육 정기여론조사 1회차 결과보고서」, 2023.
- 경기도교육청, 「2023학년도 자유학기제 추진 계획」, 2023.
- 경기도교육청, 「2024 1학기 1~6학년 수업-평가 연계 도움자료 개발」, 2024.
- 경기도교육청, 「2024 경기 기초학력 보장 시행 계획」, 2024.
- 경기도교육청, 「2024 경기공유학교 운영계획」, 2024.
- 경기도교육청, 「2024 경기교육 주요업무계획」, 2024.
- 경기도교육청, 「2024 경기도교육청 놀이 활동 활성화 운영 계획」, 2024.
- 경기도교육청, 「2024 경기도교육청 인성교육 시행계획」, 2024.
- 경기도교육청, 「2024 경기이룸학교 시행 계획」, 2024.
- 경기도교육청, 「2024 교육과정과 연계한 정책구매제 활용 수업사례 공모 계획」, 2024.
- 경기도교육청, 「2024 교육역량정책과 기본계획」, 2024.
- 경기도교육청, 「2024 교육활동 보호 강화 종합 대책」, 2024.
- 경기도교육청, 「2024 디지털 시민교육 이해자료(리플릿)」, 2024.
- 경기도교육청, 「2024 세계시민 교육 기본 계획」, 2024.
- 경기도교육청, 「2024 에듀테크 활용 교육 기본계획」, 2024.
- 경기도교육청, 「2024 역사교육 기본계획」, 2024.
- 경기도교육청, 「2024 용인 탄소중립 생태환경교육 추진 계획」, 2024.
- 경기도교육청, 「2024 초등 '학습으로의 평가' 이해하기」, 2024.
- 경기도교육청, 「2024 초등 교육과정-수업-평가, 기초학력 추진계획」, 2024.
- 경기도교육청, 「2024 학교자율과제 정책 연계 지원 방안」, 2024.
- 경기도교육청, 「2024 학생의 사고력과 문제해결력을 키우는 중등 논술형 평가 길라잡이」, 2024.

- 경기도교육청, 「2024 함께 만들어가는 학생중심 학교교육과정 도움자료집(고등학교편)」, 2024.
- 경기도교육청, 「2024 함께 만들어가는 학생중심 학교교육과정 도움자료집(중학교편)」, 2024.
- 경기도교육청, 「2024년 달라지는 경기교육」, 2024.
- 경기도교육청, 「2024년 독도교육 활성화 계획」, 2024.
- 경기도교육청, 「2024년 정보통신윤리교육 추진 계획」, 2024.
- 경기도교육청, 「2024년 통일교육 탈북학생교육 기본 계획」, 2024.
- 경기도교육청, 「2024년 학생상담 지원계획」, 2024.
- 경기도교육청, 「2024학년도 IB 프로그램 운영 계획」, 2024.
- 경기도교육청, 「2024학년도 경기 교수학습 기본 계획」, 2024.
- 경기도교육청, 「2024학년도 경기도 공동교육과정 운영 길라잡이」, 2024.
- 경기도교육청, 「2024학년도 자유학기제 안내 리플렛」, 2024.
- 경기도교육청, 「2024학년도 자유학년제 추진 계획」, 2024.
- 경기도교육청, 「2024학년도 자율장학 운영계획」, 2024.
- 경기도교육청, 「2024학년도 학교폭력 사안처리 가이드북 개정판」, 2024.
- 경기도교육청, 「2030 경기미래교육 이해자료」, 2019.
- 경기도교육청, 「2030 경기미래교육」, 2019.
- 경기도교육청, 「23년 학교폭력 사안처리 가이드북」, 2023.
- 경기도교육청, 「e-book 즐겨찾기(2호_배포용)」, 2021.
- 경기도교육청, 「e정책장터이해자료」, 2024.
- 경기도교육청, 「갑질 업무 처리 가이드북」, 2023.
- 경기도교육청, 「경기 블렌디드 러닝의 이해(초등)」, 2020.
- 경기도교육청, 「경기공유학교 리플릿」, 2024.
- 경기도교육청, 「경기도 성장중심평가 기본 문서 −학생의 전면적 발달을 돕는 성장중심평가−」, 2018.
- 경기도교육청, 「경기도 초등 학적 길라잡이」, 2023.
- 경기도교육청, 「경기도 초중등학교 교육과정 총론」, 2024.
- 경기도교육청, 「경기도교육청 어린이 놀 권리 보장을 위한 조례」, 2024.
- 경기도교육청, 「경기도교육청(북주청사)_초등 깊이있는 수업 프레임워크 월간 자료집」, 2024.
- 경기도교육청, 「경기도교육청_중학교 2022 개정 교육과정과 학교자율시간」, 2024.
- 경기도교육청, 「경기인성교육 시작하기 리플릿」, 2023.
- 경기도교육청, 「고차원적 사고력을 키우는 논술형평가」, 2024.
- 경기도교육청, 「공감과 소통을 위한 교실 속 다문화교육」, 2024.
- 경기도교육청, 「교원, 교육전문직원 대상 IB 프로그램 설명회 자료」, 2023.
- 경기도교육청, 「교육공동체가 함께하는 즐거운 여정, 우리들의 행복한 학교자율과정 이야기」, 2023.
- 경기도교육청, 「교육활동 보호 강화 대책 홍보자료」, 2024.
- 경기도교육청, 「교육활동 예방 교육」, 2024.
- 경기도교육청, 「글로컬 융합인재 육성을 위한 IB 프로그램 Q&A」, 2023.
- 경기도교육청, 「글로컬 융합인재 육성을 위한 미래교육 IB 포럼 자료집」, 2023.
- 경기도교육청, 「기초소양을 토대로 역량을 키우는 초등 1~2학년 성장이음과정 안내」, 2024.

- 경기도교육청, 「깊이있는 수업 이해자료 및 정보공시용 교수학습 예시」, 2024.
- 경기도교육청, 「깊이있는수업설계도움자료」, 2024.
- 경기도교육청, 「논술평 평가 학생 교육용 도움자료」, 2024.
- 경기도교육청, 「달라지는 학교 폭력 제도」, 2024.
- 경기도교육청, 「담임교사를 위한 학생 상담 길잡이」, 2024.
- 경기도교육청, 「더 좋은 일반고 함성 프로젝트 소식지-함성소리 4호」, 2017.
- 경기도교육청, 「디지털성범죄 유형 카드뉴스」, 2024.
- 경기도교육청, 「디지털성범죄 이해 카드뉴스」, 2024.
- 경기도교육청, 「미래교육협력지구 추진계획」, 2023.
- 경기도교육청, 「반부패청렴교육표준안」, 2020.
- 경기도교육청, 「생명감수성 증진 프로그램」, 2015.
- 경기도교육청, 「신학기 에듀테크 세우기」, 2024.
- 경기도교육청, 「아동학대 예방 및 대처 요령 교육 부문 가이드북」, 2023.
- 경기도교육청, 「에듀테크 활용 교육 기본계획」, 2023.
- 경기도교육청, 「유·초 연계 교육과정 실천사례」, 2023.
- 경기도교육청, 「유·초·중등 및 특수학교 코로나19 감염예방 관리 안내 자료」, 2020.
- 경기도교육청, 「임태희 교육감 취임 기자회견 문서」, 2022.
- 경기도교육청, 「장애이해교육 연수 자료」, 2024.
- 경기도교육청, 「즐겨찾기 통권 3호, 4호」, 2022.
- 경기도교육청, 「청렴교육 표준 교재」, 2023.
- 경기도교육청, 「초·중 연계 교육과정 실천사례」, 2023.
- 경기도교육청, 「초등 무학년제 교육과정 실천사례」, 2023.
- 경기도교육청, 「초등 성장배려학년제의 이해」, 2021.
- 경기도교육청, 「초등 저학년 인성교육프로그램 자료」, 2023.
- 경기도교육청, 「초등 학년군 연계 교육과정 실천사례」, 2023.
- 경기도교육청, 「초등학교 2022 개정 교육과정 학교자율시간과목 및 활동 개설 예시자료」, 2024.
- 경기도교육청, 「프로젝트 수업, 에듀테크를 만나다」, 2024.
- 경기도교육청, 「하이터치 하이테크 교육의 이해와 활용」, 2024.
- 경기도교육청, 「학교 정책을 잇다 1권~2권」, 2021.
- 경기도교육청, 「학교에서 알아야 하는 청탁금지법 Q_A 및 주요 지적 사례」, 2024.
- 경기도교육청, 「학교자율시간 이것이 궁금해요」, 2024.
- 경기도교육청, 「학력향상 교육과정 실현을 위한 학교자율시간 설계의 실제」, 2024.
- 경기도교육청, 「혁신학교 2021, 우리가 만들어 갑니다」, 2021.
- 교육부, 「2022개정교육과정총론」, 2024.
- 교육부·한국교육학술정보원, 「함께 실천하는 사이버폭력 예방 리플릿-교사용」, 2020.
- 교육부·한국교육학술정보원, 「함께 실천하는 사이버폭력 예방 리플릿-학부모용」, 2020.
- 교육부·한국교육학술정보원, 「함께 실천하는 사이버폭력 예방 리플릿-학생용」, 2020.
- 김성천 외, 「초등교사 임용후보자 선정 경쟁시험의 문제점과 개선방향 탐색」, 교육문화연구 vo.23, 2017.

- 아동권리보장원, 「아동학대 신고의무자가 꼭 알아야하는 아동학대 예방요령」, 2020.
- 임태희, 「취임1주년을 맞아 경기교육가족에게 드리는 글」, 2023.
- 중앙교육연수원, 「스마트폰 과의존 예방교육 연수자료」, 2020.
- 한국교육개발원, 「2019 탈북학생 지도교사용 매뉴얼 '함께 만들어요! 하나된 세상'」, 2018. 4.
- 한국교육과정평가원, 「21세기 역량 기반 교육과정 개발 방향 연구-OECE Education 2030-」, 2016.

3. 도서

- EBS 당신의 문해력 제작팀, 김윤정, 『당신의 문해력』, EBSBOOKS, 2021.
- 게일 에반스, 『남자처럼 일하고 여자처럼 승리하라』, 해냄, 2000.
- 고영규 외, 『지혜로운 교사는 교실 속 문제를 어떻게 해결하는가』, 테크빌 교육, 2021.
- 교육과정디자인연구소, 『교사 교육과정을 디자인하다』, 테크빌교육, 2020.
- 교육트렌드2023 집필팀, 『대한민국 교육 트렌드』, 에듀니티, 2022.
- 구본권, 『유튜브에 빠진 너에게』, 북트리거, 2020.
- 김고연주, 『나의 첫 젠더 수업』, 창비, 2017.
- 김용섭 외, 『청소년을 위한 미래 교과서』, 김영사, 2022.
- 김원아, 『예의 없는 친구들을 대하는 슬기로운 말하기 사전』, 사계절, 2022.
- 김윤정, 『공부머리 만드는 초등 문해력 수업』, 믹스커피, 2019.
- 김태훈, 『서울대 수석은 이렇게 공부합니다』, 다산에듀, 2021.
- 김현섭, 『질문이 살아있는 수업』, 한국협동학습센터, 2015.
- 김현섭, 『철학이 살아있는 수업기술』, 수업디자인연구소, 2017.
- 노구치 데츠노리, 『숫자의 법칙: 생각의 틀을 바꾸는 수의 힘』, 어바웃어북, 2015.
- 롤프 도벨리, 『스마트한 생각들』, 걷는나무, 2012.
- 박기현 외, 『디지털교육 트렌드 리포트 2024』, 테크빌 교육 2023.
- 박숙영, 『회복적 생활교육을 만나다』, 좋은교사, 2014.
- 사토마나부, 『수업이 바뀌면 학교가 바뀐다』, 에듀니티, 2011.
- 손우정, 『배움의 공동체』, 해냄, 2012.
- 송형호, 『학부모 상담 119』, 지식의날개, 2021.
- 송형호·송지선, 『온·오프를 아우르는 학급경영 B to Z』, 우리학교, 2021.
- 송형호·왕건환, 『교사 119 이럴 땐 이렇게』, 에듀니티, 2019.
- 신고은, 『인간의 마음을 이해하는 수업』, 포레스트북스, 2021.
- 안데르스 한센, 『인스타 브레인』, 동양북스, 2020.
- 이명섭 외, 『교육과정-수업-평가-기록의 일체화 실천편』, 에듀니티, 2017.
- 이케가야 유지, 『세상에서 가장 재미있는 61가지 심리실험: 인간관계편』, 사람과나무사이, 2019.
- 정문성, 『토의·토론 수업 방법 84』, 교육과학사, 2008.
- 좋은교사, 『좋은교사』, 2019.
- 토드 휘태커·애넷 브로, 『교실에서 바로 쓸 수 있는 낯선 행동 솔루션 50』, 우리학교, 2020.

사이다 면접 ·Output

초판인쇄 | 2024. 11. 15.   **초판발행** | 2024. 11. 20.   **공저자** | 이지수, 구영모
발행인 | 박 용   **발행처** | (주)박문각출판
등록 | 2015년 4월 29일 제2019-000137호
주소 | 06654 서울특별시 서초구 효령로 283 서경빌딩
교재문의 | (02)6466-7202

ISBN 979-11-7262-276-3
     979-11-7262-274-9(세트)

정가 45,000원(분권, 별책 포함)